JN086957

新・明解

C言語で学ぶアルゴリズムとデータ構造

第2版

柴田望洋
BohYoh Shibata

SB Creative

はじめに

みなさんは、プログラムを作成しているときに、次のような《**要求**》に出会ったことはありませんか？

- データの集まりの中に、ある特定の値が入っているかどうかを調べたい。
- 配列の要素を小さいほうから順に並べたい。
- 常に 50 音順に並ぶように、データの集合を構造化したい。

本書『**新・明解C言語で学ぶアルゴリズムとデータ構造 第2版**』は、このような要求を即座にプログラム化できる力を身につけるためのテキストです。

基本的なアルゴリズムとデータ構造に始まって、目的とするデータを見つける**探索**、データの並びを一定の順序で並びかえる**ソート**、さらには、**スタック／キュー／再帰的アルゴリズム／線形リスト／2分探索木**などを学習します。

視覚的なイメージをつかみやすい230点の**図表**と、実際に動作する113編の**プログラム**が、みなさんの理解の手助けとなるでしょう。

もっとも、紙に印刷されたプログラムリストや図を眺めているだけでは、実行に伴うプログラムの流れの分岐や変数の値の変化などは、なかなか把握できません。そこで用意したのが、出版社のサポートサイトからダウンロードできる**アルゴリズム体験学習ソフトウェア**です。このソフトウェアを使えば、刻々と変化するアルゴリズムの流れや変数の変化などが手に取るように分かります。プログラムをステップ単位で進めたり戻したりして、みなさん自身でソフトウェアを操作しながら学習を進めていきましょう。

さらに、100問にもおよぶ**プログラム作成の演習問題**を解くことによって、学習内容が身につくとともに、**コーディング能力**が高められるようになっています。

各章の章末に示している67問の**文章問題**は、基本情報技術者試験で出題された問題ですので、**資格試験対策のための学習**もサポートします。これらの問題にチャレンジして、理解を深めましょう。

本書を活用して、アルゴリズムとデータ構造の基礎的な知識や、それらを用いたプログラムの技術等を習得していただければ幸いです。

2021 年 4 月
柴田 望洋

本書の構成

本書は、基礎的なアルゴリズムとデータ構造を学習するためのテキストです。構成は、次のようになっています。

第１章　基本的なアルゴリズム
第２章　基本的なデータ構造
第３章　探索
第４章　スタックとキュー
第５章　再帰的アルゴリズム
第６章　ソート
第７章　文字列探索
第８章　線形リスト
第９章　木構造と２分探索木

学習にあたっては、各章を順に理解していくのが基本です。

たとえば、第１章と第２章は、**『基本的な〜』**のタイトルが示すように、それ以降のすべての章の基礎です（特にしっかりと学習する必要があります）。

また、第３章で学習する**「線形探索」**は、それ以降の多くの章で応用されます。第４章の**「スタック」**は、第５章と第６章のアルゴリズムやデータ構造で利用します。

なお、学習の順序が逆となる箇所があります。第３章の**「ハッシュ法」**では、第８章の知識が必要となりますし、第６章の**「ヒープソート」**では、第９章の知識が必要となります。

▶ 本書の初版は、全 10 章構成でした。今回の第２版への改訂にあたって、『集合』の章を削除しています。削除した『集合』の章は、本ページでお知らせするサイトで、初版の PDF がダウンロードできます。必要であれば、ご利用いただくとよいでしょう。

本書を読み進める上で、知っておくべきこと・注意すべきことがあります。

■ アルゴリズム体験学習ソフトウェア

みなさんの学習を強力にサポートする**『アルゴリズム体験学習ソフトウェア』**は、出版社のサポートサイトからダウンロードできます。詳細につきましては、序章をご覧ください。

■ ソースプログラムについて

本書では、113編のプログラムを参照しながら学習を進めます。すべてのソースプログラムは次のサイトでダウンロードできますので、ご活用ください。

柴田望洋後援会オフィシャルホームページ　　https://www.bohyoh.com/

なお、掲載しているプログラムの別解や、少し変更を加えただけのプログラムなどは、一部あるいはすべてを割愛しています。具体的には、本書に（リスト番号を与えて）示しているソースプログラムは **1Ø4編**で、**9編**は一部あるいはすべてを割愛しています。

なお、掲載を割愛しているプログラムリストに関しては、（`"chap99/****.c"`）という形式で、フォルダ名を含むファイル名を明記しています（もちろん、ダウンロードプログラムには、割愛したプログラムもすべて含まれています）。

▶ 演習問題と章末問題の解答もダウンロードできます。

なお、このホームページでは、C言語のFAQ（よく聞かれる質問と、その答え）を含めて、プログラミングや情報処理技術に関する膨大な情報を提供しています。

■ C言語と標準ライブラリ関数について

本書は、C言語に関しての基礎的な知識をおもちであることを前提としています。

学習を進める上で、本書で学習するアルゴリズムやデータ構造そのものではなく、基本的なプログラミングの用語や、C言語のコード（プログラム）などが十分に理解できないのであれば、C言語の基礎の学習が必要です。

なお、本書に示すプログラムの一部は、乱数を生成する ***rand*** 関数、現在の時刻を取得する ***time*** 関数などのC言語の標準ライブラリ関数を利用しています。

これらの関数については、本文中でも簡単に解説していますが、詳細かつ完全な仕様も、上記のホームページで公開しています。

■ 逆斜線記号 \ と円記号 ¥ の表記について

C言語のプログラムで頻繁に使われる逆斜線記号 \ は、**環境によっては**円記号 ¥ に置きかえられます。みなさんの環境にあわせて、読みかえるようにしましょう。

■ 数字文字ゼロの表記と仮名遣い（づか）について

数字のゼロは斜線入りの“Ø”と表記して、アルファベット大文字のオーは“O”と表記しています。

▶ ただし、章・節・図表・ページなどの番号や、年月表示などのゼロは、斜線のない“0”と表記しています。

なお、基本情報技術者試験の問題文と、JISの規格文書からの引用部（改変引用を含む）と、それ以外の本文とで、仮名遣いなどの表記が異なる箇所があります。

■ 索引について

私の他の本と同様に、充実した索引を用意しています。たとえば、**単純交換ソート**であれば、**『単純』『交換』『ソート』**のどの索引項目でも引けるようになっています。

▶ 上記のホームページでは、本書の**『目次』**と**『索引』**のPDFファイルもダウンロードできます。
おもちのプリンタで印刷してお手元に置いていただくと、本書内の調べものがスムーズに行えるようになります（本文と索引を行き来するためにページをめくらなくてすみます）。

目次

序章

アルゴリズム体験学習ソフトウェア

- アルゴリズム体験学習ソフトウェア
- 学習をサポートするドキュメント
- ソフトウェアの設定
- コントロールパネル
- 簡略モードと詳細モード
- 三値の最大値の体験学習
- 単純挿入ソートの体験学習

1 学習を始める前に

学習をサポートするソフトウェアとドキュメントについて

さあ、アルゴリズムとデータ構造の学習を始めましょう。本書の学習で利用するプログラミング言語は、世界中の幅広い分野で使われている**C言語**です。

さて、みなさんが、アルゴリズムやデータ構造を学習する目的は何でしょうか。思いつくところをいくつか挙げてみますと、

- C言語の基礎を習得した後に、次のステップを目指すため。
- 大学や専門学校の講義科目として。
- 資格取得のため。

  ⋮

といったところでしょうか。

目的が何であれ、本書の隅々（すみずみ）まで理解することを目指しましょう。

もっとも、文字で書かれたテキストでの学習では、どうしても次のような問題にぶつかりがちです。

- 印刷されたプログラムリストや図は、静的であって“動き”がないため、それらを見るだけでは、アルゴリズムやデータ構造は、なかなか理解できない。
- 利用するプログラミング言語に、それなりに精通する必要がある。
- アルゴリズムやデータ構造に関する基礎的な学習と、資格取得に要求される知識やテクニックは必ずしも一致しない。

このような問題を少しでも解決できるように、数多くのソフトウェアやドキュメント類をWebで提供しています。右ページに示すのが、提供内容の概略です。本書の学習とあわせて活用しましょう。

＊

なお、この序章では、**『アルゴリズム体験学習ソフトウェア』**を紹介します。

注意

提供されているソフトウェアやドキュメント類の著作権は、著者が保有しています。これらを無断でコピーすることは禁じられており、法律に基づいて処罰の対象となることに注意してください。

また、ソフトウェアやドキュメント類の運用によって生じた損害などに対しては、一切の保証は行いませんので、あらかじめご了承ください。

ソフトウェアとドキュメントの概略

ここでは、Web で公開しているソフトウェアおよびドキュメントの概要を示します。

アルゴリズム体験学習ソフトウェア

プログラムの実行に伴って、刻々と変化するプログラムの流れや変数の値などを、C言語で書かれたプログラムリストと対比しながら、視覚的に体験学習します。

ダウンロードは、出版社のサポートサイトから行います。

https://isbn2.sbcr.jp/09788/

▶ これまでに数万人の方々に愛用されている学習ソフトウェアです。本書の学習と並行してご利用ください。

*

以下のドキュメント類は、出版社のサポートサイトではなく、著者のサイトで公開しています。アドレスは、以下のとおりです。

https://www.bohyoh.com/Books/NewMeikaiCAlgorithm2/

ソースプログラム

本文中に示している**全113編**のソースプログラムです。

▶ 学習内容を身につけるには、みなさん自身でプログラムを打ち込むのが基本です（特に初心者）。時間がない場合や、プログラムの動作を確認したい場合などに利用するとよいでしょう。

演習問題の解答プログラム

本書の本文では、**100問**のプログラム作成の演習問題を出題しています。すべての問題の解答プログラムを公開しています。

▶ 演習問題は、みなさんが自分自身で解く、というのが原則です。まずは自分で実際にプログラムを作成してみて、分からない場合などに参照するようにしましょう。

章末問題の解答

本書の各章の章末では、**67問**の文章問題を出題しています。すべての問題は、基本情報技術者試験（旧・第２種情報処理技術者試験）において過去に出題された問題です。すべての問題と、その詳細な解説を公開しています。

さらに、本書の章末問題として示していない過去問についても、数多くの問題と詳細な解説を公開しています。

▶ 章末問題も、みなさんが自分自身で解く、というのが原則です。まずは自分で解いてみて、分からない場合などに参照するようにしましょう。

2 アルゴリズム体験学習ソフトウェア

アルゴリズム体験学習ソフトウェアについて

ソフトウェアを実行すると、その内部では、プログラムの流れの分岐や繰返しなどが行われますし、変数の値は刻々と変化していきます。

そのため、紙に印刷された、動きのない静的なプログラムリストや図では、ダイナミックに変化するプログラムの動きを理解するのは容易ではありません。

アルゴリズム体験学習ソフトウェアは、本書で紹介するアルゴリズムやデータ構造のもつ<動き>を、C言語のプログラムリストや解説などと対比しながら視覚的に体験学習できるようにしたものです。

▶ 本ソフトウェアは、Microsoft Windows 上で動作します。本ソフトウェアを実行するには、事前にインストールを行う必要があります。

メニュー画面

アルゴリズム体験学習ソフトウェアを起動しましょう。そうすると、**Fig.1** に示すメニュー画面が表示されます。

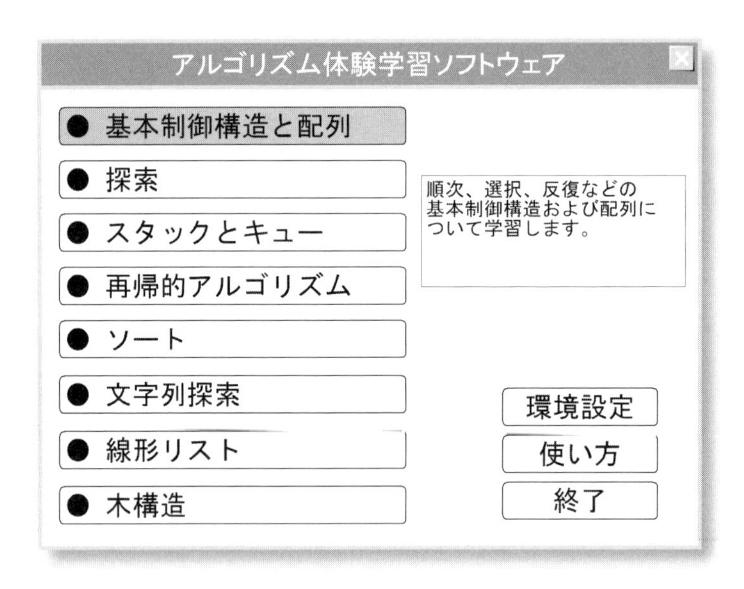

Fig.1 アルゴリズム体験学習ソフトウェアのメニュー画面

動作環境の設定

体験学習を始める前に、まずは環境設定を行いましょう。

メニュー画面から<環境設定>を選んでください（マウスカーソルを位置付けてから左ボタンをクリックします）。そうすると、**Fig.2** に示すウィンドウが表示されます。

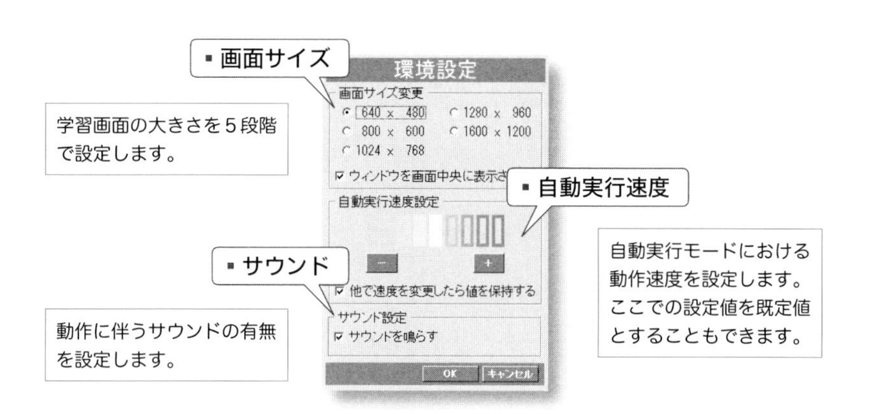

Fig.2　環境設定の画面

画面サイズ

本ソフトウェアは、実行する環境のディスプレイの解像度や大きさに依存することなく快適に利用できるように作られています。みなさんの環境・好み・視力などにあわせて、画面サイズを選択しましょう。

また、本ソフトウェアをディスプレイ画面の中央に表示するかどうかも選択できます。

自動実行速度

本ソフトウェアの実行モードには、《**ステップ実行**》と《**自動実行**》との２種類があります（これらのモードについては、次ページで解説します）。ここで設定するのは、自動実行モードでの動作速度の既定値です。体験学習をしていて、自動実行のスピードが速い、あるいは遅いと感じたら、この値を調整するとよいでしょう。

また、体験学習中に自動実行速度の調整を行った場合に、それを既定値として記憶させるかどうかも選択できます。

サウンド

動作に伴う効果音の ON/OFF を設定します。

＊

設定が終了したら、いくつかのアルゴリズムを体験学習してみましょう。

<三値の最大値>の体験学習

メニュー画面で《**基本制御構造と配列**》を選んで、さらに《**三値の最大値**》を選びます。そうすると、**Fig.3** に示す画面が表示されます。

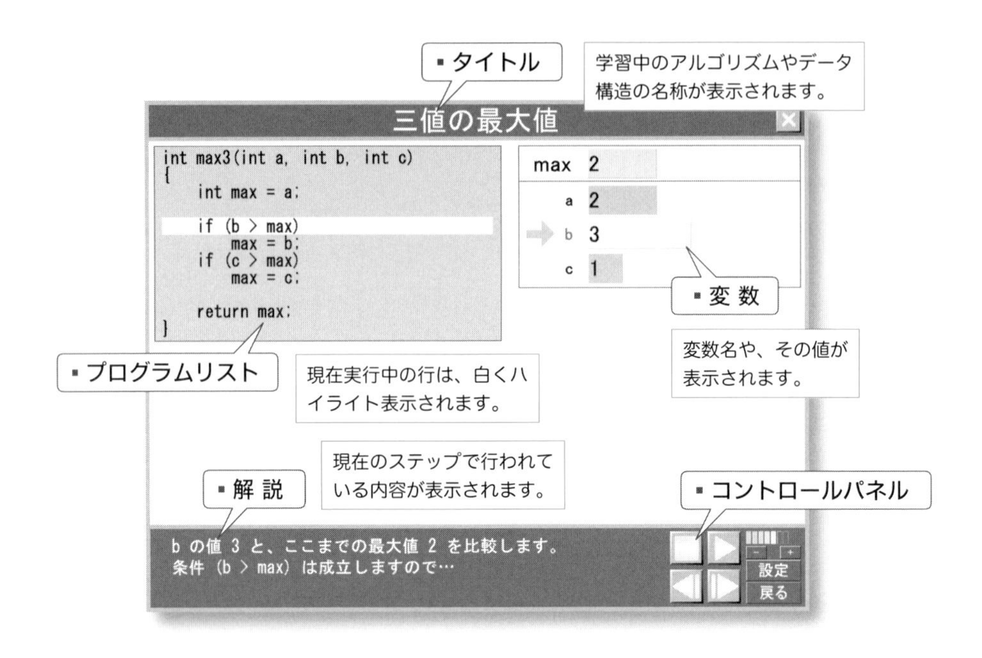

Fig.3　三値の最大値の学習画面

ここでは、第１章で学習する“**三値の最大値を求める**”アルゴリズムを体験学習します。ここに示されている関数 *max3* は、受け取った三つの仮引数 **a**, **b**, **c** の最大値を求めて変数 **max** に格納して、その値を返却する関数です。

ウィンドウには、プログラムリスト、解説、変数などが表示されています。慣れるまでは少々大変でしょうが、各項目を見比べながら学習を進めていきます。

本ソフトウェアの操作に利用するのが、ウィンドウの右下隅に表示されているコントロールパネルです。右ページの **Fig.4** を見ながら理解していきましょう。

停止

プログラムの実行を停止します。

実行／一時停止

プログラムを自動実行モードで実行します。このモードでは、停止や一時停止をしない限り、プログラムが１ステップずつ最後まで実行されます。

なお、実行中は、動作を一時停止するためのボタンとして機能します。

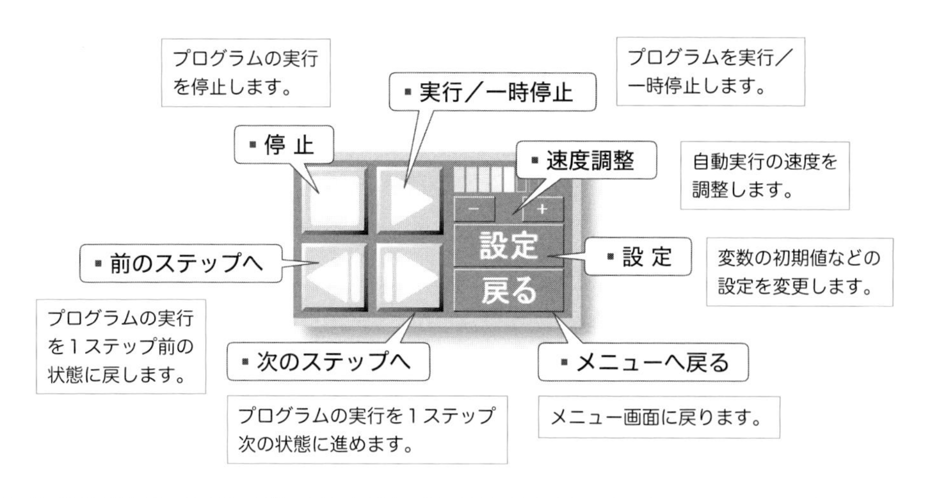

Fig.4　コントロールパネル

速度調整

自動実行モードにおいて、プログラムを1ステップ進めるスピードの調整を行います。＋をクリックすると速くなり、－をクリックすると遅くなります。

次のステップへ

プログラムをステップ実行モードで1ステップずつ実行します。プログラムリストのどこが実行されているか、変数の値がどのように変化するのか、何が行われているのかを確認しながら理解を深めます。

前のステップへ

プログラムの実行を1ステップ前に戻します。プログラムの動きや変数の値の変化を見過ごしたときなどに使います。戻れるステップ数に制限はありません。プログラムの開始状態まで戻ることができます。

設定

同じプログラムでも、変数の初期値などの条件が異なれば、その流れや、得られる結果、終了までに要するステップ数や時間などが変化します。

Fig.5 に示すウィンドウが表示されますので、変数 `a`，`b`，`c` の初期値を変更してみましょう。

どの組合せでも、正しく最大値を求めることができるでしょうか？　三値のどれが最大値になるでしょうか？　いろいろと試してみましょう。

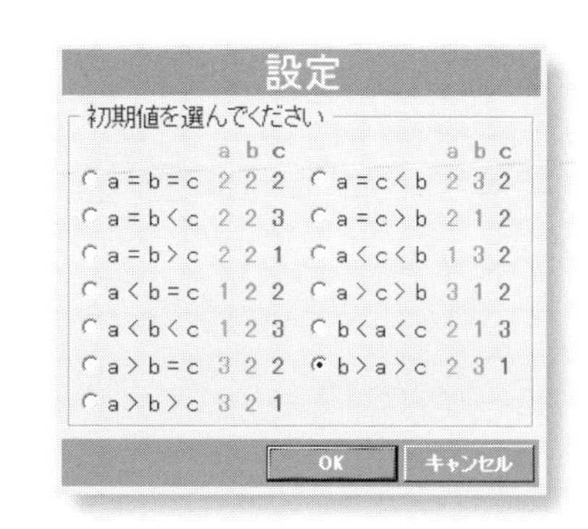

Fig.5　設定画面

<単純挿入ソート>の体験学習

次に、第6章の“**単純挿入ソート**”を体験学習しましょう。いったんメニューに戻って《**ソート**》を選び、それから《**単純挿入ソート**》を選びます。

▶ ソートとは、データの集まりを小さい順や大きい順に並べることです。単純挿入ソートのアルゴリズムは、6–4節で学習します。

簡略モード

この体験学習画面では、要素数が**10**である配列**a**を昇順にソートしていく過程が示されます。右側の白いウィンドウには、配列の要素の値が、ちょうど棒グラフのように表示されます。なお、棒の左側に小さく表示された**0**から**9**の値は各要素の添字の値であり、棒の中に表示された値が各要素の値です。

単純挿入ソートは、変数***i***の値を**1**から始めて一つずつ増やしながら、着目している要素**a[*i*]**を、それより先頭側の“適当な位置に挿入する”ことによって、配列の要素を並べかえるアルゴリズムです。

プログラムを実行すると、**Fig.6**に示すように、要素が挿入される様子がアニメーション表示されます。

▶ ここに示すのは、**1**と**5**のあいだに**3**が挿入される様子です。なお、画面に表示されるソースプログラムは、本書で示しているソースプログラムとは一部異なります。

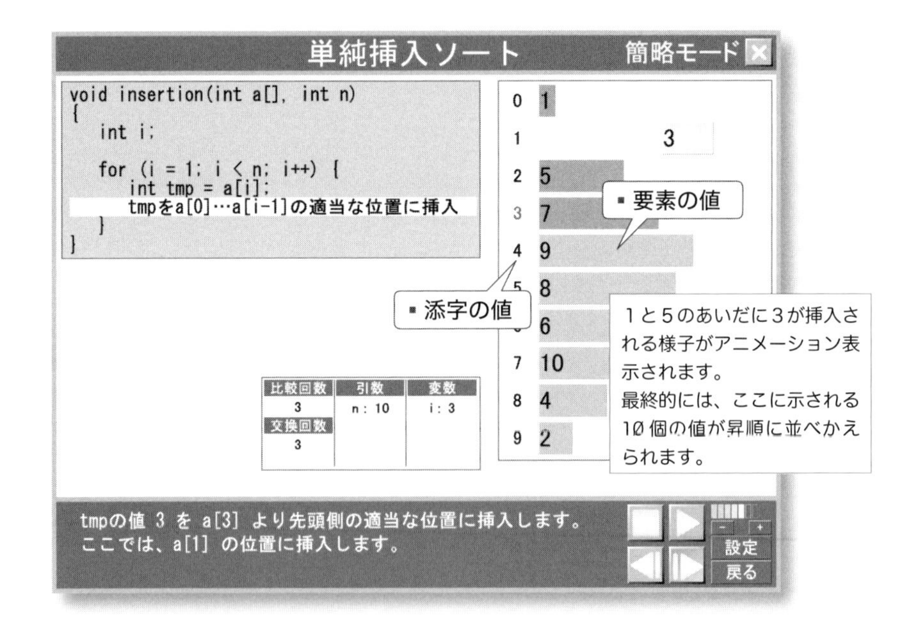

Fig.6 単純挿入ソートの簡略モード

まず a[1] が挿入され、次に a[2] が挿入されて、… 、最後に a[9] が挿入されると、配列の要素は、昇順（小さいほうから順）に並びます。これで、ソートは完了です。

＊

このアルゴリズムが大まかに理解できたら、<設定>ボタンを押してください。**Fig.7** の画面が表示されます。

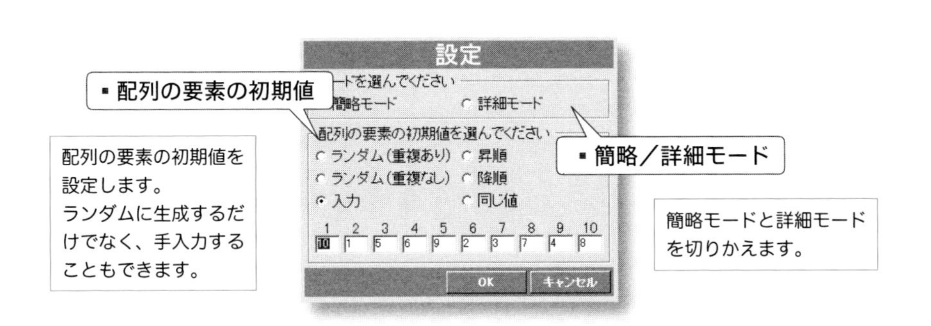

Fig.7　単純挿入ソートの設定画面

ソートの対象となる配列要素の初期値が自由に設定できます。初期値を変更すると、ソートが終了するまでに行われる**比較回数**や**交換回数**は、どのように変化するでしょう。

たとえば、《**昇順**》を選んでみてください。そうすると、もともとソートずみの配列をソートすることになります。このような場合は、非常に少ないステップ数で、ソートが終了します。逆に《**降順**》だと、どうなるでしょうか。

また、個々の要素の初期値をキーボードから入力することもできます。いろいろと試してみましょう。

簡略モードと詳細モード

ここまでは、アルゴリズムの概略を学習するための“**簡略モード**”でした。このモードでは、ソートの過程における“適当な位置に挿入する”処理が、プログラムリスト上、単一のステップとして行われています。

しかし、配列内の要素を“適当な位置に挿入する”処理は、実際のプログラムでは単一の文や命令で実現できるものではありません。

第6章で詳しく学習しますが、配列を先頭側へと走査しながら（なぞりながら）、一つ前の要素が a[*i*] より大きければ交換する、という地道な作業を、a[*i*] 以下の値に出会うまで繰り返す必要があります。

その詳細までをも完全に実現したプログラムを学習するのが、“**詳細モード**”です。設定画面から、《**詳細モード**》を選びます。

詳細モード

詳細モードでは、**Fig.8** に示すように、完全な形で実装されたプログラムリストと対比しながら体験学習を行います。

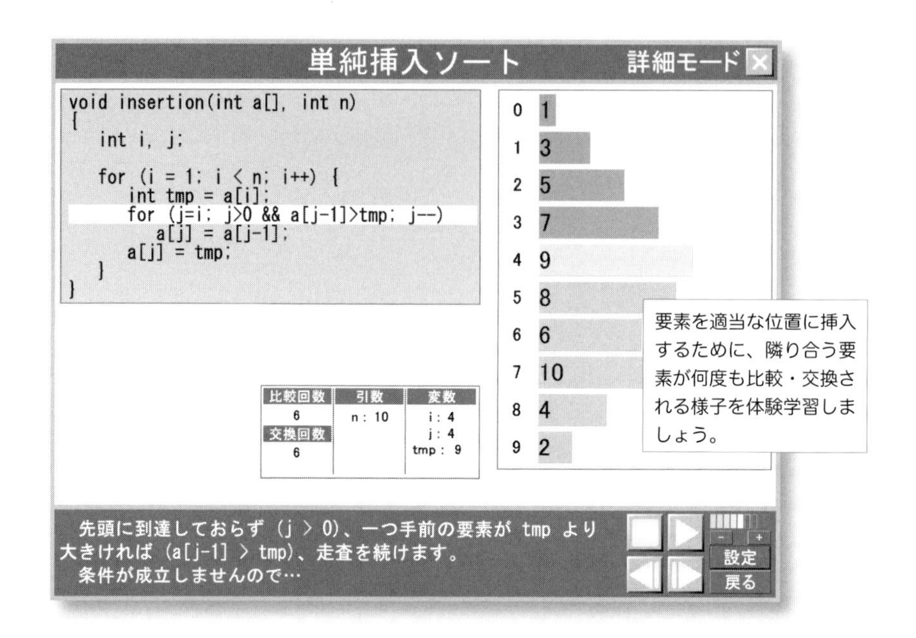

Fig.8　単純挿入ソートの詳細モード

配列要素 **a[*i*]** の“適当な位置への挿入”が、代入作業の繰返しによって行われることを理解しましょう。

単純挿入ソートを含めて、いくつかのアルゴリズムでは、簡略モードと詳細モードの両方が用意されています。

簡略モードは、アルゴリズムの根本的な考え方を学習するモードです。まずは、こちらのモードでの学習を行うとよいでしょう。

詳細モードは、完全な形のプログラムリストを学習するモードです。完全なプログラムの動作が学習できるというメリットがある一方で、ステップ数が非常に多くなります（そのため、クリック数も増えます）。

みなさんの理解度などに応じて、モードを切りかえて学習を進めてください。

＊

それでは、<戻る>ボタンを押して、ソートのメニューに戻りましょう。ソートを行うために、数多くのアルゴリズムが考案されています。これらのアルゴリズムだけでなく、いろいろなソートアルゴリズムの速度比較なども体験学習してみましょう。

その他のアルゴリズムの体験学習

ここでは、三値の最大値を求めるアルゴリズムと、単純挿入ソートを例にして、アルゴリズム体験学習ソフトウェアの利用法を簡単に紹介しました。これ以外にも、多くのアルゴリズムやデータ構造を体験学習できます。

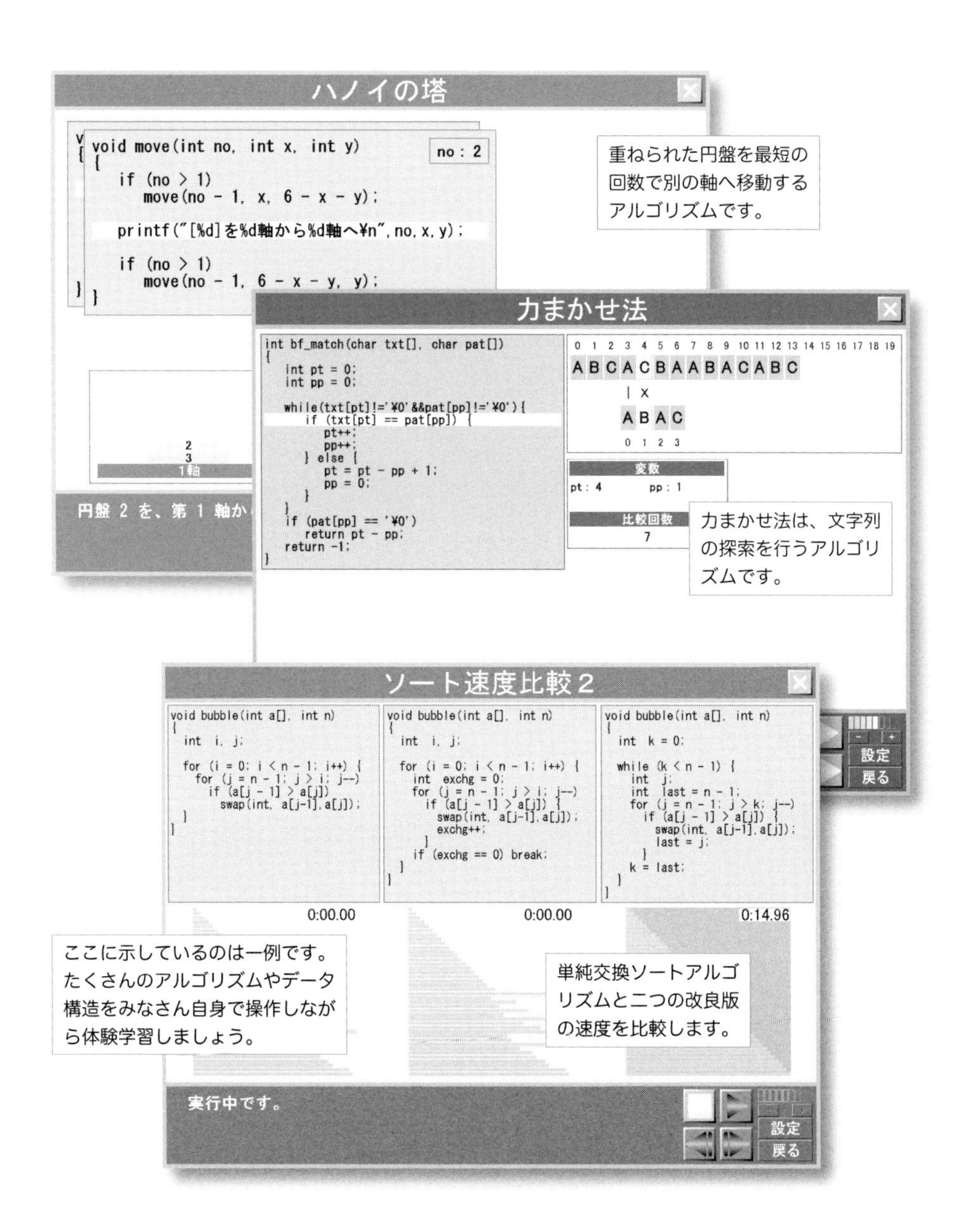

Fig.9 アルゴリズム体験学習画面の一例

第1章

基本的なアルゴリズム

- アルゴリズムの定義
- フローチャート（流れ図）
- 構造化プログラミング
- 繰返し（前判定／後判定）
- 順次と選択（分岐）
- ド・モルガンの法則
- ３値の最大値と中央値
- １からｎまでの総和
- 九九の表／三角形の表示

1-1 アルゴリズムとは

本節では、短く単純なプログラムを題材として、《アルゴリズム》とは何かを理解するとともに、その定義などを学習します。

3値の最大値

まず最初に、“**そもそもアルゴリズム**（algorithm）**とは何か?**”を、短く単純なプログラムで考えていきましょう。

題材として取り上げる**List 1-1**は、**三つの値の《最大値》を求めるプログラム**です。最初にキーボードから読み込んだ値を変数**a**, ***b***, ***c***に格納し、その後、それら3値の最大値を変数***max***に求めて表示します。

まずは、プログラムを実行して、動作を確認しましょう。

List 1-1 chap01/max3.c

```
// 三つの整数値を読み込んで最大値を求める

#include <stdio.h>

int main(void)
{
    int a, b, c;

    printf("三つの整数の最大値を求めます。\n");
    printf("aの値：");   scanf("%d", &a);
    printf("bの値：");   scanf("%d", &b);
    printf("cの値：");   scanf("%d", &c);

    int max = a;                  ←1
    if (b > max) max = b;         ←2
    if (c > max) max = c;         ←3

    printf("最大値は%dです。\n", max);

    return 0;
}
```

実行例

```
三つの整数の最大値を求めます。
aの値：1⏎
bの値：3⏎
cの値：2⏎
最大値は3です。
```

変数**a**, ***b***, ***c***の最大値を***max***として求めるのが、1～3の箇所です。その手順は、次のようになっています。

1 ***max***に**a**の値を代入する。

2 ***b***の値が***max***よりも大きければ、***max***に***b***の値を代入する。

3 ***c***の値が***max***よりも大きければ、***max***に***c***の値を代入する。

三つの文が並んでいて、それらが**順番に**実行されます。複数の処理が順番に実行される構造は、**順次**（じゅんじ）（concatenation）構造と呼ばれます。

さて、1は単純な代入ですが、2と3は**if**文です。**( )**の中に置かれた**式**の評価結果に応じてプログラム実行の流れを変更する**if**文の構造は、**選択**（せんたく）（selection）構造です。

Column 1-1　演算子とオペランド／式と評価

演算子とオペランド

演算を行うための + や > などの記号が**演算子**（operator）で、その演算の対象となる式が**オペランド**（operand）です。たとえば、b と max の値の大小関係を判定する式 b > max において、演算子は > であって、オペランドは b と max の2個です。

演算子は、オペランドの個数によって、3種類に分類されます。

- **単項演算子**（unary operator） … オペランドが1個。例：a++
- **2項演算子**（binary operator） … オペランドが2個。例：a < b
- **3項演算子**（ternary operator）… オペランドが3個。例：a ? b : c

式と評価

プログラムの実行時には、**式**が**評価**されます。

■ 式

厳密な定義ではないのですが、**式**（expression）とは、次のものの総称です。

- 変数
- 定数
- 変数や定数を演算子で結合したもの

式 x = n + 135 を考えましょう（変数 x と n は int 型であるとします）。この式において、x, n, 135, n + 135, x = n + 135 のいずれもが式です。

なお、○○演算子とオペランドが結合した式は、○○式と呼ばれます。たとえば、代入演算子 = によって x と n + 135 が結び付いた式 x = n + 135 は、**代入式**（assignment expression）です。

■ 式の評価

原則として、**すべての式に値（あたい）があります**（特別な型である void 型の式だけは、値がありません）。その値は、プログラム実行時に調べられることになっており、式の値を調べることは**評価**（evaluation）と呼ばれます。

評価のイメージの具体例を示したのが、**Fig.1C-1** です（この図は、int 型変数 n の値を 52 としています）。

変数 n の値が 52 ですから、n, 135, n + 135 の各式を評価した値は 52, 135, 187 となります。もちろん、三つの値の型はいずれも int 型です。

このように、本書では、ディジタル温度計のような図で評価値を示します。左側の小さな文字が《**型**》で、右側の大きな文字が《**値**》です。

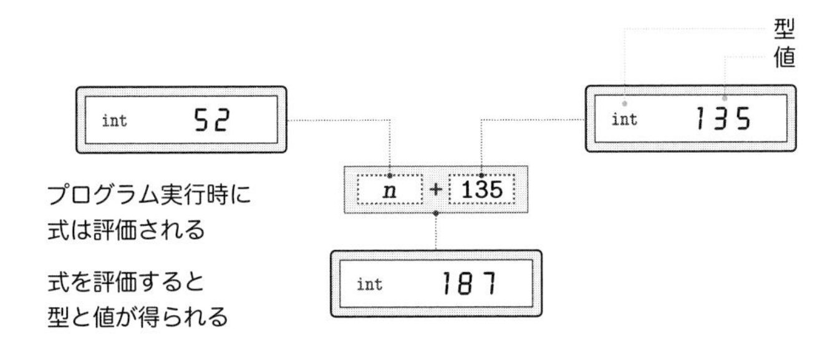

Fig.1C-1　式の評価（int 型+int 型）

３値の最大値を求める手続きを、**Fig.1-1** で理解しましょう。

プログラムの流れや構造を表す図には、いろいろな種類があります。ここで使っているのは、**流れ図＝フローチャート**（flowchart）と呼ばれる図です。

▶ フローチャートの主要な記号は p.24 でまとめて学習します。

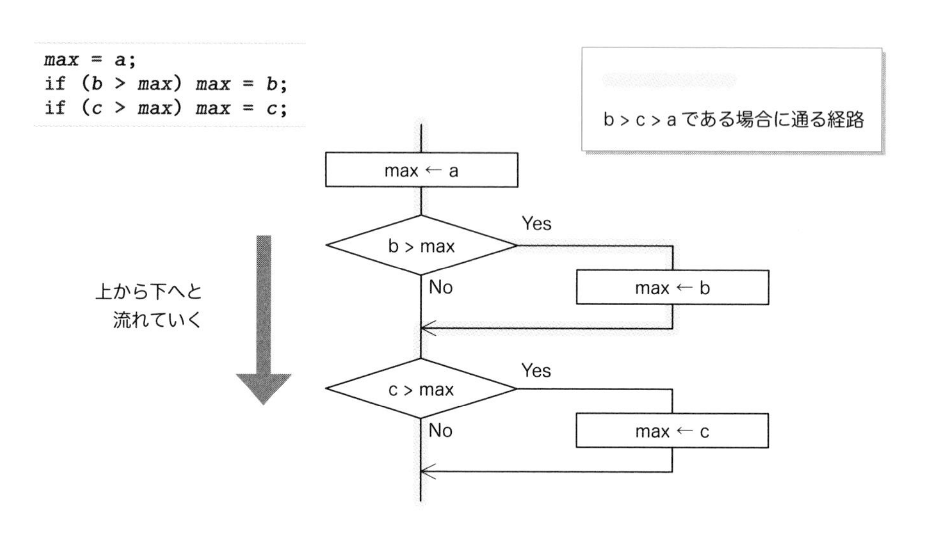

Fig.1-1　3値の最大値を求めるアルゴリズムの流れ図

プログラムの流れは、黒線 ── に沿って上から下へと向かい、その過程で □ 内に置かれた**処理**が実行されます。

ただし、◇ を通過する際は、その中に置かれた《**条件**》の評価結果に応じて、Yes と No の**いずれか一方**をたどります。そのため、条件 `b > max` や条件 `c > max` が成立すれば（すなわち、式 `b > max` や式 `c > max` を**評価**した値が `1` であれば）、Yes と書かれた**右側**に進み、そうでなければ（`0` であれば）No と書かれた**下側**に進みます（**Column 1-2**：右ページ）。

▶ `if` 文や `while` 文などの条件判定のために置かれる `()` 中の式は、**制御式**（せいぎょしき）と呼ばれます。

プログラムの流れが、二つに分岐されたルートのいずれか一方を通ることから、`if` 文によるプログラムの流れの分岐は、**双岐選択**（そうき）と呼ばれます。

なお、□ 内の矢印記号 ← は、値の代入を表します。たとえば “`max` ← `a`” は、

変数 `a` の値を変数 `max` に代入せよ。

という指示です。

▶ 本プログラムの宣言である “`int max = a;`” は、変数を作る際に値を入れる《**初期化**》であり、**Fig.1-1** の “`max = a;`” は、既に作られている変数に値を入れる《**代入**》です。
　初期化と代入は、まったく異なるものですが、本書の解説では、厳密に区別する必要がない文脈に限り、両者をまとめて “代入” と呼びます。

p.14 に示した実行例のように、変数 a, b, c に対して 1, 3, 2 を入力すると、プログラムの流れはフローチャート上の水色の線　　　　の経路をたどります。

Fig.1-2 に示すように、変数 a, b, c の値が、1, 2, 3 や 3, 2, 1 であっても、最大値は求められます。さらに、三つの値が 5, 5, 5 とすべて等しかったり、1, 3, 1 と二つが等しくても、最大値は正しく求められます。

	a	b	c	d	e
	a = 1 b = 3 c = 2	a = 1 b = 2 c = 3	a = 3 b = 2 c = 1	a = 5 b = 5 c = 5	a = 1 b = 3 c = 1
	max	*max*	*max*	*max*	*max*
`max = a;`	1	1	3	5	1
`if (b > max) max = b;`	3	2	3	5	3
`if (c > max) max = c;`	3	3	3	5	3

Fig.1-2　3値の最大値を求める過程における変数 max の値の変化

それでは、フローチャートをなぞって確認しましょう。三つの変数 a, b, c の値が、6, 10, 7 や -10, 100, 10 であっても、フローチャート内の水色の線をたどります。すなわち、b > c > a であれば、必ず同じ経路をたどります。

Column 1-2　関係演算子と等価演算子

左右のオペランドの大小関係を判定する**関係演算子** <, <=, >, >= と、等値関係を判定する**等価演算子** ==, != は、大小関係や等値関係の判定が成立すれば（**真**であれば）int 型の 1 を、成立しなければ（**偽**であれば）int 型の 0 を生成します。

いくつかの例を **Fig.1C-2** に示しています。たとえば、式 5 > 3 の評価で得られる値は int 型の 1 であり（図a）、式 5 == 3 の評価で得られる値は int 型の 0 です（図b）。なお、図c のように、オペランドが int 型でなくても、関係式や等価式を評価して得られる値の型は int 型です。

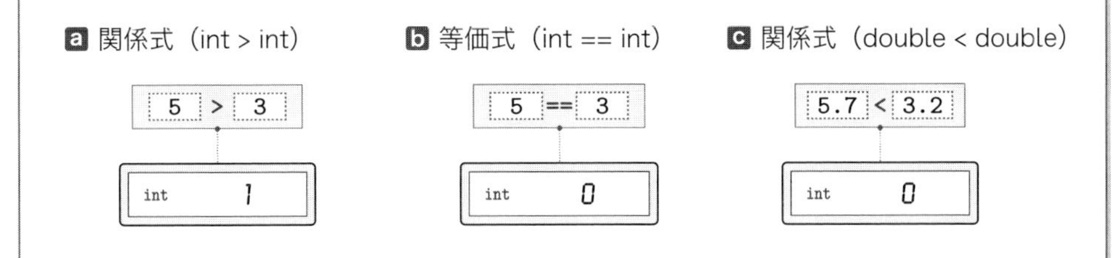

Fig.1C-2　関係式と等価式の評価

3値の**具体的な値**ではなく、**すべての大小関係**に対して、最大値を正しく求められるかどうかを確認しましょう。確認を手作業で行うのは大変ですので、自動化します。

List 1-2 に示すのが、そのプログラムです。

List 1-2 chap01/max3x.c

```
// 三つの整数値の最大値を求める（すべての大小関係に対して確認）

#include <stdio.h>

/*--- a, b, cの最大値を求める ---*/
int max3(int a, int b, int c)
{
    int max = a;     // 最大値

    if (b > max) max = b;
    if (c > max) max = c;

    return max;      ← 求めた最大値を呼出し元に返却
}

int main(void)
{
    printf("max3(%d,%d,%d) = %d\n", 3, 2, 1, max3(3, 2, 1));    // [A] a>b>c
    printf("max3(%d,%d,%d) = %d\n", 3, 2, 2, max3(3, 2, 2));    // [B] a>b=c
    printf("max3(%d,%d,%d) = %d\n", 3, 1, 2, max3(3, 1, 2));    // [C] a>c>b
    printf("max3(%d,%d,%d) = %d\n", 3, 2, 3, max3(3, 2, 3));    // [D] a=c>b
    printf("max3(%d,%d,%d) = %d\n", 2, 1, 3, max3(2, 1, 3));    // [E] c>a>b
    printf("max3(%d,%d,%d) = %d\n", 3, 3, 2, max3(3, 3, 2));    // [F] a=b>c
    printf("max3(%d,%d,%d) = %d\n", 3, 3, 3, max3(3, 3, 3));    // [G] a=b=c
    printf("max3(%d,%d,%d) = %d\n", 2, 2, 3, max3(2, 2, 3));    // [H] c>a=b
    printf("max3(%d,%d,%d) = %d\n", 2, 3, 1, max3(2, 3, 1));    // [I] b>a>c
    printf("max3(%d,%d,%d) = %d\n", 2, 3, 2, max3(2, 3, 2));    // [J] b>a=c
    printf("max3(%d,%d,%d) = %d\n", 1, 3, 2, max3(1, 3, 2));    // [K] b>c>a
    printf("max3(%d,%d,%d) = %d\n", 2, 3, 3, max3(2, 3, 3));    // [L] b=c>a
    printf("max3(%d,%d,%d) = %d\n", 1, 2, 3, max3(1, 2, 3));    // [M] c>b>a

    return 0;
}
```

実行結果

```
max3(3,2,1) = 3
max3(3,2,2) = 3
max3(3,1,2) = 3
max3(3,2,3) = 3
… 中略 …
max3(2,3,2) = 3
max3(1,3,2) = 3
max3(2,3,3) = 3
max3(1,2,3) = 3
```

▶ コメントの [A] ～ [M] は、**Fig.1C-4**（p.20）のA～Mに対応します。

最大値を求める手続きは、何度も繰り返して利用されるため、**関数**（かんすう）（function）として実現しています。

網かけ部が、受け取った三つの `int` 型仮引数 `a`, `b`, `c` の最大値を求めて、それを `int` 型の値として返却する関数 *max3* の定義です。

`main` 関数では、その関数 *max3* に対して三つの値を実引数として与えて呼び出して、その返却値（**Column 1-3**：右ページ）を表示する処理を 13 回行っています。

本プログラムでは、すべての呼出しにおいて、最大値が **3** となるように組み合わせた値を与えていますので、計算結果が正しいかどうかの確認は容易です。

プログラムを実行してみましょう。13 種類すべての組合せに対して、最大値 **3** が正しく求められていることが確認できます。

▶ 大小関係が全部で 13 種類であることについては、**Column 1-4**（p.20）で学習します。

JIS X0001 では、《**アルゴリズム**》は次のように定義されています。

問題を解くためのものであって、明確に定義され、順序付けられた有限個の規則からなる集合。

もちろん、いくら曖昧（あいまい）さのないように記述されていても、変数の値によって、解けたり解けなかったりするのでは、正しいアルゴリズムとはいえません。

ここでは、3値の最大値を求めるアルゴリズムが正しいことを、論理的に確認するとともに、プログラムの実行結果からも確認しました。

▶ **JIS**（Japanese Industrial Standards）すなわち**日本産業規格**は、産業標準化法によって制定される鉱工業品に関する国の規格です。

演習 1-1

4値の最大値を求める関数を作成せよ。

```
int max4(int a, int b, int c, int d);
```

作成した関数をテストするための main 関数などを含んだプログラムを作成すること。以降の問題でも、同様である。

演習 1-2

3値の最小値を求める関数を作成せよ。

```
int min3(int a, int b, int c);
```

演習 1-3

4値の最小値を求める関数を作成せよ。

```
int min4(int a, int b, int c, int d);
```

※すべての演習問題の解答プログラムは、ダウンロードできます（p.3）。

Column 1-3　関数の返却値と関数呼出し式の評価

関数は、**引数**と**返却値**の二つを使って、情報の受渡しを行います。

処理を行った結果の値を、return 文で返却するのが返却値です。関数 *max3* の場合、返却値型は int 型であり、関数の末尾で変数 *max* の値を返却しています。

返却された値は、**関数呼出し式の評価**で得られます。たとえば、*max*(3, 2, 1) と呼び出した場合、**Fig.1C-3** に示すように、関数呼出し式 *max*(3, 2, 1) を評価した値が、int 型の 3 となります。

なお、返却値型が void の関数では、値の返却は行えません。

関数呼出し式を評価すると
関数の返却値が得られる

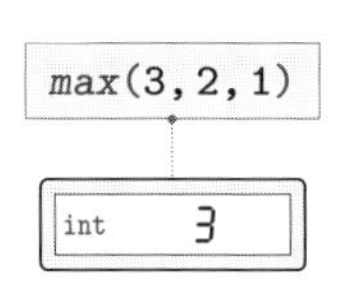

Fig.1C-3　関数呼出し式の評価

Column 1-4　3値の大小関係と中央値

ここでは、3値の大小関係と、3値の中央値の求め方を学習します。

▪ 3値の大小関係の列挙

3値の大小関係の組合せ13種類を列挙するのが、**Fig.1C-4** です。この図は、木の形（左端が根でそこから枝分かれする）であることから、**決定木**（けっていぎ）（decision tree）と呼ばれます

左端の枠（a ≧ b）からスタートして右側へと進みましょう。◯内の条件が成立すれば**上側の線**をたどり、成立しなければ下側の線をたどっていきます。

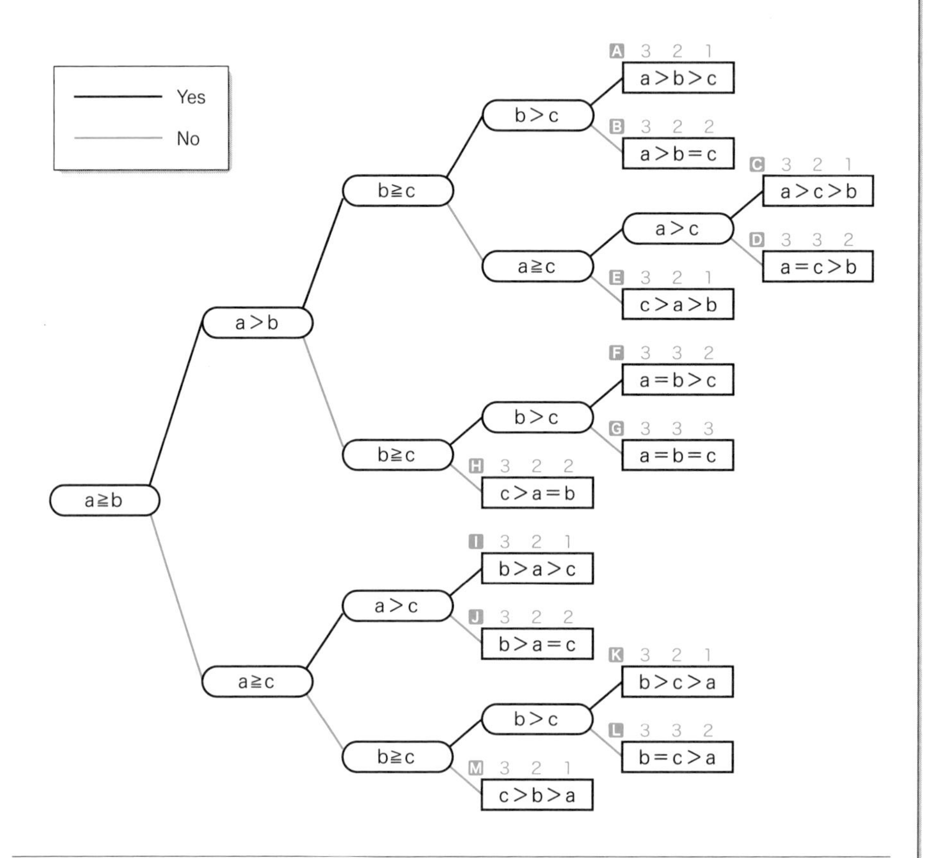

Fig.1C-4　3値 a, b, c の大小関係を列挙する決定木

右端の□が三つの変数 a, b, c の大小関係であり、その上の水色の数値は、**List 1-2**（p.18）で利用した三つの値です（プログラムでは、A～Mの13種類に対して、最大値を求めています）。

▪ 3値の中央値

最大値・最小値とは異なり、**中央値**を求める手続きは複雑です（そのため、数多くのアルゴリズムが考えられます）。右ページの **List 1C-1** が、プログラムの一例です。各 `return` 文の横のA～Mは、**Fig.1C-4** と対応しています。

List 1C-1 chap01/med3.c

```
// 三つの整数値を読み込んで中央値を求める

#include <stdio.h>

/*--- a, b, cの中央値を求める ---*/
int med3(int a, int b, int c)
{
    if (a >= b)
        if (b >= c)
            return b;        ── A B F G
        else if (a <= c)
            return a;        ── D E H
        else
            return c;        ── C
    else if (a > c)
        return a;            ── I
    else if (b > c)
        return c;            ── J K
    else
        return b;            ── L M
}

int main(void)
{
    int a, b, c;

    printf("三つの整数の中央値を求めます。\n");
    printf("aの値：");   scanf("%d", &a);
    printf("bの値：");   scanf("%d", &b);
    printf("cの値：");   scanf("%d", &c);

    printf("中央値は%dです。\n", med3(a, b, c));

    return 0;
}
```

実行例

```
三つの整数の中央値を求めます。
aの値：1
bの値：3
cの値：2
中央値は2です。
```

なお、3値の中央値を求める手続きは、『クイックソート』の改良アルゴリズム（第6章）などで応用されます。

演習 1-4

3値の大小関係13種類すべての組合せに対して中央値を求めて表示するプログラムを作成せよ。
※ヒント：**List 1-2** と **List 1C-1** を参考にして（うまく組み合わせて）作ること。

演習 1-5

中央値を求める関数は、次のようにも実現できる。ただし、**List 1C-1** に示す *med3* と比較すると効率が悪い。その理由を考察せよ。

```
int med3(int a, int b, int c)
{
    if ((b >= a && c <= a) || (b <= a && c >= a))
        return a;
    else if ((a > b && c < b) || (a < b && c > b))
        return b;
    return c;
}
```

条件判定と分岐

List 1-3 は、読み込んだ整数値の符号（正／負／0）を判定・表示するプログラムです。このプログラムを通じて、プログラムの流れの分岐に対する理解を深めましょう。

List 1-3 chap01/sign.c

```
// 読み込んだ整数値の符号（正／負／0）を判定

#include <stdio.h>

int main(void)
{
    int n;

    printf("整数：");
    scanf("%d", &n);

    if (n > 0)
        printf("正です。\n");      ―1
    else if (n < 0)
        printf("負です。\n");      ―2
    else
        printf("0です。\n");       ―3

    return 0;
}
```

実行例

```
1 整数：15⏎
  正です。
2 整数：-5⏎
  負です。
3 整数：0⏎
  0です。
```

Fig.1-3 に示すのが、網かけ部のフローチャートです。変数 **n** の値が正であれば1が実行され、負であれば2が実行され、0 であれば3が実行されます。

実行されるのは、いずれか**一つだけ**です。二つが実行されたり、一つも実行されなかったり、ということはありません。プログラムの流れは**三つに分岐します**。

次は、右ページの **List 1-4** と **List 1-5** のプログラムの動作を検証します。プログラムの行数が同じであって、プログラムの流れを三つに分岐させるように見えます。

▶ main 関数や、変数 n への値の読込みなどのコードは省略しています（ダウンロードプログラムには、完全なプログラムが含まれます）。

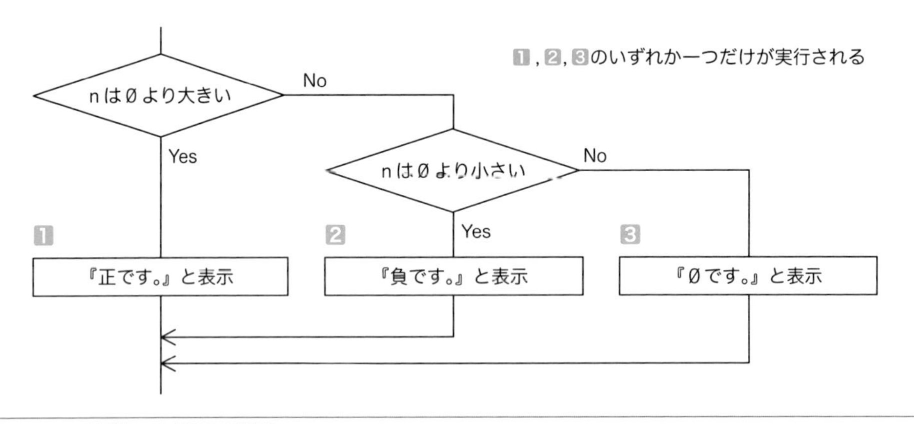

Fig.1-3　変数 n の符号の判定

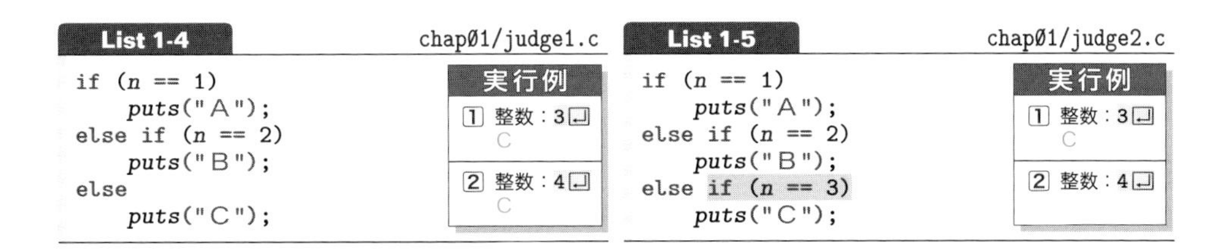

いずれのプログラムも、*n* の値が 1 であれば『A』と表示し、2 であれば『B』と表示し、3 であれば『C』と表示します。ところが、それ以外の数値の場合の挙動が異なります。

■ **List 1-4** の動作（3分岐）

n が 1 あるいは 2 でなければ、どんな値であっても『C』と表示します（実行例1および2）。すなわち、左ページの **List 1-3** と同様に、プログラムの流れを三つに分岐します。

■ **List 1-5** の動作（4分岐）

プログラムの流れを三つに分岐しているように見えますが、そうではありません。

n の値が 1、2、3 以外の数値であれば、何も表示しません（実行例2）。

このプログラムの正体は **List 1-6** です。

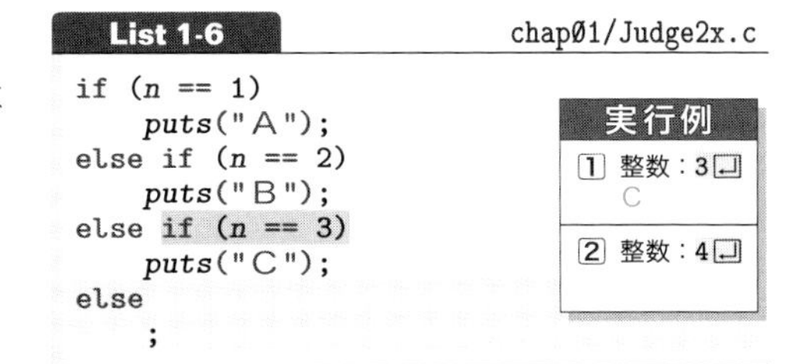

“何も行わない” **else** が隠れており、プログラムの流れを四つに分岐します。

▶ セミコロン ; だけの**空文**は、何も行わない文です。

Column 1-5 **条件演算子**

三つのオペランドをもつ３項演算子 **? :** は、**条件演算子**（conditional operator）と呼ばれます。**条件式**（conditional expression）で行われる評価の様子をまとめたのが、**Fig.1C-5** です。たとえば、

```
min = x < y ? x : y;
```

で変数 **min** に代入されるのは、*x* が *y* より小さければ *x* の値、そうでなければ *y* の値です。

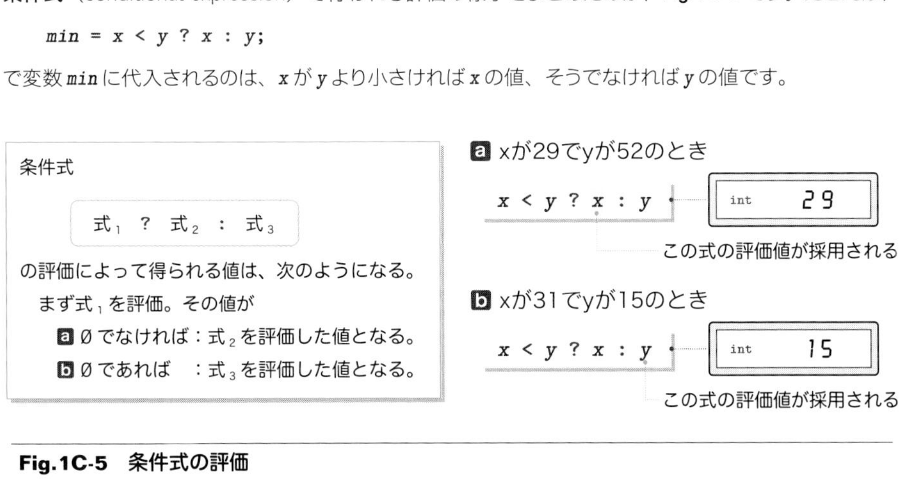

Fig.1C-5　条件式の評価

フローチャート（流れ図）の記号

問題の定義・分析・解法の図的表現である**流れ図＝フローチャート**（flowchart）と、その記号は、次の規格で定義されています。

JIS X0121『**情報処理用流れ図・プログラム網図・システム資源図記号**』

ここでは、代表的な用語と記号の概要を学習します。

プログラム流れ図（program flowchart）

プログラム流れ図には、次に示す記号があります。

- 実際に行う演算を示す記号。
- 制御の流れを示す線記号。
- プログラム流れ図を理解し、かつ作成するのに便宜を与える特殊記号。

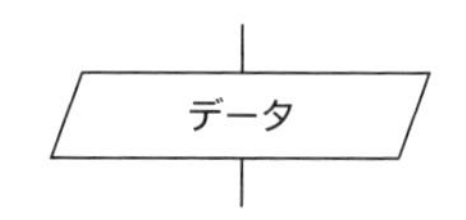

Fig.1-4　データ

データ（data）

媒体を指定しないデータを表します（**Fig.1-4**）。

Fig.1-5　処理

処理（process）

任意の種類の処理機能を表します（**Fig.1-5**）。

たとえば、情報の値・形・位置を変えるように定義された演算もしくは演算群の実行、または、それに続くいくつかの流れの方向の一つを決定する演算もしくは演算群の実行を表します。

Fig.1-6　定義ずみ処理

定義ずみ処理（predefined process）

サブルーチンやモジュールなど、別の場所で定義されている、一つ以上の演算または命令群からなる処理を表します（**Fig.1-6**）。

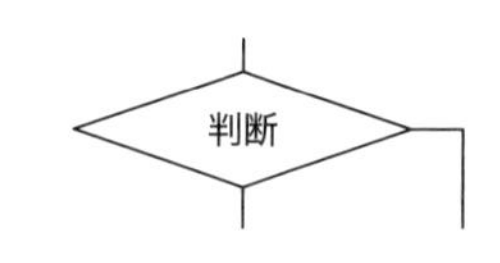

Fig.1-7　判断

判断（decision）

一つの入り口といくつかの択一的な出口をもち、記号中に定義された条件の評価にしたがって、唯一の出口を選ぶ判断機能またはスイッチ形の機能を表します（**Fig.1-7**）。

想定される評価結果は、経路を表す線の近くに書きます。

ループ端（loop limit）

二つの部分から構成され、ループの始まりと終わりを表します（**Fig.1-8**）。記号の二つの部分には、**同じ名前**を与えます。

Fig.1-9 に示すように、ループの**始端記号**（前判定繰返しの場合）または**終端記号**（後判定繰返しの場合）の中に、初期値（初期化）と増分と終了値（終了条件）とを表記します。

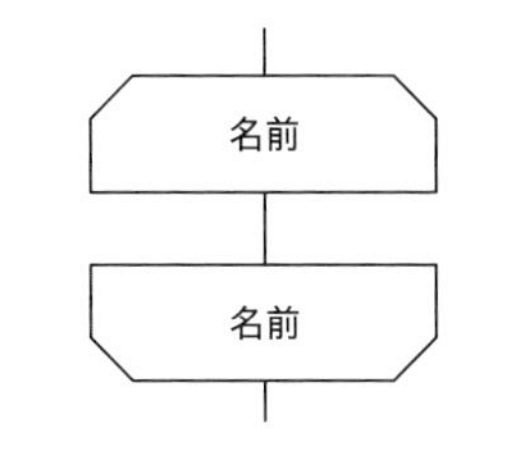

Fig.1-8　ループ端

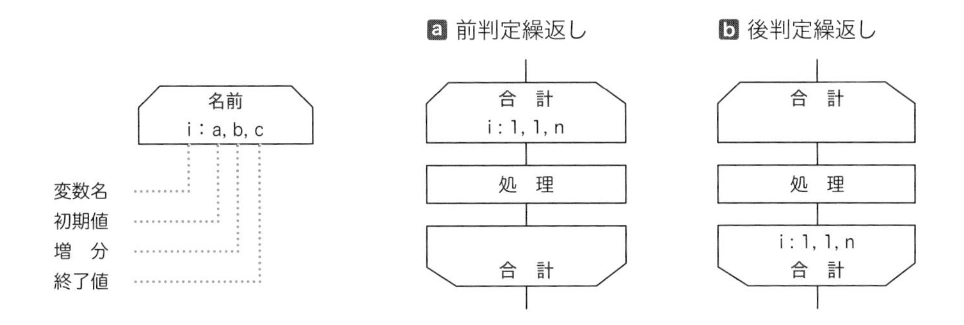

Fig.1-9　ループ端と初期値・増分・終了値

▶　図aと図bに示すのは、変数 i の値を 1 から n まで 1 ずつ増やしながら、『処理』を n 回繰り返すフローチャートです。なお、1, 1, n の代わりに、1, 2, …, n という表記を用いることもあります。

線（line）

制御の流れを表します（**Fig.1-10**）。

流れの向きを明示する必要があるときは、矢先を付けなければなりません。

なお、明示の必要がない場合も、見やすくするために矢先を付けても構いません。

Fig.1-10　線

端子（terminator）

外部環境への出口、または外部環境からの入り口を表します（**Fig.1-11**）。たとえば、プログラムの流れの**開始**もしくは**終了**を表します。

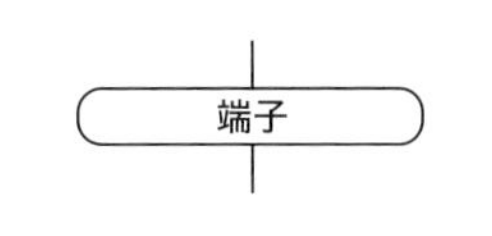

Fig.1-11　端子

この他に、並列処理、破線などの記号があります。

1-2 繰返し

本節では、プログラムの流れを繰り返すことによって実現される、単純なアルゴリズムを学習します。

1からnまでの整数の総和を求める

次に考えるのは、《1からnまでの整数の総和を求めるアルゴリズム》です。求めるのは、nが2であれば1 + 2で、nが3であれば1 + 2 + 3です。

List 1-7がプログラムで、網かけ部のフローチャートが**Fig.1-12**（右ページ）です。

List 1-7 chap01/sum_while.c

```
// 1, 2, …, nの総和を求める（while文）

#include <stdio.h>

int main(void)
{
    int n;

    puts("1からnまでの総和を求めます。");

    printf("nの値：");
    scanf("%d", &n);

    int sum = 0;            // 総和
    int i = 1;                                          ←1

    while (i <= n) {        // iがn以下であれば繰り返す
        sum += i;           // sumにiを加える           ←2
        i++;                // iの値をインクリメント
    }
    printf("1から%dまでの総和は%dです。\n", n, sum);

    return 0;
}
```

実行例

```
1からnまでの総和を求めます。
nの値：5↵
1から5までの総和は15です。
```

while文による繰返し

ある条件が成立しているあいだ、**処理**（文または命令の集まり）が繰り返し実行される構造は、**繰返し**（くりかえし）（repetition）構造であり、一般に**ループ**（loop）と呼ばれます。

`while`文は、繰返しを続けるかどうかの判定を、**処理**実行の**前**に行うループです。このような繰返し構造は、**前判定繰返し**（まえはんてい）と呼ばれます。

次に示すのが、`while`文の形式です。**制御式**の評価で得られる値が0でない限り、**文**が繰り返し実行されます。

```
while（制御式）文
```

なお、繰返しの対象となる**文**は、文法上、**ループ本体**と呼ばれます。

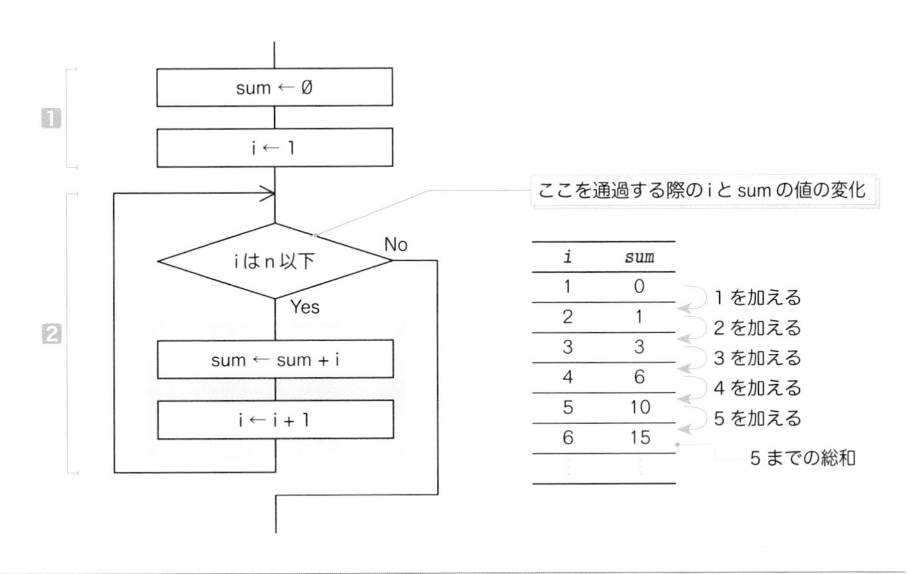

Fig.1-12 1 から n までの総和を求めるフローチャートと変数の変化

それでは、プログラムとフローチャートの1と2を理解しましょう。

1 総和を求めるための準備です。総和を格納する変数 `sum` の値を `0` にして、繰返しを制御する変数 `i` の値を `1` にします。

2 変数 `i` の値が `n` 以下であるあいだ、`i` の値を一つずつ増やしていきながら、ループ本体を繰り返し実行します。繰り返すのは `n` 回です。

▶ 2項の複合代入演算子 `+=` は、**右辺の値を左辺に加えます**。また、単項の増分演算子 `++` は、**オペランドをインクリメントします（値を 1 だけ増やします）**。

`i` が `n` 以下かどうかを判定する 制御式 `i <= n`（フローチャートの ◇）を通過する際の変数 `i` と `sum` の値の変化をまとめた表と、プログラムとを見比べましょう。

制御式 `i <= n` を初めて通過する際、変数 `i` と `sum` の値は、1で設定した `1` と `0` です。その後、繰返しが行われるたびに変数 `i` の値はインクリメントされて一つずつ増えていきます。

変数 `sum` の値は**『それまでの総和』**であり、変数 `i` の値は**『次に加える値』**です。

たとえば、`i` が `5` のときの変数 `sum` の値 `10` は、**『1 から 4 までの総和』**です（すなわち、変数 `i` の値 `5` が加算される前の値です）。

なお、`i` の値が `n` を超えたときに `while` 文の繰返しが終了するため、最終的な `i` の値は、**`n` ではなく `n + 1` となります。**

変数 `i` のように、繰返しの制御に用いられる変数は、一般に**カウンタ用変数**と呼ばれます。

演習 1-6

List 1-7 の `while` 文終了時点における変数 `i` の値が `n + 1` となることを確認せよ（変数 `i` の値を表示するコードを追加したプログラムを作成すること）。

for 文による繰返し

単一の変数の値をもとにプログラムの流れを制御する前判定繰返しは、**while** 文ではなく **for** 文を用いたほうがスマートに実現できます。

整数の総和を求める処理を、**for** 文で書きかえたのが **List 1-8** のプログラムです。

List 1-8 chap01/sum_for1.c

```c
// 1, 2, …, nの総和を求める（for文）

#include <stdio.h>

int main(void)
{
    int n;

    puts("1からnまでの総和を求めます。");

    printf("nの値：");
    scanf("%d", &n);

    int sum = 0;            // 総和

    for (int i = 1; i <= n; i++)     // i = 1, 2, …, n
        sum += i;                    // sumにiを加える

    printf("1から%dまでの総和は%dです。\n", n, sum);

    return 0;
}
```

実行例

```
1からnまでの総和を求めます。
nの値：5
1から5までの総和は15です。
```

for 文の形式は、次の二つのいずれかです。

1. for（式$_1$; 式$_2$; 式$_3$）文
2. for（宣言 式$_2$; 式$_3$）文

プログラムの流れが **for** 文にさしかかると、**式$_1$** が 評価・実行されます。

▶ この評価・実行は1回限りです（繰り返されることはありません）。
なお、本プログラムのように2の形式であれば、**宣言**によって変数が作られます（作られた変数は、**for** 文の中でだけ通用する性質となります）。本プログラムの場合は、変数 *i* が作られて1で初期化され、その変数は **for** 文の中でのみ利用できます。

その後、**制御式の式$_2$** を評価した値が **0** でない限り、**ループ本体の文**が繰り返し実行されます。その際、**文**を実行した直後に**式$_3$** が評価・実行されます。

▶ すなわち、次に示す **for** 文と **while** 文は（ほぼ）等価です。

```
/*--- for文 ---*/
for (式1; 式2; 式3)
    文
```

```
/*--- while文 ---*/
式1;
while (式2) {
    文
    式3;
}
```

なお、**for** 文では、**式$_1$**、**式$_2$**、**式$_3$** のいずれも省略可能です。**式$_2$** を省略した場合は、**0** でない値が指定されたものとみなされます（**式$_1$** と**式$_3$** を省略した場合は、該当する箇所で**何も行われない**だけです）。

総和を求める網かけ部のフローチャートを **Fig.1-13** に示しています。

六角形の**ループ端**（loop limit）は、繰返しの**開始点**と**終了点**を表す記号です。

繰り返されるのは、同じ名前が与えられたループ始端とループ終端で囲まれた部分です。

本プログラムでは、カウンタ用変数 *i* の値を 1, 2, 3, … と、1 から *n* まで 1 ずつ増やしながら、ループ本体内の文 *sum* += *i*; を実行します。

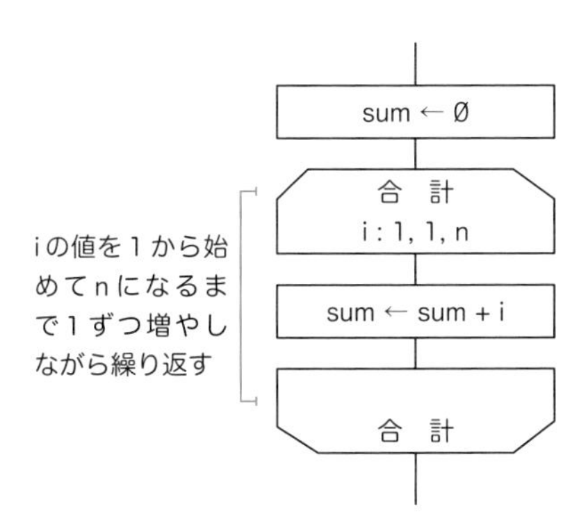

Fig.1-13　1 から n までの総和を求める

演習 1-7

List 1-8 のプログラムをもとにして、たとえば *n* が 5 であれば、『1 + 2 + 3 + 4 + 5 = 15』と表示するプログラムを作成せよ。

演習 1-8

1 から 10 までの和は (1 + 10) * 5 によって求められる。**ガウスの方法**と呼ばれる、この方法を用いて、1 から *n* までの整数の総和を求めるプログラムを作成せよ。

演習 1-9

整数 a, b を含め、そのあいだの全整数の総和を求めて返す関数を作成せよ。

```
int sumof(int a, int b);
```

a と b の大小関係に関係なく総和を求めるものとする。たとえば a が 3 で b が 5 であれば 12 を、a が 6 で b が 4 であれば 15 を求めること。

Column 1-6　非ゼロは真であってゼロは偽である

関係演算子と等価演算子が、大小関係や等値関係の判定が成立すれば（真であれば）int 型の 1 を、成立しなければ（偽であれば）int 型の 0 を生成することを **Column 1-2**（p.17）で学習しました。

値 0 が偽とみなされて、0 でないすべての値が真とみなされることは、必ず覚えておく必要があります。1 でも 100 でも、とにかく 0 でなければ真です。そのため、

```
if (a) printf("ABC");
```

を実行すると、変数 a の値が 0 でなければ（1 でも 100 でも -2 でも）「ABC」と表示されます（0 であれば何も表示されません："chap01/true_false.c"）。

正の値の読込み

List 1-8 のプログラム（p.28）を実行して、変数 **n** に対して **-5** を入力してみましょう。次のように表示されます。

1 から -5 までの総和は 0 です。

これは、数学的に不正である以前に、感覚的にもおかしなものです。

そもそも、このプログラムでは、**n** に読み込む値を**正の値**に限定すべきです。そのように改良したのが、**List 1-9** のプログラムです。

List 1-9 chap01/sum_for2.c

```
// 1, 2, …, nの総和を求める（do文によって正の整数値のみをnに読み込む）

#include <stdio.h>

int main(void)
{
    int n;

    puts("1からnまでの総和を求めます。");

    do {
        printf("nの値：");
        scanf("%d", &n);
    } while (n <= 0);

    int sum = 0;            // 総和

    for (int i = 1; i <= n; i++)     // i = 1, 2, …, n
        sum += i;                    // sumにiを加える

    printf("1から%dまでの総和は%dです。\n", n, sum);

    return 0;
}
```

nが0より大きくなるまで繰り返す

実行例

```
1からnまでの総和を求めます。
nの値：-6↵
nの値：0↵
nの値：10↵
1から10までの総和は55です。
```

0 以下であれば再読込み

プログラムを実行しましょう。**n** の値として **0** 以下の値を入力すると、再び「**n** の値：」と表示されて再入力が促されます。

その実現のために利用しているのが、次の構文をもつ **do** 文です。

do 文 **while** (制御式);

▶ **while** 文や **for** 文とは異なり、この構文の末尾にはセミコロン ; が付きます。

do 文は、ループ本体の実行後に、繰返しを続けるかどうか判定する**後判定繰返し**（あとはんてい）を行う繰返し文です（**for** 文や **while** 文とは、性質がまったく異なります）。

なお、( ) の中の**制御式**を評価した値が **0** でない限り、ループ本体の**文**を繰り返し実行する点は、**while** 文と同じです。

▶ すなわち、**制御式**を評価した値が **0** となったら、**do** 文が終了します。

Fig.1-14 に示すのが、プログラム網かけ部のフローチャートです。

▶ 図**a**と図**b**のフローチャートは、本質的には同じです。もっとも、繰返しの終了条件を下側のループ端に書く図**b**は、**前判定繰返しとの見分けがつきにくい**ため、図**a**の書き方が好まれるようです。

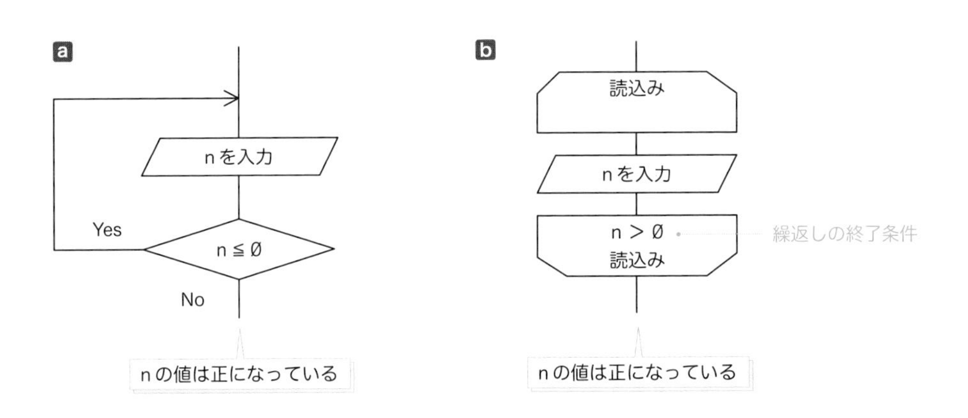

Fig.1-14　正の値の読込み

さて、本プログラムの do 文は、変数 n に読み込まれた値が 0 以下である限り、ループ本体の実行を繰り返しますので、do 文終了時の n の値は必ず正になります。

前判定繰返しと後判定繰返しの相違点

前判定繰返しを行う while 文と for 文では、制御式を初めて評価した結果がゼロであれば、ループ本体は１回も実行されません。一方、後判定繰返しを行う do 文では、ループ本体が必ず１回は実行されます。これが、前判定繰返しと後判定繰返しの大きな違いです。

- **前判定繰返し**（while 文／ for 文）：ループ本体が１回も実行されない可能性がある。
- **後判定繰返し**（do 文 ）：ループ本体は少なくとも１回は実行される。

演習 1-10

右に示すように、変数 a と b に整数値を読み込んで b - a の値を表示するプログラムを作成せよ。

なお、変数 b に読み込んだ値が a 以下であれば、変数 b の値を再入力させること。

```
aの値：6↵
bの値：6↵
aより大きな値を入力せよ！
bの値：8↵
b - aは2です。
```

演習 1-11

正の整数値を読み込んで、その値の桁数を表示するプログラムを作成せよ。たとえば、135 を読み込んだら『その数は 3 桁です。』と表示し、1314 を読み込んだら『その数は 4 桁です。』と表示すること。

構造化プログラミング

単一の入り口点と単一の出口点とをもつ構成要素だけを階層的に配置してプログラムを構成する手法が、**構造化プログラミング**（structured programming）です。構造化プログラミングでは、**順次**、**選択**、**繰返し**の３種類の制御の流れを利用します。

▶ 構造化プログラミングは、**整構造プログラミング**とも呼ばれます。

Column 1-7 論理演算とド・モルガンの法則

p.30で学習した**List 1-9**は、キーボードから読み込む値を《正値》に限定するプログラムでした。読み込む値を《２桁の正の整数値》に限定したのが、**List 1C-2** のプログラムです。

List 1C-2 chap01/2digits.c

```
// ２桁の正の整数値（10～99）を読み込む

#include <stdio.h>

int main(void)
{
    int no;

    printf("２桁の正の整数値を入力せよ。\n");

    do {
        printf("値は：");
        scanf("%d", &no);
    } while (no < 10 || no > 99);

    printf("変数noの値は%dになりました。\n", no);

    return 0;
}
```

実行例

```
２桁の正の整数値を入力せよ。
値は：-5⏎
値は：105⏎
値は：57⏎
変数noの値は57になりました。
```

2桁の正値でなければ再読込み

読み込む値の限定のために do 文を使っている点は、**List 1-9** と同じです。このプログラムでは、網かけ部の制御式によって、変数 no に読み込んだ値が 10 より小さいか、もしくは 99 より大きければ、ループ本体を繰り返すようになっています。

ここで利用している || は、論理和を求める**論理和演算子**です。そして、論理演算を行う、もう一つの演算子が、論理積を求める**論理積演算子 &&** です。

これらの演算子の働きをまとめたのが、**Fig.1C-6** です。

a 論理積　両方とも真であれば1

x	y	x && y
非0	非0	1
非0	0	0
0	非0	0
0	0	0

b 論理和　一方でも真であれば1

x	y	x || y
非0	非0	1
非0	0	1
0	非0	1
0	0	0

Fig.1C-6　論理積演算子と論理和演算子

■論理演算子の短絡評価

さて、変数`no`に5を読み込んだとします。その場合、式`no < 10`を評価した値は1ですから、右オペランドの`no > 99`を評価するまでもなく、制御式`no < 10 || no > 99`の評価値が1になると判定できます（左オペランド`x`と右オペランド`y`の**一方でも非0**であれば、論理式`x || y`の評価値が1となるからです）。

そのため、`||`演算子の左オペランドを評価した値が1であれば、**右オペランドの評価は省略されます。**

同様に、`&&`演算子の場合は、左オペランドを評価した値が0であれば、**右オペランドの評価は省略されます**（もし**一方でも0**であれば、式全体が0になると判定できるからです）。

＊

このように、**論理演算の式全体の評価結果が、左オペランドの評価の結果のみで明確になる場合に、右オペランドの評価が省略されることを短絡評価**（short circuit evaluation）**と呼びます。**

■ド・モルガンの法則

プログラムに戻りましょう。網かけ部の制御式を、**論理否定演算子`!`**を用いて書きかえると、次のようになります（論理否定演算子は、真偽を反転する、すなわち、オペランドが0でなければ0を生成し、オペランドが0であれば1を生成する、単項演算子です）。

```
!(no >= 10 && no <= 99)
```

このように、『"各条件の否定をとって、論理積・論理和を入れかえた式" の否定』が、もとの条件と同じになるという性質は、**ド・モルガンの法則**（De Morgan's laws）として知られています。

この法則をC言語のコードとして一般化すると、次のようになります。

1. `x && y` と `!(!x || !y)` は等しい。
2. `x || y` と `!(!x && !y)` は等しい。

プログラムの制御式`no < 10 || no > 99`が、繰返しを続けるための**《継続条件》**であるのに対し、上記の式`!(no >= 10 && no <= 99)`は、繰返しを終了するための**《終了条件》の否定**です。

すなわち、**Fig.1C-7**に示すイメージです。

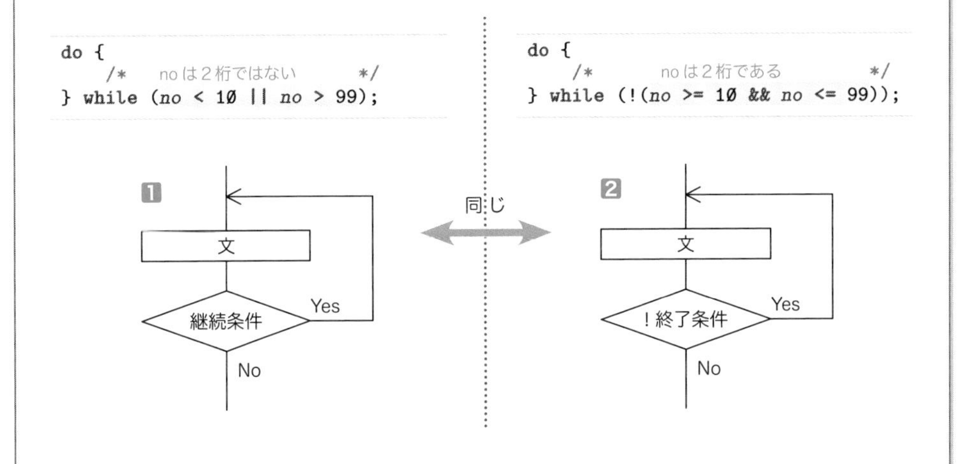

Fig.1C-7　繰返しの継続条件と終了条件

多重ループ

ここまでのプログラムは、単純な繰返しを行うものでした。繰返しの中で繰返しを行うこともでき、そのような繰返しは、ループの入れ子の深さに応じて、**2重ループ**、**3重ループ**、…と呼ばれます。もちろん、その総称は、**多重ループ**です。

九九の表

2重ループを用いたアルゴリズムの例として、《九九の表》を表示するプログラムを学習しましょう。**List 1-10** に示すのが、そのプログラムです。

List 1-10 chap01/multi99table.c

```
// 九九の表を表示

#include <stdio.h>

int main(void)
{
    printf("----- 九九の表 -----\n");

    for (int i = 1; i <= 9; i++) {              行ループ
        for (int j = 1; j <= 9; j++)            列ループ
            printf("%3d", i * j);
        putchar('\n');
    }

    return 0;
}
```

実行結果

```
----- 九九の表 -----
  1  2  3  4  5  6  7  8  9
  2  4  6  8 10 12 14 16 18
  3  6  9 12 15 18 21 24 27
  4  8 12 16 20 24 28 32 36
  5 10 15 20 25 30 35 40 45
  6 12 18 24 30 36 42 48 54
  7 14 21 28 35 42 49 56 63
  8 16 24 32 40 48 56 64 72
  9 18 27 36 45 54 63 72 81
```

九九の表の表示を行う網かけ部のフローチャートを、右ページの **Fig.1-15** に示しています。右側の図は、変数 *i* と *j* の値の変化を●と●で表したものです。

外側の for 文（**行ループ**）は、変数 *i* の値を **1** から **9** までインクリメントします。各繰返しは、表の1行目、2行目、…、9行目に対応します。すなわち、**縦方向の繰返し**です。

その各行で実行される内側の for 文（列ループ）は、変数 *j* の値を **1** から **9** までインクリメントします。これは、各行における横方向の繰返しです。

変数 *i* の値を **1** から **9** まで増やす《行ループ》は9回繰り返されます。その各繰返しで、変数 *j* の値を **1** から **9** まで増やす《列ループ》が9回繰り返されます。《列ループ》終了後の改行の出力は、次の行へと進むための準備です。

そのため、この2重ループでは、次のように処理が行われます。

- *i* が **1** のとき：*j* を 1 ⇨ 9 とインクリメントしながら **1 * *j*** を表示。そして改行。
- *i* が **2** のとき：*j* を 1 ⇨ 9 とインクリメントしながら **2 * *j*** を表示。そして改行。
- *i* が **3** のとき：*j* を 1 ⇨ 9 とインクリメントしながら **3 * *j*** を表示。そして改行。

  … 中略 …
- *i* が **9** のとき：*j* を 1 ⇨ 9 とインクリメントしながら **9 * *j*** を表示。そして改行。

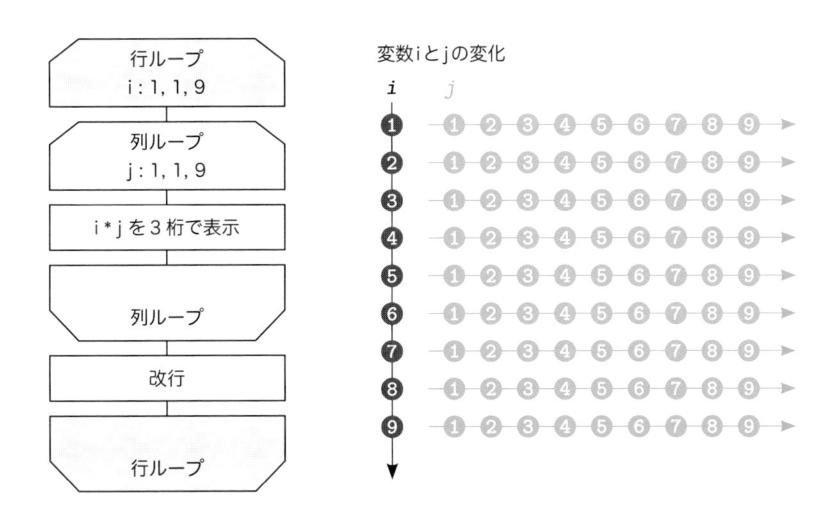

Fig.1-15　九九の表を表示するフローチャート

演習 1-12

右のように、上と左に掛(か)ける数が付いた九九の表を表示するプログラムを作成せよ。

表示には、縦線記号文字 '|'、マイナス記号文字 '-'、プラス記号文字 '+' を用いること。

```
   |  1  2  3  4  5  6  7  8  9
---+---------------------------
 1 |  1  2  3  4  5  6  7  8  9
 2 |  2  4  6  8 10 12 14 16 18
 3 |  3  6  9 12 15 18 21 24 27
 4 |  4  8 12 16 20 24 28 32 36
 5 |  5 10 15 20 25 30 35 40 45
 6 |  6 12 18 24 30 36 42 48 54
 7 |  7 14 21 28 35 42 49 56 63
 8 |  8 16 24 32 40 48 56 64 72
 9 |  9 18 27 36 45 54 63 72 81
```

演習 1-13

九九の掛け算ではなく**足し算**を行う表を表示するプログラムを作成せよ。前問と同様に、表の上と左に足す数を表示すること。

演習 1-14

右のように、読み込んだ段数を一辺としてもつ正方形を * 記号で表示するプログラムを作成せよ。

```
正方形を表示します。
段数は：4⏎
****
****
****
****
```

演習 1-15

右のように、読み込んだ高さと横幅をもつ長方形を * 記号で表示するプログラムを作成せよ。

```
長方形を表示します。
高さは：3⏎
横幅は：7⏎
*******
*******
*******
```

直角二等辺三角形の表示

2重ループを応用すると、記号文字を並べて三角形や四角形などの図形を表示できます。**List 1-11** に示すのは、左下側が直角の二等辺三角形を表示するプログラムです。

▶ 網かけ部は、変数 n に読み込む値を正の値に限定するための do 文です。

List 1-11 chap01/triangleLB.c

```
// 左下側が直角の二等辺三角形を表示

#include <stdio.h>

int main(void)
{
    int n;

    do {
        printf("何段の三角形ですか：");
        scanf("%d", &n);                      // 段数として正値を読み込む
    } while (n <= 0);

    for (int i = 1; i <= n; i++) {            // 行ループ
        for (int j = 1; j <= i; j++)          // 列ループ
            putchar('*');
        putchar('\n');
    }

    return 0;
}
```

実行例

```
何段の三角形ですか：5↵
*
**
***
****
*****
```

直角二等辺三角形の表示を行う網かけ部のフローチャートが、右ページの **Fig.1-16** です。右側の図は、変数 i と j の変化を表したものです。

実行例のように、n の値が 5 である場合を例にとって、どのように処理が行われるかを考えましょう。

外側の for 文（行ループ）では、変数 i の値を 1 から n すなわち 5 までインクリメントします。これは、三角形の各行に対応する**縦方向の繰返し**です。

内側の for 文（列ループ）は、変数 j の値を 1 から i までインクリメントしながら表示を行います。これは、各行における横方向の繰返しです。

＊

そのため、この2重ループでは、次のように処理が行われます。

- i が 1 のとき：j を 1 ⇨ 1 とインクリメントしながら＊を表示。そして改行。 *
- i が 2 のとき：j を 1 ⇨ 2 とインクリメントしながら＊を表示。そして改行。 **
- i が 3 のとき：j を 1 ⇨ 3 とインクリメントしながら＊を表示。そして改行。 ***
- i が 4 のとき：j を 1 ⇨ 4 とインクリメントしながら＊を表示。そして改行。 ****
- i が 5 のとき：j を 1 ⇨ 5 とインクリメントしながら＊を表示。そして改行。 *****

すなわち、三角形を上から第 1 行～第 n 行と数えると、第 i 行目に i 個の記号文字 '*' を表示して、最終行である第 n 行目には n 個の記号文字 '*' を表示します。

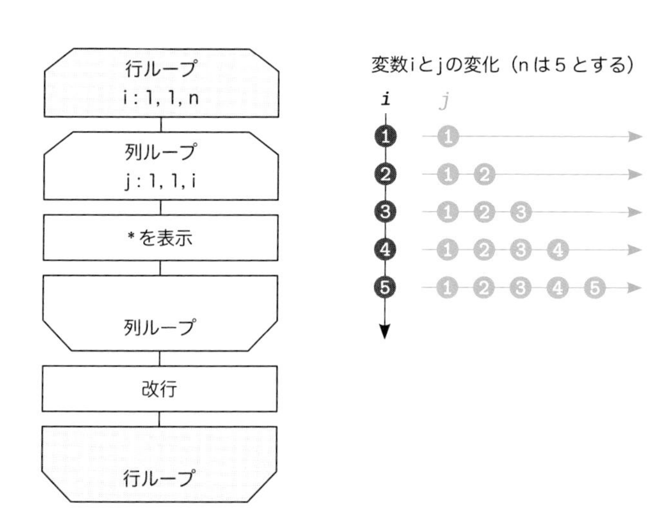

Fig.1-16　左下側が直角の二等辺三角形を表示するフローチャート

演習 1-16

直角二等辺三角形を表示する部分を独立させて、次の形式の関数として実現せよ。

```
void triangleLB(int n);      // 左下側が直角の二等辺三角形を表示
```

さらに、直角が左上側、右上側、右下側の二等辺三角形を表示する関数を作成せよ。

```
void triangleLU(int n);      // 左上側が直角の二等辺三角形を表示
void triangleRU(int n);      // 右上側が直角の二等辺三角形を表示
void triangleRB(int n);      // 右下側が直角の二等辺三角形を表示
```

演習 1-17

n 段のピラミッドを表示する関数を作成せよ（右は４段の例）。

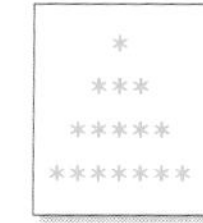


```
void spira(int n);
```

第 *i* 行目には `(i - 1) * 2 + 1` 個の記号文字 `'*'` を表示すること（そのため、最終行の第 *n* 行目には `(n - 1) * 2 + 1` 個の記号文字 `'*'` を表示することになる）。

演習 1-18

右のように、下を向いた *n* 段の数字ピラミッドを表示する関数を作成せよ。

```
void nrpira(int n);
```

第 *i* 行目に表示する数字は `i % 10` によって求めること。

章末問題

各章の章末に示しているのは、基本情報技術者試験（旧・第2種情報処理技術者試験）で出題された問題の一部です。章末問題の解答は、p.389 に示しています。

■ 平成9年度(1997年度)秋期 午前 問37

次のプログラムの制御構造のうち、選択構造はどれか。

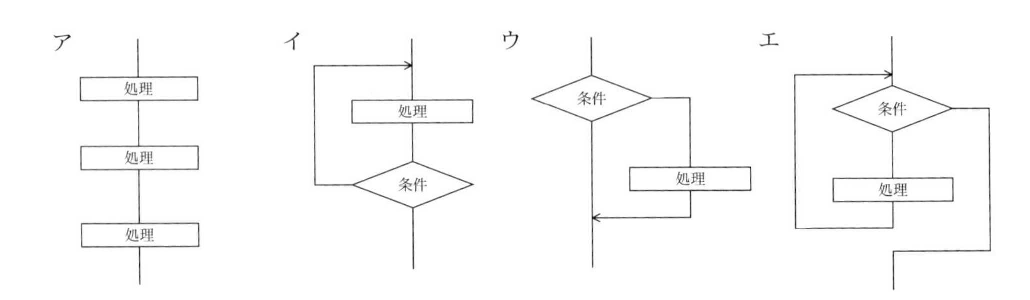

■ 平成18年度(2006年度)春期 午前 問36

プログラムの制御構造のうち、while 型の繰返し構造はどれか。

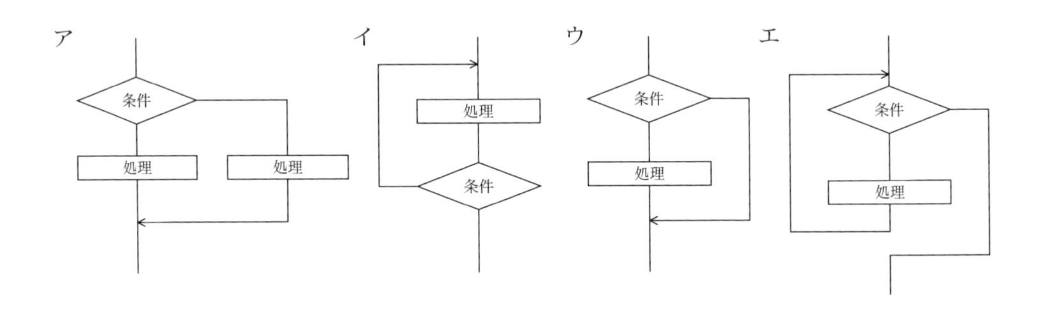

■ 平成16年度(2004年度)秋期 午前 問41

プログラムの制御構造に関する記述のうち、適切なものはどれか。

ア “後判定繰返し”は、繰返し処理の先頭で終了条件の判定を行う。
イ “双岐選択”は、前の処理に戻るか、次の処理に進むかを選択する。
ウ “多岐選択”は、二つ以上の処理を並列に行う。
エ “前判定繰返し”は、繰返し処理の本体を 1 回も実行しないことがある。

▪ 平成6年度(1994年度)秋期 午前 問41

整構造プログラミング（構造化プログラミング）における基本３構造と呼ばれるものに、最も密接な関係のある流れ図記号の組合せはどれか。

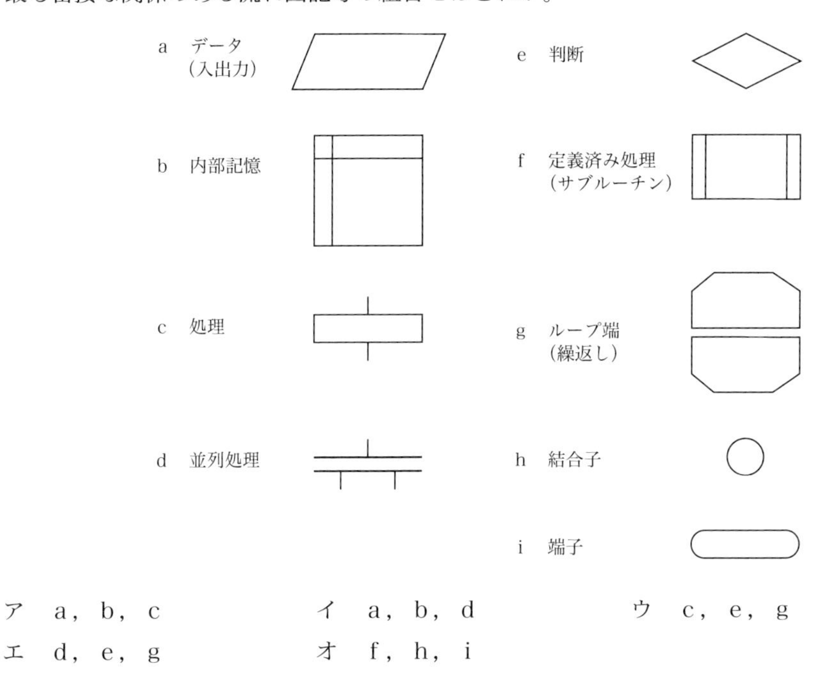

ア a，b，c　　イ a，b，d　　ウ c，e，g
エ d，e，g　　オ f，h，i

▪ 平成12年度(2000年度)春期 午前 問16

次の流れ図は、1からN（N≧1）までの整数の総和（1＋2＋…＋N）を求め、結果を変数xに入れるアルゴリズムを示している。流れ図中のaに当てはまる式はどれか。

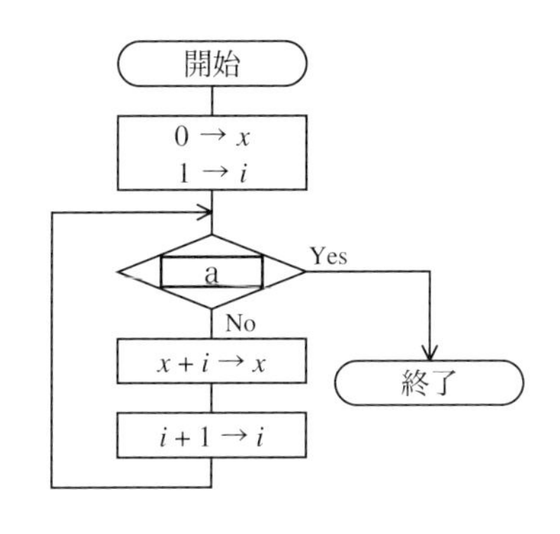

ア $i=N$　　イ $i<N$　　ウ $i>N$　　エ $x>N$

第2章

基本的なデータ構造

- データ構造の定義
- 配列
- 配列の動的な生成
- 配列の要素の最大値
- 配列の要素の並びの反転
- 基数変換
- 素数の列挙
- 多次元配列
- 構造体

2-1 配列

本節では、基本的かつ単純なデータ構造である配列を学習します。

データ構造

前章では、アルゴリズムの定義や、基本的なアルゴリズムを学習しました。本章で学習するのは、基本的な**データ構造**（data structure）です。

データ構造は、構成要素のあいだに何らかの相互関係をもつデータの論理的な構成のことであって、JIS X0015 03.01 では、次のように定義されています。

データ単位とデータ自身とのあいだの物理的または論理的な関係。

配列

ある学生グループの《テストの点数》の集計処理を考えましょう。各学生の点数に1個の変数を割り当てると、**Fig.2-1** のようになります。

変数名の管理はもちろん、間違えないようにタイプするのも大変です。

```
int sato;    // 佐藤君の点数
int sanaka;  // 佐中君の点数
int tateno;  // 立野君の点数
// …
int masaki;  // 真崎君の点数
```

Fig.2-1　バラバラに定義された変数のよせ集め

学籍番号のように『何番目』と指定できれば好都合であり、それを実現するのが、最も基本的かつ単純なデータ構造ともいえる**配列**（はいれつ）（array）です。

配列は、要素（element）**と呼ばれる同一型の変数が直線状に連続して並ぶ構造**です。

要素の型は、`int` 型や `double` 型など何でも構いません。テストの点数は整数値ですので、要素型が `int` 型の配列を例に考えていきましょう。

まずは宣言です。次の形式で行います。

```
要素型名 配列名 [ 要素数 ];                    // 配列の宣言
```

たとえば、要素型が `int` 型で、要素数が 5 の配列の宣言は、次のようになります。

```
int a[5];          // aは要素型がint型で要素数5の配列
```

なお、要素数として与えられるのは、**定数式**（ていすう）に限られます（**Column 2-10**：p.78）。

それでは、配列 a のイメージを表した **Fig.2-2**（右ページ）を見ながら、配列の性質などの基礎的な事項を理解していきましょう。

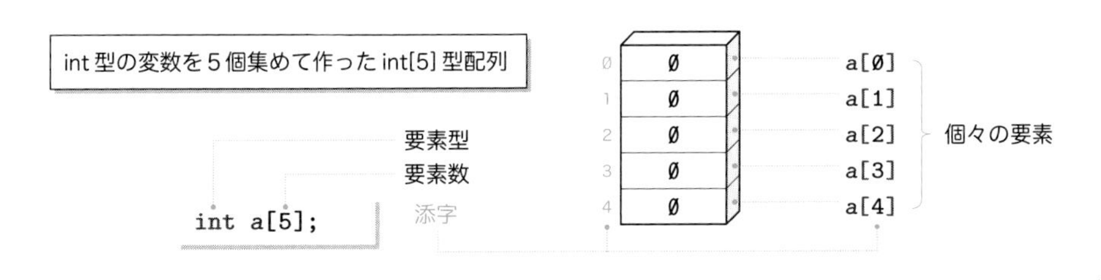

Fig.2-2　配列

要素と添字

要素が連続して並んだ配列の、個々の要素のアクセスは、整数型の**添字**(そえじ)（subscript）を**添字演算子 [ ]** 中に与えた**添字式**で行います。

```
配列名 [ 添字 ]                // 添字式：配列の任意の要素をアクセスする式
```

各要素をアクセスする式は、先頭から順に **a[Ø]**, **a[1]**, **a[2]**, **a[3]**, **a[4]** です。すなわち、式 a[*i*] は、配列 a の先頭から *i* 個後ろの要素をアクセスする式です。

▶ 規則により、先頭要素の添字は Ø と定められています。そのため、要素数が *n* の配列の要素は、先頭から順に a[Ø], a[1], …, a[*n*-1] です。a[*n*] は存在しません。

配列 a 内の全要素は int 型であって、単一の int 型変数と同じ性質をもちます。もちろん、各要素には、自由に値を代入したり取り出したりできます。

具体的なプログラム例が **List 2-1** です。要素型が int 型で要素数 5 の配列の全要素に値を読み込んで表示します。

List 2-1　chapØ2/intary.c

```
// int[5]型の配列（要素型がint型で要素数が5の配列）の要素に値を読み込んで表示

#include <stdio.h>

#define N   5                       // 配列の要素数

int main()
{
    int a[N];                       // 配列の宣言

    for (int i = Ø; i < N; i++) {   // 各要素に値を読み込む
        printf("a[%d] : ", i);
        scanf("%d", &a[i]);
    }

    puts("各要素の値");
    for (int i = Ø; i < N; i++) {   // 各要素の値を表示
        printf("a[%d] = %d\n", i, a[i]);
    }

    return Ø;
}
```

実行例

```
a[Ø] : 1Ø
a[1] : 73
a[2] : 2
a[3] : -5
a[4] : 42
各要素の値
a[Ø] = 1Ø
a[1] = 73
a[2] = 2
a[3] = -5
a[4] = 42
```

一般に、要素型が Type で要素数が n の配列の型は **Type[n] 型**と表します。本プログラムで利用している配列 a の型は、**int[5] 型**です。

初期化を伴う配列の宣言

配列の個々の要素に入れるべき値が事前に分かっていれば、宣言時に初期化子として与えるべきです。**List 2-2** に示すのが、プログラム例です。

List 2-2 chap02/intary_init.c

```
// int型の配列の初期化と表示

#include <stdio.h>

int main(void)
{
    int a[5] = {1, 2, 3, 4, 5};
    int na = sizeof(a) / sizeof(a[0]);  // 要素数

    printf("配列aの要素数は%dです。\n", na);

    for (int i = 0; i < na; i++)
        printf("a[%d] = %d\n", i, a[i]);

    return 0;
}
```

実行結果

```
配列aの要素数は5です。
a[0] = 1
a[1] = 2
a[2] = 3
a[3] = 4
a[4] = 5
```

配列 `a` に与えられた網かけ部の初期化子に着目しましょう。個々の要素に対する初期化子を先頭から順にコンマ `,` で区切って並べたものを `{}` で囲んだ形式です。

この初期化子によって、配列 `a` の要素 `a[0]`, `a[1]`, `a[2]`, `a[3]`, `a[4]` が、それぞれ先頭から順に `1`, `2`, `3`, `4`, `5` で初期化されます。

配列の要素数の求め方

本プログラムでは、配列を宣言した後で、その要素数を取得しています。配列の要素数を求めるのが、変数 `na` の初期化子の式 `sizeof(a) / sizeof(a[0])` です。

Fig.2-3 に示すように、式 `sizeof(a)` の評価で配列全体の大きさが得られ、式 `sizeof(a[0])` の評価で先頭要素の大きさが得られます。そのため、前者を後者で割った商が要素数です。

▶ もし、`int` 型が2バイトであれば、前者は `10` で後者は `2` ですから、`10 / 2` で配列の要素数 `5` が得られます。また、もし、`int` 型が4バイトであっても、前者が `20` で後者が `4` ですから、`20 / 4` で配列の要素数 `5` が得られます。

式 `sizeof(a) / sizeof(a[0])` は、要素の型や大きさに依存しません。配列の要素数を調べるための《**公式**》として覚えておきましょう。

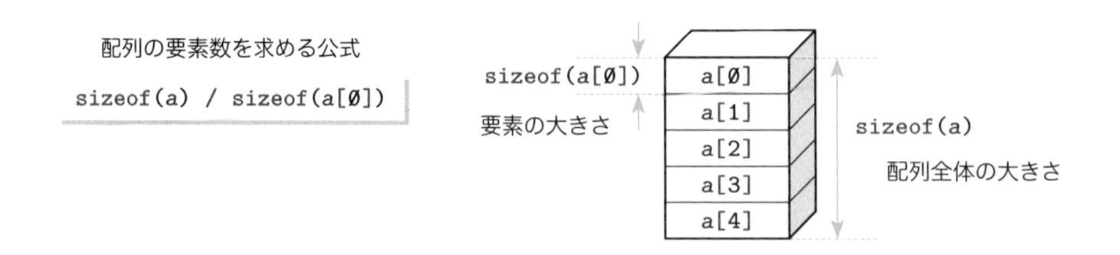

Fig.2-3 配列の要素数の求め方

配列 a の宣言を、次のように変更してみましょう（"chapØ2/intary_init2.c"）。

```
int a[] = {1, 2, 3, 4, 5, 6};
```

```
配列aの要素数は6です。
a[Ø] = 1
a[1] = 2
a[2] = 3
a[3] = 4
a[4] = 5
a[5] = 6
```

プログラムをコンパイルして実行すると、変数 na は 6 で初期化され、6 個の要素の値が表示されます。

＊

本書では、配列の図を示す際に、**Fig.2-4** のように2種類を使います。

四角の枠中に書かれた数値や文字が要素の値であり、左または上に書かれた水色の数値が添字の値です。なお、図**a**のように要素を縦に並べる場合は、添字の小さい要素を上側にして、図**b**のように要素を横に並べる場合は、添字の小さい要素を左側にします。

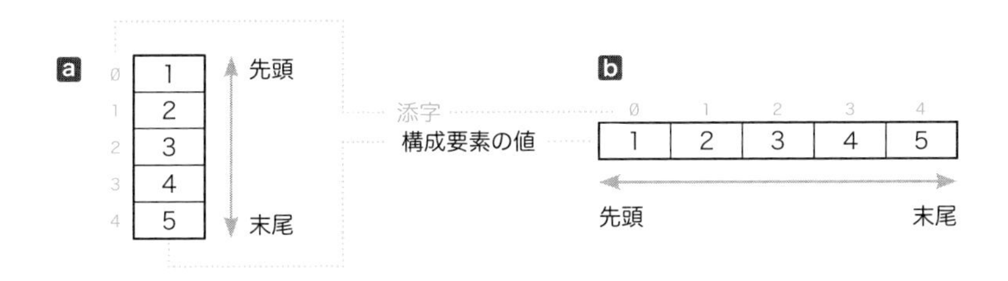

Fig.2-4　配列の表記

既に学習したとおり、配列を宣言する際に与える要素数は、定数式に限られます。そのため、配列を次のように宣言することはできません。

```
  int n;
  printf("要素数：");
✕ scanf("%d", &n);
  int a[n];                  // コンパイルエラー：nは定数式ではない
```

このプログラムをコンパイルしても、エラーとなります（**Column 2-10**：p.78）。

＊

必要になった時点でオブジェクト（変数）用の記憶域を確保して、不要になった時点で記憶域を解放する方法をマスターすると、自由なタイミングで好きな要素数の配列を作れるようになります。その方法を学習していきましょう。

Column 2-1　配列の要素数を求める際の注意点

書籍やネットなどで、配列 a の要素数を、sizeof(a) / sizeof(int) で求める方法が紹介されることがありますが、これはNGです。

というのも、配列の要素型の変更に対応できないからです。たとえば、配列 a の要素型を long 型に変更した場合、先ほどの式は sizeof(a) / sizeof(long) に変更しなければなりません。

割付け記憶域期間と動的なオブジェクトの生成

まずは、記憶域の確保を行う *calloc* 関数と *malloc* 関数を学習します。

	calloc
ヘッダ	`#include <stdlib.h>`
形　式	`void *calloc(size_t nmemb, size_t size);`
解　説	大きさが *size* であるオブジェクト *nmemb* 個分の配列領域を確保する。その領域は、すべてのビットが 0 で初期化される。
返却値	領域確保に成功した場合は、確保した領域の先頭へのポインタを返し、失敗した場合は、空ポインタを返す。

	malloc
ヘッダ	`#include <stdlib.h>`
形　式	`void *malloc(size_t size);`
解　説	大きさが *size* であるオブジェクトの領域を確保する。確保されたオブジェクトの値は不定である。
返却値	領域確保に成功した場合は、確保した領域の先頭へのポインタを返し、失敗した場合は、空ポインタを返す。

▶ **注意**：ポインタに対する理解が不十分であれば、まず p.50 の **Column 2-2** を学習してから、この続きを読むようにしましょう。

いずれの関数も、一般に**ヒープ**（heap）と呼ばれる、特別な“空き領域”から記憶域を確保します。確保したオブジェクトの寿命（生存期間）は、**割付け記憶域期間**（allocated storage duration）と呼ばれます。

なお、確保した記憶域が不要になったら、その領域を解放します。そのために提供されているのが *free* 関数です。

	free
ヘッダ	`#include <stdlib.h>`
形　式	`void free(void *ptr);`
解　説	*ptr* が指す領域を解放して、その後の割付けに使用できるようにする。*ptr* が空ポインタの場合は、何も行わない。それ以外の場合、実引数が *calloc* 関数、*malloc* 関数もしくは *realloc* 関数によって以前に返されたポインタと一致しないとき、またはその領域が *free* 関数もしくは *realloc* 関数の呼出しによって既に解放されているときの動作は定義されない。
返却値	なし。

これらの関数を利用することで、プログラム実行時の好きなタイミングで、オブジェクトを生成したり破棄したりできます。

最初に作る**List 2-3**は、1個のint型オブジェクト（変数）を*calloc*関数で生成して、整数値を代入・表示した後に*free*関数で破棄するプログラムです。

List 2-3 chap02/int_dynamic.c

```
// int型のオブジェクトを動的に生成して破棄

#include <stdio.h>
#include <stdlib.h>

int main(void)
{
    int *x = calloc(1, sizeof(int));      // int型オブジェクトを生成

    if (x == NULL)
        puts("記憶域の確保に失敗しました。");
    else {
        *x = 57;
        printf("*x = %d\n", *x);
        free(x);                          // int型オブジェクトを破棄
    }

    return 0;
}
```

実行結果

```
*x = 57
```


オブジェクトの生成から破棄までの流れを示したのが、**Fig.2-5**です。

呼び出された*calloc*関数は、指定された大きさ（この場合は1 * sizeof(int)バイト）の領域をヒープ領域から確保して、そのポインタを返却します。

一般に、ポインタ*p*が指すオブジェクトは、間接演算子*を適用した間接式**p*でアクセスできます（**Column 2-2**：p.50）。

この場合、確保領域をポインタ**x**が指しているため、その領域は間接式***x**でアクセスできます。プログラムでは、***x**に57を代入し、その値を取り出して表示しています。

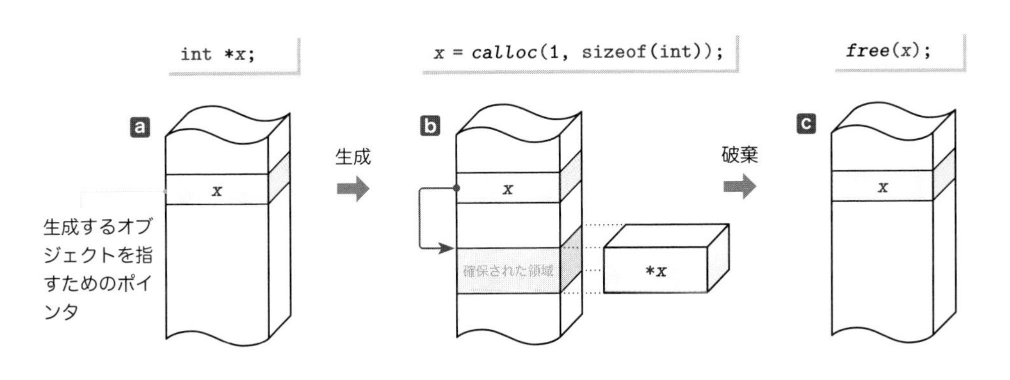

Fig.2-5　オブジェクトの動的な生成と破棄

表示後は、*free*関数によって確保領域を解放して、オブジェクトを破棄します。

▶ *calloc*関数や*malloc*関数で確保した領域へのポインタを*free*関数に渡すと、その領域が解放されて（空き領域に戻されて）、オブジェクトが破棄されます。

配列の動的生成

前ページのプログラムでは、単一の int 型オブジェクトを生成しました。次に作る **List 2-4** は、int 型の配列オブジェクトを動的に生成するプログラムです。

List 2-4 chap02/intary_dynamic.c

```
// int型の配列を動的に生成して破棄

#include <stdio.h>
#include <stdlib.h>

int main(void)
{
    int na;       // 配列aの要素数

    printf("要素数：");
    scanf("%d", &na);

    int *a = calloc(na, sizeof(int));    // 要素数naのint型配列を生成

    if (a == NULL)
        puts("記憶域の確保に失敗しました。");
    else {
        printf("%d個の整数を入力してください。\n", na);
        for (int i = 0; i < na; i++) {
            printf("a[%d] : ", i);
            scanf("%d", &a[i]);
        }

        printf("各要素の値は次のとおりです。\n");
        for (int i = 0; i < na; i++)
            printf("a[%d] = %d\n", i, a[i]);

        free(a);               // 要素数naのint型配列を破棄
    }

    return 0;
}
```

実行例

```
要素数：5
5個の整数を入力して
ください。
a[0] : 1
a[1] : 7
a[2] : 2
a[3] : 4
a[4] : 6
各要素の値は次のと
おりです。
a[0] = 1
a[1] = 7
a[2] = 2
a[3] = 4
a[4] = 6
```

まずは、前ページのプログラムと本プログラムにおける、*calloc* 関数を呼び出す式を比べてみます（**Table 2-1**）。

Table 2-1 二つのプログラムにおける calloc 関数の呼出し

List 2-3	単一の int 型オブジェクトの生成	calloc(1 , sizeof(int))
List 2-4	要素型が int 型で要素数 na の配列の生成	calloc(na, sizeof(int))

違うのは、第1引数の値のみです。*calloc* 関数や *malloc* 関数が確保するのは、特定の型のオブジェクトではなく、単なる記憶域の“かたまり”にすぎません。そのため、それらの関数に対して、『単一の整数用の記憶域を確保せよ。』とか『配列用の記憶域を確保せよ。』といった指定の必要がないのです。

▶ というよりも、そのような指定をすることができません。

本プログラムで配列を生成・アクセス・破棄する様子を **Fig.2-6**（右ページ）に示しています。

calloc 関数は確保した記憶域の先頭へのポインタを返し、その値がポインタ a に代入されます。

ポインタと配列の表記上の可換性（**Column 2-2**：p.50）によって、確保された領域内の要素は、添字式 a[0], a[1], a[2], … でアクセスできます。図bに示すように、**単なるポインタ a が、あたかも配列であるかのようにふるまう**わけです。

a は、配列用に確保された記憶域の先頭を指すポインタであって配列ではありませんが、これ以降は『配列 a を生成する。』あるいは『配列 a を解放する。』といった表現を使います。

配列の生成後は、for 文による繰返しによって、要素 a[*i*] に値を読み込んで、その値を表示します。

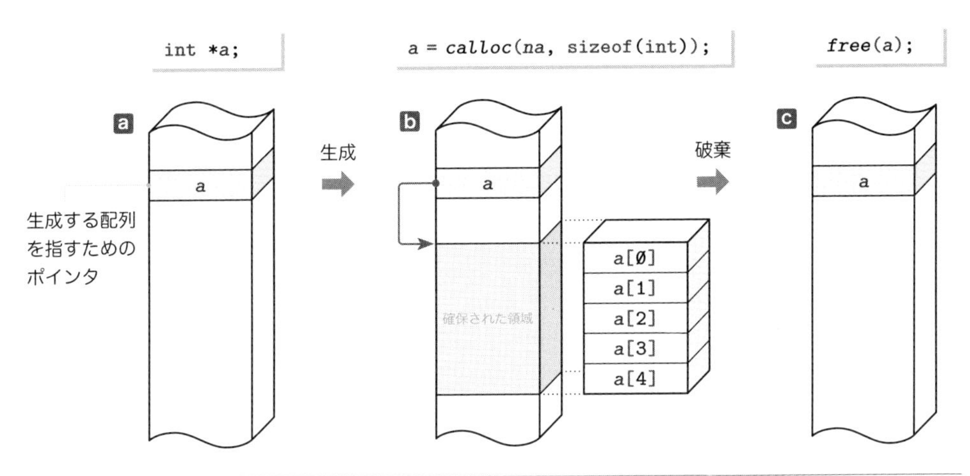

Fig.2-6 配列の動的な生成と破棄（要素数 na は 5 であるとする）

配列の利用が終了したら、*free* 関数で領域を解放します。解放の方法は、単一のオブジェクトの解放と同じであり、確保した領域へのポインタを渡すだけです。

▶ *free* 関数は、解放する領域の大きさを自動的に計算します。そのため、*free* 関数の呼出しの際は、引数を与える必要がありません。

＊

配列の要素数を（コンパイル時ではなく）実行時に決定する方法の学習が終了しました。

念のため、単一オブジェクトの生成と配列オブジェクトの生成について、一般化してまとめましょう。

- Type 型の単一オブジェクト *x の生成と破棄

```
Type *x = calloc(1, sizeof(Type));        free(x);
```

- 要素型が Type 型で要素数 n の配列 a の生成と破棄

```
Type *a = calloc(n, sizeof(Type));        free(a);
```

▶ ポインタを生成するのであれば、生成するオブジェクトを指すポインタは**『ポインタへのポインタ』**となります。たとえば、要素型が int * 型で要素数 10 の配列の生成と破棄は、次のように行います。

```
int **p = calloc(10, sizeof(int *));        free(p);
```

Column 2-2 ポインタと配列について

ポインタとは

ポインタ（pointer）は、『オブジェクトあるいは関数を指すこと』を表現する用語です。次に示すのが、ポインタ型の変数の宣言例です。

```
int *p;      // pはint型オブジェクトを指すポインタ
double *q;   // qはdouble型オブジェクトを指すポインタ
```

この宣言から分かるように、**ポインタの型は、指す先のオブジェクトの型に依存します**。int 型オブジェクトを指すポインタは int * 型で、double 型オブジェクトを指すポインタは double * 型です。

さて、n が int 型オブジェクトであるとします。**『ポインタ p がオブジェクト n を指す』**ようにするには、n のアドレスを p に代入する必要があります。それを実現するのが、以下の代入です。

```
p = &n;      // nへのポインタをpに代入する（pがnを指すようにする）
```

n に適用している**単項 & 演算子**は、**アドレス演算子**と呼ばれ、オペランドのアドレスを取り出します（厳密には、**オペランドへのポインタを生成します**）。

ポインタ p が指すオブジェクトは、**間接演算子**と呼ばれる**単項 * 演算子**を使ってアクセスできます。先ほどの代入によって p が n を指していますので、p が指す n をアクセスする**間接式**は *p です。そのため、

```
*p = 999;    // pの指す先に999を代入する
```

を実行すると、n に 999 が代入されます。ある意味で、**『*p は n そのものである』**わけです。

ただし、p が別のオブジェクト、たとえば x を指していれば、**『*p は x そのものである』**となります。

ポインタと配列

ポインタと配列について、右ページの **Fig.2C-1** で理解しましょう。

配列 a とポインタ p が宣言されており、p の初期化子は、配列名 a です。

原則として、**配列名は、その配列の先頭要素へのポインタと解釈されます**。すなわち、式 a の値は、a[0] のアドレスである &a[0] と一致します。

また、配列 a の要素型が Type であれば、式 a の型は Type * 型（この場合は int * 型）です。

さて、ポインタ p に与えられた初期化子が a ですから、&a[0] の値が p に入れられます。その結果、ポインタ p は、配列 a の先頭要素 a[0] を指すことになります。

さて、配列中の要素を指すポインタに対しては、次に示す規則が成立します。

ポインタ p が配列中の要素 e を指すとき、
p + i は、要素 e の i 個だけ後方の要素を指すポインタとなり、
p - i は、要素 e の i 個だけ前方の要素を指すポインタとなる。

図にも示すように、p + 2 は a[0] の 2 個後方の要素 a[2] を指して、p + 3 は a[0] の 3 個後方の要素 a[3] を指します。

それでは、配列内の要素を指すポインタ p + i に間接演算子 * を適用すると、どうなるでしょうか。

式 p + i は、p が指す要素の i 個後方の要素へのポインタですから、それに間接演算子を適用した間接式 *(p + i) は、その要素をアクセスする式です。

すなわち、p が a[0] を指していれば、式 *(p + i) は、ある意味で a[i] そのものです。

ここで、次に示す規則も必ず理解しましょう。

ポインタ *p* が配列中の要素 *e* を指すとき、
要素 *e* の *i* 個だけ後方の要素を表す `*(p + i)` は、`p[ i ]` と表記でき、
要素 *e* の *i* 個だけ前方の要素を表す `*(p - i)` は、`p[-i]` と表記できる。

たとえば、`p + 2` は `a[2]` を指しているため、`*(p + 2)` は `a[2]` です（図C）。その `*(p + 2)` を `p[2]` と表記できるのですから、`p[2]` は `a[2]` そのものです（図B）。

さて、配列名 `a` は、先頭要素 `a[0]` を指すポインタでした。そのポインタに2を加えた `a + 2` は、3番目の要素 `a[2]` を指すポインタとなります。
ポインタ `a + 2` が要素 `a[2]` を指しているのですから、そのポインタ `a + 2` に間接演算子 `*` を適用した `*(a + 2)` は、`a[2]` そのものです（図A）。

図中のA～Cの式 `*(a + 2)`, `p[2]`, `*(p + 2)` のすべてが、配列の要素 `a[2]` をアクセスする式であることが分かりました。

ここまででは、`a[2]` を例に考えてきましたので、一般的にまとめましょう。

- 次に示す4個の式は、いずれも配列内の**各要素をアクセスする式**です。
  `a[i]`　`*(a + i)`　`p[i]`　`*(p + i)`　　先頭から *i* 個後ろの要素
- 次に示す4個の式は、配列内の**各要素を指すポインタ**です。
  `&a[i]`　`a + i`　`&p[i]`　`p + i`　　先頭から *i* 個後ろの要素へのポインタ

なお、先頭要素を指すポインタ `a + 0` と `p + 0` は、単なる `a` と `p` でも表せます。また、それらのエイリアスである `*(a + 0)` と `*(p + 0)` は、それぞれ `*a`, `*p` と表せます。

ポインタが配列の先頭要素を指しているとき、そのポインタは、あたかも配列であるかのようにふるまいます。
※このことを、本書では、**ポインタと配列の表記上の可換性**と呼んでいます。

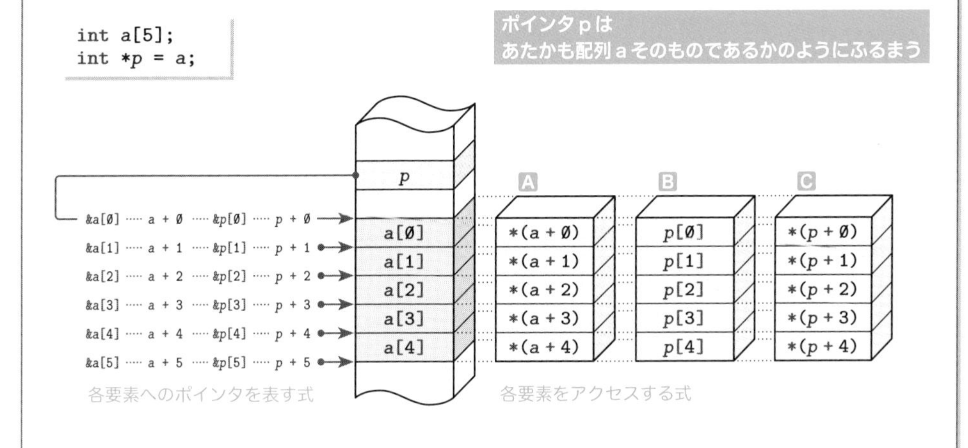

Fig.2C-1　ポインタと配列

配列の要素の最大値を求める

配列の要素の最大値を求める手続きを考えます。配列 a の要素が3個であれば、三つの要素 a[0], a[1], a[2] の最大値を求めるコードは、次のようになります。

```
max = a[0];
if (a[1] > max) max = a[1];
if (a[2] > max) max = a[2];
```

要素数が３であれば if 文を２回実行

変数名が異なる点を除くと、前章で学習した『3値の最大値』を求める手続きと同じです。もちろん、要素が4個であれば、次のようになります。

```
max = a[0];
if (a[1] > max) max = a[1];
if (a[2] > max) max = a[2];
if (a[3] > max) max = a[3];
```

要素数が４であれば if 文を３回実行

最初に行うのは、先頭要素 a[0] の値を max に代入することです。

その後、if 文を実行する過程で、必要に応じて max の値を更新します。要素数が n であれば、if 文の実行は、n - 1 回必要です。もちろん、max との比較や max への代入の対象となる要素の添字は、1, 2, … と増えていきます。

そのため、a[0], a[1], …, a[n - 1] の最大値を求めるコードは、次のようになります。

```
max = a[0];
for (int i = 1; i < n; i++)
    if (a[i] > max) max = a[i];
```

要素数が n であれば if 文を n−1 回実行

このコードのフローチャートが **Fig.2-7** であり、配列 a の要素の最大値を求めていく過程が、右ページの **Fig.2-8** です。

▶ 図に示すのは、配列の要素数が 5 の例です。

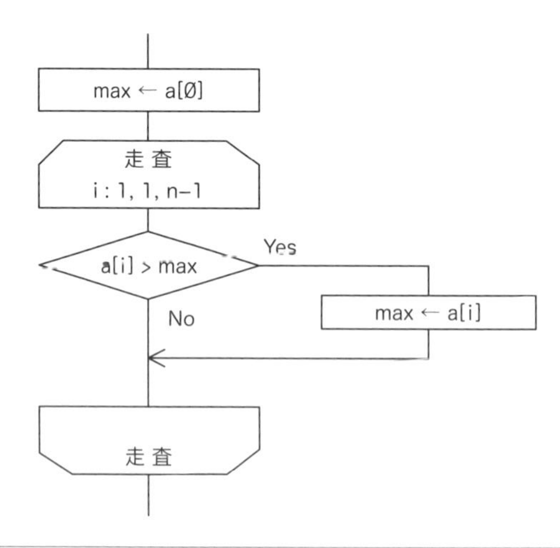

Fig.2-7　配列の要素の最大値を求めるアルゴリズム

図中、●内の値は、**着目要素の添字**です。着目要素は先頭から始まって、１個ずつ後方へ移動します。

```
max = a[0];                              ―①
for (int i = 1; i < n; i++)              ┐②
    if (a[i] > max) max = a[i];          ┘
```

①では a[0] に着目して、a[0] の値を max に代入します。そして、②の for 文では a[1] から末尾要素 a[n - 1] までを順に着目します。

このように、配列の要素を一つずつ順になぞっていく手続きのことを**走査**（そうさ）（traverse）と呼びます。必ず覚えるべき基本用語です。

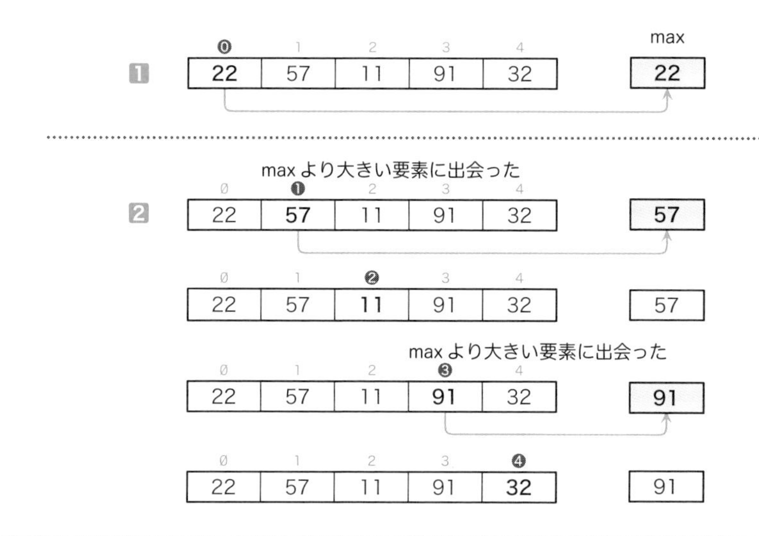

Fig.2-8　配列の要素の最大値を求める手順の一例

さて、②の走査では、if 文の制御式 a[i] > max の判定が成立した（着目要素 a[i] の値が、それまでの最大値 max より大きい）ときに a[i] の値を max に代入します。

全要素の走査が完了した時点で、配列 a の最大要素の値が max に入っています。

Column 2-3　空ポインタと NULL

空ポインタ（null pointer）は、いかなるオブジェクトへのポインタとも区別でき、いかなる関数へのポインタとも区別できる、特別なポインタです。整数値 0 は任意のポインタ型への型変換が可能であり、その結果は空ポインタとなります。

空ポインタを表すのが**空ポインタ定数**（null pointer constant）と呼ばれるマクロ NULL です。その NULL の定義は**『値 0 をもつ汎整数定数、またはその定数式を void * にキャストした式』**です。

マクロ NULL は <stddef.h> ヘッダで定義されています。ただし、このヘッダだけでなく、<locale.h>, <stdio.h>, <stdlib.h>, <time.h> をインクルードしても、宣言を取り込めるようになっています。

次に示すのが、NULL の定義の一例です。

```
#define NULL 0                    // NULLの定義の一例（C／C++）
#define NULL (void *)0            // NULLの定義の一例（C++では不可）
```

配列の要素の最大値を求める関数

配列要素の最大値を求める手続きを、独立した関数として実現したのが、**List 2-5** のプログラムです。プログラム冒頭で定義されている関数 ***maxof*** は、引数として受け取った配列 **a** の最大値を求めて、その値を返却します。

▶ 関数間における配列の受渡しについては、右ページの **Column 2-4** で学習します。

List 2-5 chap02/ary_max.c

```
// 配列の要素の最大値を求める（要素の値を読み込む）

#include <stdio.h>
#include <stdlib.h>

/*--- 要素数nの配列aの要素の最大値を求める ---*/
int maxof(const int a[], int n)
{
    int max = a[0];                // 最大値

    for (int i = 1; i < n; i++)
        if (a[i] > max) max = a[i];

    return max;
}

int main(void)
{
    int number;                    // 人数＝配列heightの要素数

    printf("人数 : ");
    scanf("%d", &number);

    int *height = calloc(number, sizeof(int));  // 要素数numberの配列を生成

    printf("%d人の身長を入力してください。\n", number);
    for (int i = 0; i < number; i++) {
        printf("height[%d] : ", i);
        scanf("%d", &height[i]);
    }

    printf("最大値は%dです。\n", maxof(height, number));

    free(height);                                // 配列heightを破棄

    return 0;
}
```

実行例

```
人数 : 5
5人の身長を入力してください。
height[0] : 172
height[1] : 153
height[2] : 192
height[3] : 140
height[4] : 165
最大値は192です。
```

main 関数で宣言されている配列 ***height*** の要素が表すのは、人間の“身長”です。

プログラムの最初に人数（配列の要素数）を変数 ***number*** に読み込み、その後、要素型が int 型で要素数が ***number*** の配列 ***height*** を生成します。

各要素に値を読み込んだ後は、配列 ***height*** とその要素数 ***number*** を関数 ***maxof*** に渡して呼び出します（網かけ部）。

呼び出された関数 ***maxof*** は、配列の要素の最大値を求めて返却します。main 関数では、その返却値を最大値として表示します。

最後に、確保していた配列を ***free*** 関数によって解放・破棄し、プログラムを終了します。

▶ 本プログラムでは、記憶域の確保に成功したかどうかのチェックを省略しています（これ以降に示すプログラムのほとんどが、そうなっています）。

Column 2-4 関数の引数としての配列

List 2-5 の main 関数内の網かけ部の式 *maxof*(*height*, *number*) は、配列 *height* の要素の最大値を求めるための**関数呼出し式**です。

ここで行われる配列の受渡しの様子を、Fig.2C-2 を見ながら理解していきましょう。

まずは、仮引数 a の宣言に着目します。仮引数の宣言における [] は、配列でなく**ポインタの宣言**です。そのため、仮引数の宣言 const int a[] は、const int *a と解釈されます。

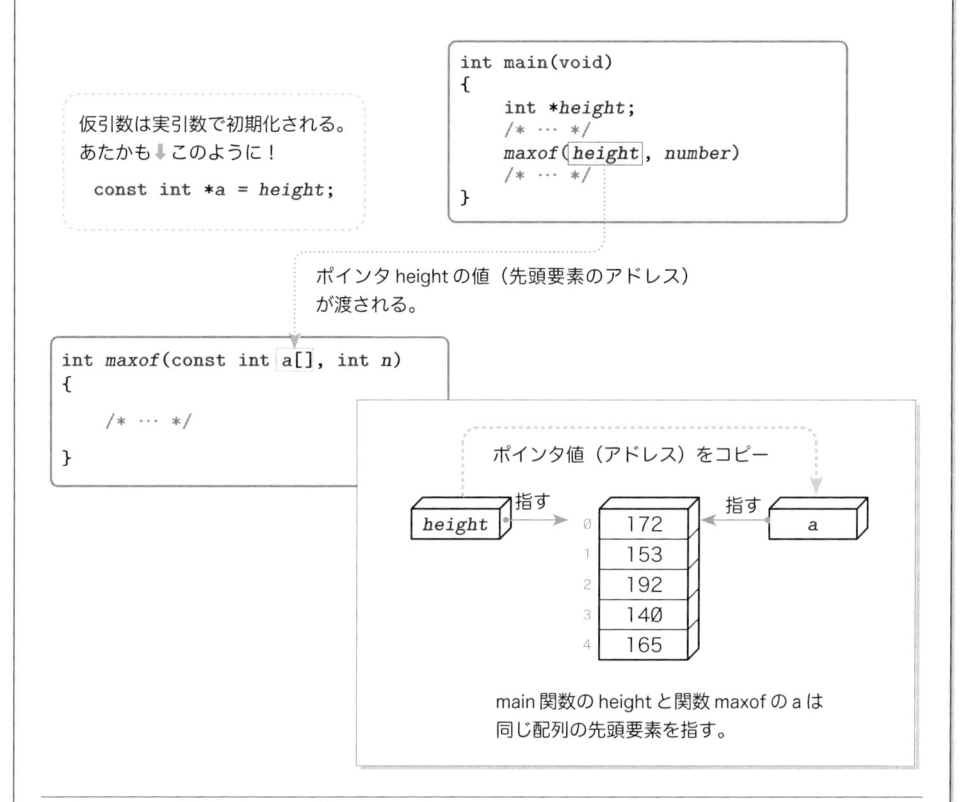

Fig.2C-2 関数間の配列の受渡し

関数呼出しが行われた際は、呼び出された関数が受け取る**仮引数**は、呼出し側が与えた**実引数の値**で**初期化**されます。

関数 *maxof* が呼び出された際に、実引数のポインタ *height* すなわち &*height*[0] で仮引数 a が初期化されるため、ポインタ a は *height*[0] を指すことになります。ポインタと配列の可換性により、ポインタ a は、配列 *height* そのものであるかのようにふるまいます。

さて、やりとりされる引数が（配列ではない）単なるポインタであるため、呼び出された側の関数では、配列の要素数を調べる手段がありません。そのため、配列の要素数は、別の引数としてやりとりする必要があり、そのための引数が *n* です。

なお、仮引数の宣言に置かれている const は、その引数が指す配列要素に対する値の「書込み」を不可能にします。そのため、関数 *maxof* の中では、a[*i*] に対しては値の読取りのみが可能であり、値の書込みは不可能です。

乱数による値の設定

配列の要素に対して値を一つずつ入力するのが面倒であれば、各要素に乱数(らんすう)を代入すればよいでしょう。そのように実現したのが、**List 2-6** のプログラムです。

List 2-6 chap02/ary_max_rand.c

```
// 配列の要素の最大値を求める（要素の値は乱数で生成）

#include <stdio.h>
#include <time.h>
#include <stdlib.h>                                            ❶

/*--- 要素数nの配列aの要素の最大値を求める ---*/          List 2-5 と同じ
int maxof(const int a[], int n)
{
    int max = a[0];                  // 最大値

    for (int i = 1; i < n; i++)
        if (a[i] > max) max = a[i];

    return max;
}

int main(void)
{
    int number;                // 人数＝配列heightの要素数

    printf("人数 : ");                                                ❷
    scanf("%d", &number);                                             ❸

    int *height = calloc(number, sizeof(int));  // 要素数numberの配列を生成

    srand(time(NULL));                          // 時刻から乱数の種を初期化
    for (int i = 0; i < number; i++) {
        height[i] = 100 + rand() % 90;          // 100～189の乱数を生成・代入
        printf("height[%d] = %d\n", i, height[i]);
    }

    printf("最大値は%dです。\n", maxof(height, number));

    free(height);                               // 配列heightを破棄

    return 0;
}
```

実行例

```
人数 : 5⏎
height[0] = 172
height[1] = 137
height[2] = 168
height[3] = 189
height[4] = 113
最大値は189です。
```

▶ 実行例に示す値は、あくまでも一例です。

プログラムを実行しましょう。キーボードから人数を打ち込むと、その人数分の身長が自動的に生成され、それらの最大値が表示されます（値を打ち込む手間が省けます）。

次に示すのが、乱数を生成するコードの概要です。

❶ ***rand*** 関数、***srand*** 関数、***time*** 関数の宣言などを含むヘッダをインクルードする。
❷ 乱数の種を初期化するために ***srand*** 関数を呼び出す。
❸ 乱数の生成のために ***rand*** 関数を呼び出す。

通常は、❷を少なくとも一度行って、乱数が必要になるたびに❸を行います。定石として覚えておきましょう。

▶ 本プログラムの場合、生成した乱数を 90 で割った剰余（すなわち 0 ～ 89）に 100 を加えていますので、height[i] に代入される身長は 100 ～ 189 です。

Column 2-5 乱数の生成

乱数を生成する*rand*関数が返却するのは、0以上RAND_MAX以下の値です。<stdlib.h>ヘッダで定義されるRAND_MAXの値は処理系に依存しますが、少なくとも32,767であることが保証されます。

さて、次に示すのは、二つの乱数を生成するプログラムです（"chap02/random1.c"）。

```
#include <stdio.h>
#include <stdlib.h>
/*… 中略 …*/
int x = rand();      // 0～RAND_MAXの乱数
int y = rand();      // 0～RAND_MAXの乱数
printf("xは%dでyは%dです。\n", x, y);
```

xは41でyは18467です。

xは41でyは18467です。

xは41でyは18467です。

このプログラムを何度実行しても、常に同じ値が表示されます（*x*と*y*の値は異なるのですが、*x*の値は毎回同じになり、*y*の値も毎回同じになります）。

このことは、生成される乱数の系列、すなわちプログラム中で1回目に生成される乱数、2回目に生成される乱数、3回目に生成される乱数、… が決まっていることを表しています。たとえば、ある処理系では、常に以下の順で乱数が生成されます。

41 ⇨ 18467 ⇨ 6334 ⇨ 26500 ⇨ 19169 ⇨ 15724 ⇨ …

こうなるのは、*rand*関数が“種（たね）”を利用して生成する乱数を計算しているからです。その“種”が、定数値1として*rand*関数の中に埋め込まれているため、毎回同じ系列の乱数が生成されるのです。

種の値を変更するのが*srand*関数です。たとえば、

```
srand(50);            // 種の値を50に設定
```

と呼び出すだけで、種の値を50に変更できます。

もっとも、このように定数を渡して*srand*関数を呼び出しても、その後に*rand*関数が生成する乱数の系列は決まってしまいます。先ほど例を示した処理系では、種を50に設定すると、生成される乱数は次のようになります。

201 ⇨ 20851 ⇨ 29710 ⇨ 25954 ⇨ 296 ⇨ 11525 ⇨ …

そのため、*srand*関数に与える引数は、ランダムな乱数でなければなりません。しかし、『乱数を生成する準備のために乱数が必要である』というのも、おかしな話です。

そこで、よく使われる手法の一つが、*srand*関数に対して《現在の時刻》を与える方法です。プログラムは以下のようになります（"chap02/random2.c"）。

```
#include <time.h>
#include <stdio.h>
#include <stdlib.h>
/*… 中略 …*/
srand(time(NULL));
int x = rand();      // 0～RAND_MAXの乱数
int y = rand();      // 0～RAND_MAXの乱数
printf("xは%dでyは%dです。\n", x, y);
```

xは30814でyは9229です。

xは30905でyは15273です。

xは30987でyは21839です。

*time*関数が返却するのはtime_t型で表現された《現在の時刻》です。プログラムを実行するたびに時刻は変わるため、その値を種にすると、生成される乱数の系列もランダムになります。

＊

なお、*rand*関数が生成するのは、**擬似（ぎじ）乱数**と呼ばれる乱数です。擬似乱数は、乱数のように見えますが、ある一定の規則に基づいて生成されます。擬似乱数と呼ばれるのは、次に生成される数値の予測がつくからです。本当の乱数は、次に生成される数値の予測がつきません。

配列の要素の並びを反転する

配列の要素の並びを反転するアルゴリズムを考えましょう。たとえば、配列 **a** が要素数 7 であって、先頭から順に {2, 5, 1, 3, 9, 6, 7} が格納されているのであれば、その配列を {7, 6, 9, 3, 1, 5, 2} にする、というのが目的です。

反転の手順を示したのが **Fig.2-9** です。まず最初に、図ⓐに示すように、先頭要素 a[0] と末尾要素 a[6] の値を交換します。引き続き、図ⓑと図ⓒに示すように、それぞれ一つ内側の要素の値を交換する作業を行います。

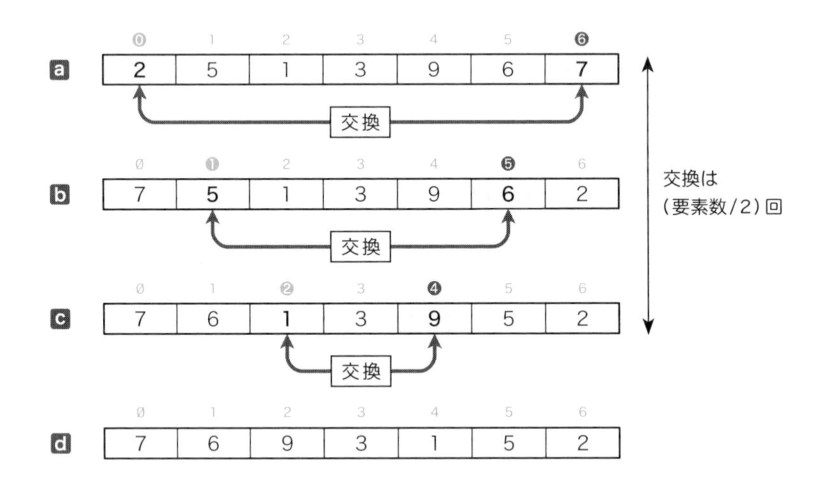

Fig.2-9　配列の要素の並びを反転する

交換作業の回数は **(要素数 / 2)** です。この除算での剰余は切り捨てます。というのも、ここに示す例のように、要素数が奇数のときは、中央要素の交換の必要がないからです。

▶ "整数 / 整数" の演算では、**剰余が切り捨てられた整数部**が得られるため、好都合です（もちろん要素数が 7 のときの交換回数は、7 / 2 すなわち 3 です）。

要素数 *n* の配列に対するⓐ⇨ⓑ⇨ … の処理を、変数 *i* を 0, 1, … とインクリメントすることで一般的に表すと、交換対象の要素の添字は、次のようになります。

- 左側要素の添字（図中●内の値）… *i*　　　　*n* が 7 であれば 0 ⇨ 1 ⇨ 2
- 右側要素の添字（図中●内の値）… *n* - *i* - 1　　*n* が 7 であれば 6 ⇨ 5 ⇨ 4

これで、要素数 *n* の配列の要素の並びを反転するコードが得られます。

```
for (int i = 0; i < n / 2; i++)
    a[i]とa[n - i - 1]の値を交換。
```

▶ 本書では、このようにC言語と日本語を交えて記述することがあります。

2値の交換

配列の反転の過程では、2要素の値の**交換**が必要です。二つの値の交換は、どのように行えばよいか、**Fig.2-10** で考えていきましょう（交換する値の対象は x と y です）。

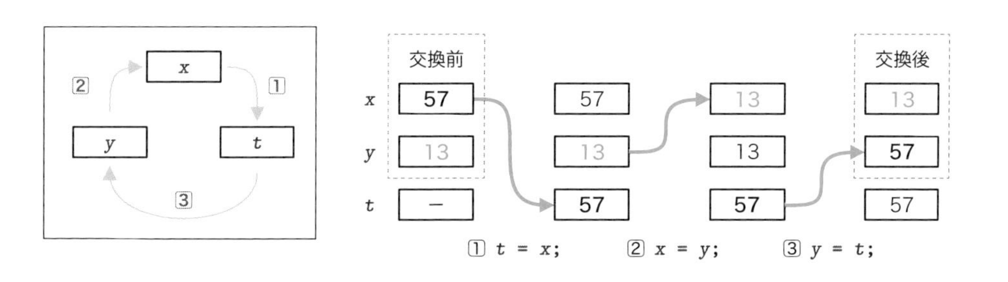

Fig.2-10　2値の交換

作業用の変数を t とすると、交換の手順は次のようになります。

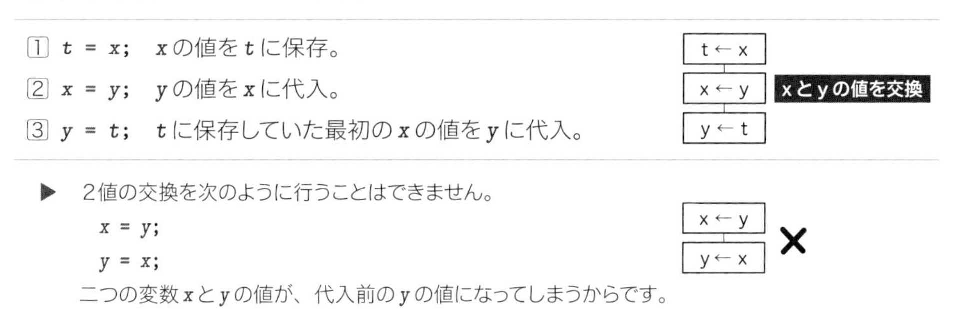

1 `t = x;`　x の値を t に保存。
2 `x = y;`　y の値を x に代入。
3 `y = t;`　t に保存していた最初の x の値を y に代入。

▶ 2値の交換を次のように行うことはできません。

```
x = y;
y = x;
```

二つの変数 x と y の値が、代入前の y の値になってしまうからです。

さて、配列の要素の並びを反転する過程で交換するのは、x と y ではありません。先ほど検討したように、配列内の2要素 `a[i]` と `a[n - i - 1]` の値です。

そのため、配列を反転するコードは、次のようになります。

```
for (int i = 0; i < n / 2; i++) {
    int t = a[i];
    a[i] = a[n - i - 1];      a[i]とa[n-i-1]の値を交換
    a[n - i - 1] = t;
}
```

交換対象の x が `a[i]` に変わり、y が `a[n - i - 1]` に変わっているものの、交換の手続きは、これまで考えたとおりです。

2値の交換処理を**関数形式マクロ**（function-like macro）として実現すれば、プログラムは短く読みやすくなります。

そのように実現したプログラムが、次ページの **List 2-7** です。

List 2-7 chap02/ary_rev.c

```
// 配列の要素の並びを反転する

#include <stdio.h>
#include <stdlib.h>

/*--- type型のxとyの値を交換 ---*/
#define swap(type, x, y)  do { type t = x; x = y; y = t; } while (0)   ―1

/*--- 要素数nの配列aの要素の並びを反転 ---*/
void ary_reverse(int a[], int n)
{
    for (int i = 0; i < n / 2; i++)
        swap(int, a[i], a[n - i - 1]);                                  ―2
}

int main(void)
{
    int nx;       // 配列xの要素数

    printf("要素数：");
    scanf("%d", &nx);
    int *x = calloc(nx, sizeof(int));

    for (int i = 0; i < nx; i++) {
        printf("x[%d] : ", i);
        scanf("%d", &x[i]);
    }

    ary_reverse(x, nx);                        // 配列xの要素の並びを反転

    printf("要素の並びを反転しました。\n");
    for (int i = 0; i < nx; i++)
        printf("x[%d] = %d\n", i, x[i]);

    free(x);                                   // 配列xを破棄

    return 0;
}
```

実行例

```
要素数：7
x[0] : 2
x[1] : 5
x[2] : 1
x[3] : 3
x[4] : 9
x[5] : 6
x[6] : 7
要素の並びを反転しました。
x[0] = 7
x[1] = 6
x[2] = 9
x[3] = 3
x[4] = 1
x[4] = 5
x[4] = 2
```

プログラム冒頭に置かれた1が、“type 型の変数 x と y の値の交換を行う” 関数形式マクロ swap の定義です。

関数 ary_reverse では、関数形式マクロ swap を n / 2 回呼び出すことによって、配列の要素の並びを反転します。

▶ 関数形式マクロは、プログラムのコンパイル時に展開されます。そのため、2の箇所は、次のように展開された上でコンパイルされます。

```
for (int i = 0; i < n / 2; i++)
    do { int t = a[i]; a[i] = a[n - i - 1]; a[n - i - 1] = t; } while (0);
```

展開された do 文の制御式の 0 は、偽を意味します。そのため、{ から } までのループ本体が実行されるのは1回だけです。ループ本体の実行が（2回以上）繰り返されることはありませんので、実質的には、次のコードと同等です。

```
for (int i = 0; i < n / 2; i++)
    { int t = a[i]; a[i] = a[n - i - 1]; a[n - i - 1] = t; }
```

関数形式マクロ swap の定義で、あえて do 文を導入している理由は、右ページの **Column 2-6** で学習します。

Column 2-6　同一型の2値を交換する関数形式マクロ

同一型の2値を交換する関数形式マクロ swap の定義において、ブロック { } が do 文で囲まれている理由を学習します。

▪ 誤った定義（ブロックを do 文で囲んでいない）

Fig.2C-3 に関数形式マクロの定義例を二つ示しています。図a内の1は、誤った定義であり、関数形式マクロ swap の定義内のブロックが do 文で囲まれていません。

この定義では、右に示すプログラム部分A（a が b より大きければ a と b を交換し、そうでなければ a と c を交換するという意図の if 文）がコンパイルエラーとなります。

```
A if (a > b)
      swap(int, a, b);
  else
      swap(int, a, c);
```

そうなる理由を、図内の展開後プログラムを見ながら理解していきましょう。

a > b の成立時の実行対象は、{ から } までのブロックです。この直後に else が位置しなければならないのですが、余分なセミコロン ; があります（単独のセミコロンは、**空文**（null statement）と呼ばれる、何も実行しない文です）。if 文とみなされるのは、図内の青い部分だけとなり、else に対応する if が存在しないことになります。

エラーを回避するには、右に示すBのように、セミコロンを取らなければなりません。これは、おかしいですね。

```
B if (a > b)
      swap(int, a, b)
  else
      swap(int, a, c)
```

▪ 正しい定義（ブロックを do 文で囲んでいる）

関数形式マクロ swap の正しい定義と、それを使ってプログラム部分Aの展開の様子を示したのが図bです。展開後のコード全体が正しい if 文とみなされます。do 文の構文は『do 文 while (式);』であり、do から ; までが単一の文となるからです。

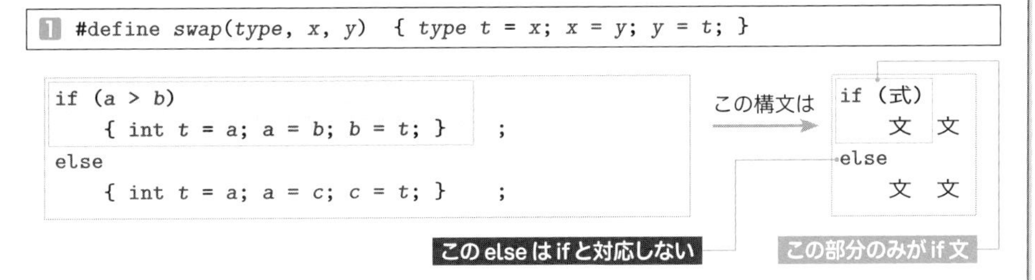

b 関数形式マクロswapの正しい定義

```
2 #define swap(type, x, y)  do { type t = x; x = y; y = t; } while (0)
```

```
if (a > b)
    do { int t = a; a = b; b = t; } while (0);
else
    do { int t = a; a = c; c = t; } while (0);
```

この構文は

```
if (式)
    文
else
    文
```

全体がif文

Fig.2C-3　同一型の2値を交換する関数形式マクロ swap

基数変換

整数値を任意の基数へと基数変換するアルゴリズムを考えましょう。

1Ø進整数を n 進整数に変換するには、整数を n で割った剰余を求めるとともに、その商に対して除算を繰り返します。商が Ø になるまで繰り返して、その過程で求められた剰余を**逆順に並べたものが**、変換後の数です。

この考えに基づいて、1Ø進整数59を、2進数／8進数／16進数に変換する例を**Fig.2-11**に示しています。

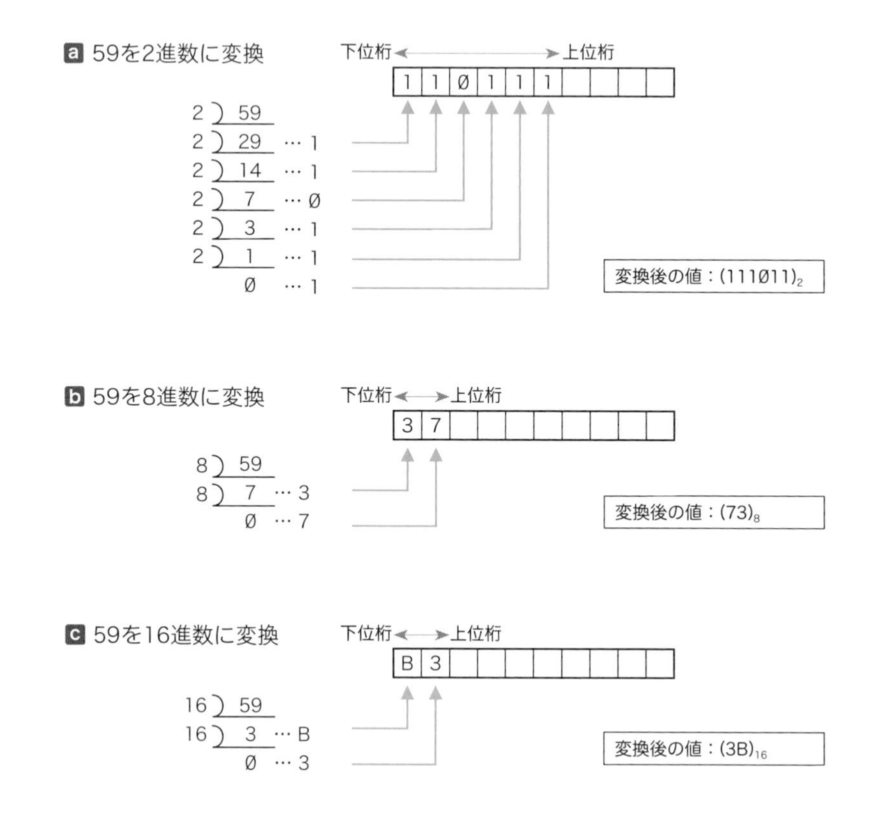

Fig.2-11　基数変換の過程

基数が1Øを超える場合は、Ø～9に続く数字として、アルファベット文字 A, B, … を使います。たとえば、16進数で使うのは、次の16個の文字です（**Column 2-7**：右ページ）。

```
Ø, 1, 2, 3, 4, 5, 6, 7, 8, 9, A, B, C, D, E, F
```

アルファベット文字 A, B, …は、1Ø進数での 1Ø, 11, … に相当します。

▶　数字文字 Ø～9 に加えて A～Z の全アルファベットを利用すれば、36進数を表せます。

Column 2-7　基数について

n 進数は n を基数（cardinal number）とする数です。ここでは、10 進数／8進数／16 進数を例に、各基数について簡単に学習します。

■ 10 進数

次に示す 10 種類の数字を利用して数を表現します。

```
0  1  2  3  4  5  6  7  8  9
```

これらを使い切ったら、桁が繰り上がって 10 となります。2 桁の数は、10 から始まって 99 までです。その次は、さらに繰り上がった 100 です。すなわち、次のようになります。

1 桁　…　0 から 9 までの 10 種類の数を表す。
～2 桁　…　0 から 99 までの 100 種類の数を表す。
～3 桁　…　0 から 999 までの 1,000 種類の数を表す。

10 進数の各桁は、下の桁から順に 10^0、10^1、10^2、… と、10 のべき乗の重みをもちます。したがって、たとえば 1234 は、次のように解釈されます。

$$1234 = 1 \times 10^3 + 2 \times 10^2 + 3 \times 10^1 + 4 \times 10^0$$

※ 10^0 は 1 です（2^0 でも 8^0 でも、とにかく 0 乗の値は 1 です）。

■ 8進数

8進数では、次に示す8種類の数字を利用して数を表現します。

```
0  1  2  3  4  5  6  7
```

これらを使い切ると、桁が繰り上がって 10 となり、さらにその次の数は 11 となります。2 桁の数は、10 から始まって 77 までです。これで 2 桁を使い切りますので、その次は 100 です。

すなわち、次のようになります。

1 桁　…　0 から 7 までの 8 種類の数を表す。
～2 桁　…　0 から 77 までの 64 種類の数を表す。
～3 桁　…　0 から 777 までの 512 種類の数を表す。

8進数の各桁は、下の桁から順に 8^0、8^1、8^2、… と、8 のべき乗の重みをもちます。したがって、たとえば 5306（整数定数では `05306` と表記）は、次のように解釈されます。

$$5306 = 5 \times 8^3 + 3 \times 8^2 + 0 \times 8^1 + 6 \times 8^0$$

10 進数で表すと 2758 です。

■ 16 進数

16 進数では、次に示す 16 種類の数字を利用して数を表現します。

```
0  1  2  3  4  5  6  7  8  9  A  B  C  D  E  F
```

先頭から順に、10 進数の 0 ～ 15 に対応します（`A` ～ `F` は小文字でも構いません）。

これらを使い切ると、桁が繰り上がって 10 となります。2 桁の数は、10 から始まって FF までです。その次は、さらに繰り上がった 100 です。

16 進数の各桁は、下の桁から順に 16^0、16^1、16^2、… と、16 のべき乗の重みをもちます。したがって、たとえば 12A0（整数定数では `0x12A0` と表記）は、次のように解釈されます。

$$12A0 = 1 \times 16^3 + 2 \times 16^2 + 10 \times 16^1 + 0 \times 16^0$$

10 進数で表すと 4768 です。

基数変換を行うプログラムを **List 2-8** に示します。

List 2-8 [A] chap02/card_conv.c

```
// 読み込んだ10進整数を2進数～36進数に基数変換して表示

#include <stdio.h>

/*--- typeの型のxとyの値を交換 ---*/
#define swap(type, x, y)  do { type t = x; x = y; y = t; } while (0)

/*--- 整数値xをn進数に変換した数字文字の並びを配列dに格納 ---*/
int card_conv(unsigned x, int n, char d[])
{
    char dchar[] = "0123456789ABCDEFGHIJKLMNOPQRSTUVWXYZ";
    int digits = 0;                             // 変換後の桁数

    if (x == 0)                                 // 0であれば
        d[digits++] = dchar[0];                 // 変換後も0
    else
        while (x) {
            d[digits++] = dchar[x % n];         // nで割った剰余を格納 ―1  ―A
            x /= n;                             //                   ―2
        }

    for (int i = 0; i < digits / 2; i++)        // 配列dの並びを反転     ―B
        swap(char, d[i], d[digits - i - 1]);

    return digits;
}
```

▶ この記号は、プログラムリストに“続き”があることを示します。

関数 card_conv は、整数 x を n 進数に変換した数字文字の並びを char 型の配列 d に格納して、その桁数（配列に格納した文字数）を返す関数です。

char 型の配列 dchar が "0123456789ABCDEFGHIJKLMNOPQRSTUVWXYZ" で初期化されていますので、各文字は次の添字式でアクセスできます。

▪数字文字	▪アルファベット
文字 '0' … dchar[0]	文字 'A' … dchar[10]
文字 '1' … dchar[1]	文字 'B' … dchar[11]
… 中略 …	… 中略 …
文字 '9' … dchar[9]	文字 'Z' … dchar[35]

なお、0 で初期化している digits は、変換後の数値の桁数を表すための変数です。

while 文のループ本体**A**では、次の処理を行います。

1. まず、x を n で割った剰余を添字とする配列 dchar 内の文字 dchar[x % n] を配列 d の要素 d[digits] に代入し、それから digits の値をインクリメントします。

   ▶ たとえば x % n が 11 であれば、文字 'B' を d[digits] に代入し、その後に digits をインクリメントします（**Column 2-8**：右ページ）。

2. x を n で割ります。

この作業を x が 0 になるまで繰り返します。**Fig.2-12** は、10 進数 59 を 16 進数に変換する様子です。変換終了時の *digits* は、変換後の数値 3B の桁数 2 と一致します。

▶ 文字 'B' を d[0] に格納した後に *digits* は 1 で x は 3 となり、文字 '3' を d[1] に格納した後に *digits* は 2 で x は 0 となります。x が 0 になると、while 文の繰返しが終了します。

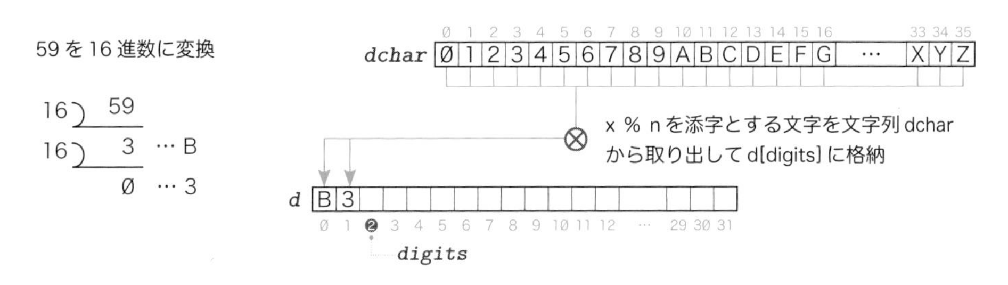

Fig.2-12　基数変換

剰余を求めた順に格納していくため、**配列 d の先頭側が下位桁となります。**すなわち、変換後の桁の並びは、本来のものとは逆順です。

そこで、**B**では、**配列 d 内の d[0] 〜 d[digits - 1] の部分の反転**を行っています（ここで使っているのは、p.58 で学習したアルゴリズムです）。

▶ もちろん、ここで呼び出している関数形式マクロ *swap* は、**List 2-7**（p.60）と同じです。

Column 2-8　前置増分演算子と後置増分演算子

インクリメントを行う増分演算子 ++ とデクリメントを行う演算子 -- は、前置形式と後置形式とで、働きがまったく異なります。増分演算子を例に考えていきましょう。

▪ 前置増分演算子 ++a

前置形式では、式全体の評価が行われる前に、オペランドの値がインクリメントされます。そのため、a の値が 3 のときに b = ++a の代入を実行すると、まず a がインクリメントされて値が 4 となり、それから式 ++a を評価した値である 4 が b に代入されます。

最終的に、a と b は 4 になります。

▪ 後置増分演算子 a++

後置形式では、式全体の評価が行われた後に、オペランドの値がインクリメントされます。そのため、a の値が 3 のときに b = a++ の代入を実行すると、まず式 a++ を評価した値 3 が b に代入され、それからインクリメントが行われて、a の値が 4 となります。

最終的に、a は 4 になり、b は 3 になります。

評価の順序に関しては、デクリメントを行う前置／後置減分演算子 -- もまったく同様です。

List 2-8 [B] chap02/card_conv.c

```
int main(void)
{
    puts("10進数を基数変換します。");

    int retry;                  // もう一度？

    do {
        unsigned no;            // 変換する整数
        int      cd;            // 基数
        char     cno[512];      // 変換後の数値の各桁の数字を格納する文字の配列

        printf("変換する非負の整数：");
        scanf("%u", &no);

        do {
            printf("何進数に変換しますか（2-36）：");
            scanf("%d", &cd);
        } while (cd < 2 || cd > 36);

        int dno = card_conv(no, cd, cno);    // noをdno桁のcd進数に変換

        printf("%d進数では", cd);
        for (int i = 0; i < dno; i++)        // 各桁の文字を順に表示
            printf("%c", cno[i]);
        printf("です。\n");

        printf("もう一度しますか（1…はい／0…いいえ）：");
        scanf("%d", &retry);
    } while (retry == 1);

    return 0;
}
```

実行例

```
10進数を基数変換します。
変換する非負の整数：59
何進数に変換しますか（2-36）：2
2進数では111011です。
もう一度しますか（1…はい／0…いいえ）：0
```

main関数では、基数変換を対話的に行います。

関数card_convからの返却値が代入されるdnoには、変換後の桁数が入ります。すなわち、変換後の各桁の文字はcno[0], cno[1], …, cno[dno - 1]に格納されています。

網かけ部では、それらの文字を順に走査して表示します。

▶ 配列cnoの要素数が512ですから、変換後の値が512桁に収まらなければなりません。

演習 2-1

List 2-5（p.54）は、身長の最大値を求めるプログラムであった。最小値を求めるように書きかえたプログラムを作成せよ。最小値を求める手続きは、次の関数として実現すること。

```
int minof(const int a[], int n);
```

演習 2-2

前問を書きかえて、身長の合計値を求めるプログラムを作成せよ。合計値を求める手続きは、次の関数として実現すること。

```
int sumof(const int a[], int n);
```

演習 2-3

前問を書きかえて、身長の平均値を求めるプログラムを作成せよ。平均値を求める手続きは、次の関数として実現すること（すなわち、整数値ではなく実数値として平均値を求める）。

```
double aveof(const int a[], int n);
```

演習 2-4

List 2-6（p.56）は身長を乱数で生成した上で身長の最大値を求めるプログラムであった。身長だけでなく、人数も乱数で生成するように書きかえたプログラムを作成せよ。人数は、5 以上 20 以下の乱数とすること。

演習 2-5

右に示すように、配列要素の並びの反転の経過を逐一表示するように **List 2-7**（p.60）を書きかえたプログラムを作成せよ。

関数 *ary_reverse* に手を加えて実現すること。

```
5 10 73 2 -5 42
a[0]とa[5]を交換します。
42 10 73 2 -5 5
a[1]とa[4]を交換します。
42 -5 73 2 10 5
a[2]とa[3]を交換します。
42 -5 2 73 10 5
反転が終了しました。
```

演習 2-6

右に示すように、基数変換の過程を詳細に表示するプログラムを作成せよ。

```
10進数を基数変換します。
変換する非負の整数：58↵
何進数に変換しますか（2-36）：2↵
 2 |      58  … 0
   +----------
 2 |      29  … 1
   +----------
     … 中略 …
 2 |       1  … 1
   +----------
           0
2進数では111010です。
もう一度しますか（1…はい／0…いいえ）：0↵
```

演習 2-7

配列 b の全要素を配列 a にコピーする関数を作成せよ（*n* は要素数である）。

```
void ary_copy(int a[], const int b[], int n);
```

演習 2-8

配列 b の全要素を配列 a に逆順にコピーする関数を作成せよ（*n* は要素数である）。

```
void ary_rcopy(int a[], const int b[], int n);
```

演習 2-9

配列 a の全要素の並びをシャッフルする（無作為な順に並べかえる）関数を作成せよ（*n* は要素数である）。

```
void shuffle(int a[], int n);
```

素数の列挙

次は、**素数**（prime number）を列挙するアルゴリズムを考えます。

素数は、**自分自身と 1 以外の整数で割り切ることのできない整数**です。たとえば素数 13 は、それより小さい 2 ～ 12 のどの整数でも割り切れません。

そのため、ある整数 *n* は、次の条件を満たせば、素数であると判定できます。

---

2 から *n* - 1 までのいずれの整数でも割り切れない。

---

n を割り切れる整数が 1 個でも存在すれば、その数は**合成数**（composite number）です。

それでは、1,000 以下のすべての素数を列挙する **List 2-9** を理解していきましょう。

List 2-9 chap02/prime1.c

```c
// 1,000以下の素数を列挙（第１版）

#include <stdio.h>

int main(void)
{
    unsigned long counter = 0;  // 除算の回数

    for (int n = 2; n <= 1000; n++) {
        int i;
        for (i = 2; i < n; i++) {
            counter++;
            if (n % i == 0)     // 割り切れると素数ではない
                break;          // それ以上の繰返しは不要
        }
        if (n == i)             // 最後まで割り切れなかった
            printf("%d\n", n);
    }

    printf("除算を行った回数：%lu\n", counter);

    return 0;
}
```

実行結果

```
2
3
5
7
… 中略 …
991
997
除算を行った回数：78022
```

素数を求める箇所は、2 重の **for** 文の構造です。

外側の **for** 文で、*n* の値を 2 から 1000 までインクリメントしていき、その値が素数かどうかを判定します。右ページの **Fig.2-13** に示すのが、判定の様子です。

ここでは、9 と 13 を例に、その様子を具体的に理解していきましょう。

▪ 9 が素数であるかどうかの判定

内側の **for** 文では、*i* の値を 2, 3, …, 8 とインクリメントしていきます。ただし、*i* が 3 のときに割り切れるため、**break** 文の働きによって **for** 文の繰返しは中断されます。

除算が行われるのは、2 と 3 の **2 回だけ**です。なお、**for** 文中断時の *i* の値は 3 です。

▪ 13 が素数であるかどうかの判定

内側の **for** 文では *i* の値を 2, 3, …, 12 とインクリメントしていきます。一度も割り切れることはなく、**11 回の除算がすべて行われます**。**for** 文終了時の *i* の値は 13 です。

素　数
合成数

立体　3　その数で除算を行ったが割り切れなかった。
斜字　*3*　その数で除算を行ったら割り切れた。
薄字　~~3~~　その数での除算は不要なので行われなかった。

n	割る数	除算の回数
2		
3	2	1
4	*2* ~~3~~	1
5	2 3 4	3
6	*2* ~~3 4 5~~	1
7	2 3 4 5 6	5
8	*2* ~~3 4 5 6 7~~	1
9	2 *3* ~~4 5 6 7 8~~	2
10	*2* ~~3 4 5 6 7 8 9~~	1
11	2 3 4 5 6 7 8 9 1Ø	9
12	*2* ~~3 4 5 6 7 8 9 1Ø 11~~	1
13	2 3 4 5 6 7 8 9 1Ø 11 12	11
14	*2* ~~3 4 5 6 7 8 9 1Ø 11 12 13~~	1
15	2 *3* ~~4 5 6 7 8 9 1Ø 11 12 13 14~~	2
16	*2* ~~3 4 5 6 7 8 9 1Ø 11 12 13 14 15~~	1
17	2 3 4 5 6 7 8 9 1Ø 11 12 13 14 15 16	15
18	*2* ~~3 4 5 6 7 8 9 1Ø 11 12 13 14 15 16 17~~	1

Fig.2-13　素数であるかどうかの判定のための除算

内側の for 文による繰返しが終了した時点の変数 i の値をまとめましょう：

- n が素数のとき　：for 文は最後まで実行される ⇨ i は n と等しい値
- n が合成数のとき：for 文は中断される　　　　　⇨ i は n より小さい値

プログラム網かけ部では、i の値が n と等しければ、その値を素数として表示します。

実行結果が示すように、除算が行われるのは全部で 78,Ø22 回です。

▶　除算を行うたびに変数 counter をインクリメントすることによって、回数をカウントしています。

＊

さて、n が 2 や 3 で割り切れなければ、2×2 である 4 や、2×3 である 6 で割り切れることはありません。本プログラムが無駄な除算を行っていることは、明らかです。

実は、整数 n が素数であるかどうかは、次の条件を満たすのかを調べればよいのです。

2 から n - 1 までのいずれの**素数**でも割り切れない。

たとえば、7 が素数であるかどうかは、それより小さい素数である 2, 3, 5 での除算を行うだけで十分です（4 や 6 で割る必要はありません）。

このアイディアを導入して、計算に要する時間を短縮しましょう。

アルゴリズムの改良（1）

前ページのアイディアに基づいて改良したのが、右ページの **List 2-10** です。

素数を求める過程では、その時点までに求められた素数を配列 `prime` の要素として蓄えていきます。`n` が素数かどうかの判定では、蓄えられた素数での除算を行います。

プログラムの進行に伴って配列に格納される値の変化の様子を表したのが **Fig.2-14** です。

まず、2 が素数であることは明確ですから、点線 内の図に示すように、その値を配列の先頭要素 `prime[0]` に格納します（1）。

配列に格納されている素数の個数を表すのが、図中●内に値を示している変数 `ptr` です。`prime[0]` に 2 を格納した直後の `ptr` の値は 1 です。

Fig.2-14　素数であるかどうかの判定のための除算

続く2重の `for` 文で、3 以上の素数を求めていきます。

外側の `for` 文では、`n` の値を二つずつ増やして 3, 5, 7, 9, …, 999 と奇数の値だけを生成します。4以上の偶数は（2で割り切れるため）素数ではないからです。

内側の `for` 文では、変数 `i` の値を 1 から始めて `ptr - 1` 回だけ繰り返します。これは、図中の 内の値で除算を行うための繰返しです。

▶ 変数 `i` のインクリメントを `0` からでなく `1` から始めています。判定の対象となる `n` が奇数であるため、`prime[0]` に格納されている 2 で割る必要がないからです。

具体的にどのような演算が行われるのかを、四つの例で見てみましょう。

a 3が素数であるかどうかの判定（n は 3 で ptr は 1 ⇨ 2）

内側の `for` 文は、実質的にスキップされます（`ptr` が 1 だからです）。`if` 文によって `n` の値 3 が `prime[1]` に格納されます。

▶ 2の `if` 文では、制御式 `ptr == i` すなわち `1 == 1` が成立するため、`prime[ptr++]` に対する、`n` すなわち 3 の代入が実行されます。

List 2-10 chap02/prime2.c

```
// 1,000以下の素数を列挙（第２版）

#include <stdio.h>

int main(void)
{
    int prime[500];                                    // 素数を格納する配列
    int ptr = 0;                                       // 既に得られた素数の個数
    unsigned long counter = 0;                         // 除算の回数

    prime[ptr++] = 2;                                  // ２は素数である ――1

    for (int n = 3; n <= 1000; n += 2) {               // 奇数のみを対象とする
        int i;
        for (i = 1; i < ptr; i++) {                    // 既に得られた素数で割る
            counter++;
            if (n % prime[i] == 0)                     // 割り切れると素数ではない
                break;                                 // それ以上の繰返しは不要
        }
        if (ptr == i)                                  // 最後まで割り切れなかった ――2
            prime[ptr++] = n;                          // 配列に登録
    }

    for (int i = 0; i < ptr; i++)
        printf("%d\n", prime[i]);

    printf("除算を行った回数：%lu\n", counter);

    return 0;
}
```

実行結果
```
… 中略 …
除算を行った回数：14622
```


b 5が素数であるかどうかの判定（n は 5 で ptr は 2 ⇨ 3）

prime[1] の 3 による除算を行います（割り切れません）。

素数と判定されますので、***n*** の値 5 を ***prime***[2] に格納します。

▶ すべての [　　] の値で割り切れず、内側の for 文が中断されることなく最後まで実行されると、for 文終了時の ***i*** の値は ***ptr*** と一致します。そのため、***n*** は素数と判定されます（2）。

c 7が素数であるかどうかの判定（n は 7 で ptr は 3 ⇨ 4）

prime[1] の 3 と、***prime***[2] の 5 での除算を行います（いずれでも割り切れません）。

素数と判定されますので、***n*** の値 7 を ***prime***[3] に格納します。

d 9が素数であるかどうかの判定（n は 9 で ptr は 4）

prime[1] の 3 での除算を行うと割り切れるため、素数でなく合成数と判定されます（配列 ***prime*** の要素への値の格納は行われません）。

▶ [　　] の値で割り切れるときは、***n*** は素数ではなく合成数です。内側の for 文が中断されるため、for 文終了時の ***i*** の値は ***ptr*** よりも小さくなります。

除算を行う回数は 78,022 回から 14,622 回に減少しました。二つのプログラムを比較すると、次のことが分かります。

- 同じ解を得るためのアルゴリズムは一つであるとは限らない。
- 高速なアルゴリズムは、より多くの記憶域を必要とする傾向がある。

アルゴリズムの改良（2）

引き続きアルゴリズムの改良を行います。100 の約数を表した **Fig.2-15**（ただし 1 × 100 は除いています）を考えましょう。

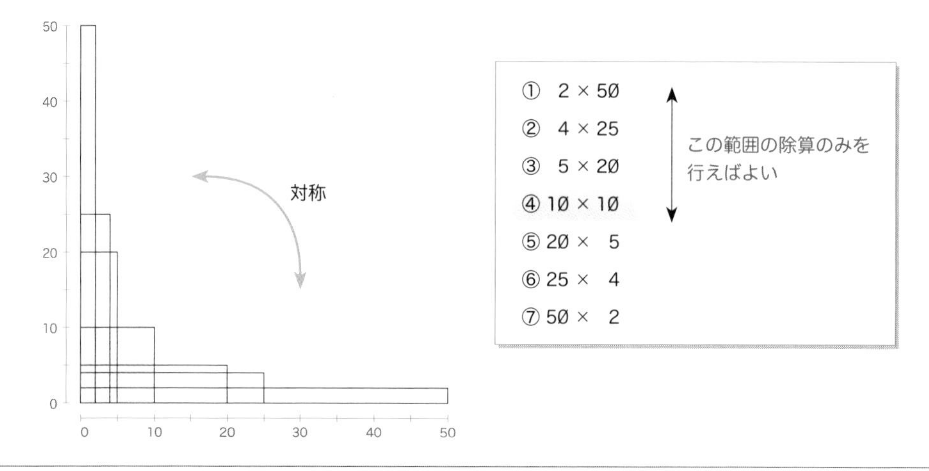

Fig.2-15　100 の約数の対称性

これらの値は、面積が 100 の長方形の、縦横の辺の長さです。たとえば 4×25 と 25×4 は、横長であるか縦長であるかが異なるものの、**同じ長方形です**。

そのため、すべての長方形は、**正方形である 10×10 を境に対称となっています。**

もし仮に 100 が 4 で割り切れないのであれば、25 でも割り切れることはありません。このことは、正方形の一辺の長さまでの除算を試みて、その過程で一度も割り切れなければ、素数と判定できることを意味します。

＊

すなわち、ある整数 `n` は、次の条件を満たせば素数であると判定できます。

`n` の**平方根**以下のいずれの素数でも割り切れない。

このアイディアを導入して改良したプログラムが、右ページの **List 2-11** です。

`prime[i]` が `n` の平方根以下であるかどうかを判定する青網部では、

`prime[i]` の 2 乗が `n` 以下であるか。

と、《乗算》を使っています。

この判定は、`n` の平方根の値を求めるよりも、はるかに単純かつ高速です。

＊

さて、新たに導入された乗算のコストは、除算と同等とみなせます。第 1 版と第 2 版のプログラムでは除算の回数をカウントしていましたが、本プログラムでは、`counter` に格納する値を、乗算と除算の回数の合計としています。

List 2-11 chap02/prime3.c

```
// 1,000以下の素数を列挙（第３版）

#include <stdio.h>

int main(void)
{
    int prime[500];                               // 素数を格納する配列
    int ptr = 0;                                  // 既に得られた素数の個数
    unsigned long counter = 0;                    // 乗除の回数

    prime[ptr++] = 2;                             // ２は素数である
    prime[ptr++] = 3;                             // ３は素数である

    for (int n = 5; n <= 1000; n += 2) {          // 奇数のみを対象とする
        int i;
        int flag = 0;
        for (i = 1; counter++, prime[i] * prime[i] <= n; i++) {
            counter++;
            if (n % prime[i] == 0)  {             // 割り切れると素数ではない
                flag = 1;
                break;                            // それ以上の繰返しは不要
            }
        }
        if (!flag)                                // 最後まで割り切れなかった
            prime[ptr++] = n;                     // 配列に登録
    }

    for (int i = 0; i < ptr; i++)
        printf("%d\n", prime[i]);

    printf("乗除算を行った回数：%lu\n", counter);

    return 0;
}
```

実行結果

```
… 中略 …
乗除算を行った回数：3774
```

乗除算の回数用の変数 `counter` のカウントアップを行うのは、２箇所の黒網部です。カウントしているのは、次の二つの演算の実行回数です。

A 乗算 … `prime[i] * prime[i]`

B 除算 … `n % prime[i]`

乗除算の回数は、一気に減って 3,774 回となります。

▶ 内側の `for` 文の制御式 `counter++, prime[i] * prime[i] <= n` では、**コンマ演算子**（comma operator）を使っています。

一般に、コンマ式 *op1* , *op2* を評価すると、まず *op1* が評価され、それから *op2* が評価されます。そして、この式全体を評価して得られるのは、右オペランド *op2* の評価によって得られる型と値です。

本プログラムの場合、まず左オペランド `counter++` の評価の際に `counter` がインクリメントされ、それから右オペランドの式 `prime[i] * prime[i] <= n` が評価されます。`for` 文による繰返しを続けるかどうかの判定は、右オペランドの判定が成立するかどうかに基づきます。

第１版のプログラムを、第２版・第３版と改良しました。アルゴリズムによって、計算の速度が変わることが実感できたでしょう。

▶ 第２版と第３版では、素数を格納する配列 `prime` の要素数を `500` としています。偶数は素数でないことが明らかであり、少なくとも半分を用意していれば、素数は必ず配列に収まるからです。

多次元配列

ここまで学習した配列の要素は、int や double などの単一型でした。実は、配列の要素自体が“配列”となっている配列も作成できます。

配列を要素型とするのが２次元配列であり、２次元配列を要素型とするのが３次元配列です。もちろん、４次元以上の配列も作れます。２次元以上の配列の総称が、**多次元配列**（multidimensional array）です。

なお、前ページまで学習してきた“要素型が配列ではない配列”は、多次元配列と区別するために、**１次元配列**と呼ばれます。

Fig.2-16 に示すのは、２次元配列を導出する過程です。導出は２段階です。

- a ⇨ b：int 型を３個まとめて**１次元配列**を導出。
- b ⇨ c：１次元配列を４個まとめて**２次元配列**を導出。

それぞれの型は、次のとおりです。

- a int 型
- b int[3] 型　“int”を要素型とする要素数３の配列
- c int[4][3] 型　《“int”を要素型とする要素数３の配列》を要素型とする要素数４の配列

２次元配列は、要素が縦横に並んで、“行”と“列”で構成される《表》のイメージと捉えられます。そのため、図cの配列は『４行３列の２次元配列』と呼ばれます。

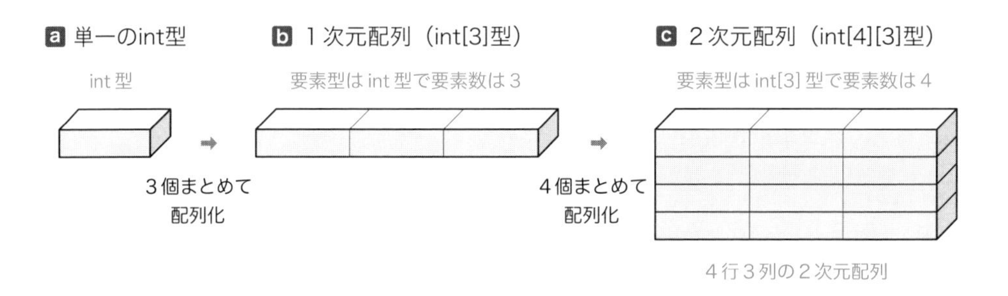

Fig.2-16　２次元配列の導出

その４行３列の２次元配列の宣言と内部構造が、右ページの **Fig.2-17** です。多次元配列の宣言では、最後にまとめる要素数（２次元配列の場合は行数）を先頭側に置きます。

▶ 要素数を逆にした宣言 int a[3][4]; だと、３行４列の２次元配列となります。
　《“int”を要素型とする要素数４の配列》を要素型とする要素数３の配列

配列 a の要素は a[0], a[1], a[2], a[3] の４個です。それぞれの要素は、int 型が３個まとめられた配列である int[3] 型です。すなわち、要素の要素が int 型です。

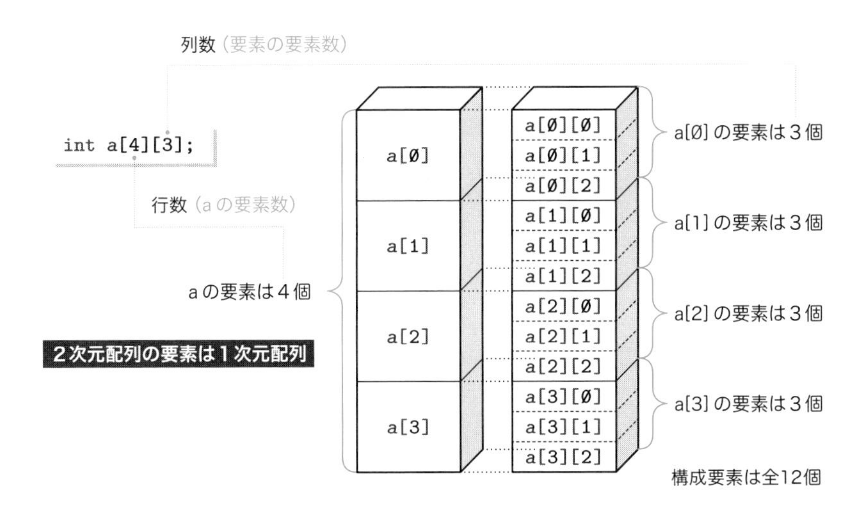

Fig.2-17　4行3列の2次元配列

配列でない次元まで分解した要素のことを、本書では**構成要素**と呼びます。各構成要素をアクセスする式は、添字演算子 [ ] を連続して適用した a[*i*][*j*] という形式です。

添字が **0** から始まることは1次元配列と共通です。そのため、配列 a の構成要素は、**a[0][0]**, a[0][1], a[0][2], …, a[3][2] の全12個です。

＊

1次元配列と同様、多次元配列の全要素／全構成要素は記憶域上に直線状に連続して並びます。

構成要素の並びでは、まず末尾側の添字が順に **0**, **1**, … と増えていき、それから先頭側の添字が **0**, **1**, … と増えていく順番です。

```
a[0][0]  a[0][1]  a[0][2]  a[1][0]  a[1][1]  a[1][2]  …  a[3][1]  a[3][2]
```

そのため、たとえば **a[0][2]** の直後に **a[1][0]** が位置する、あるいは、**a[2][2]** の直後に **a[3][0]** が位置する、といったことが保証されます。

▶ 次の並び（先頭側の添字が優先的に増えていく）とはなりません。

```
a[0][0]  a[1][0]  a[2][0]  a[3][0]  a[0][1]  a[1][1]  …  a[2][2]  a[3][2]
```

なお、このような並びを採用しているプログラミング言語も存在します。

さて、4行3列の2次元配列を5個集めて配列化すると、3次元配列になります。その配列 *c* の宣言は、次のとおりです。

```
int c[5][4][3];        // cは3次元配列
```

配列 *c* の型は、**int[5][4][3]** 型です。先頭の構成要素は *c*[0][0][0] であり、末尾の構成要素は *c*[4][3][2] です。

年内の経過日数の計算

2次元配列を使ったプログラムを作りましょう。**List 2-12** は、西暦で表された年、月、日の3値を読み込み、その年内での経過日数を求めるプログラムです。

List 2-12 chap02/dayof_year.c

```
// 年内の経過日数を求める

#include <stdio.h>

/*- 各月の日数 -*/
int mdays[][12] = {
    {31, 28, 31, 30, 31, 30, 31, 31, 30, 31, 30, 31},
    {31, 29, 31, 30, 31, 30, 31, 31, 30, 31, 30, 31},
};

/*--- 西暦year年は閏年か ---*/
int isleap(int year)
{
    return year % 4 == 0 && year % 100 != 0 || year % 400 == 0;
}

/*--- 西暦y年m月d日の年内の経過日数を求める ---*/
int dayof_year(int y, int m, int d)
{
    int days = d;        // 日数

    for (int i = 1; i < m; i++)
        days += mdays[isleap(y)][i - 1];
    return days;
}

int main(void)
{
    int retry;       // もう一度？

    do {
        int year, month, day;        // 年・月・日
        printf("年：");   scanf("%d", &year);
        printf("月：");   scanf("%d", &month);
        printf("日：");   scanf("%d", &day);

        printf("年内で%d日目です。\n", dayof_year(year, month, day));

        printf("もう一度しますか（1…はい／0…いいえ）：");
        scanf("%d", &retry);
    } while (retry == 1);

    return 0;
}
```

実行例

```
年：2025
月：4
日：15
年内で105日目です。
もう一度しますか（1…はい／0…いいえ）：0
```

たとえば、4月15日であれば、年内の経過日数は、次の単純な式で求められます。

1月の日数 ＋ 2月の日数 ＋ 3月の日数 ＋ 15

ただし、この計算で気を付けなければならないのが、2月の日数です。2月は、平年が28日で、閏年が29日であって、日数が年に依存します。

▶ 地球が太陽のまわりを1周する日数は、ぴったり365日ではありません。その調整のために、4で割り切れる年を閏年にして1年を366日とします。しかし、それでもまだ正確ではないため、100で割り切れても400で割り切れない年を平年とします。

関数 **dayof_year** では、各月の日数を格納する２次元配列 **mdays** を用いることによって、日数の計算を２月を特別扱いすることなく行っています。

Fig.2-18 に示すように、配列 **mdays** の構成要素には、次の値が入っています。

- **0 行目の構成要素**（mdays[0][0], mdays[0][1], … , mdays[0][11]）
  平年の１月、２月、…、12 月の日数。
- **1 行目の構成要素**（mdays[1][0], mdays[1][1], … , mdays[1][11]）
  閏年の１月、２月、…、12 月の日数。

月－1

		0	1	2	3	4	5	6	7	8	9	10	11
平年	0	31	28	31	30	31	30	31	31	30	31	30	31
閏年	1	31	29	31	30	31	30	31	31	30	31	30	31

Fig.2-18　各月の日数を格納した２次元配列

関数 *isleap* は、仮引数 **year** に受け取った西暦年が閏年であれば **1** を、平年であれば **0** を返す関数です。そのため、*y* 年 *i* 月の日数は、mdays[*isleap*(*y*)][*i* - 1] で求められます。

演習 2-10

関数 **dayof_year** を、変数 *i* と **days** を使わずに実現するように書きかえよ。**while** 文を使うこと。

Column 2-9　多次元配列の初期化子

多次元配列の初期化子は、**{ }** を入れ子にできます。たとえば、２行３列の２次元配列 **ma** の各構成要素を先頭から順に **1, 2, 3, 4, 5, 6** で初期化するには、

同じ

```
int ma[2][3] = {{1, 2, 3}, {4, 5, 6}};
```

と宣言します。なお、初期化子の個数から要素数が特定できる場合に限り、最も先頭側の要素数を省略できます。この場合は **2** を省略して、次のように宣言できます。

```
int ma[][3] = {{1, 2, 3}, {4, 5, 6}};
```

また、**{ }** の入れ子化は必須ではないため、配列 **ma** の宣言は、

```
int ma[2][3] = {1, 2, 3, 4, 5, 6};
```

とすることもできます。

なお、初期化子の与えられない要素は **0** で初期化されますので、

同じ

```
int mc[2][3] = {{1, 2}, {4}};
```

は、次の宣言と同じです。

```
int mc[2][3] = {{1, 2, 0}, {4, 0, 0}};
```

Column 2-10 C言語の変遷

長い歴史をもつC言語は、1970年頃にDennis M. Ritchie氏によって開発が始められ、その公開以降またたく間に世界中に広がっていきました。

Ritchie氏は、1978年にC言語の解説書である

"The C Programming Language", Prentice-Hall, 1978

を、Brian W. Kernighan氏とともに出版しました。この書は、二人の著者のイニシャルから "**K&R**" と呼ばれ、C言語のバイブルとして親しまれることになります。

K&Rの "**参照マニュアル**" では、C言語の言語仕様が規定されていました。しかし、曖昧で紛らわしい部分・不完全な部分があったことや、多くの『方言』が生まれたことなどから、C言語の世界的な**標準規格**が定められることになります。

その標準規格は、**国際標準化機構ISO**（International Organization for Standardization）や**米国国家規格協会ANSI**（American National Standards Institute）などで発行されています。

標準規格の第1版は、ANSIで1989年（ISOでは1990年）、第2版が1999年、第3版が2011年、第4版が2018年に発行されています（一般には、C89、C99、C11、C18と呼ばれています）。

K&Rは、標準規格の第1版に対応した書籍が第2版として出版されしました。

"The C Programming Language Second Edition", Prentice-Hall, 1988

さて、日本では、**日本産業規格JIS**（Japanese Industrial Standards）では、第1版と第2版の日本語の規格が発行されています（第3版以降は、本書執筆時点では発行されていません）。

本書で利用しているC言語は、標準規格の第2版以降のC言語を対象としています。以下、第2版で取り入れられた主要な機能の一部を紹介します。

■ //形式のコメント（注釈）

C言語のコメントは、/*と*/で囲む形式でしたが、//から行末までを注釈とみなす、//形式のコメントが採用されています。

//形式のコメントは、C言語の前身であったBCPL言語で採用されていました。標準規格第1版やK&Rでは使われていませんでしたので、**復活採用**ということになります。

■ 変数の宣言場所の緩和

第1版では、ブロック（複合文）の構文が、次のようになっていました。

{ 宣言の並び 文の並び }

必然的に、変数が宣言できる位置は、ブロックの先頭に限られていました。

第2版では、宣言と文の順序に関する制限が取り除かれ、ブロック内の自由な位置で変数の宣言が行えるように拡張されています。

さらに、`for`文の頭部でも変数が宣言できるようになりました（p.28では、`for`文の二つの形式を学習しました。第1版では❶のみが利用でき、第2版以降では❶と❷の両方が利用できます）。

■ インライン関数

第2版では、**インライン関数**（inline function）が定義できるようになりました。関数の宣言時に`inline`関数指定子を置くことによって、その関数の呼出しが高速になることが期待できる、というものです（実際に高速化されるかどうかは、処理系に依存します）。

■ 可変長配列

配列を定義する際に、要素数が定数でなければならないことをp.45で学習しました。

実は、第2版では、その制限が緩和され、要素数を変数とした配列が定義できるようになっています。そのため、次のようなコードが許されます。

```
// 標準規格第２版での配列の宣言（第１版ではエラー）
void func(int n)
{
    int a[n];           // 要素数nの配列（要素数は実行時に決定する）
    //--- 中略 ---//
}
```

この言語拡張に対して、私は当初から疑問をもっていました。事実、この言語拡張は、第3版から"**オプション扱い**"となって、コンパイラはサポートしなくてよいことになっています。

プログラミング言語C++の開発者であるBjarne Stroustrup氏も、著書の中で次のように述べられています(6)。

> **C言語がC89からC99に進化したときに、C++は機能として誤っているVLA（可変長配列：variable-length array）と、冗長である指示付き初期化子（designated initializer）以外の、ほとんどの新機能を取り込んだ。**

可変長配列は、言語設計上のミスと考えるべきですし、正式に取り入れられたのが、標準Cの第2版のみということもあり、その利用はお勧めできません。

以上、4点のみを示しました。この他にも、たとえば、次のような新機能・拡張機能があります。

- `_Bool`型と`bool`型
- `long long int`型
- 国際文字名（`\u`および`\U`）
- 要素数`0`の配列の許容
- 指示付きの要素初期化子
- 複合リテラル
- `_Pragma`前処理演算子
- 可変個の実引数をもつマクロ
- 空のマクロ実引数
- 関数名マクロ`__func__`
- *VA_COPY*マクロ
- 2文字表記と`<iso646.h>`での限定された文字集合のサポート
- `<complex.h>`での複素数
- `<tgmath.h>`での型総称マクロ
- `<wchar.h>`および`<wctype.h>`でのワイド文字ライブラリ
- `<inttype.h>`および`<stdint.h>`での拡張整数型およびライブラリ

JIS規格では、第3版以降の標準Cは発行されていません（そのため、各種**情報技術者試験**の出題も、第2版を対象としています）。また、Ritchie氏が2011年に亡くなられたことから、標準Cの第2版以降に対応したK&Rが出版されることはないでしょう。

このような背景から、少なくとも日本では、可変長配列の機能を除いた第2版に沿ってプログラミングを行うのが現実的と考えられます。また、第3版以降の新しい機能を使うくらいであれば、C++を使うことを検討すべきであると、私は考えます。

2-2 構造体

構造体は、任意のデータ型を自由に組み合わせて作られるデータ構造です。

構造体とは

あるグループの身体検査データ（氏名・身長・視力）の処理を考えます。各項目に対して配列を用意したのが、**Fig.2-19** です（この図は、グループが７人の例です）。

name[Ø] の氏名 "赤坂忠雄" をもつ人の身長は **height[Ø]** に格納され、視力は **vision[Ø]** に格納されているはずです。

しかし、各個人のデータが、同一添字の要素に格納されるという関係は、**プログラム上のコードとしては表現できません。**

▶ ひねくれたプログラマであれば、氏名の並びの逆順に身長を格納したり、ランダムな順序で視力を格納するかもしれません。

	name		height		vision
Ø	赤坂忠雄	Ø	162	Ø	Ø.3
1	加藤富明	1	173	1	Ø.7
2	斉藤正二	2	175	2	2.Ø
3	武田信也	3	171	3	1.5
4	長浜正樹	4	168	4	Ø.4
5	浜田哲明	5	174	5	1.2
6	松富明雄	6	169	6	Ø.8

Fig.2-19　バラバラに作られた三つの配列

現実の世界では、**Fig.2-20** に示すように、各個人の《カード》を人数分用意し、そこに視力や身長などのデータを記入します。プログラムでも、そのように実現すべきです。

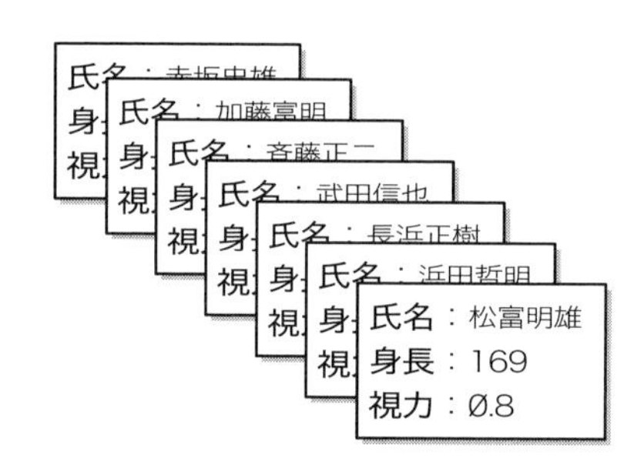

Ø	赤坂忠雄	162	Ø.3
1	加藤富明	173	Ø.7
2	斉藤正二	175	2.Ø
3	武田信也	171	1.5
4	長浜正樹	168	Ø.4
5	浜田哲明	174	1.2
6	松富明雄	169	Ø.8

Fig.2-20　氏名／身長／視力をセットにした《カード》の配列

構造体の宣言

任意の型の要素を組み合わせて作るデータ構造が**構造体**（structure）です。単純な構造をもつ構造体の宣言例を、右ページの **Fig.2-21** に示しています。

1は、“**struct xyz** は、こういう型ですよ。” という宣言です。構造体に与える名前 **xyz** が**構造体タグ**（structure tag）です。そして、構造体を構成する要素が**構造体メンバ**（structure member）です。この例では、**{ }** の中で宣言された **x, y, z** が構造体メンバです。

構造体の内容

```
/*--- 構造体xyz ---*/
struct xyz {
    int    x;   // int型のメンバ
    long   y;   // long型のメンバ        1
    double z;   // double型のメンバ
};

/*--- struct xyz型aの定義---*/
struct xyz a;                            2

/*--- aを指すポインタ---*/
struct xyz *p = &a;                      3
```

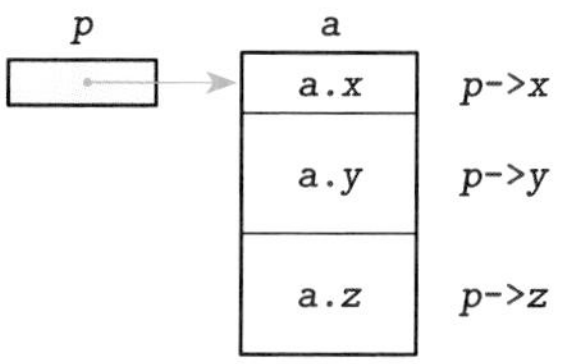

Fig.2-21 構造体型とメンバのアクセス

すなわち、**struct xyz** 型の**構造体の内容**（structure content）は、

int 型の *x* と、long 型の *y* と、double 型の *z* の3個の構造体メンバの集まり

というわけです。続く2は、**struct xyz** 型オブジェクト **a** の定義です。

▶ struct xyz がタコ焼きのカタであるとします。言うまでもなく、カタは食べられません。2で宣言されたaは、カタから作った、食べられるタコ焼きです。

構造体オブジェクト内のメンバは、**. 演算子**（. operator）を用いた式でアクセスします。そのため、**a** 内に含まれる *x* をアクセスする式は、次のようになります。

```
a.x        // オブジェクト名 . メンバ名（オブジェクト a 内のメンバ x）
```

最後の3では、ポインタ *p* が **a** を指すように宣言されています。

p が構造体型オブジェクトへのポインタであるとき、*p* が指すオブジェクトのメンバ *x* をアクセスする式は、**-> 演算子**（-> operator）を用いて、次のように表します。

```
p->x       // ポインタ名 -> メンバ名（p が指すオブジェクト内のメンバ x）
```

なお、. 演算子の通称は**ドット演算子**で、-> 演算子の通称は**アロー演算子**です。

さて、構造体を表す **struct xyz** は、二つの単語で構成されます。**タグ名が、型名ではない**からです。そのため、**typedef** 宣言によって、**typedef 名**と呼ばれる**同義語**を与えて、短い型名で表す方法がよく使われます。たとえば、

```
typedef   struct xyz   XYZ;        // struct xyzに同義語XYZを与える
```

と宣言すると、**struct xyz** に対して **typedef** 名である同義語 *XYZ* が与えられます。これで、単一の単語 *XYZ* が型名となります。

その場合、変数 **a** とポインタ *p* は、次のように手短に宣言・定義できるようになります。

```
XYZ a;             // XYZ型（すなわちstruct xyz型）のa
XYZ *p = &a;       // aを指すXYZ *型（すなわちstruct xyz *型）のポインタp
```

構造体の配列

身体検査データを、構造体の配列として実現したのが、**List 2-13** のプログラムです。

List 2-13 chap02/physical.c

```
// 身体検査データ用構造体の配列

#include <stdio.h>

#define VMAX    21      // 視力の最大値2.1×10

/*--- 身体検査データ型 ---*/
typedef struct {
    char   name[20];    // 氏名
    int    height;      // 身長
    double vision;      // 視力
} PhysCheck;

/*--- 身長の平均値を求める ---*/
double ave_height(const PhysCheck dat[], int n)
{
    double sum = 0;

    for (int i = 0; i < n; i++)
        sum += dat[i].height;

    return sum / n;
}

/*--- 視力の分布を求める ---*/
void dist_vision(const PhysCheck dat[], int n, int dist[])
{
    for (int i = 0; i < VMAX; i++)
        dist[i] = 0;

    for (int i = 0; i < n; i++)
        if (dat[i].vision >= 0.0 && dat[i].vision <= VMAX / 10.0)
            dist[(int)(dat[i].vision * 10)]++;
}

int main(void)
{
    PhysCheck x[] = {
        {"AKASAKA Tadao",   162, 0.3},
        {"KATOH Tomiaki",   173, 0.7},
        {"SAITOH Syouji",   175, 2.0},
        {"TAKEDA Shinya",   171, 1.5},
        {"NAGAHAMA Masaki", 168, 0.4},
        {"HAMADA Tetsuaki", 174, 1.2},
        {"MATSUTOMI Akio",  169, 0.8},
    };
    int nx = sizeof(x) / sizeof(x[0]);        // 人数
    int vdist[VMAX];                          // 視力の分布

    puts("■□■ 身体検査一覧表 ■□■");
    puts("  氏名              身長 視力 ");
    puts("----------------------------");
    for (int i = 0; i < nx; i++)
        printf("%-18.18s%4d%5.1f\n", x[i].name, x[i].height, x[i].vision);

    printf("\n平均身長：%5.1fcm\n", ave_height(x, nx));

    dist_vision(x, nx, vdist);                // 視力の分布を求める

    printf("\n視力の分布\n");
    for (int i = 0; i < VMAX; i++)
        printf("%3.1f～：%2d人\n", i / 10.0, vdist[i]);

    return 0;
}
```

実行結果

```
■□■ 身体検査一覧表 ■□■
  氏名              身長 視力
----------------------------
AKASAKA Tadao      162  0.3
KATOH Tomiaki      173  0.7
SAITOH Syouji      175  2.0
TAKEDA Shinya      171  1.5
NAGAHAMA Masaki    168  0.4
HAMADA Tetsuaki    174  1.2
MATSUTOMI Akio     169  0.8

平均身長：170.3cm

視力の分布
0.0～： 0人
0.1～： 0人
0.2～： 0人
0.3～： 1人
0.4～： 1人
… 以下省略 …
```

このプログラムは、身体検査データの一覧表を表示し、さらに、平均身長と視力の分布を表示します。

本プログラムの冒頭で宣言・定義している*PhysCheck*は、氏名（文字列）、身長（`int`型）、視力（`double`型）をまとめた構造体です。

▶ 本プログラムでは、構造体の宣言と`typedef`宣言をまとめて行っています（すなわち、構造体の宣言をするとともに`typedef`名を与えています。なお、タグ名は与えていません）。

身体検査データを格納するのが、*PhysCheck*型の配列`x`です。各要素に対して、氏名・身長・視力のデータが初期化子として与えられています。

前節で学習した配列は、要素型や構成要素型が**基本型**でした（基本型とは、文字型・整数型・浮動小数点型の総称です）。配列の要素や構成要素は、基本型だけでなく、列挙型や構造体なども許されることが分かります。

▶ 配列`x`の要素数は、式`sizeof(x) / sizeof(x[Ø])`で求めています。この求め方は、p.44で学習しました。

プログラムでは、二つの関数が定義されています。

関数*ave_height*は、身体検査データの配列を受け取って、身長の平均値を実数値で求める関数です。

関数*dist_vision*は、視力の分布を求める関数です。分布の格納先は、第3引数*dist*です。視力の分布は`Ø.1`刻（きざ）みで求めます。

▶ 本プログラムは、視力の最大値が`2.1`であるという前提で作られています。

演習 2-11

List 2-13のプログラムの視力の分布の表示を、右のようなグラフで出力するように書きかえたプログラムを作成せよ（注：右に示すグラフは一例であって、**List 2-13**のプログラムの視力の分布とは一致しない）。

記号文字`'*'`を人数分だけ繰り返し表示すること。

```
Ø.1〜 : *
Ø.2〜 : ***
Ø.3〜 : *
… 以下省略 …
```

演習 2-12

日付を表す構造体が右のように与えられているとして、次の関数を作成せよ。

```
typedef struct {
    int y;    // 西暦年
    int m;    // 月 (1〜12)
    int d;    // 日 (1〜31)
} Date;
```

- *y*年*m*月*d*日を表す構造体を返却する関数*DateOf*

  `Date DateOf(int y, int m, int d);`

- 日付*x*の*n*日後の日付を返す関数*After*

  `Date After(Date x, int n);`

- 日付*x*の*n*日前の日付を返す関数*Before*

  `Date Before(Date x, int n);`

この他にも、いろいろな関数を設計して作成すること。

章末問題

▪ 令和元年度(2019年度)秋期 午前 問1

次の流れ図は、10 進整数 j（$0 < j < 100$）を 8 桁の 2 進数に変換する処理を表している。2 進数は下位桁から順に、配列 NISHIN(1) から NISHIN(8) に格納される。流れ図の a 及び b に入る処理はどれか。ここで、j div 2 は j を 2 で割った商の整数部分を、j mod 2 は j を 2 で割った余りを表す。

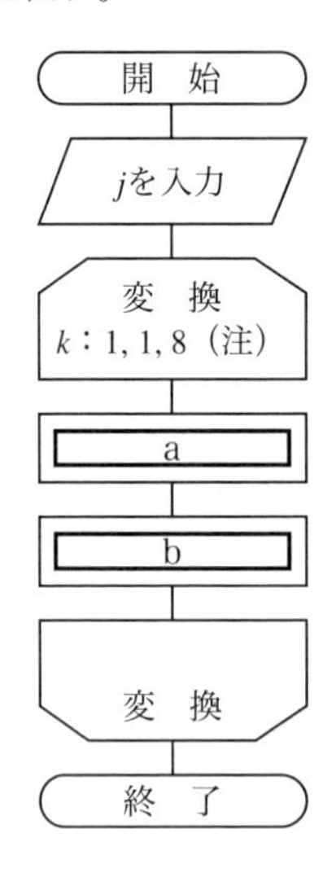

（注）ループ端の繰返し指定は、変数名：初期値，増分，終値を示す。

	a	b
ア	j ← j div 2	NISHIN(k) ← j mod 2
イ	j ← j mod 2	NISHIN(k) ← j div 2
ウ	NISHIN(k) ← j div 2	j ← j mod 2
エ	NISHIN(k) ← j mod 2	j ← j div 2

▪ 平成23年度(2011年度)秋期 午前 問7

要素番号が 0 から始まる配列 TANGO がある。n 個の単語が TANGO[1] から TANGO[n] に入っている。図（右ページ）は、n 番目の単語を TANGO[1] に移動するために、TANGO[1] から TANGO[n - 1] の単語を順に一つずつ後ろにずらして単語表を再構成する流れ図である。［ a ］に入れる処理として正しいものはどれか。

ア　TANGO[i] → TANGO[i + 1]

イ　TANGO[i] → TANGO[n - i]

ウ　TANGO[i + 1] → TANGO[n - i]

エ　TANGO[n - i] → TANGO[i]

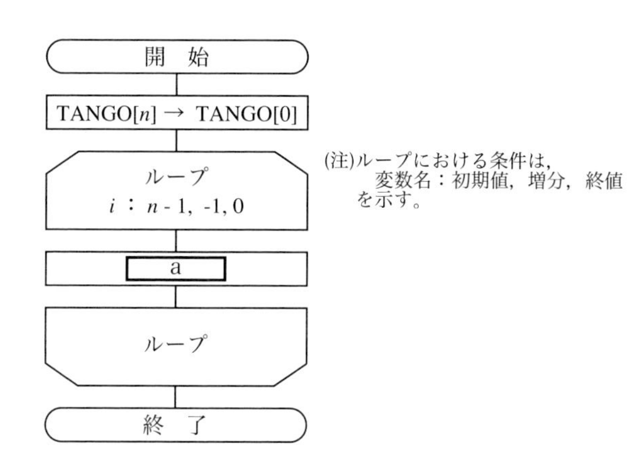

▪ 令和元年度(2019年度)秋期 午前 問9

配列Aが図2の状態のとき、図1の流れ図を実行すると、配列Bが図3の状態になった。図1のaに入れる操作はどれか。ここで、配列A、Bの要素をそれぞれ$A(i, j)$、$B(i, j)$とする。

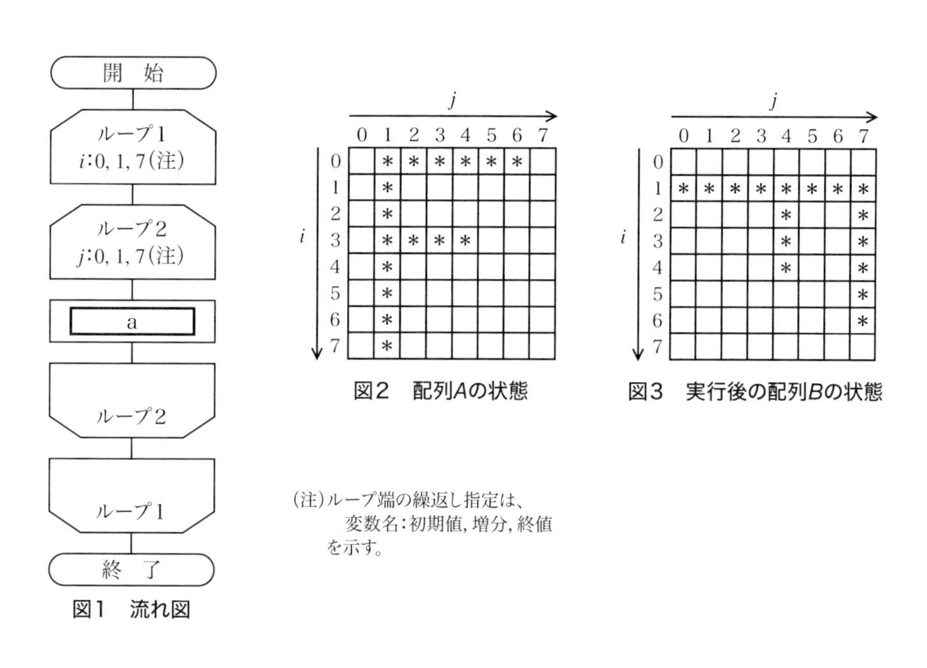

図1 流れ図

図2 配列Aの状態

図3 実行後の配列Bの状態

ア　$B(7 - i, 7 - j) \leftarrow A(i, j)$

イ　$B(7 - j, i) \leftarrow A(i, j)$

ウ　$B(j, 7 - j) \leftarrow A(i, j)$

エ　$B(j, 7 - i) \leftarrow A(i, j)$

第3章

探　索

- 線形探索
- 番兵法
- ２分探索
- bsearch 関数による探索
- 比較関数の定義
- 関数へのポインタ
- ハッシュ法
- チェイン法
- オープンアドレス法

3-1 探索アルゴリズム

本章では、データの集合から、目的とする値をもった要素を探し出すための探索アルゴリズムを学習します。

探索とキー

住所録からの**探索**（searching）を考えましょう。ひとことで《探索》といっても、さまざまな探し方があります。

- 国籍が日本である人を探す。
- 年齢が 21 歳以上 27 歳未満の人を探す。
- ある語句と最も発音が似ている名前の人を探す。

これらの共通点は、**何らかの項目**に着目することです。着目する項目は、**キー**（key）と呼ばれます。たとえば、国籍での探索を行う場合は国籍がキーであり、年齢で探索する場合は年齢がキーです。

多くの場合、**キーはデータの《一部》です**。もっとも、データが整数値のような単一の値であれば、データがそのままキー値となります。

さて、さきほどの探索は、キー値に対して、次のような指定を行ったものでした。

- キー値と**一致**することを指定する。
- キー値の**区間**で指定する。
- キー値の**近接**として指定する。

もちろん、これらの条件を単独に指定するのではなく、論理積や論理和を用いて複合的に指定することもあります。

とはいえ、ある値と**一致**するキー値をもつデータを探すのが、単純であるとともに、一般的です。他の条件による探索は、その応用と考えられます。

配列からの探索

これまでに、数多くの探索手法が考案されています。右ページの **Fig.3-1** に示すのが、いくつかの探索の例です。

これらの多くは、データの格納先のデータ構造に依存します。たとえば、図**b**は**線形リスト**からの探索です（第8章で学習します）。また、図**c**は**2分探索木**からの探索です（第9章で学習します）。

また、ここには示していませんが、文字列の中の一部として存在する**文字列**の探索については第7章で学習します。

探索とは、ある条件を満たすデータを探し出すこと

a 配列からの探索

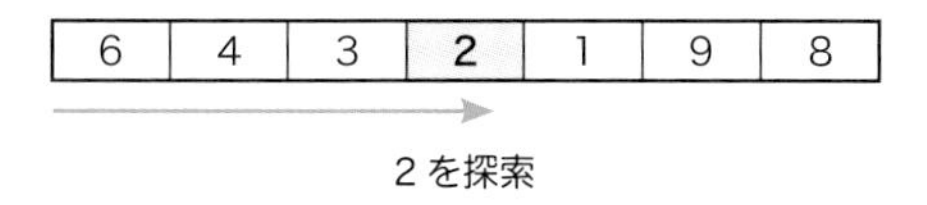

b 線形リストからの探索

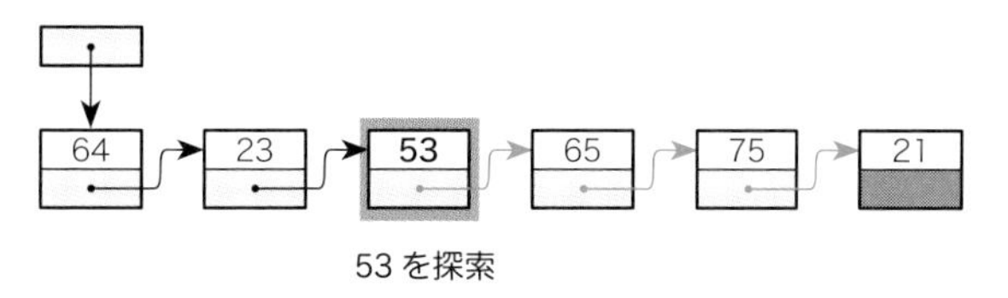

c 2分探索木からの探索

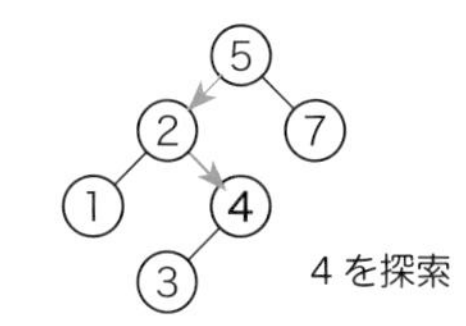

Fig.3-1　探索の例

本章で学習するのは、図aに示す《配列からの探索》です。具体的には、次に示すアルゴリズムです。

- **線形探索**：ランダムに並んだデータの集まりからの探索を行う。
- **2分探索**：一定の規則で並んだデータの集まりからの高速な探索を行う。
- **ハッシュ法**：追加・削除が高速に行えるデータの集まりからの高速な探索を行う。
  - **チェイン法**　　　　：同一ハッシュ値のデータを線形リストでつなぐ手法。
  - **オープンアドレス法**：衝突時に再ハッシュを行う手法。

なお、ハッシュ法は、データの探索だけでなく、追加や削除などを効率よく行うための総合的な手法です。

▶ データの集合から『探索さえ行えればよい』のであれば、探索に要する計算時間が短いアルゴリズムを選択することになります。

　もっとも、データの集合に対して、探索だけでなく、データの追加や削除などを頻繁に行うのであれば、探索以外の操作に要するコストを含めて総合的に評価を行った上でアルゴリズムを選択する必要があります。たとえば、データの追加を頻繁に行うのであれば、たとえ探索が速くても、追加のコストが高くつくようなアルゴリズムは避けるべきです。

　ある目的に対して複数のアルゴリズムが存在する場合は、用途や目的・実行速度・対象となるデータ構造などを考慮してアルゴリズムを選択します。

3-2 線形探索

配列からの探索として最も基本的なアルゴリズムが、本節で学習する線形探索です。このアルゴリズムは、後の章でも利用しますので、しっかりと学習しましょう。

線形探索

要素が直線状に並んだ配列からの探索は、目的とするキー値をもつ要素に出会うまで先頭から順に要素を走査する（なぞる）ことで実現できます。

これが、**線形探索**（せんけい）（linear search）あるいは**逐次探索**（ちくじ）（sequential search）と呼ばれるアルゴリズムです。

具体的な手順を、**Fig.3-2** に示しています。二つの図は、配列 `{6, 4, 3, 2, 1, 2, 8}` からの探索を行う様子です。

図Aは、**2** の探索に成功する例で、図Bは、**5** の探索に失敗する例です。

配列の要素を先頭から
順に走査して調べる

A 2を探索（探索成功）

	0	1	2	3	4	5	6
a	6	4	3	2	1	2	8
b	6	4	3	2	1	2	8
c	6	4	3	2	1	2	8
d	6	4	3	2	1	2	8

探索成功！
探索すべき値と等しい要素を発見

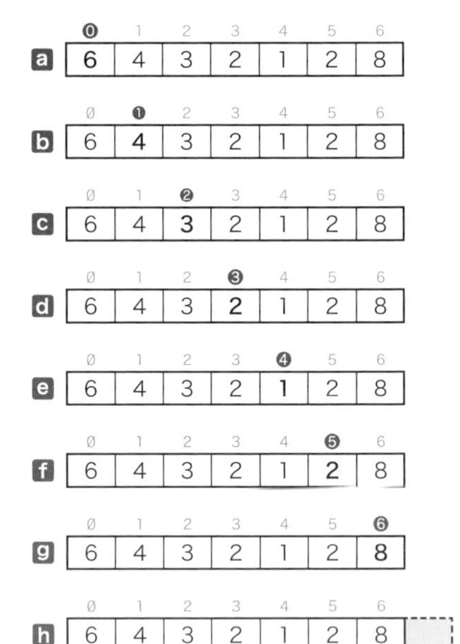

Fig.3-2　線形探索の一例（探索成功例と失敗例）

図中、●内の値は、配列の走査過程で着目する要素の添字です。たとえば図Aの場合、次のように走査を行います。

---

a 添字 0 の要素 6 に着目します。目的とする値ではありません。
b 添字 1 の要素 4 に着目します。目的とする値ではありません。
c 添字 2 の要素 3 に着目します。目的とする値ではありません。
d 添字 3 の要素 2 に着目します。目的とする値ですから、**探索成功**です。

なお、図Bでは、aからhまで、配列の要素を先頭から順に走査していきます。キーと同じ値の要素に出会うことは、最後までありません。キーと同じ値の要素が配列中に存在しないため、**探索失敗**となります。

＊

成功例と失敗例は、配列の走査の終了条件が二つあることを示しています。次に示す条件のいずれか一方でも成立すれば、走査を終了します。

◆ 線形探索における配列走査の終了条件 ◆
1 探索すべき値が見つからず終端を通り越した（通り越しそうになった）。 ⇨ 探索失敗
2 探索すべき値と等しい要素を見つけた。 ⇨ 探索成功

要素数が *n* であれば、これらの条件を判定する回数は、いずれも平均 *n* / 2 回です。

▶ 配列中に目的とする値が存在しないときは、判定1は *n* + 1 回行われ、判定2は *n* 回行われます。

＊

要素数 *n* の配列 a から、値が *key* の要素を探索するコードは、次のようになります。

```
int i = 0;
while (1) {
    if (i == n)
        return -1;          // 探索失敗      ─1
    if (a[i] == key)
        return i;           // 探索成功      ─2
    i++;
}
```

配列走査時に着目する要素の添字を表すのが、カウンタ用変数 *i* です（図の●内の値に相当します）。最初に 0 にしておき、要素を一つなぞるたびに、while 文が制御するループ本体の末尾でインクリメントします。

while 文を抜け出るのは、終了条件1と2のいずれかが成立したときであり、各 if 文の判定と対応しています。

---

1 *i* == *n* が成立した（終了条件1）。
2 a[*i*] == *key* が成立した（終了条件2）。
OR

▶ while 文の継続条件の判定では、黒網部の制御式 1 が評価されます。そのため、繰返しのたびに行われる判定は、厳密には3回です（制御式 1 については、p.93 の **Column 3-1** でも学習します）。

ここまで考えてきたアルゴリズムを具体化しましょう。それが、**List 3-1** のプログラムです。

List 3-1 chap03/ssearch1.c

```
// 線形探索

#include <stdio.h>
#include <stdlib.h>

/*--- 要素数nの配列aからkeyと一致する要素を線形探索 ---*/
int search(const int a[], int n, int key)
{
    int i = 0;

    while (1) {
        if (i == n)
            return -1;          // 探索失敗          ―1
        if (a[i] == key)
            return i;           // 探索成功          ―2
        i++;
    }
}

int main(void)
{
    int nx, ky;

    puts("線形探索");
    printf("要素数 : ");
    scanf("%d", &nx);
    int *x = calloc(nx, sizeof(int));    // 要素数nxのint型配列xを生成

    for (int i = 0; i < nx; i++) {
        printf("x[%d] : ", i);
        scanf("%d", &x[i]);
    }
    printf("探す値 : ");
    scanf("%d", &ky);

    int idx = search(x, nx, ky);         // 配列xから値がkyの要素を線形探索

    if (idx == -1)
        puts("探索に失敗しました。");
    else
        printf("%dはx[%d]にあります。\n", ky, idx);

    free(x);                             // 配列xを破棄

    return 0;
}
```

実行例

```
線形探索
要素数 : 7↵
x[0] : 6↵
x[1] : 4↵
x[2] : 3↵
x[3] : 2↵
x[4] : 1↵
x[5] : 2↵
x[6] : 8↵
探す値 : 2↵
2はx[3]にあります。
```

関数 **search** は、配列 **a** の先頭 **n** 個の要素を対象に、値が **key** の要素を線形探索します。返却するのは、見つけた要素の添字です。もし値が **key** の要素が複数個存在する場合は、走査の過程で最初に見つけた要素の添字を返却します。

▶ 実行例に示しているのは、2 を探索する例です。この値は、x[3] と x[5] の両方に存在しますが、先頭側のものを見つけて 3 を返却します。

なお、値が **key** の要素が存在しない場合には **-1** を返却します。

▶ 探索失敗時に返却する -1 は、配列の添字としてはあり得ない値です。そのため、関数を呼び出す側では、探索に成功したかどうかの判定が容易になります。

for文による実現

配列の走査をfor文で実現すると、プログラムは短く簡潔になります。List 3-2に示すのが、そのプログラムです。

List 3-2 chap03/ssearch2.c

```
/*--- 要素数nの配列aからkeyと一致する要素を線形探索（for文）---*/
int search(const int a[], int n, int key)
{
    for (int i = 0; i < n; i++)
        if (a[i] == key)
            return i;          // 探索成功

    return -1;                 // 探索失敗
}
```

▶ 本書では、このように、プログラムの一部のみを示すことがあります。本プログラムの場合、List 3-1を参考にすれば、関数を呼び出すmain関数を含むプログラムが作れます。なお、main関数などを含む完全なプログラムは、ダウンロードできるファイルに収録されています。

先頭から順に要素を走査する線形探索は、ランダムな並びの配列から探索を行うための、事実上唯一の方法です。

Column 3-1 無限ループの実現

List 3-1のwhile文は、《無限ループ》の形をしています。"無限"といっても、break文を使えばループから抜け出せますし、return文を使えばループを含んだ関数から抜け出せます。

さて、その無限ループは、次のように実現できます。

```
while (1) {
    /*… 中略 …*/
}
```

```
for ( ; 1 ; ) {
    /*… 中略 …*/
}
```

```
do {
    /*… 中略 …*/
} while (1);
```

for文では、繰返しの継続を判定するための制御式1は省略可能です（省略すると、0以外の値が指定されたものとみなされるからです：p.28）。

さて、私たちは通常、ソースプログラムを上から下へと眺めていきます。そのため、while文とfor文は、最初の1行を見ただけで無限ループと分かります。

最後まで読まないと無限ループと分からないdo文による実現は、お勧めできません。

＊

さて、p.91では、while文の制御式1が評価されることから、繰返しのたびに行われる継続条件の判定が3回であることを学習しました。これは、あくまでも論理上のことです。実際には、コンパイラによる最適化が行われるため、制御式1の評価を行うコードは生成されません（制御式1は無視した上で、while文のループ本体の末尾に、while文の先頭にジャンプするコードが挿入されるのが一般的です）。

番兵法

線形探索では、繰返しのたびに二つの終了条件①と②（p.91）の両方をチェックします。単純な判定とはいえ、“塵(ちり)も積もれば山となる”ため、そのコストは決して無視できません。

このコストを半分に抑えるのが、ここで学習する**番兵法**(ばんぺいほう)（sentinel method）です。

番兵法による探索の様子を示した**Fig.3-3**を見ながら理解していきましょう。

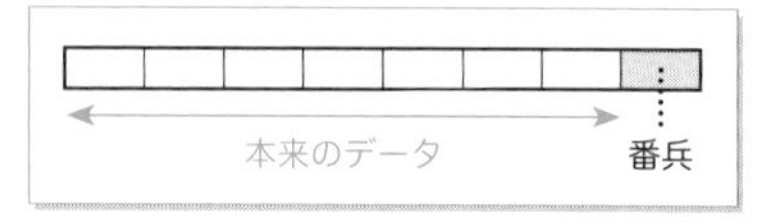

a 2を探索（探索成功）

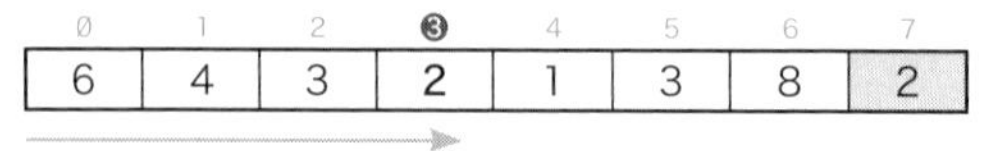

探索する値と等しい要素を発見

b 5を探索（探索失敗）

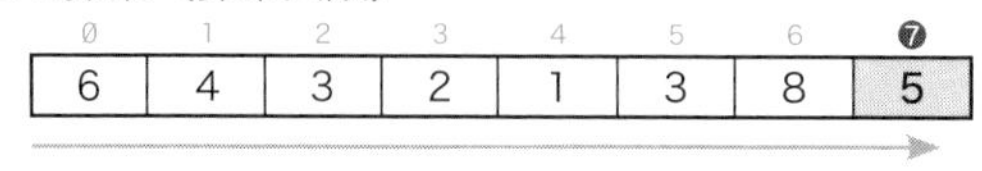

探索する値と等しい要素を発見
※ただし見つけたのは番兵

Fig.3-3　番兵法を用いた線形探索

各配列中の `a[0]` ～ `a[6]` の要素が本来のデータで、末尾の `a[7]` が探索の準備段階で用意する**番兵**(ばんぺい)（sentinel）です。次のように、**探索するキーと同じ値**として格納します。

図**a**：2 を探索する準備として、番兵として `a[7]` に 2 を格納する。
図**b**：5 を探索する準備として、番兵として `a[7]` に 5 を格納する。

図**b**のように、目的とする値が本来のデータ内に存在しなくても、`a[7]` の番兵まで走査した段階で、終了条件②（探索すべき値と等しい要素を見つけたか）が成立します。

そのため、終了条件①（探索すべき値が見つからず終端を通り越したか）の判定は**不要**となります。**番兵は、繰返しの終了判定を削減する役割をもちます。**

番兵法を導入して、**List 3-1**（p.92）を書きかえたのが、右ページの**List 3-3**です。

まず、`main` 関数に着目しましょう。黒網部では、キーボードから読み込んだ要素数に 1 を加えた要素数の配列を生成しています（たとえば、要素数として 7 が入力されると、要素数 8 の配列を生成し、本来のデータの後ろに番兵を格納できるようにします）。

それでは、関数 `search` を理解していきましょう。

1 探索する値 `key` を番兵として `a[n]` に代入します。

2 配列の要素を走査します。**List 3-1** の `while` 文には、2個の `if` 文がありました。

```
if (i == n)            // 終了条件①   ⬅ 番兵法では不要
if (a[i] == key)       // 終了条件②
```

本プログラムでは、前者が不要となったため、`if` 文は1個だけです。

List 3-3　chap03/ssearch_sen.c

```
// 線形探索（番兵法）

#include <stdio.h>
#include <stdlib.h>

/*--- 要素数nの配列aからkeyと一致する要素を線形探索（番兵法）---*/
int search(int a[], int n, int key)
{
    int i = 0;

    a[n] = key;          // 番兵を追加          ―1

    while (1) {
        if (a[i] == key)
            break;       // 見つけた            ―2
        i++;
    }

    return i == n ? -1 : i;                     ―3
}

int main(void)
{
    int nx, ky;

    puts("線形探索（番兵法）");
    printf("要素数 : ");
    scanf("%d", &nx);
    int *x = calloc(nx + 1, sizeof(int));    // 要素数(nx + 1)のint型配列xを生成

    for (int i = 0; i < nx; i++) {            // 注意：値を読み込むのはnx個
        printf("x[%d] : ", i);
        scanf("%d", &x[i]);
    }
    printf("探す値 : ");
    scanf("%d", &ky);

    int idx = search(x, nx, ky);              // 配列xから値がkyの要素を線形探索

    if (idx == -1)
        puts("探索に失敗しました。");
    else
        printf("%dはx[%d]にあります。\n", ky, idx);

    free(x);                                  // 配列xを破棄

    return 0;
}
```

実行例

```
線形探索（番兵法）
要素数 : 7↵
x[0] : 6↵
x[1] : 4↵
x[2] : 3↵
x[3] : 2↵
x[4] : 1↵
x[5] : 3↵
x[6] : 8↵
探す値 : 3↵
3はx[2]にあります。
```


3 while 文による繰返しが終了すると、見つけたのが、配列内の本来のデータなのか、それとも番兵なのかの判定が必要です。

その判定を行うのが、if 文と同等な**条件式** *n* ? -1 : *i* です。この式を利用して、探索結果を次のように返却しています：

変数 *i* の値が *n* と等しければ　⇨ 見つけたのは**番兵**。探索失敗を表す -1 を返却。
そうでなければ　⇨ 見つけたのは**本来のデータ**。*i* の値を返却。

番兵法の導入によって、if 文の判定回数が減少しました。具体的には、2によって半分に減るとともに、3の（if 文と同等な）条件式によって1回増えました。

3-3 2分探索

本節で学習するのは、2分探索です。このアルゴリズムの適用は、データの並びがキー値でソートずみの場合に限定されるものの、線形探索よりも極めて高速に探索を行えます。

2分探索

2分探索（binary search）は、要素がキーの昇順または降順にソート（整列）されている配列から効率よく探索を行うアルゴリズムです。

▶ ソートアルゴリズムは、第6章で学習します。

下図に示す、昇順にソートされた（小さいほうから順に並んだ）データの並びからの39の探索を考えましょう。まず、配列の中央に位置する要素 a[5] すなわち31に着目します。

0	1	2	3	4	❺	6	7	8	9	10
5	7	15	28	29	**31**	39	58	68	72	95

目的とする39は、この要素よりも末尾側に存在するはずです。そこで、探索の対象を末尾側の5個すなわち a[6] ～ a[10] に絞り込みます。

引き続き、更新された対象範囲の中央要素である a[8] すなわち68に着目します。

0	1	2	3	4	5	6	7	❽	9	10
5	7	15	28	29	31	39	58	**68**	72	95

目的とする値は、この要素よりも先頭側に存在するはずですから、探索の対象を先頭側の2個すなわち a[6] ～ a[7] に絞り込みます。

二つの要素の中央要素として先頭側の a[6] すなわち39に着目します（整数どうしの除算では小数点以下が切り捨てられて、添字6と7の中央値 (6 + 7) / 2 が6となるからです）。

0	1	2	3	4	5	❻	7	8	9	10
5	7	15	28	29	31	**39**	58	68	72	95

着目した39は、目的とするキー値と一致しますので、**探索成功**です。

＊

n 個の要素が昇順に並んでいる配列 a から *key* を探索するとして、このアルゴリズムを一般的に表現しましょう（**Fig.3-4**：右ページ）。

探索範囲の先頭、末尾、中央の添字を、それぞれ *pl*、*pr*、*pc* とします。探索開始時は、*pl* は 0、*pr* は *n* - 1、*pc* は (*n* - 1) / 2 です。これが図aの状態です。

探索の対象範囲は □ 内の要素で、探索の対象から外れた範囲は ■ 内の要素です。探索範囲は、比較のたびに（ほぼ）半分に絞り込まれていきます。また、着目要素を1個ずつずらす線形探索とは異なり、●で示す着目要素 a[*pc*] は**一気に移動します**。

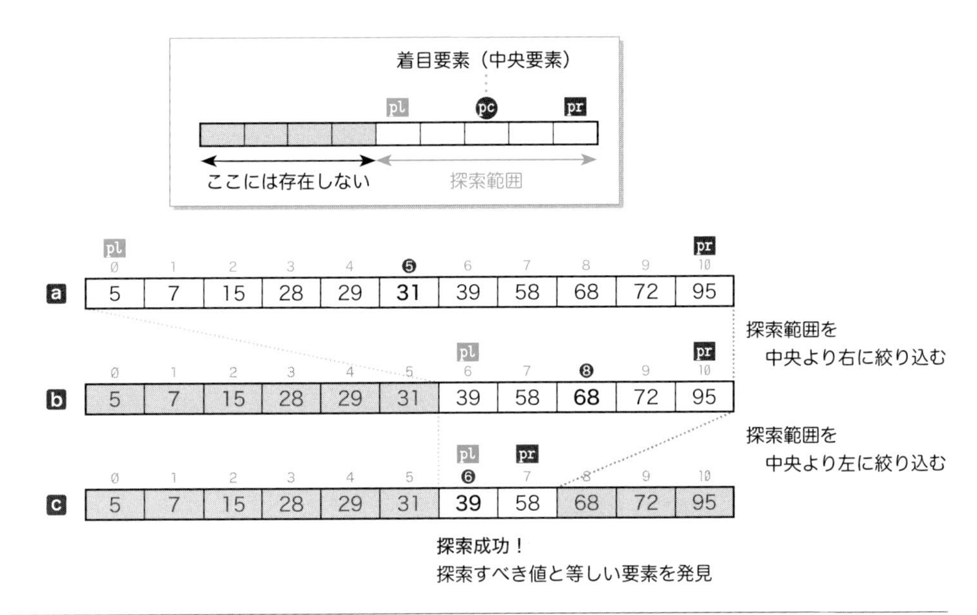

Fig.3-4　2分探索の一例（39を探索：探索成功）

図cのように、a[*pc*]と*key*が等しければ**探索成功**ですが、そうでない場合は、探索範囲を次のように絞り込みます。

- a[*pc*] < *key*のとき（例：図a ⇨ 図b）

a[*pl*]～a[*pc*]は、*key*よりも小さいことが明らかであって探索対象から外せます。
探索範囲を、中央要素a[*pc*]より後方のa[*pc* + 1] ～ a[*pr*]に絞り込みます。
そのために、*pl*の値を*pc* + 1に更新します。

- a[*pc*] > *key*のとき（例：図b ⇨ 図c）

a[*pc*]～a[*pr*]は、*key*よりも大きいことが明らかであって探索対象から外せます。
探索範囲を、中央要素a[*pc*]より前方のa[*pl*]～a[*pc* - 1]に絞り込みます。
そのために、*pr*の値を*pc* - 1に更新します。

探索範囲の《絞り込み》をまとめると、次のようになります。

- 中央値a[*pc*]が*key*より小さい：中央の一つ右を新たな左端*pl*として、後半に絞り込む。
- 中央値a[*pc*]が*key*より大きい：中央の一つ左を新たな右端*pr*として、前半に絞り込む。

アルゴリズムの終了条件は、以下の条件①と②のいずれか一方が成立することです。

① a[*pc*]と*key*が一致した。
② 探索範囲がなくなった。
OR

ここまでは、条件①が成立して、探索に成功する例を考えてきました。

次は、条件②が成立して、探索に失敗する具体例を考えましょう。先ほどと同じ配列から6を探索する様子を **Fig.3-5** に示しています。

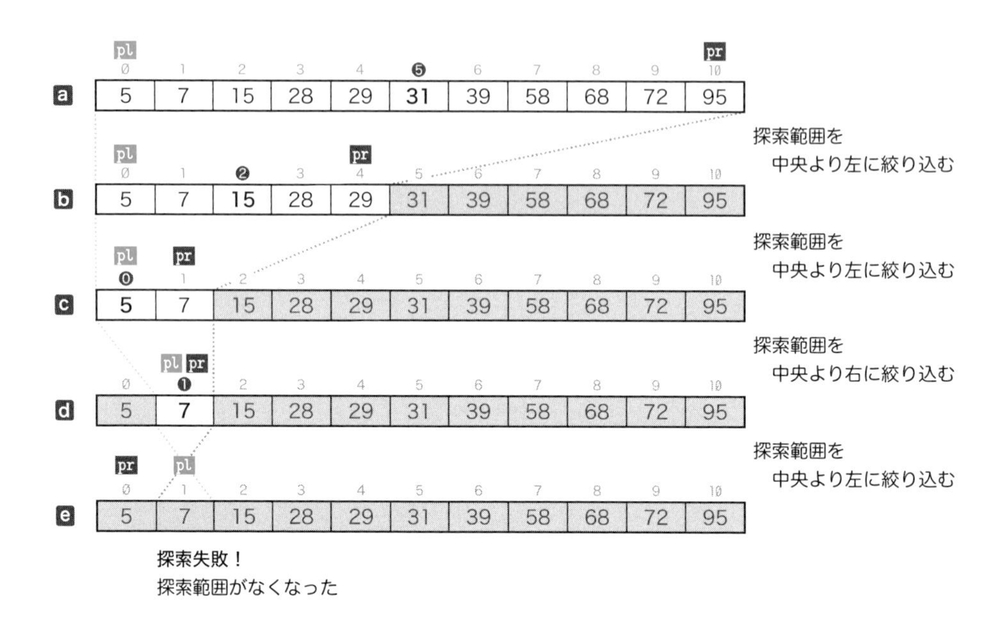

Fig.3-5　2分探索の失敗例（6を探索）

a　探索範囲は、配列全体すなわち a[0] ～ a[10] であり、中央要素 a[5] の値は31です。これは *key* の値6より大きいため、探索する範囲を先頭から a[5] の直前の要素まで、すなわち a[0] ～ a[4] に絞り込みます。

b　探索範囲の中央要素 a[2] の値は15です。これは *key* の値6よりも大きいため、探索すべき範囲を a[2] の直前の要素まで、すなわち a[0] ～ a[1] に絞り込みます。

c　探索範囲の中央要素 a[0] の値は5です。これは *key* の値6より小さいため、*pl* を *pc* + 1 すなわち1に更新します。そうすると、*pl* と *pr* の両方が1になります。

d　探索範囲の中央要素 a[1] の値は7です。これは *key* の値6より大きいため、*pr* を *pc* - 1 すなわち0に更新します。そうすると、*pl* が *pr* よりも大きくなって**探索範囲がなくなります。終了条件②が成立しますので、探索失敗です。**

ここまで考えてきたアルゴリズムを実現したプログラムを、右ページの **List 3-4** に示します。

▶　2分探索は、探索の対象となる配列がソートされている必要があります。そのため、main 関数の網かけ部では、各要素の値を読み込む際に、一つ前に読み込んだ要素よりも小さい値が入力された場合は、再入力させるようにしています。

List 3-4 chap03/bin_search.c

```
// ２分探索

#include <stdio.h>
#include <stdlib.h>

/*--- 要素数nの配列aからkeyと一致する要素を２分探索 ---*/
int bin_search(const int a[], int n, int key)
{
    int pl = 0;                    // 探索範囲の先頭の添字
    int pr = n - 1;                //      〃     末尾の添字

    do {
        int pc = (pl + pr) / 2;    //      〃     中央の添字
        if (a[pc] == key)          // 探索成功
            return pc;
        else if (a[pc] < key)
            pl = pc + 1;           // 探索範囲を後半に絞り込む
        else
            pr = pc - 1;           // 探索範囲を前半に絞り込む
    } while (pl <= pr);

    return -1;                     // 探索失敗
}

int main(void)
{
    int nx, ky;

    puts("２分探索");
    printf("要素数 : ");
    scanf("%d", &nx);
    int *x = calloc(nx, sizeof(int));

    printf("昇順に入力してください。\n");
    printf("x[0] : ");
    scanf("%d", &x[0]);

    for (int i = 1; i < nx; i++) {
        do {
            printf("x[%d] : ", i);
            scanf("%d", &x[i]);
        } while (x[i] < x[i - 1]);     // 一つ前の値よりも小さければ再入力
    }
    printf("探す値 : ");
    scanf("%d", &ky);

    int idx = bin_search(x, nx, ky);   // 配列xから値がkyの要素を２分探索

    if (idx == -1)
        puts("探索に失敗しました。");
    else
        printf("%dはx[%d]にあります。\n", ky, idx);

    free(x);                           // 配列xを破棄

    return 0;
}
```

実行例

```
２分探索
要素数 : 7
昇順に入力してください。
x[0] : 15
x[1] : 27
x[2] : 39
x[3] : 77
x[4] : 92
x[5] : 118
x[6] : 121
探す値 : 39
39はx[2]にあります。
```

繰返しのたびに探索範囲が（ほぼ）半分になるため、要素の比較回数の平均は $\log n$ です。なお、探索失敗時は $\lceil \log(n + 1) \rceil$ 回となり、探索成功時は約 $\log n - 1$ 回となります。

▶ $\lceil x \rceil$ は、x の**天井関数** (ceiling) であり、x 以上の最小の整数を表します。たとえば $\lceil 3.5 \rceil$ は4です。

計算量

プログラムの実行速度や実行に要する時間は、それを動作させるハードウェアやコンパイラなどの条件に依存します。アルゴリズムの性能を客観的に評価するための尺度として用いられるのが、**計算量**（complexity）です。

計算量は、次の二つに大別されます。

- **時間計算量**（time complexity）
  実行に要する時間を評価したもの。
- **領域計算量**（space complexity）
  どのくらいの記憶域やファイル域が必要であるかを評価したもの。

前章で学習した《素数》を求める三つのプログラム（第1版／第2版／第3版）は、アルゴリズム選択の際に、二つの計算量のバランスを考える必要性を示しています。

それでは、線形探索と2分探索の時間計算量を考察していきましょう。

線形探索の時間計算量

次に示す線形探索の関数をもとに、時間計算量を検討します。

```
    int search(const int[] a, int n, int key)
    {
1       int i = 0;
2       while (i < n) {
3           if (a[i] == key)
4               return i;          // 探索成功
5           i++;
        }
6       return -1;                 // 探索失敗
    }
```

▶ このプログラムは、**List 3-1**（p.92）の関数 *search* を改変したものです。

1～6の各ステップの実行回数をまとめたものを、**Table 3-1** に示しています。

Table 3-1　線形探索における各ステップの実行回数と計算量

ステップ	実行回数	計算量
1	1	O(1)
2	n / 2	O(n)
3	n / 2	O(n)
4	1	O(1)
5	n / 2	O(n)
6	1	O(1)

変数 *i* に 0 を代入する❶が行われるのは1回限りであって、データ数 n とは無関係です。このような計算量を O(1) と表します。

もちろん、関数から値を返すための❹と❻なども同様に O(1) です。

配列の末尾に到達したかを判定する❷や、着目要素と探索すべき値との等価性を判定するための❸が行われる平均回数は n / 2 です。このように、n に比例した回数だけ実行される計算量は O(n) と表します。

計算量の表記で利用している O は order の頭文字です。O(n) は、**『n のオーダー』**あるいは**『オーダー n』**と呼ばれます。

さて、n をどんどん大きくしていくと、O(n) に要する計算時間は、n に比例して長くなります。その一方で、O(1) に要する計算時間は変化しません。

このことからも推測できるように、一般に、O(f(n)) と O(g(n)) の操作を連続した場合の計算量は、次のようになります。

$$O(f(n)) + O(g(n)) = O(\max(f(n), g(n)))$$

▶ max(a, b) は a と b の大きいほうを表します。

すなわち、二つの計算で構成されるアルゴリズムの計算量は、**より大きいほうの計算量に支配されます。**二つの計算でなく、三つ以上の計算から構成されるアルゴリズムも同様です。全体の計算量は、**最も大きい計算量に支配されます。**

そのため、線形探索のアルゴリズムの計算量を求めると、次のように O(n) が得られます。

$$\begin{aligned} &O(1) + O(n) + O(n) + O(1) + O(n) + O(1) \\ &\quad = O(\max(1, n, n, 1, n, 1)) \\ &\quad = O(n) \end{aligned}$$

演習 3-1

List 3-3（p.95）の関数 `search` を、`while` 文ではなく `for` 文を用いて書きかえたプログラムを作成せよ。

演習 3-2

右のように、線形探索の走査過程を詳細に表示するプログラムを作成せよ。

各行の左端に着目要素の添字を表示するとともに、着目中の要素の上に、アスタリスク記号 '*' を表示すること。

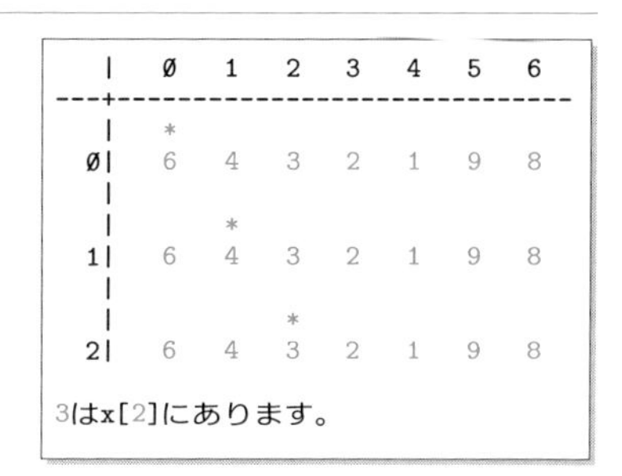

2分探索の時間計算量

次に検討するのは、2分探索の計算量です。

```
     int bin_search(const int a[], int n, int key)
     {
1        int pl = 0;                        // 探索範囲の先頭の添字
2        int pr = n - 1;                    //     〃     末尾の添字

         do {
3            int pc = (pl + pr) / 2;        //     〃     中央の添字
4            if (a[pc] == key)
5                return pc;                 // 探索成功
6            else if (a[pc] < key)
7                pl = pc + 1;               // 探索範囲を後半に絞り込む
             else
8                pr = pc - 1;               // 探索範囲を前半に絞り込む
9        } while (pl <= pr);

10       return -1;                         // 探索失敗
     }
```

着目する要素の範囲がほぼ半分ずつに減っていくため、各ステップの実行回数と計算量をまとめると、**Table 3-2** のようになります。

Table 3-2　2分探索における各ステップの実行回数と計算量

ステップ	実行回数	計算量
1	1	O(1)
2	1	O(1)
3	log n	O(log n)
4	log n	O(log n)
5	1	O(1)

ステップ	実行回数	計算量
6	log n	O(log n)
7	log n	O(log n)
8	log n	O(log n)
9	log n	O(log n)
10	1	O(1)

2分探索アルゴリズムの計算量を求めると、次のように、O(log n) が得られます。

$$O(1) + O(1) + O(\log n) + O(\log n) + O(1) + O(\log n) + \cdots + O(1) \\ = O(\log n)$$

さて、O(n) や O(log n) が O(1) より大きいのは当然です。これらを含めて、計算量の大小関係を示したのが **Fig.3-6** です。

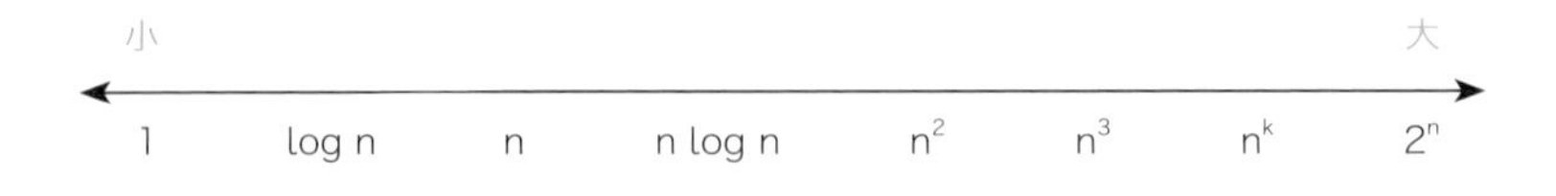

Fig.3-6　計算量と増加率

演習 3-3

要素数 *n* の配列 a から *key* と一致する全要素の添字を、配列 *idx* の先頭から順に格納するとともに、一致した要素数を返す関数を作成せよ。

```
int search_idx(const int a[], int n, int key, int idx[]);
```

たとえば、要素数 8 の配列 a の要素が {1, 9, 2, 9, 4, 6, 7, 9} であって、*key* が 9 であれば、配列 *idx* に {1, 3, 7} を格納するとともに 3 を返却する。

演習 3-4

右のように、2分探索の過程を詳細に表示するプログラムを作成せよ。

各行の左端に中央要素（現在着目している要素）の添字を表示するとともに、探索範囲の先頭要素の上に "<-" を、末尾要素の上に "->" を、着目している中央要素の上に "+" を表示すること。

演習 3-5

2分探索アルゴリズムでは、探索すべきキー値と同じ値をもつ要素が複数存在する場合、それらの要素の先頭要素を見つけるとは限らない。たとえば、下図に示す配列から 7 を探索すると、中央に位置する、添字が 5 の要素を見つける。

2分探索アルゴリズムによって探索に成功した場合（下図a）、その位置から先頭側へ一つずつ走査すれば（下図b）、最も先頭側に位置する要素の添字を見つけられる。

そのように改良した関数 *bin_search2* を作成せよ。

```
int bin_search2(const int a[], int n, int key);
```

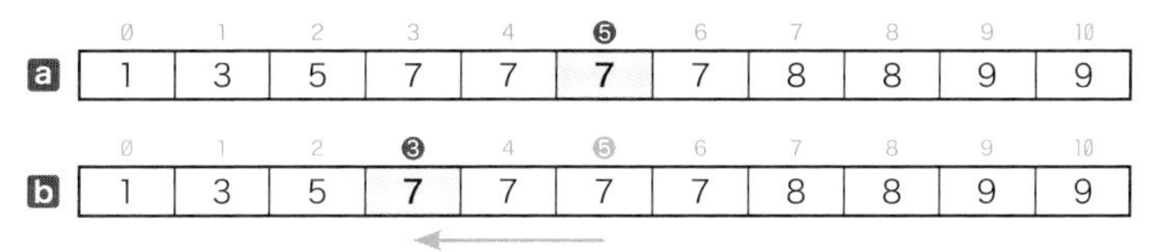

配列の先頭を越えない範囲で、同じ値の要素が続く限り前方に走査

Column 3-2　ポインタどうしの減算

『ポインタと整数』の加減算について、**Column 2-2**（p.50）で次のことを学習しました。

ポインタ *p* が配列中の要素 *e* を指すとき、
p + *i* は、要素 *e* の *i* 個だけ後方の要素を指すポインタとなり、
p - *i* は、要素 *e* の *i* 個だけ前方の要素を指すポインタとなる。

『ポインタとポインタ』の加減算は、次のようになっています。

ポインタ *p1* と *p1* が同一配列中の要素 *e* を指すとき、
p1 + *p2* は、評価できない（コンパイルエラーとなる）。
p1 - *p2* は、各ポインタが指す要素の添字の差を生成する。

そのため、たとえば *p1* と *p2* が a[5] と a[2] を指していれば、*p1* - *p2* では 3 が得られ、*p2* - *p1* では -3 が得られます。

bsearch：ソートずみ配列からの探索

C言語の標準ライブラリでは、あらゆる要素型の配列からの探索が可能な **bsearch** 関数が提供されます。次に示すのが、その仕様です。

▶ 第6章で学習するソート用の *qsort* 関数とあわせて、**汎用ユーティリティ関数**と呼ばれます。

	bsearch
ヘッダ	`#include <stdlib.h>`
形　式	`void *bsearch(const void *key, const void *base, size_t nmemb, size_t size, int (*compar)(const void *, const void *));`
解　説	先頭要素を *base* が指している、要素数が *nmemb* 個で要素の大きさが *size* であるオブジェクトの配列から *key* が指すオブジェクトに一致する要素を探索する。 *compar* が指す比較関数は、*key* オブジェクトへのポインタを第１引数とし、配列要素へのポインタを第２引数として呼び出される。その関数は、*key* オブジェクトが配列要素より小さい／一致する／大きいとみなされると、それぞれ 0 より小さい／等しい／大きい整数を返すこと。配列は、*key* オブジェクトと比較して、小さい要素だけの部分、等しい要素だけの部分および大きい要素だけの部分から構成され、これら三つの部分が、この順序で存在していなければならない。
返却値	配列中の一致する要素へのポインタを返す。一致する要素がないときは、空ポインタを返す。二つの要素が等しいとき、どちらの要素と一致するかは規定されない。

bsearch という名前は、**2分探索**（binary search）に由来しますが、２分探索アルゴリズムが使われる保証はなく、処理系まかせです。

この関数の特徴は、次のとおりです（いずれも2分探索アルゴリズムの性質です）。

- 探索対象の配列は、ソートずみでなければならない。
- 探索する値と同じ値をもつ要素が複数個存在する場合に、最も先頭の要素を見つけるとは限らない。

右ページの **List 3-5** に示すのが、この関数を利用して探索を行うプログラム例です。昇順に並んでいる配列 **x** の要素の中から、読み込んだ値 **ky** と同じ値をもつ要素を探します。

＊

本プログラムの理解のポイントは、1と2です。

まずは、*bsearch* 関数を呼び出す2に着目しましょう。高機能な関数であるため、使い方が難しくなっています。引数が5個も必要です（p.108 の **Fig.3-8** にまとめています）。

- 第1引数：キー値すなわち探索すべき値が格納されたオブジェクトへのポインタです。本プログラムでは、キー値は変数 **ky** に格納されていますので、**&ky** を渡しています。
- 第2引数：配列の先頭要素へのポインタです。本プログラムでは、探索対象である配列 **x** の先頭要素へのポインタ **x** を渡しています。

▶ 配列名 **x** が、先頭要素へのポインタ **&x[0]** と等しいことは、前章で学習しました。

List 3-5 chap03/bsearch1.c

```
// bsearch関数を利用した昇順に並んだ配列からの探索

#include <stdio.h>
#include <stdlib.h>

/*--- 整数を比較する関数（昇順用）---*/                    ■1
int int_cmp(const int *a, const int *b)
{
    if (*a < *b)
        return -1;
    else if (*a > *b)
        return 1;
    else
        return 0;
}

int main(void)
{
    int nx, ky;

    puts("bsearch関数による探索");
    printf("要素数 : ");
    scanf("%d", &nx);
    int *x = calloc(nx, sizeof(int));   // 要素数nxのint型配列xを生成

    printf("昇順に入力してください。\n");
    printf("x[0] : ");
    scanf("%d", &x[0]);

    for (int i = 1; i < nx; i++) {
        do {
            printf("x[%d] : ", i);
            scanf("%d", &x[i]);
        } while (x[i] < x[i - 1]);      // 一つ前の値よりも小さければ再入力
    }

    printf("探す値 : ");
    scanf("%d", &ky);

    int *p = bsearch(                                                     ■2
                &ky,                          // 探索値へのポインタ
                x,                            // 配列
                nx,                           // 要素数
                sizeof(int),                  // 要素の大きさ
                (int (*)(const void *, const void *))int_cmp    // 比較関数
            );

    if (p == NULL)
        puts("探索に失敗しました。");
    else
        printf("%dはx[%d]にあります。\n", ky, (int)(p - x));

    free(x);                            // 配列xを破棄

    return 0;
}
```

実行例

```
bsearch関数による探索
要素数 : 8⏎
昇順に入力してください。
x[0] : 1⏎
x[1] : 2⏎
x[2] : 4⏎
x[3] : 5⏎
x[4] : 6⏎
x[5] : 7⏎
x[6] : 8⏎
x[7] : 9⏎
探す値 : 5⏎
5はx[3]にあります。
```


- 第3引数：配列の要素数です。本プログラムでは **nx** です。
- 第4引数：配列の要素の大きさです。本プログラムでは、探索対象である配列 **x** の要素型が **int** 型ですから、その大きさである **sizeof(int)** を渡しています。

最も複雑な形の第5引数で渡しているのは、■1で定義された関数です。

比較関数

関数へのポインタ（**Column 3-4**：p.110）型の第5引数を理解していきましょう。

探索の過程では、探索するキー値と配列内の要素の値とを比較して、大小関係を判定する必要があります。ところが、大小関係の判定方法は、要素型によって異なります。要素型は整数であるかもしれませんし、文字列や構造体であるかもしれません。

そのため、二つの値を比較して、次に示す値を返却する《**比較関数**》を利用者が用意して、その関数へのポインタを **bsearch** 関数の第5引数として渡す、という仕組みがとられています。

- 第1引数が指す値のほうが小さければ、負の値を返却する。
- 第1引数が指す値と第2引数が指す値が等しければ、0 を返却する。
- 第1引数が指す値のほうが大きければ、正の値を返却する。

二つの引数名が a と b であるときの比較関数のイメージを示したのが、**Fig.3-7** です。

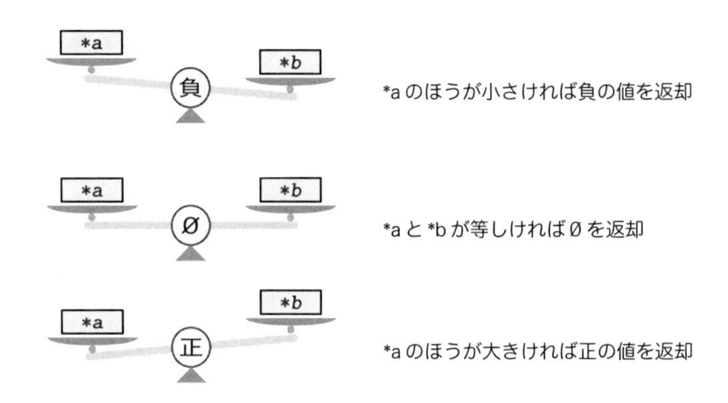

Fig.3-7　比較関数

本プログラム1の比較関数 *int_cmp* の定義を再掲しています。

比較対象は、次の二つです。

- 第1引数 a が指すオブジェクト *a の値
- 第2引数 b が指すオブジェクト *b の値

前者が小さければ -1 を、大きければ 1 を、等しければ 0 を返します。

＊

なお、右に示すのは、条件演算子 ?: を使って書きかえた別解です。

プログラムは短く簡潔になります。

```
/*--- 整数を比較する関数（昇順用）---*/
int int_cmp(const int *a, const int *b)
{
    if (*a < *b)
        return -1;
    else if (*a > *b)
        return 1;
    else
        return 0;
}
```

```
/*--- 条件演算子を用いた比較関数 ---*/
int int_cmp(const int *a, const int *b)
{
    return *a < *b ? -1 : *a > *b ? 1 : 0;
}
```

bsearch関数の呼出し

比較関数 *int_cmp* が受け取る引数の型が const int * であるのに対し、*bsearch* 関数が受け取る比較関数の引数は const void * です。両者の型が異なるため、*bsearch* 関数の呼出しにあたっては、キャストが必要です。

本プログラムでは、次のように行っています（キャスト式は網かけ部です）。

```
int *p = bsearch(
            &ky,                              // 探索値へのポインタ
            x,                                // 配列
            nx,                               // 要素数
            sizeof(int),                      // 要素の大きさ
            (int (*)(const void *, const void *))int_cmp    // 比較関数
        );
```

▶ 関数 *int_cmp* を次のように定義すると、呼び出し時のキャストは不要となり、単なる *int_cmp* を第5引数として渡せるようになります（"chap03/bsearch1a.c"）。

```
/*-- キャストせずに利用できる比較関数 --*/
int int_cmp(const void *a, const void *b)
{
    if (*(int *)a < *(int *)b)
        return -1;
    else if (*(int *)a > *(int *)b)
        return 1;
    else
        return 0;
}
```

見て分かるとおり、比較関数の中がキャストだらけになります。

void * 型のポインタ a を int * 型に型変換したポインタ (int *)a に間接演算子 * を適用したのが、式 *(int *)a です。この式の値は、ポインタ a が指す領域を先頭とする int 型の値となります。

Column 3-3　誤った比較関数

比較関数は、第1引数が指す値のほうが小さければ負、大きければ正の値を返せばよく、-1 や 1 といった特定の値を返す必要はありません。

そのためでしょうか、次のように定義された比較関数を頻繁に見受けます。

```
/*--- 高速な（？）比較関数（誤り）---*/
int int_cmp(const int *a, const int *b)
{
    return *a - *b;
}
```

×

高速かつコンパクトに実現しようという意図でしょう。しかし、減算の演算結果が int 型で表現できる値を超えて、オーバフローする可能性があるため、完全にNGです。

たとえば、int 型の表現範囲が -32768 ～ 32767 であるとします。もし、“30000 から -10000 を引く” あるいは “-20000 から 20000 を引く” といった減算を行うと、int 型の表現範囲に収まらないのは明らかです。

bsearch関数の返却値

bsearch 関数が返却するのは、**探索によって見つけた要素へのポインタ**です（ただし、探索に失敗したときは、空ポインタ **NULL** を返却します）。

Fig.3-8 を見ながら理解していきましょう。この図は、**{1, 2, 4, 5, 6, 7, 8, 9}** から **5** を探索する例であって、返却されるのは、値が **5** である4番目の要素を指すポインタです。返却値が代入されたポインタ ***p*** は、その要素を指すことになります。

▶ すなわち、ポインタ *p* の指す先は、4番目の要素 *x*[3] となります。

見つけた要素の添字は、ポインタ *p* から、先頭要素へのポインタ *x* を引く *p* - *x* で得られます（この図の場合、*p* - *x* は3となります）。

というのも、ポインタ **a** と ***b*** が同じ配列内の要素を指すとき、***b* - a** の減算を行った結果は、それら二つの要素の添字の差となるからです（**Column 3-2**：p.103）。

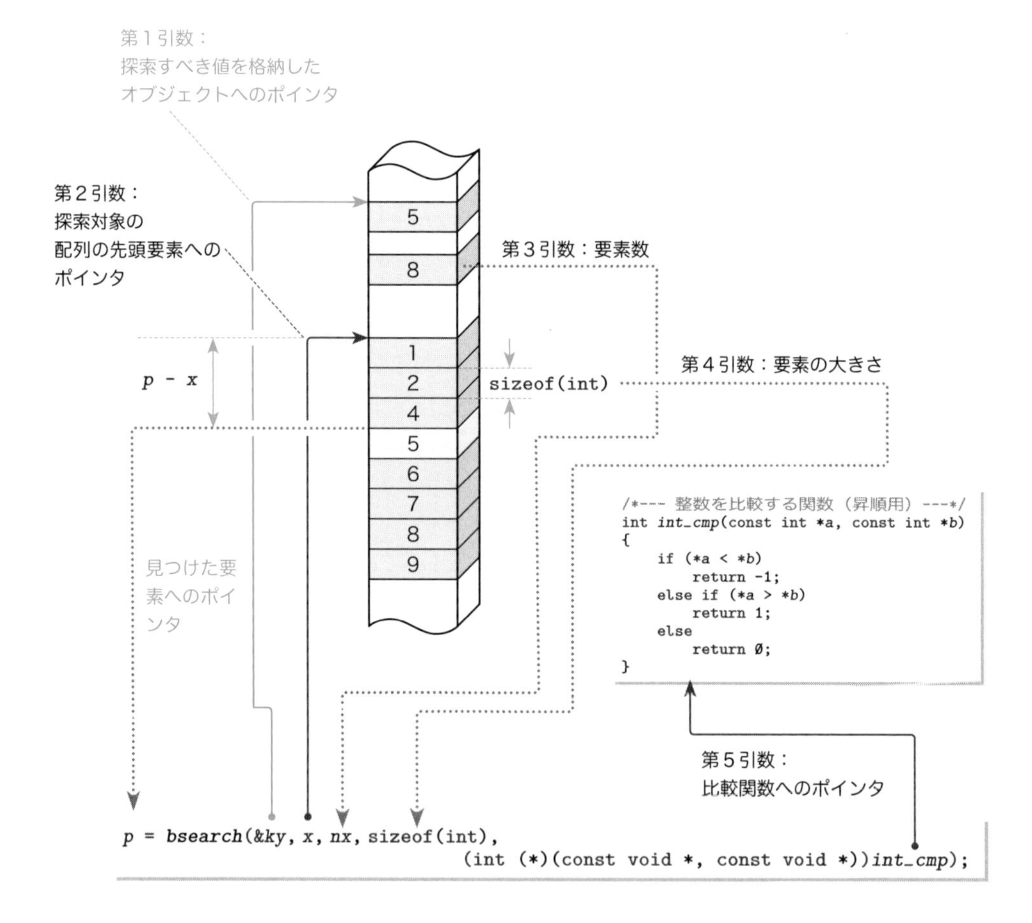

Fig.3-8 bsearch関数による探索

昇順ではなく、降順にソートされた配列からの探索を行ってみましょう。**List 3-6** に示すのが、そのプログラム例です。

List 3-6 chap03/bsearch2.c

```
// bsearch関数を利用した降順に並んだ配列からの探索

#include <stdio.h>
#include <stdlib.h>

/*--- 整数を比較する関数（降順用）---*/
int int_cmpr(const int *a, const int *b)
{
    if (*a < *b)
        return 1;
    else if (*a > *b)
        return -1;
    else
        return 0;
}

int main(void)
{
    int nx, ky;

    puts("bsearch関数による探索");
    printf("要素数 : ");
    scanf("%d", &nx);
    int *x = calloc(nx, sizeof(int));    // 要素数nxのint型配列xを生成

    printf("降順に入力してください。\n");

    printf("x[0] : ");
    scanf("%d", &x[0]);

    for (int i = 1; i < nx; i++) {
        do {
            printf("x[%d] : ", i);
            scanf("%d", &x[i]);
        } while (x[i] > x[i - 1]);        // 一つ前の値よりも大きければ再入力
    }

    printf("探す値 : ");
    scanf("%d", &ky);

    int *p = bsearch(
                &ky,                               // 探索値へのポインタ
                x,                                 // 配列
                nx,                                // 要素数
                sizeof(int),                       // 要素の大きさ
                (int (*)(const void *, const void *))int_cmpr    // 比較関数
            );

    if (p == NULL)
        puts("探索に失敗しました。");
    else
        printf("%dはx[%d]にあります。\n", ky, (int)(p - x));

    free(x);                              // 配列xを破棄

    return 0;
}
```

実行例

```
bsearch関数による探索
要素数 : 8
降順に入力してください。
x[0] : 79
x[1] : 68
x[2] : 57
x[3] : 39
x[4] : 23
x[5] : 22
x[6] : 15
x[7] : 13
探す値 : 22
22はx[5]にあります。
```

前のプログラムと異なるのは、網かけ部です。比較関数 ***int_cmpr*** が返却する値の符号が、昇順ソートのプログラムとは逆です。

Column 3-4　関数へのポインタ

関数へのポインタとは、名前のとおり、関数を指すポインタです。関数へのポインタの型は、指す対象となる関数の型によって異なります。たとえば、関数 `double func(int)` を指すポインタの型と、関数 `int kansu(int, long)` を指すポインタの型は、異なる型です。

ここでは、次の関数を例に考えていきます。これは、『`int` 型の引数を受け取って `double` 型の値を返却する』関数です。

```
double func(int);         // intを受け取ってdoubleを返却する関数
```

この関数を指すポインタの型は、**『"`int` 型の引数を受け取って `double` 型の値を返却する関数" へのポインタ』**です。その型をもつポインタ `fp` の宣言は、次のようになります。

```
double (*fp)(int);        // intを受け取ってdoubleを返却する関数へのポインタ
```

変数名の前に `*` を置くのは、オブジェクトへのポインタの宣言と同じです。ただし、変数名を `()` で囲む必要がある点が異なります。というのも、`()` を省略して、

```
double *fn(int);          // intを受け取ってdoubleへのポインタを返却する関数
```

とすると、ポインタではなく、『`int` 型の引数を受け取って "`double` 型へのポインタ" を返却する**関数**』の宣言となってしまうからです。

＊

右ページの **List 3C-1** で理解を深めましょう。これは、関数へのポインタを利用して、『九九の加算表』と『九九の乗算表』を表示するプログラムです。

まずは、関数 `kuku` を呼び出すAとBに着目します。実引数として与えている `sum` と `mul` は、いずれも関数の名前です。**関数名は、その関数へのポインタとみなされます**（ちょうど、配列名が、その先頭要素へのポインタとみなされるのと同じです）。

Aの関数呼出しは、関数 `kuku` に対して次の依頼を行っているわけです。

> **関数 `sum` へのポインタを渡しますから、そのポインタが指す関数の実行によって得られる計算結果（二つの引数の和）の表を表示してください！**

呼び出された関数 `kuku` は、関数 `sum` へのポインタを仮引数 `calc` に受け取ります（1）。受け取った関数へのポインタを利用するのが、2の式 `(*calc)(i, j)` です。

関数へのポインタに間接演算子 `*` を適用した間接式を評価・実行すると、そのポインタが指す関数が呼び出されます（ちょうど、オブジェクトを指すポインタに間接演算子 `*` を適用すると、そのオブジェクトの実体をアクセスできるのと同じです）。そのため、関数 `kuku` 内の2の式 `(*calc)(i, j)` を評価・実行すると、ポインタ `calc` の指す関数 `sum` が呼び出されます。

すなわち、`(*calc)(i, j)` は、実質的に `sum(i, j)` と同じです。

なお、`*calc` を囲む `()` は省略できません。間接演算子 `*` よりも関数呼出し演算子 `()` のほうが優先度が高いからです。

なお、Bによって関数 `kuku` が呼び出された場合は、引数 `calc` に受け取るのが関数 `mul` へのポインタとなるため、式 `(*calc)(i, j)` の評価・実行で呼び出されるのは、関数 `mul` です。

すなわち、`(*calc)(i, j)` は、実質的に `mul(i, j)` と同じです。

ポインタ `calc` が指す関数を呼び出す式 `(*calc)(i, j)` が、実際にどの関数を呼び出すのか（関数 `sum` なのか、`mul` なのか、それ以外の関数なのか…）の決定が、プログラムのコンパイル時ではなく**実行時**に行われることに注意しましょう。

関数へのポインタを使うと、呼び出す関数を実行時に決定する**動的な関数呼出し**が実現できます。

List 3C-1 chap03/kuku.c

```
// 九九の加算と乗算

#include <stdio.h>

/*--- x1とx2の和を求める ---*/
int sum(int x1, int x2)
{
    return x1 + x2;
}

/*--- x1とx2の積を求める ---*/
int mul(int x1, int x2)
{
    return x1 * x2;
}

/*--- 九九の表を出力 ---*/                         ← 1
void kuku(int (*calc)(int, int))
{
    for (int i = 1; i <= 9; i++) {
        for (int j = 1; j <= 9; j++)
            printf("%3d", (*calc)(i, j));
        putchar('\n');
    }
}

int main(void)
{
    puts("九九の加算表");
    kuku(sum);                                   ← A

    puts("\n九九の乗算表");
    kuku(mul);                                   ← B

    return 0;
}
```

2 呼び出す関数がプログラム実行時に決定する

実行結果

```
九九の加算表
  2  3  4  5  6  7  8  9 10
  3  4  5  6  7  8  9 10 11
  4  5  6  7  8  9 10 11 12
  5  6  7  8  9 10 11 12 13
  6  7  8  9 10 11 12 13 14
  7  8  9 10 11 12 13 14 15
  8  9 10 11 12 13 14 15 16
  9 10 11 12 13 14 15 16 17
 10 11 12 13 14 15 16 17 18

九九の乗算表
  1  2  3  4  5  6  7  8  9
  2  4  6  8 10 12 14 16 18
  3  6  9 12 15 18 21 24 27
  4  8 12 16 20 24 28 32 36
  5 10 15 20 25 30 35 40 45
  6 12 18 24 30 36 42 48 54
  7 14 21 28 35 42 49 56 63
  8 16 24 32 40 48 56 64 72
  9 18 27 36 45 54 63 72 81
```

動的な関数呼出しによって、ソースプログラムで"直接的には"どこからも呼び出されていない関数 sum と mul の実行が可能となります。

もし、九九の減算表を表示したいのであれば、二つの引数の減算結果を返却する関数を作成し、その関数へのポインタを kuku に渡して呼び出します。関数へのポインタを利用すると、プログラムの修正・変更に対しても柔軟に対応できます。

*

なお、関数 kuku は、右に示す別解のように短く記述できます。２箇所の網かけ部は、括弧 ( ) とアステリスク * が取れており、プログラムはすっきりしています（"chap03/kuku2.c"）。

```
/*--- 関数kukuの別解 ---*/
void kuku(int calc(int, int))
{
    for (int i = 1; i <= 9; i++) {
        for (int j = 1; j <= 9; j++)
            printf("%3d", calc(i, j));
        putchar('\n');
    }
}
```

■ 仮引数の宣言

関数へのポインタは、**仮引数の宣言に限り**、変数名の前の * と、それらを囲む ( ) を省略した形式で宣言できます（配列を受け取る仮引数 int *p を int p[] と宣言できるのと似ています）。

■ 関数へのポインタを通じた関数の呼出し

一般に、関数呼出し式 f(...) の左オペランド f は、関数名ではなく関数へのポインタでもよいことになっています。間接参照演算子 * の働きを理解するために、**List 3C-1** では (*calc)(i, j) としていましたが、単なる calc(i, j) としてもよいのです。

構造体の配列からの探索

これまでの探索プログラムは、要素型が基本型である配列からの探索でした。構造体の配列からの探索を **bsearch** 関数で行ってみましょう。

List 3-7 に示すのが、そのプログラム例です。

List 3-7 chap03/bsearch3.c


```
// bsearch関数を利用した構造体の配列からの探索

#include <stdio.h>
#include <stdlib.h>
#include <string.h>

typedef struct {
    char name[10];  // 名前
    int  height;    // 身長
    int  weight;    // 体重
} Person;

/*--- Person型の比較関数（名前昇順）---*/
int npcmp(const Person *x, const Person *y)
{
    return strcmp(x->name, y->name);
}

int main(void)
{
    Person x[]= {                      // 配列の要素は名前の昇順で
        {"ABE",      179, 79},         // 並んでいなければならない
        {"NANGOH",   172, 63},
        {"SHIBATA",  176, 52},
        {"SUGIYAMA", 165, 51},
        {"TAKAOKA",  181, 73},
        {"TSURUMI",  172, 84},
    };
    int nx = sizeof(x) / sizeof(x[0]);        // 配列xの要素数
    int retry;

    puts("名前による探索を行います。");

    do {
        Person temp;

        printf("名前 : ");
        scanf("%s", temp.name);

        Person *p = bsearch(&temp, x, nx, sizeof(Person),
                        (int (*)(const void *, const void *))npcmp);

        if (p == NULL)
            puts("探索に失敗しました。");
        else {
            puts("探索成功!! 以下の要素を見つけました。");
            printf("x[%d] : %s %dcm %dkg\n",
                    (int)(p - x), p->name, p->height, p->weight);
        }

        printf("もう一度探索しますか？(1)はい／(0)いいえ : ");
        scanf("%d", &retry);
    } while (retry == 1);

    return 0;
}
```

実行例

```
名前による探索を行います。
名前 : SUGIYAMA
探索成功!! 以下の要素を見つけました。
x[3] : SUGIYAMA 165cm 51kg
もう一度探索しますか？(1)はい／(0)いいえ : 0
```

Person は、名前、身長、体重のメンバで構成された構造体であり、その **Person** 型を要素型とするのが、探索対象の配列 **x** です。配列 **x** の要素は、名前を表すメンバ **name** の昇順に並ぶように初期化されています。

▶ すなわち、要素の並びは、名前のアルファベット順となっています。

比較関数 ***npcmp*** では、二つの文字列 ***x*->name** と ***y*->name** の大小関係を、***strcmp*** 関数を呼び出すことで判定しています。呼び出された ***strcmp*** 関数が返却するのは、次の値です。

- ***x*->name** のほうが小さければ（アルファベット順の先頭側であれば）負の値。
- ***x*->name** と ***y*->name** が一致すれば **0**。
- ***x*->name** のほうが大きければ（アルファベット順の末尾側であれば）正の値。

なお、***strcmp*** 関数の仕様の詳細は、第7章で学習します。

演習 3-6

要素が値の降順で並んでいる **long** 型の配列からの探索を **bsearch** 関数を用いて行うプログラムを作成せよ。

演習 3-7

bsearch 関数と同じ形式で呼び出せる、次の関数を作成せよ。

```
void *seqsearch(const void *key, const void *base, size_t nmemb,
                size_t size, int (*compar)(const void *, const void *));
```

線形探索アルゴリズムを利用すること。もちろん、配列はソートずみでなくてもよいものとする。

演習 3-8

bsearch 関数と同じ形式で呼び出せる、次の関数を作成せよ。

```
void *binsearch(const void *key, const void *base, size_t nmemb,
                size_t size, int (*compar)(const void *, const void *));
```

２分探索アルゴリズムを利用すること。

演習 3-9

bsearch 関数と同じ形式で呼び出せる、次の関数を作成せよ。

```
void *bsearchx(const void *key, const void *base, size_t nmemb,
               size_t size, int (*compar)(const void *, const void *));
```

演習 **3-5** と同様に、２分探索アルゴリズムを利用して、一致する要素の探索に成功したら、その位置から先頭側へ線形探索を行うことによって、複数の要素が一致する場合には、最も先頭の要素へのポインタを返すこと。

3-4 ハッシュ法

本節で学習するハッシュ法は、探索だけでなく、データの追加や削除をも効率よく行うための総合的な手法です。

ソートずみ配列の操作

Fig.3-9 ａに示す要素数 13 の配列 a を考えましょう。先頭 10 個の要素に、データが昇順にソートされた状態で格納されています。

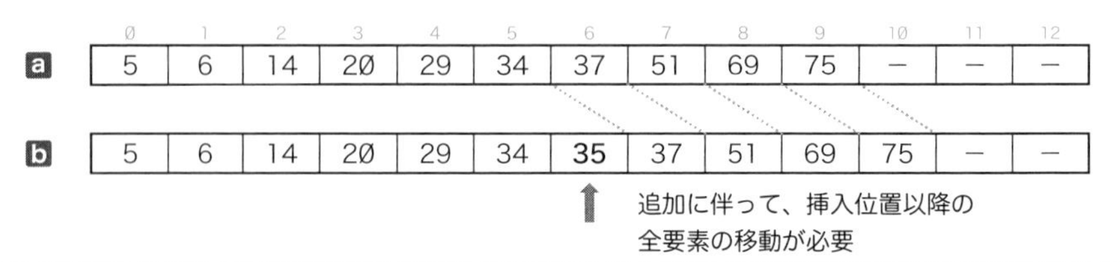

Fig.3-9　ソートずみ配列へのデータの追加

この配列に対して 35 を追加するのであれば、その手続きは次のようになります。

- 挿入すべき位置が a[5] と a[6] のあいだであることを2分探索法で調べる。
- 図ｂに示すように、a[6] 以降の**全要素を一つずつ後方へ移動する。**
- a[6] に 35 を代入する。

要素の移動に要する計算量は O(n) ですから、そのコストは決して小さくはありません。
もちろん、データを削除する場合も、まったく同様なコストが生じます。

ハッシュ法

データを格納すべき位置＝添字を単純な演算で求めることで、**探索だけではなく、挿入や削除も効率よく行う**のが、本節で学習する**ハッシュ法**（hashing）です。

図ａの配列のキー値（各要素の値）を、配列の要素数 13 で割った剰余を **Table 3-3** にまとめています。

Table 3-3　キー値とハッシュ値の対応

キー値	5	6	14	20	29	34	37	51	69	75
ハッシュ値（13 で割った剰余）	5	6	1	7	3	8	11	12	4	10

表の下段の値は、**ハッシュ値**（hash value）と呼ばれ、データをアクセスする際の目印です。

▶ hash とは、『よせ集め』『ごちゃまぜ』『細切れの肉料理』という意味です。

ハッシュ値が添字となるように、キー値を格納した配列（表）が、**ハッシュ表**（hash table）です。この例では、ハッシュ表は**Fig.3-10** ⓐのようになります。

▶ たとえば、14 を a[1] に格納しているのは、ハッシュ値（13 で割った剰余）が 1 だからです。

Fig.3-10　ハッシュへの追加

それでは、図ⓐの配列に 35 を追加しましょう。35 を 13 で割った剰余は 9 ですから、図ⓑに示すように、格納先は a[9] となります。先ほどの例とは異なり、データの追加に伴って要素をずらすことなく、追加が行えます。

キー値からハッシュ値への変換を行う手続きを**ハッシュ関数**（hash function）と呼びます。通常は、ここに示したように、**剰余を求める演算**、**あるいは**、**それを応用した演算**が使われます。

なお、ハッシュ表の各要素は、**バケット**（bucket）と呼ばれます。

▶ bucket は、いわゆる『バケツ』のことです。

衝突

引き続き、配列に 18 を追加します。18 を 13 で割った剰余は 5 ですから、格納先はバケット a[5] です。ところが、**Fig.3-11** に示すように、このバケットは既に埋まっています。

キー値とハッシュ値の対応関係が 1 対 1 である保証はなく、通常は多対1です。格納すべきバケットが重複する現象は、**衝突**（しょうとつ）（collision）と呼ばれます。

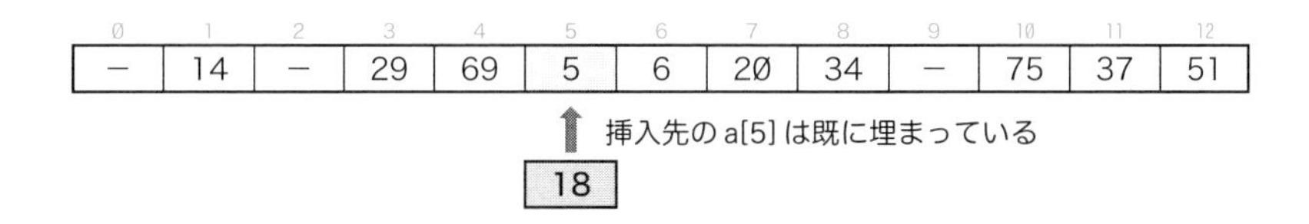

Fig.3-11　ハッシュへの追加における衝突

衝突に対する対処

衝突が発生した場合の対処法として、次に示す二つの手法があります。

- **チェイン法**　　　　：同一のハッシュ値をもつ要素を線形リストで管理する。
- **オープンアドレス法**：空きバケットを見つけるまで、ハッシュを繰り返す。

本節では、これらの手法について学習していきます。

キー値とデータ

ハッシュ法を利用する現実のプログラムで扱うデータは、単純な整数や実数でなく、複数のデータが組み合わされた構造体となっている場合が少なくありません。

そこで、チェイン法とオープンアドレス法の学習に進む前に、それらのプログラムで利用するデータ構造を定義しましょう。

ここでは、スポーツクラブの会員を考えることにします。本来ならば、多くのデータで構成されるでしょうが、ここでは、会員番号（単に『番号』と呼びます）と氏名のみを考えます。番号は`int`型の整数とし、氏名は文字列であるとし、それらを組み合わせた構造体を*Member*とします。

なお、会員情報を表示する関数や、メンバの値を読み込む関数なども必要ですから、それらも作ってしまいましょう。プログラムは、次の２個のファイルに分かれます。

- ヘッダ部：**List 3-8** に示す "Member.h"
- ソース部：**List 3-9** に示す "Member.c"

▶ これらは、次のように使い分けます。
ヘッダ部：会員データを使うプログラムからインクルードする。
ソース部：会員データを使うプログラムと結合する。

List 3-8 chap03/Member.h

```
// 会員データMember（ヘッダ部）

#ifndef ___Member
#define ___Member

/*--- 会員データ ---*/
typedef struct {
    int  no;            // 番号
    char name[20];      // 氏名
} Member;

#define MEMBER_NO       1       // 番号を表す定数値
#define MEMBER_NAME     2       // 氏名を表す定数値

/*--- 会員の番号の比較関数 ---*/
int MemberNoCmp(const Member *x, const Member *y);

/*--- 会員の氏名の比較関数 ---*/
int MemberNameCmp(const Member *x, const Member *y);

/*--- 会員データの表示（改行なし）---*/
void PrintMember(const Member *x);

/*--- 会員データの表示（改行あり）---*/
void PrintLnMember(const Member *x);

/*--- 会員データの読込み ---*/
Member ScanMember(const char *message, int sw);

#endif
```

▶ 会員データを扱うための各関数は、定義がソース部にあり、宣言がヘッダ部にあります。

List 3-9 chap03/Member.c

```
// 会員データMember（ソース部）

#include <stdio.h>
#include <string.h>
#include "Member.h"

/*--- 会員の番号の比較関数 ---*/
int MemberNoCmp(const Member *x, const Member *y)
{
    return x->no < y->no ? -1 : x->no > y->no ? 1 : 0;
}

/*--- 会員の氏名の比較関数 ---*/
int MemberNameCmp(const Member *x, const Member *y)
{
    return strcmp(x->name, y->name);
}

/*--- 会員データ（番号と氏名）の表示（改行なし）---*/
void PrintMember(const Member *x)
{
    printf("%d %s", x->no, x->name);
}

/*--- 会員データ（番号と氏名）の表示（改行あり）---*/
void PrintLnMember(const Member *x)
{
    printf("%d %s\n", x->no, x->name);
}

/*--- 会員データ（番号と氏名）の読込み ---*/
Member ScanMember(const char *message, int sw)
{
    Member temp;

    printf("%sするデータを入力してください。\n", message);

    if (sw & MEMBER_NO)   { printf("番号："); scanf("%d", &temp.no);  }
    if (sw & MEMBER_NAME) { printf("氏名："); scanf("%s", temp.name); }

    return temp;
}
```


▶ 各関数の概要は、次のとおりです。

- MemberNoCmp

  二つの会員データの“番号”の大小関係を判定する比較関数。

- MemberNameCmp

  二つの会員データの“氏名”の大小関係を判定する比較関数。

- PrintMember

  番号と氏名を表示する。

- PrintLnMember

  番号と氏名を表示する。最後に改行文字を出力する。

- ScanMember

  番号と氏名の一方あるいは両方を対話的に読み込む。

本章のプログラムでは、一部の関数を利用していませんが、それらの関数は、第8章の『線形探索』と第9章の『2分探索木』のプログラムで利用します。

チェイン法

チェイン法（chaining）は、同一ハッシュ値をもつデータを、線形リストで鎖（くさり）＝チェイン状につなぐ方法です。**オープンハッシュ法**（open hashing）とも呼ばれます。

▶ チェイン法は《線形リスト》を利用しますので、第8章の『線形リスト』を先に学習して、それから戻ってきて学習を進めるとよいでしょう。

同一ハッシュ値をもつデータの格納法

チェイン法によって実現されたハッシュの一例を **Fig.3-12** に示します。

▶ この例でも、キー値を 13 で割った剰余をハッシュ値としています。

配列の各バケットに格納するのは、その添字をハッシュ値とする線形リストの《先頭ノードへのポインタ》です（以下、配列名を `table` とします）。

たとえば、69 と 17 のハッシュ値はともに 4 であり、それらを連結した線形リストへの先頭ノードへのポインタを `table[4]` に格納します。また、ハッシュ値 0 や 2 のように、データが 1 個もないバケットの値は、空ポインタ `NULL` とします。

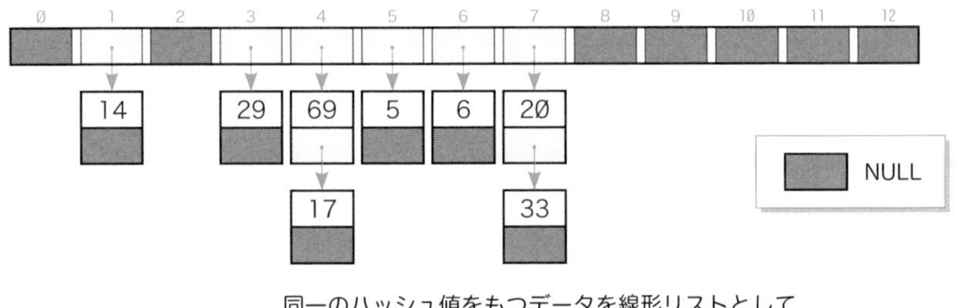

Fig.3-12　チェイン法におけるハッシュの実現

会員プログラムと同様に、チェイン法を実現するプログラムも、ヘッダ部とソース部とに分割して作ります。右ページの **List 3-10** に示している `"ChainHash.h"` が、ヘッダ部です。

それでは、プログラムと対比しながら理解していきましょう。

バケット用構造体 Node

個々のバケットの型を表すのが、**1** で宣言された構造体 *Node* です。**Fig.3-13** に示すように、2個のメンバ `data` と `next` で構成されます。

- `data` … データ
- `next` … チェインにおける後続ポインタ（後続ノードへのポインタ）

List 3-10　chap03/ChainHash.h

```
// チェイン法によるハッシュ（ヘッダ部）

#ifndef ___ChainHash
#define ___ChainHash

#include "Member.h"                                          List 3-8 (p.116)

/*--- バケットを表すノード ---*/
typedef struct __node {
    Member          data;    // データ
    struct __node *next;     // 後続ポインタ（後続ノードへのポインタ）      1
} Node;

/*--- ハッシュ表 ---*/
typedef struct {
    int    size;             // ハッシュ表の大きさ                        2
    Node **table;            // ハッシュ表の先頭要素へのポインタ
} ChainHash;

/*--- ハッシュ表を初期化 ---*/
int Initialize(ChainHash *h, int size);

/*--- 探索 ---*/
Node *Search(const ChainHash *h, const Member *x);

/*--- データの追加 ---*/
int Add(ChainHash *h, const Member *x);

/*--- データの削除 ---*/
int Remove(ChainHash *h, const Member *x);

/*--- ハッシュ表をダンプ ---*/
void Dump(const ChainHash *h);

/*--- 全データの削除 ---*/
void Clear(ChainHash *h);

/*--- ハッシュ表を後始末 ---*/
void Terminate(ChainHash *h);

#endif
```


Fig.3-13　バケットを表す構造体

メンバ**next**は、チェインを構成する線形リスト上の後続ノードを指すポインタです。ただし、後続ノードが存在しない場合は**NULL**とします。

ハッシュ表の管理用構造体 ChainHash

ハッシュ表を管理するための構造体が、2で宣言された*ChainHash*であり、2個のメンバで構成されます。

- *size* … ハッシュ表の大きさ
- *table* … ハッシュ表を格納する配列（の先頭要素へのポインタ）

メンバ**table**は、ハッシュ表を格納する配列（厳密には、配列の先頭要素へのポインタ）です。配列用の記憶域を確保する作業は、関数**Initialize**で行います。

▶ **table**の型が**Node ****型となっているのは、生成する配列の要素型が**Node ***型だからです（ポインタを生成するのであれば、それを指すポインタが**『ポインタへのポインタ』**となることはp.49で学習しました）。

List 3-11 の "ChainHash.c" がソース部です。各関数を理解していきましょう。

List 3-11 [A] chap03/ChainHash.c

```
// チェイン法によるハッシュ（ソース部）

#include <stdio.h>
#include <stdlib.h>
#include "Member.h"                                    List 3-8 (p.116)
#include "ChainHash.h"

/*--- ハッシュ関数（keyのハッシュ値を返す）---*/
static int hash(int key, int size)
{
    return key % size;
}

/*--- ノードの各メンバに値を設定 ----*/
static void SetNode(Node *n, const Member *x, const Node *next)
{
    n->data = *x;         // データ
    n->next = next;       // 後続ポインタ
}

/*--- ハッシュ表の初期化 ---*/
int Initialize(ChainHash *h, int size)
{
    if ((h->table = calloc(size, sizeof(Node *))) == NULL) {
        h->size = 0;
        return 0;
    }

    h->size = size;
    for (int i = 0; i < size; i++)  // すべてのバケットを空にする
        h->table[i] = NULL;

    return 1;
}
```


ハッシュ関数：hash

ハッシュ値を求める関数です。仮引数 **key** に受け取った会員番号の値を、ハッシュ表の容量 **size** で割った剰余を返します。

ノードに値を設定：SetNode

バケット用のノードに値を設定する関数です。第2引数 **x** が指すデータと、第3引数に受け取った後続ノードへのポインタ **next** を、第1引数 **n** が指すノードの各メンバに代入します。

▶ 関数 SetNode の第2引数は、ポインタでなく、値としてやりとりすることも可能です。その場合、関数の定義は次のようになります。

```
static void SetNode(Node *n, Member x, const Node *next)
{
    n->data = x;          // データ
    n->next = next;       // 後続ノードへのポインタ
}
```

もっとも、構造体の受渡しは、値ではなくポインタで行うのが一般的です。関数間でやりとりするデータの大きさ（バイト数）が抑えられるからです。

以上の二つの関数は、"ChainHash.c" の中でのみ呼び出される関数です。そのため、これ以降で定義されている関数とは、次の点で異なります。

- ヘッダ部 "ChainHash.h" に関数の宣言がない（宣言の必要がないため）。
- static 付きで定義されて、内部結合（**Column 3-7**：p.130）が与えられている。

ハッシュ表の初期化：Initialize

関数 ***Initialize*** は、空のハッシュ表を生成する関数です。

▶ 第1引数 ***h*** は、処理の対象となる**ハッシュ構造体オブジェクトへのポインタ**です（これ以降のほとんどの関数も同様です）

仮引数 ***size*** に指定された容量をもつ、配列 ***table*** の本体を生成するとともに、その容量をメンバ ***size*** にコピーします。

▶ ハッシュ表の各バケットは、先頭から順に ***table*[0]**, ***table*[1]**, …, ***table*[*size* - 1]** でアクセスできます。

配列 ***table*** の全要素に空ポインタ **NULL** を代入することにより、**Fig.3-14** に示すように、全バケットを《空》の状態とします。

すべてのバケットが空（NULL）

Fig.3-14　空のハッシュ

なお、記憶域の確保に失敗した（***calloc*** 関数が **NULL** を返却した）場合、***table*** には **NULL** が入り、メンバ ***size*** は **0** となります（網かけ部）。

▶ メンバ ***size*** を **0** にするのは、ハッシュに対して誤った操作を行えないようにするためです。

Column 3-5　ハッシュとハッシュ関数について

もし衝突がまったく発生しないのであれば、探索・追加・削除の各処理は、ハッシュ関数で添字を求めるだけでほぼ完了するため、その時間計算量は、いずれもO(1)となります。

ハッシュ表を大きくすれば衝突の発生を抑えることができますが、記憶領域を無駄に占有することになります。すなわち、時間と空間のトレードオフの問題がつきまとうわけです。

さて、衝突を避けるためには、ハッシュ関数は、ハッシュ表の大きさ以下の整数を、なるべく偏らないように生成するものでなければなりません。そのため、ハッシュ表の大きさは、**素数**が好ましいとされています。

キー値が整数でない場合は、ハッシュ値を求める際に、ちょっとした工夫が必要です。たとえば、実数のキー値に対してはビット演算をほどこす方法を、文字列のキー値に対しては各文字に対する乗算や加算をほどこす方法を使うことになります。

List 3-11 [B] chap03/ChainHash.c

```
/*--- 探索 ---*/
Node *Search(const ChainHash *h, const Member *x)
{
    int key = hash(x->no, h->size);      // 探索するデータのハッシュ値
    Node *p = h->table[key];             // 着目ノード

    while (p != NULL) {
        if (p->data.no == x->no)         // 探索成功
            return p;
        p = p->next;                     // 後続ノードに着目
    }
    return NULL;                         // 探索失敗
}

/*--- データの追加 ---*/
int Add(ChainHash *h, const Member *x)
{
    int key = hash(x->no, h->size);      // 追加するデータのハッシュ値
    Node *p = h->table[key];             // 着目ノード
    Node *temp;

    while (p != NULL) {
        if (p->data.no == x->no)         // このキーは登録ずみ
            return 1;                    // 追加失敗
        p = p->next;                     // 後続ノードに着目
    }
    if ((temp = calloc(1, sizeof(Node))) == NULL)
        return 2;
    SetNode(temp, x, h->table[key]);     // 追加するノードに値を設定
    h->table[key] = temp;

    return 0;                            // 追加成功
}
```

キーによる要素の探索：Search

キー値が x->no の要素を探索する関数です。右ページの **Fig.3-15** に示す具体例で、探索の手続きを理解しましょう（以降の例では、ハッシュ値はキー値を 13 で割った剰余とします）。

■ 図aから 33 を探索

33 のハッシュ値は 7 ですから、table[7] が指す線形リストをたどります。20 ⇨ 33 とたぐっていくと探索成功です。

■ 図aから 26 を探索

26 のハッシュ値は 0 です。table[0] は NULL ですから、探索失敗です。

探索の手続きは、次のようになります。

1. ハッシュ関数によってキー値をハッシュ値に変換する。
2. ハッシュ値を添字とするバケットに着目する。
3. 着目したバケットが指す線形リストを先頭から順に線形探索する。キー値と同じ値が見つかれば探索成功。末尾まで走査して見つからなければ探索失敗。

▶ 関数 Search が返却するのは、見つけたデータへのポインタです。ただし、探索失敗時は空ポインタ NULL を返却します。

要素の追加：Add

ポインタ *x* が指すデータを追加する関数です。**Fig.3-15** に示す具体例で、挿入の手続きを理解しましょう。

■ 図aへの 13 の挿入

13 のハッシュ値は 0 であり、*table*[0] は NULL です。図bに示すように、13 を格納したノードを新たに生成して、そのノードへのポインタを *table*[0] に代入します。

■ 図aへの 46 の挿入

46 のハッシュ値は 7 であり、*table*[7] のバケットには、20 と 33 を連結したリストへのポインタが格納されています。このリスト内には 46 は存在しませんので、リストの先頭に 46 を挿入します。具体的には、46 を格納したノードを新たに生成して、そのノードへのポインタを *table*[7] に代入します。さらに、挿入したノードがもつ後続ポインタ **next** が、20 を格納したノードを指すように更新します。

要素挿入の手続きは、次のようになります。

1. ハッシュ関数によってキー値をハッシュ値に変換する。
2. ハッシュ値を添字とするバケットに着目する。
3. バケットが指す線形リストを先頭から順に線形探索する。キー値と同じ値が見つかればキー値は登録ずみであり挿入失敗。最後まで探して見つからなければリストの先頭位置にノードを挿入。

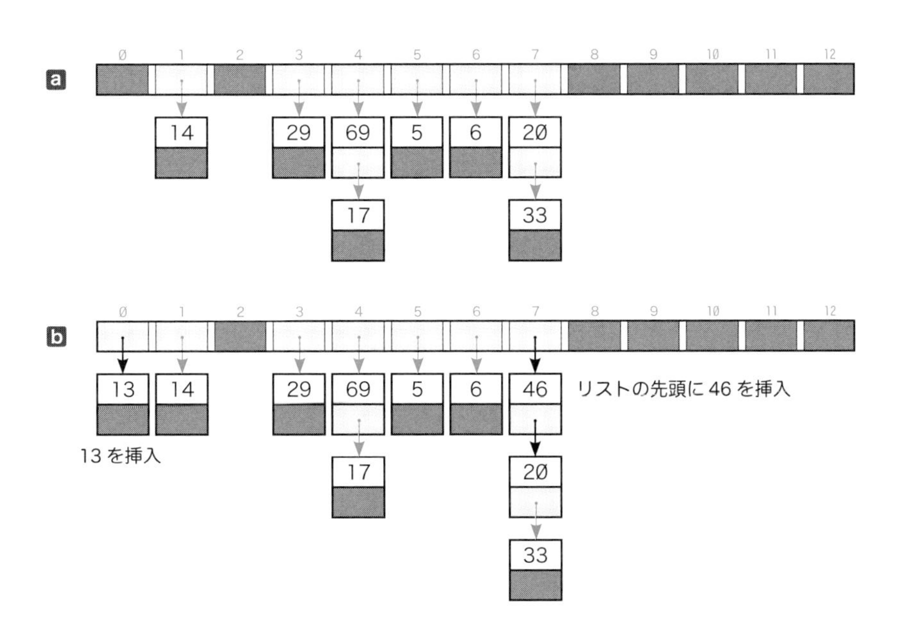

Fig.3-15　チェイン法におけるハッシュの探索と追加

要素の削除：Remove

関数 *Remove* は、キー値が *x->no* の要素を削除する関数です。

List 3-11 [C] chap03/ChainHash.c

```
/*--- データの削除 ---*/
int Remove(ChainHash *h, const Member *x)
{
    int  key = hash(x->no, h->size);     // 削除するデータのハッシュ値
    Node *p = h->table[key];             // 着目ノード
    Node **pp = &h->table[key];          // 着目ノードへのポインタ

    while (p != NULL) {
        if (p->data.no == x->no)    {    // 見つけたら
            *pp = p->next;
            free(p);                     // 解放
            return 0;                    // 削除成功
        }
        pp = &p->next;
        p = p->next;                     // 後続ノードに着目
    }

    return 1;                            // 削除失敗（存在しない）
}
```


まずは、**Fig.3-16** ⓐから 69 を削除する例を考えましょう。

69 のハッシュ値は 4 です。*table*[4] のバケットに格納されている参照先リストを線形探索すると 69 が見つかります。このノードの後続ノードは、17 を格納したノードです。

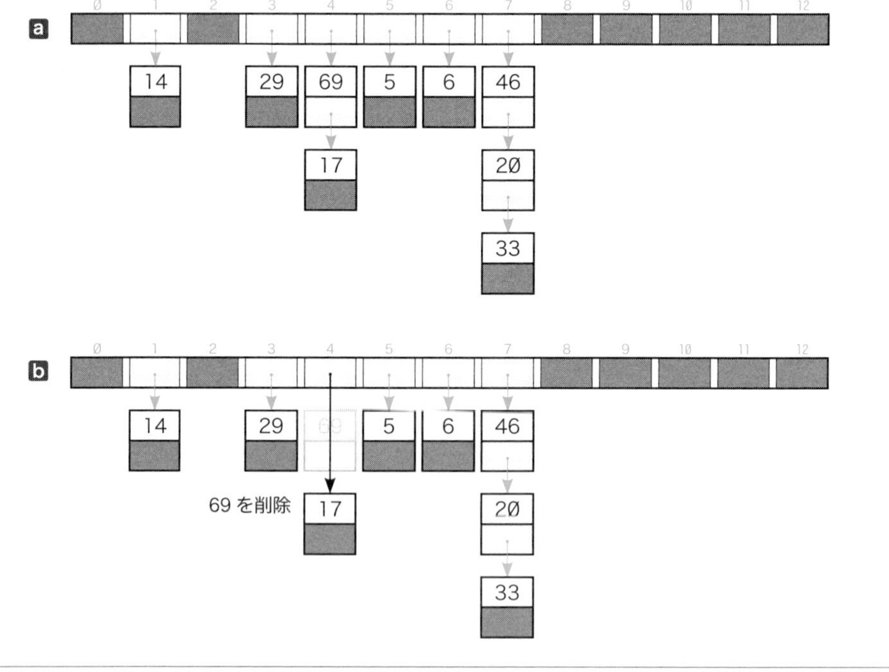

Fig.3-16　チェイン法におけるハッシュからの削除

そこで、図bに示すように、17を格納したノードへのポインタを、table[4]のバケットに代入すると、ノードの削除が完了します。

要素削除の手続きは、次のようになります。

1 ハッシュ関数によってキー値をハッシュ値に変換する。
2 ハッシュ値を添字とするバケットに着目する。
3 バケットが指す線形リストを先頭から順に線形探索する。キー値と同じ値が見つかればそのノードをリストから削除。そうでなければ削除失敗。

ハッシュ表のダンプ：Dump

関数Dumpは、ハッシュ表をダンプする、すなわち、表の内容をまるごと表示する関数です。

List 3-11 [D] chap03/ChainHash.c

```
/*--- ハッシュ表をダンプ ---*/
void Dump(const ChainHash *h)
{
    for (int i = 0; i < h->size; i++) {
        Node *p = h->table[i];
        printf("%02d  ", i);
        while (p != NULL) {
            printf("→ %d (%s)  ", p->data.no, p->data.name);
            p = p->next;
        }
        putchar('\n');
    }
}
```

ハッシュ表の全要素table[0]からtable[size - 1]に対して、後続ノードをたぐっていきながら、各ノードのキー値とデータを表示する処理を繰り返します。

左ページのFig.3-16 aのハッシュであれば、右に示す表示を行います。すなわち、同一ハッシュ値をもつデータを矢印記号 → で結んで表示します。

この関数を実行することで、同一ハッシュ値をもつバケットが線形リストで鎖状に結び付いている様子が確認できます。

```
00
01  → 14
02
03  → 29
04  → 69  → 17
05  → 5
06  → 6
07  → 46  → 20  → 33
08
09
10
11
12
```

▶ スペースの都合上、この実行例には、キー値のみを示していますが、実際に本関数を実行すると、キー値とデータの両方が表示されます。
なお、関数名のDumpは、ダンプカーが一度に荷を下ろすさまにたとえた用語です。

List 3-11 [E] chap03/ChainHash.c

```
/*--- 全データの削除 ---*/
void Clear(ChainHash *h)
{
    for (int i = 0; i < h->size; i++) {
        Node *p = h->table[i];           // 着目ノード
        while (p != NULL) {
            Node *next = p->next;
            free(p);                     // 着目ノード用の記憶域を解放 ―1
            p = next;                    // 後続ノードに着目
        }
        h->table[i] = NULL;                                           ―2
    }
}

/*--- ハッシュ表を後始末 ---*/
void Terminate(ChainHash *h)
{
    Clear(h);                // 全データを削除
    free(h->table);          // ハッシュ表用配列の記憶域を解放
    h->size = 0;             // ハッシュ表の容量をクリア
}
```

全データの削除：Clear

関数 *Clear* は、ハッシュ表に登録されている全データを削除する関数です。

配列 table の全要素を走査して、次のことを行います。

1. 要素が NULL でなければ、そのハッシュ値をもつデータが線形リストとして存在するため、線形リストを先頭から順に走査しながらリスト上の全ノード用の記憶域を解放する。
2. 走査中の配列要素に NULL を代入する。

配列の走査が終わると、**Fig.3-14**（p.121）に示した、全バケットが《空》の状態となります。

ハッシュ表の後始末：Terminate

ハッシュ表を使い終わった際に呼び出す関数です。次のことを行います。

- 関数 *Clear* によって、ハッシュ上に登録されている全データを削除する。
- 関数 *Initialize* で生成していた、ハッシュ表用の配列 *table* を破棄する。
- ハッシュ表の容量を表すメンバ *size* を 0 にする。

*

チェイン法を利用するプログラム例を **List 3-12**（p.128）に示します。

▶ 本プログラムのコンパイルには、"Member.h"、"Member.c"、"ChainHash.h"、"ChainHash.c" が必要です。

演習 3-10

List 3-12（p.128）のプログラムは、会員番号をキー値とするものであった。キー値を氏名に変更したプログラムを作成せよ。

Column 3-6 インクルードガード

会員プログラムのヘッダ "Member.h" と、チェインハッシュのヘッダ "ChainHash.h" は、いずれも大部分が、#ifndef 指令と #endif 指令とで囲まれています。その理由を学習しましょう。

＊

一般に、ヘッダは、単なる宣言だけでなく、定義を含むことがあります。定義を含んだヘッダを複数回インクルードすると、コンパイル時に《重複定義》のエラーが生じます。

『同じヘッダを２回も３回もインクルードすることなんかないよ。』と感じられるかもしれません。しかし、そうではありません。

たとえば、ヘッダ "ChainHash.h" の中では "Member.h" をインクルードしています。また、チェインハッシュを利用する **List 3-12**（p.128）のプログラムは、次のようになっています。

```
#include "Member.h"      // "Member.h"を直接インクルード
#include "ChainHash.h"   // "ChainHash.h"を通じて"Member.h"を間接的にインクルード
```

すなわち、ヘッダ "Member.h" は2回インクルードされます。

＊

ヘッダには、複数回インクルードされた場合の対処をほどこしておくのが定石です。

何回インクルードされても不都合が発生しないようにするために使われるのが、**インクルードガード**（include guard）と呼ばれる手法です。その手法を、一般的な形として示したのが **Fig.3C-1** です。

インクルードガードされたヘッダ

```
#ifndef __HEADER

#define __HEADER

    /* 各種の宣言や定義など */

#endif
```

初めてインクルードされたとき
__HEADER は未定義であるため、
網かけ部が読み込まれる。
その際 __HEADER が定義される。

2回目以降にインクルードされたとき
__HEADER は定義ずみであるため、
網かけ部が読み飛ばされる。

Fig.3C-1 インクルードガードされたヘッダ

ここに示すヘッダが初めてインクルードされたときは、マクロ *__HEADER* は未定義です。そのため、#ifndef と #endif で囲まれた網かけ部が読み込まれ、プログラムとして取り込まれます。その際、#define 指令によって、マクロ *__HEADER* が定義されるとともに、各種の宣言や定義が行われます。

ただし、2回目以降のインクルードの際は、マクロ *__HEADER* が定義ずみであるため、網かけ部は読み飛ばされます（プログラムとして取り込まれません）。各種の宣言や定義が読み飛ばされるため、重複定義が発生することはありません。

＊

もちろん、マクロの名前である *__HEADER* は、ヘッダごとに異なる必要があります。"Member.h" では *___Member* とし、"ChainHash.h" では *___ChainHash* としています。

List 3-12 chap03/ChainHashTest.c

```
// チェインハッシュChainHashの利用例

#include <stdio.h>
#include "Member.h"        List 3-8 (p.116)
#include "ChainHash.h"

/*--- メニュー ---*/
typedef enum {
    TERMINATE, ADD, DELETE, SEARCH, CLEAR, DUMP
} Menu;

/*--- メニュー選択 ---*/
Menu SelectMenu(void)
{
    int ch;

    do {
        printf("(1)追加 (2)削除 (3)探索 (4)全削除 (5)ダンプ (0)終了：");
        scanf("%d", &ch);
    } while (ch < TERMINATE || ch > DUMP);
    return (Menu)ch;
}

/*--- メイン ---*/
int main(void)
{
    Menu menu;                 // メニュー
    ChainHash hash;            // ハッシュ表
    Initialize(&hash, 13);     // ハッシュ表の初期化

    do {
        int result;
        Member x;
        Node *temp;

        switch (menu = SelectMenu()) {
         case ADD : /*--- データの追加 ---*/
                x = ScanMember("追加", MEMBER_NO | MEMBER_NAME);
                result = Add(&hash, &x);
                if (result)
                    printf("\aエラー：追加に失敗しました（%s）。\n",
                            (result == 1) ? "登録ずみ" : "メモリ不足");
                break;

         case DELETE : /*--- データの削除 ---*/
                x = ScanMember("削除", MEMBER_NO);
                result = Remove(&hash, &x);
                if (result == 1)
                    printf("\aエラー：その番号のデータは存在しません。\n");
                break;

         case SEARCH : /*--- データの探索 ---*/
                x = ScanMember("探索", MEMBER_NO);
                temp = Search(&hash, &x);
                if (temp == NULL)
                    printf("\a探索に失敗しました。\n");
                else {
                    printf("探索に成功しました：");
                    PrintLnMember(&temp->data);
                }
                break;

         case CLEAR : /*--- 全データの削除 ---*/
                Clear(&hash);
                break;

         case DUMP : /*--- ハッシュ表のダンプ ---*/
                Dump(&hash);
                break;
        }
    } while (menu != TERMINATE);

    Terminate(&hash);                        // ハッシュ表の後始末

    return 0;
}
```

ここに示す実行例では、同一ハッシュ値をもつ会員番号 1 番と 14 番のデータが、線形リストによってチェイン状にリンクされています。

実行例

```
(1)追加 (2)削除 (3)探索 (4)全削除 (5)ダンプ (0)終了：1
追加するデータを入力してください。
番号：1
氏名：赤尾
(1)追加 (2)削除 (3)探索 (4)全削除 (5)ダンプ (0)終了：1
追加するデータを入力してください。
番号：5
氏名：武田
(1)追加 (2)削除 (3)探索 (4)全削除 (5)ダンプ (0)終了：1
追加するデータを入力してください。
番号：10
氏名：小野
(1)追加 (2)削除 (3)探索 (4)全削除 (5)ダンプ (0)終了：1
追加するデータを入力してください。
番号：12
氏名：鈴木
(1)追加 (2)削除 (3)探索 (4)全削除 (5)ダンプ (0)終了：1
追加するデータを入力してください。
番号：14
氏名：神崎
(1)追加 (2)削除 (3)探索 (4)全削除 (5)ダンプ (0)終了：3
探索するデータを入力してください。
番号：5
探索に成功しました：5 武田
(1)追加 (2)削除 (3)探索 (4)全削除 (5)ダンプ (0)終了：5
00
01  → 14（神崎） → 1（赤尾）
02
03
04
05  → 5（武田）
06
07
08
09
10  → 10（小野）
11
12  → 12（鈴木）
(1)追加 (2)削除 (3)探索 (4)全削除 (5)ダンプ (0)終了：2
削除するデータを入力してください。
番号：14
(1)追加 (2)削除 (3)探索 (4)全削除 (5)ダンプ (0)終了：5
00
01  → 1（赤尾）
02
03
04
05  → 5（武田）
06
07
08
09
10  → 10（小野）
11
12  → 12（鈴木）
(1)追加 (2)削除 (3)探索 (4)全削除 (5)ダンプ (0)終了：0
```

{①赤尾}を追加

{⑤武田}を追加

{⑩小野}を追加

{⑫鈴木}を追加

{⑭神崎}を追加

⑤を探索

同一ハッシュ値をもつデータがリンクされている。

ハッシュ表の内部を表示

⑭を削除

ハッシュ表の内部を表示

Column 3-7 分割コンパイルと結合

本節で学習しているハッシュのように、多数の関数で構成される大規模なプログラムは、開発や管理を容易にするために、複数のソースファイルに分割して実現するのが一般的です。

複数のソースファイルから実行プログラムを開発する（一般に《**分割コンパイル**》と呼ばれる）手順を、**Fig.3C-2** で学習していきましょう。

まず、各**ソースファイル**は、個別にコンパイルされて、それぞれに対して**オブジェクトファイル**が作成されます。それらのオブジェクトファイルと、ライブラリファイルから抽出された`printf`などの関数を**リンク**＝**結合**すると、最終的な**実行プログラム**が完成します。

分割コンパイルの具体的な手続きは処理系に依存しますので、お手もちのマニュアルなどを参照して、コンパイル・リンクを行うようにしましょう。

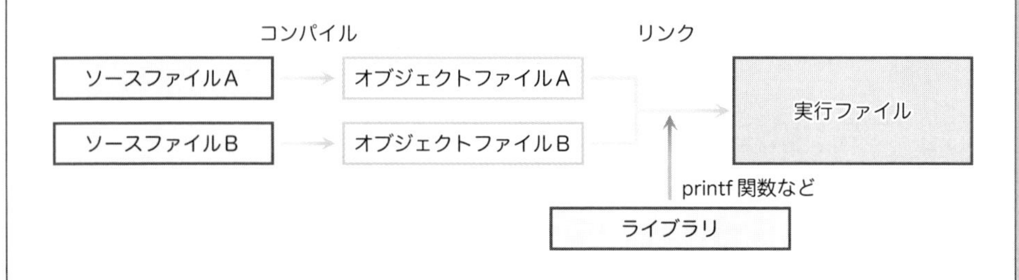

Fig.3C-2　分割コンパイルの手順

さて、複数のソースファイルに分割してプログラムを開発する際に、きちんと知っておかなければならないのが、**結合**（linkage）の概念です。右ページの**Fig.3C-3**を見ながら考えていきましょう。

■ 外部結合

キーワード`static`を付けずに定義された、関数とファイル有効範囲をもつ変数に与えられるのが、**外部結合**（external linkage）です。**外部結合が与えられた識別子（名前）は、そのソースファイルの外部に公開されます。**この図では、▒で示す識別子が該当します。

たとえば、ソースファイルAの関数`h`は、外部であるソースファイルBの`main`関数から呼び出せます。関数`h`が外部結合だからです（もし仮に関数`h`が内部結合であれば、ソースファイルAからは呼び出せません）。

なお、変数`a`と関数`f`に関しては、同名の識別子が両方のソースファイルに存在するため、同一の識別子が衝突することによる《**重複定義**》のエラーが発生します。なお、エラーが発生するのは、コンパイルの段階ではなく、リンクの段階です。

■ 内部結合

キーワード`static`を付けて定義された、関数とファイル有効範囲をもつ変数に与えられる結合が、**内部結合**（internal linkage）です。**内部結合が与えられた識別子は、ソースファイルの内部だけに通用します。**この図では、■で示す識別子が該当します。

内部結合をもつ同一識別子が複数のソースファイルに存在していても、《重複定義》のエラーは発生しません。

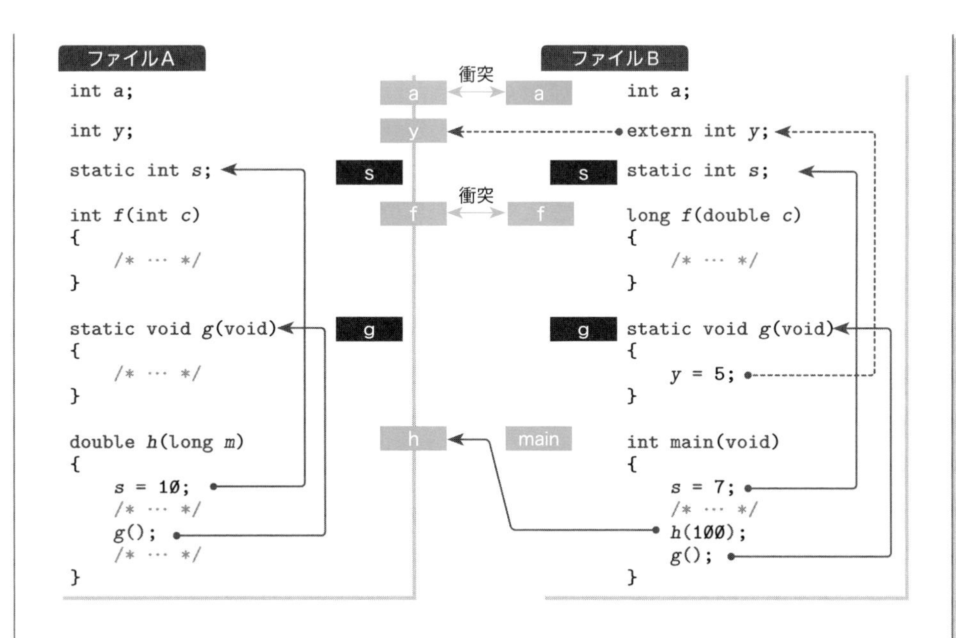

Fig.3C-3　ソースファイルと結合の例

たとえば、ソースファイルAの変数 *s* と関数 *g*、ソースファイルBの変数 *s* と関数 *g* は内部結合をもちますので、他のソースファイルから利用したり呼び出したりはできません。

ファイルAの関数 *h* における **10** の代入先はファイルA内で定義された変数 *s* です。また、呼び出される関数 *g* は、ファイルA内で定義された関数 *g* です。

同様に、ファイルBの **main** 関数における **7** の代入先はファイルB内で定義された変数 *s* です。また、呼び出される関数 *g* は、ファイルB内で定義された関数 *g* です。

■ 無結合

関数の中で定義された、変数名、関数の引数名、ラベル名など、関数の中で“その場限り”で使えるものに与えられるのが、**無結合**（no linkage）です。**無結合が与えられた識別子は、（たとえ同一のソースファイルの中であっても）その関数の外からアクセスできません。**

＊

List 3-11（p.120）のプログラムでは、関数 ***hash*** と関数 ***SetNode*** に内部結合が与えられています。そのため、これらの関数は、外部（このソースファイル以外の箇所）からは呼び出せません。

あるソースプログラムの内部でのみ利用して、外部に存在を知らせるべきでない（知らせる必要のない）関数や変数には、内部結合を与えるのが原則です。

＊

Fig.3C-3 に戻りましょう。ソースファイルBの中で宣言されている変数 *y* には、キーワード **extern** が指定されています。この指定は、

　『他のソースファイルで定義されている変数を使います。』

といったニュアンスの宣言です（定義ではありません）。

なお、キーワード **static** と **extern** は、記憶域クラス指定子の一種です。

オープンアドレス法

もう一つのハッシュ法である**オープンアドレス法**（open addressing）は、衝突が発生した際に**再ハッシュ**（rehashing）を行うことによって、空いているバケットを探し出す手法です。**クローズドハッシュ法**（closed hashing）とも呼ばれます。

要素の挿入・削除・探索の手続きを、**Fig.3-17** に示す具体例で考えていきましょう。

▶ 先ほどと同様に、キー値を 13 で割った剰余をハッシュ値とします。

要素の挿入

図**a**は、18 を挿入しようとして、**衝突が発生している状態**です。ここで行うのが**再ハッシュ**です。再ハッシュのためのハッシュ関数は、自由に決められます。ここでは、キー値に 1 を加えた値を 13 で割った剰余とします。

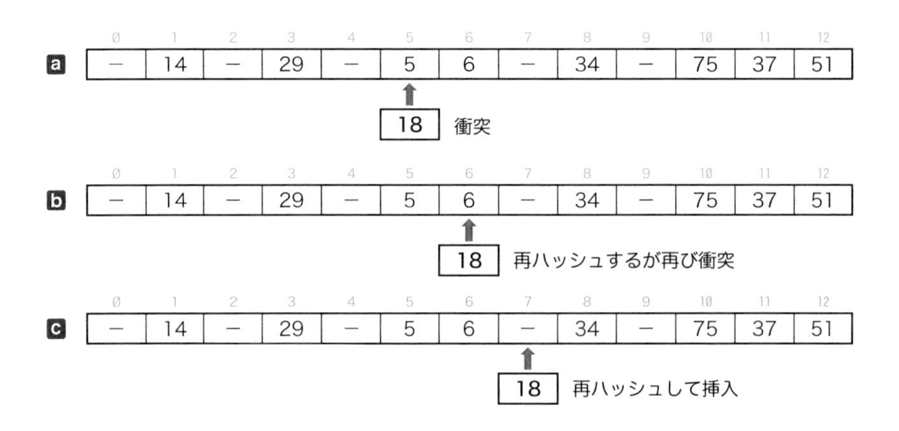

Fig.3-17　オープンアドレス法における再ハッシュ

再ハッシュによって、(18 + 1) % 13 すなわち 6 が得られます。ところが、図**b**に示すように、添字 6 のバケットもデータが埋まっていますので、さらに再ハッシュを行います。得られるハッシュ値は (19 + 1) % 13 すなわち 7 です。そこで、図**c**に示すように、添字 7 のバケットにデータ 18 を挿入します。

オープンアドレス法は、空きバケットに出会うまで再ハッシュを何度も繰り返すことから、**線形探査法**（linear probing）と呼ばれます。

要素の削除

次に、図**c**の状態から 5 を削除する手続きを考えます。添字が 5 のバケットのデータを空にするだけでよいように感じられますが、実際はそうではありません。

というのも、同じハッシュ値をもつ 18 の探索を行う際に、『ハッシュ値 5 のデータは存在しない』と勘違いされて探索に失敗してしまうからです。

そこで、各バケットに対して、次の属性のいずれかを与えます。

- データが格納されている。
- 空。
- 削除ずみ。

バケットが空であることを“−”で、削除ずみであることを“★”で表すとします。**5** を削除する際は、**Fig.3-18** に示すように、その位置のバケットに削除ずみであることを表す属性“★”を格納します。

Fig.3-18 オープンアドレス法における“削除ずみ”フラグ

要素の探索

ここで、**17** の探索を行ってみましょう。ハッシュ値である **4** のバケットを覗(のぞ)くと、その属性が“空”ですから、探索失敗と判定できます。

それでは、**18** の探索はどうでしょうか。ハッシュ値 **5** のバケットを覗くと、その属性は“削除ずみ”です。そこで、**Fig.3-19** に示すように、再ハッシュを行って **6** のバケットを覗きます。ここには値 **6** が格納されていますので、さらに再ハッシュを行って **7** のバケットを覗きます。探索すべき値 **18** が格納されていますので、探索は成功です。

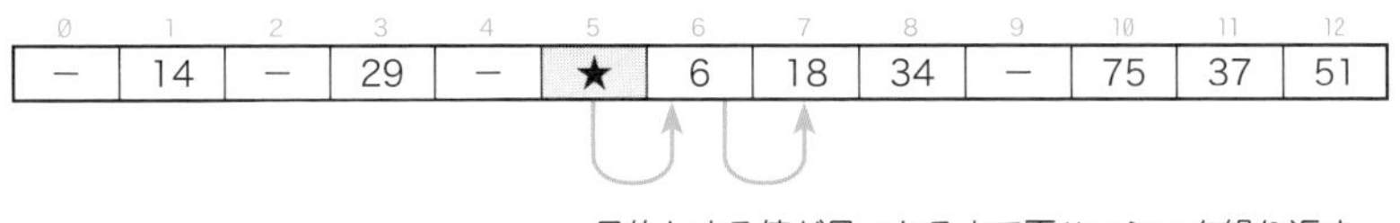

Fig.3-19 オープンアドレス法における探索

オープンアドレス法を実現するプログラムのヘッダ部 `"ClosedHash.h"` を **List 3-13** に、ソース部 `"ClosedHash.c"` を **List 3-14** に示します（いずれも次ページ）。

▶ 本プログラムのコンパイルには、`"Member.h"`、`"Member.c"`、`"ClosedHash.h"`、`"ClosedHash.c"` が必要です。

List 3-13 chap03/ClosedHash.h

```
// オープンアドレス法によるハッシュ（ヘッダ部）

#ifndef ___ClosedHash
#define ___ClosedHash

#include "Member.h"

/*--- 要素の状態 ---*/
typedef enum {
    Occupied, Empty, Deleted
} Status;

/*--- 要素 ---*/
typedef struct {
    Member data;        // データ
    Status stat;        // 要素の状態
} Bucket;

/*--- ハッシュ表 ---*/
typedef struct {
    int     size;       // ハッシュ表の大きさ
    Bucket *table;      // ハッシュ表の先頭要素へのポインタ
} ClosedHash;

/*--- ハッシュ表を初期化 ---*/
int Initialize(ClosedHash *h, int size);

/*--- 探索 ---*/
Bucket *Search(const ClosedHash *h, const Member *x);

/*--- データの追加 ---*/
int Add(ClosedHash *h, const Member *x);

/*--- データの削除 ---*/
int Remove(ClosedHash *h, const Member *x);

/*--- ハッシュ表をダンプ ---*/
void Dump(const ClosedHash *h);

/*--- 全データの削除 ---*/
void Clear(ClosedHash *h);

/*--- ハッシュ表を後始末 ---*/
void Terminate(ClosedHash *h);

#endif
```

List 3-8 (p.116)

List 3-14 [A] chap03/ClosedHash.c

```
// オープンアドレス法によるハッシュ（ソース部）

#include <stdio.h>
#include <stdlib.h>
#include "Member.h"
#include "ClosedHash.h"

/*--- ハッシュ関数（keyのハッシュ値を返す） ---*/
static int hash(int key, int size)
{
    return key % size;
}
```

List 3-8 (p.116)

```
/*--- 再ハッシュ関数 ---*/
static int rehash(int key, int size)
{
    return (key + 1) % size;
}

/*--- ノードの各メンバに値を設定 ----*/
static void SetBucket(Bucket *n, const Member *x, Status stat)
{
    n->data = *x;       // データ
    n->stat = stat;     // 要素の状態
}

/*--- ハッシュ表を初期化 ---*/
int Initialize(ClosedHash *h, int size)
{
    if ((h->table = calloc(size, sizeof(Bucket))) == NULL) {
        h->size = 0;
        return 0;
    }

    h->size = size;
    for (int i = 0; i < size; i++)      // すべてのバケットを
        h->table[i].stat = Empty;       // 空にする
    return 1;
}

/*--- 探索 ---*/
Bucket *Search(const ClosedHash *h, const Member *x)
{
    int key = hash(x->no, h->size);     // 探索するデータのハッシュ値
    Bucket *p = &h->table[key];         // 着目ノード

    for (int i = 0; p->stat != Empty && i < h->size; i++) {
        if (p->stat == Occupied && p->data.no == x->no)
            return p;
        key = rehash(key, h->size);     // 再ハッシュ
        p = &h->table[key];
    }
    return NULL;
}

/*--- データの追加 ---*/
int Add(ClosedHash *h, const Member *x)
{
    int key = hash(x->no, h->size);     // 追加するデータのハッシュ値
    Bucket *p = &h->table[key];         // 着目ノード

    if (Search(h, x))                   // このキーは登録ずみ
        return 1;

    for (int i = 0; i < h->size; i++) {
        if (p->stat == Empty || p->stat == Deleted) {
            SetBucket(p, x, Occupied);
            return 0;
        }
        key = rehash(key, h->size);     // 再ハッシュ
        p = &h->table[key];
    }
    return 2;                           // ハッシュ表が満杯
}
```

➡

List 3-14 [B] chap03/ClosedHash.c

```
/*--- データの削除 ---*/
int Remove(ClosedHash *h, const Member *x)
{
    Bucket *p = Search(h, x);

    if (p == NULL)
        return 1;                       // そのキー値は存在しない

    p->stat = Deleted;
    return 0;
}

/*--- ハッシュ表をダンプ ---*/
void Dump(const ClosedHash *h)
{
    for (int i = 0; i < h->size; i++) {
        printf("%02d : ", i);
        switch (h->table[i].stat) {
         case Occupied : printf("%d (%s)\n",
                                h->table[i].data.no, h->table[i].data.name);
                         break;

         case Empty :    printf("-- 未登録 --\n");  break;

         case Deleted :  printf("-- 削除ずみ --\n");  break;
        }
    }
}

/*--- 全データの削除 ---*/
void Clear(ClosedHash *h)
{
    for (int i = 0; i < h->size; i++)   // すべてのバケットを
        h->table[i].stat = Empty;       // 空にする
}

/*--- ハッシュ表を後始末 ---*/
void Terminate(ClosedHash *h)
{
    Clear(h);                   // 全データを削除
    free(h->table);             // ハッシュ表用配列の記憶域を解放
    h->size = 0;                // ハッシュ表の容量をクリア
}
```

▶ 関数 **rehash** が追加されている点を除くと、各関数はチェイン法とほぼ対応しています。

オープンアドレス法を利用するプログラム例を **List 3-15** に示します。

List 3-15 chap03/ClosedHashTest.c

```
// オープンアドレス法によるハッシュの利用例

#include <stdio.h>
#include "Member.h"
#include "ClosedHash.h"

/*--- メニュー ---*/
typedef enum {
    TERMINATE, ADD, DELETE, SEARCH, CLEAR, DUMP
} Menu;
```

List 3-8 (p.116)

```
/*--- メニュー選択 ---*/
Menu SelectMenu(void)
{
    int ch;

    do {
        printf("(1)追加 (2)削除 (3)探索 (4)全削除 (5)ダンプ (0)終了：");
        scanf("%d", &ch);
    } while (ch < TERMINATE || ch > DUMP);
    return (Menu)ch;
}

/*--- メイン ---*/
int main(void)
{
    Menu menu;              // メニュー
    ClosedHash hash;        // ハッシュ表

    Initialize(&hash, 13);  // ハッシュ表の初期化

    do {
        int  result;
        Member x;
        Bucket *temp;

        switch (menu = SelectMenu()) {
         case ADD :      /*--- データの追加 ---*/
                x = ScanMember("追加", MEMBER_NO | MEMBER_NAME);
                result = Add(&hash, &x);
                if (result)
                    printf("\aエラー：追加に失敗しました（%s）。\n",
                                 (result == 1) ? "登録ずみ" : "メモリ不足");
                break;

         case DELETE :  /*--- データの削除 ---*/
                x = ScanMember("削除", MEMBER_NO);
                result = Remove(&hash, &x);
                if (result == 1)
                    printf("\aエラー：その番号のデータは存在しません。\n");
                break;

         case SEARCH :  /*--- データの探索 ---*/
                x = ScanMember("探索", MEMBER_NO);
                temp = Search(&hash, &x);
                if (temp == NULL)
                    printf("\a探索に失敗しました。\n");
                else {
                    printf("探索に成功しました：");
                    PrintLnMember(&temp->data);
                }
                break;

         case CLEAR :  /*--- 全データの削除 ---*/
                Clear(&hash);
                break;

         case DUMP :  /*--- ハッシュ表のダンプ ---*/
                Dump(&hash);
                break;
        }
    } while (menu != TERMINATE);

    Terminate(&hash);          // ハッシュ表の後始末

    return 0;
}
```

以下に示すのが、プログラムの実行例です。ここでは、p.129 に示したチェイン法での実行例とまったく同じようにデータを追加・探索・削除しています。

実行例（オープンアドレス法）

```
(1)追加 (2)削除 (3)探索 (4)全削除 (5)ダンプ (0)終了：1↵
追加するデータを入力してください。
番号：1↵
氏名：赤尾↵                                         {①赤尾}を追加
(1)追加 (2)削除 (3)探索 (4)全削除 (5)ダンプ (0)終了：1↵
追加するデータを入力してください。
番号：5↵
氏名：武田↵                                         {⑤武田}を追加
(1)追加 (2)削除 (3)探索 (4)全削除 (5)ダンプ (0)終了：1↵
追加するデータを入力してください。
番号：10↵
氏名：小野↵                                         {⑩小野}を追加
(1)追加 (2)削除 (3)探索 (4)全削除 (5)ダンプ (0)終了：1↵
追加するデータを入力してください。
番号：12↵
氏名：鈴木↵                                         {⑫鈴木}を追加
(1)追加 (2)削除 (3)探索 (4)全削除 (5)ダンプ (0)終了：1↵
追加するデータを入力してください。
番号：14↵
氏名：神崎↵                                         {⑭神崎}を追加
(1)追加 (2)削除 (3)探索 (4)全削除 (5)ダンプ (0)終了：3↵
探索するデータを入力してください。
番号：5↵                                            ⑤を探索
探索に成功しました：5 武田
(1)追加 (2)削除 (3)探索 (4)全削除 (5)ダンプ (0)終了：5↵
00 -- 未登録 --
01 1 (赤尾)
02 14 (神崎)
03 -- 未登録 --
04 -- 未登録 --
05 5 (武田)
06 -- 未登録 --                                     ハッシュ表の内部を表示
07 -- 未登録 --
08 -- 未登録 --
09 -- 未登録 --
10 10 (小野)
11 -- 未登録 --
12 12 (鈴木)
(1)追加 (2)削除 (3)探索 (4)全削除 (5)ダンプ (0)終了：2↵
削除するデータを入力してください。
番号：14↵                                           ⑭を削除
(1)追加 (2)削除 (3)探索 (4)全削除 (5)ダンプ (0)終了：5↵
00 -- 未登録 --
01 1 (赤尾)
02 -- 削除ずみ --
03 -- 未登録 --
04 -- 未登録 --
05 5 (武田)
06 -- 未登録 --                                     ハッシュ表の内部を表示
07 -- 未登録 --
08 -- 未登録 --
09 -- 未登録 --
10 10 (小野)
11 -- 未登録 --
12 12 (鈴木)
(1)追加 (2)削除 (3)探索 (4)全削除 (5)ダンプ (0)終了：0↵
```

二つの実行例を比較・検討してみましょう。

■ チェイン法

同一ハッシュ値1をもつ{① 赤尾}と{⑭ 神崎}とをつなぐ線形リストが、《バケット1》からリンクされていました。

▶ 下図には、チェイン法の実行例（p.129）の後半部を示しています。

■ オープンアドレス法

後から追加された{⑭ 神崎}は再ハッシュの結果、《バケット2》に登録されています。

さらに、そのデータを削除した後に、《バケット2》に削除ずみフラグが入れられています。

演習 3-11

List 3-15 のプログラムは、会員番号をキー値とするものであった。キー値を氏名に変更したプログラムを作成せよ。

章末問題

■ 平成24年度(2012年度)秋期 午前 問3

探索方法とその実行時間のオーダの適切な組合せはどれか。ここで、探索するデータの数をnとし、ハッシュ値が衝突する（同じ値になる）確率は無視できるほど小さいものとする。また、実行時間のオーダがn^2であるとは、n個のデータを処理する時間がcn^2（cは定数）で抑えられることをいう。

	2分探索	線形探索	ハッシュ探索
ア	$\log_2 n$	n	1
イ	$n \log_2 n$	n	$\log_2 n$
ウ	$n \log_2 n$	n^2	1
エ	n^2	1	n

■ 平成16年度(2004年度)春期 午前 問15

配列Aの1番目からN番目の要素に整数が格納されている（$N > 1$）。次の図は、Xと同じ値が何番目の要素に格納されているかを調べる流れ図である。この流れ図の実行結果として、正しい記述はどれか。

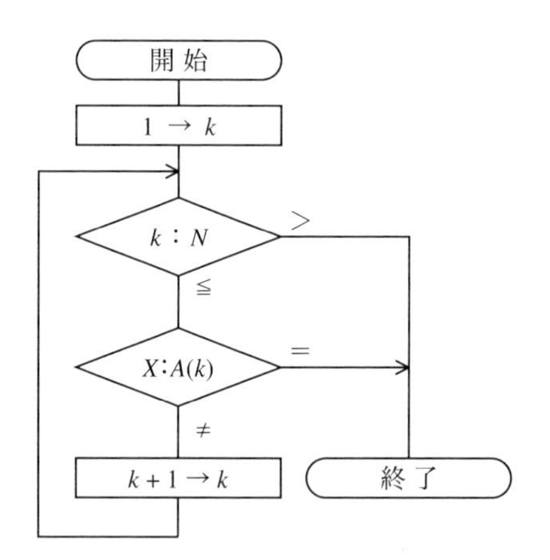

ア　Xと同じ値が配列中にない場合、kには1が設定されている。

イ　Xと同じ値が配列中にない場合、kにはNが設定されている。

ウ　Xと同じ値が配列の1番目とN番目の2か所にある場合、kには1が設定されている。

エ　Xと同じ値が配列の1番目とN番目の2か所にある場合、kにはNが設定されている。

▪平成17年度(2005年度)秋期 午前 問14

２分探索に関する記述のうち、適切なものはどれか。

ア　２分探索するデータ列は整列されている必要がある。

イ　２分探索は線形探索より常に速く探索できる。

ウ　２分探索は探索をデータ列の先頭から開始する。

エ　n 個のデータの探索に要する比較回数は、$n \log_2 n$ に比例する。

▪平成19年度(2007年度)秋期 午前 問14

昇順に整列された n 個のデータが格納されている配列 A がある。流れ図は、２分探索法を用いて配列 A からデータ x を探し出す処理を表している。ａ、ｂに入る操作の正しい組合せはどれか。ここで、除算の結果は小数点以下が切り捨てられる。

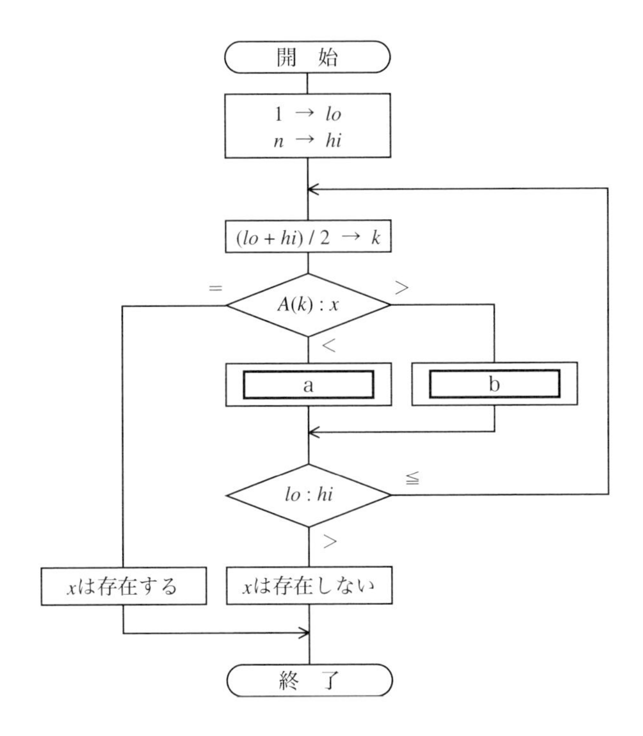

	a	b
ア	$k+1 \rightarrow hi$	$k-1 \rightarrow lo$
イ	$k-1 \rightarrow hi$	$k+1 \rightarrow lo$
ウ	$k+1 \rightarrow lo$	$k-1 \rightarrow hi$
エ	$k-1 \rightarrow lo$	$k+1 \rightarrow hi$

■平成11年度(1999年度)春期 午前 問26

次の探索方法のうちで番兵が有効なものはどれか。

ア　2分探索　イ　線形探索　ウ　ハッシュ探索　エ　幅優先探索

■平成17年度(2005年度)春期 午前 問15

2分探索において、データの個数が4倍になると、最大探索回数はどうなるか。

ア　1回増える。
イ　2回増える。
ウ　約2倍になる。
エ　約4倍になる。

■平成30年度(2018年度)春期 午前 問7

表探索におけるハッシュ法の特徴はどれか。

ア　2分木を用いる方法の一種である。
イ　格納場所の衝突が発生しない方法である。
ウ　キーの関数値によって格納場所を決める。
エ　探索に要する時間は表全体の大きさにほぼ比例する。

■平成20年度(2008年度)秋期 午前 問30

ハッシュ法の説明として、適切なものはどれか。

ア　関数を用いてレコードのキー値からレコードの格納アドレスを求めることによってアクセスする方法
イ　それぞれのレコードに格納されている次のレコードの格納アドレスを用いることによってアクセスする方法
ウ　レコードのキー値とレコードの格納アドレスの対応表を使ってアクセスする方法
エ　レコードのキー値をレコードの格納アドレスとして直接アクセスする方法

■平成26年度(2014年度)秋期 午前 問2

0000～4999のアドレスをもつハッシュ表があり、レコードのキー値からアドレスに変換するアルゴリズムとして基数変換法を用いる。キー値が55550のときのアドレスはどれか。ここでの基数変換法は、キー値を11進数とみなし、10進数に変換した後、下4桁に対して0.5を乗じた結果（小数点以下は切捨て）をレコードのアドレスとする。

ア　0260　イ　2525　ウ　2775　エ　4405

■ 平成23年度(2011年度)秋期 午前 問6

次の規則に従って配列の要素 $A[0], A[1], \cdots, A[9]$ に正の整数 k を格納する。k として 16, 43, 73, 24, 85 を順に格納したとき、85 が格納される場所はどれか。ここで、$x \bmod y$ は x を y で割った剰余を返す。また、配列の要素は全て 0 に初期化されている。

〔規則〕

(1) $A[k \bmod 10] = 0$ ならば、$k \rightarrow A[k \bmod 10]$ とする。

(2) (1) で格納できないとき、$A[(k+1) \bmod 10] = 0$ ならば、$k \rightarrow A[(k+1) \bmod 10]$ とする。

(3) (2) で格納できないとき、$A[(k+4) \bmod 10] = 0$ ならば、$k \rightarrow A[(k+4) \bmod 10]$ とする。

ア $A[3]$　　イ $A[5]$　　ウ $A[6]$　　エ $A[9]$

■ 令和元年度(2019年度)秋期 午前 問10

10 進法で 5 桁の数 $a_1 a_2 a_3 a_4 a_5$ を、ハッシュ法を用いて配列に格納したい。ハッシュ関数を $\mathrm{mod}(a_1+a_2+a_3+a_4+a_5, 13)$ とし、求めたハッシュ値に対応する位置の配列要素に格納する場合、54321 は配列のどの位置に入るか。ここで、$\mathrm{mod}(x, 13)$ は、x を 13 で割った余りとする。

位置	配列
0	
1	
2	
	⋮
11	
12	

ア 1　　イ 2　　ウ 7　　エ 11

■ 平成16年度(2004年度)春期 午前 問13

16 進数で表される 9 個のデータ 1A、35、3B、54、8E、A1、AF、B2、B3 を順にハッシュ表に入れる。ハッシュ値をハッシュ関数 f(データ) = mod(データ, 8) で求めたとき、最初に衝突が起こる（既に表にあるデータと等しいハッシュ値になる）のはどのデータか。ここで、$\mathrm{mod}(a, b)$ は a を b で割った余りを表す。

ア 54　　イ A1　　ウ B2　　エ B3

■ 平成11年度(1999年度)春期 午前 問31

キー値の分布が 1 ～ 1,000,000 の範囲で一様ランダムであるデータ 5 個を、大きさ 10 のハッシュ表に登録する場合、衝突の起こる確率はおよそ幾らか。ここで、ハッシュ値はキー値をハッシュ表の大きさで割った余りを用いる。

ア 0.2　　イ 0.5　　ウ 0.7　　エ 0.9

第4章

スタックとキュー

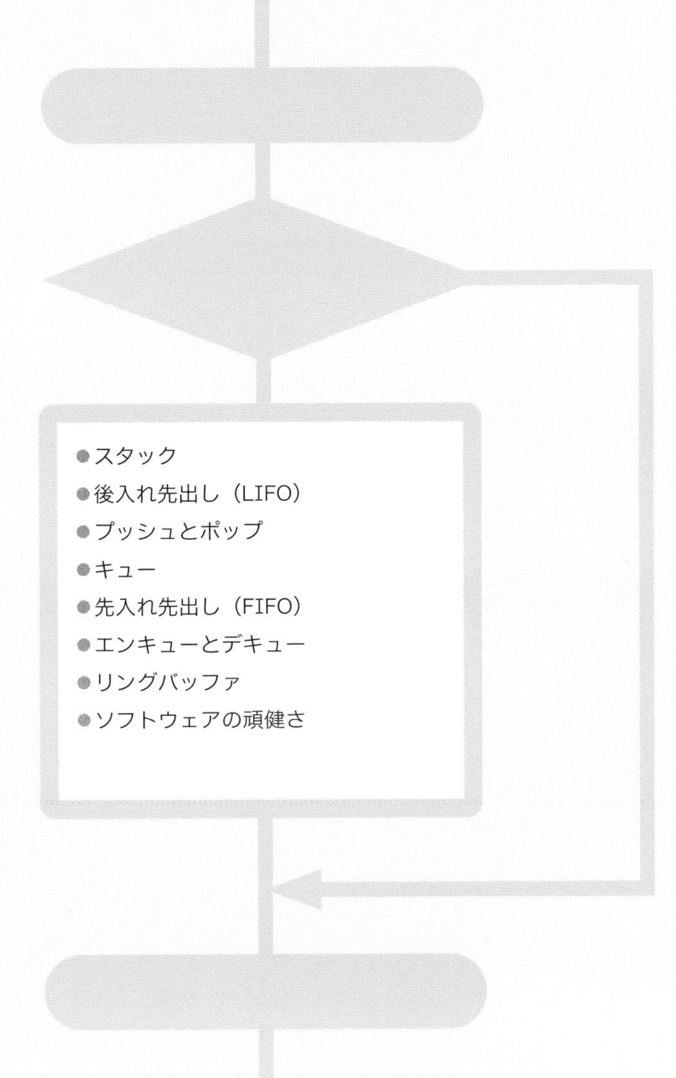

4-1 スタック

スタックは、一時的にデータを保存するためのデータ構造です。最後に入れたデータが最初に取り出されます。

スタックとは

スタック（stack）は、データを一時的に蓄えるためのデータ構造の一つです。データの出し入れは**後入れ先出し**（LIFO／Last In First Out）で行われます。すなわち、最後に入れたデータが最初に取り出される構造です。

なお、スタックにデータを入れる操作を**プッシュ**（push）と呼び、スタックからデータを取り出す操作を**ポップ**（pop）と呼びます。

Fig.4-1 に示すのが、スタックにデータをプッシュ／ポップするイメージです。テーブルの上に積み重ねた皿のように、データを入れるのも、取り出すのも、最も“上側”で行います。

プッシュとポップが行われる上側が**頂上**（top）で、その反対側が**底**（bottom）です。

▶ stack は、『干し草を積んだ山』『堆積』『積み重ね』という意味の語句です。そのため、プッシュすることを“**積む**”ともいいます。

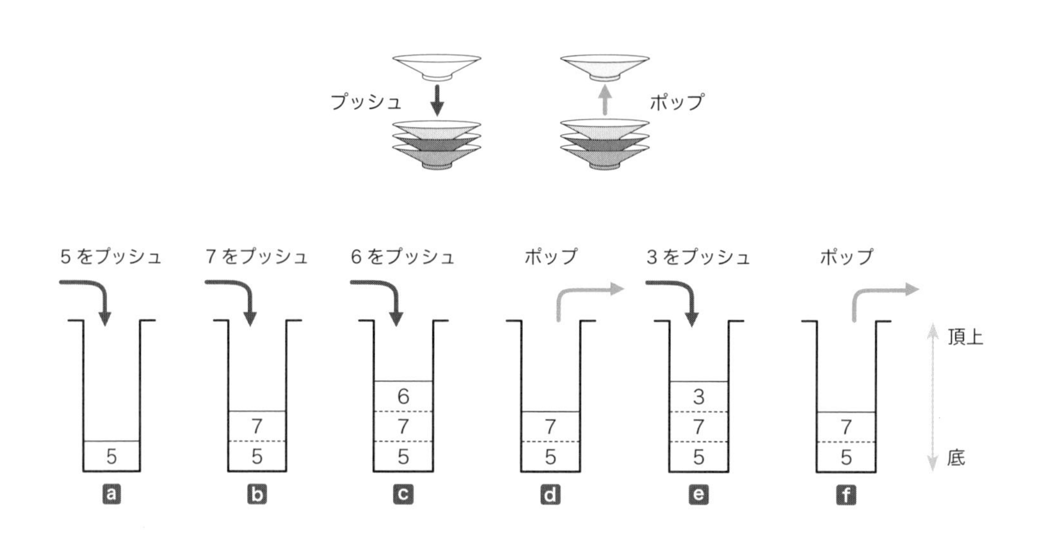

Fig.4-1　スタックへのプッシュとポップ

さて、関数呼出しの実行にあたっては、プログラムの内部でスタックが使われています。

そのイメージを表したのが、右ページの **Fig.4-2** です。この図の中のプログラムは、`main` を含めて4個の関数で構成されます。

```
void x() { /* … */ }

void y() { /* … */ }

void z() {
    x();
    y();
}

int main(void) {
    z();
}
```

a main関数の実行が開始される前の状態。
b main関数が呼び出されて実行が開始された。
c 関数zが呼び出された。
d 関数xが呼び出された。
e 関数xの実行が終了して、関数zに戻ってきた。
f 関数yが呼び出された。
g 関数yの実行が終了して、関数zに戻ってきた。
h 関数zの実行が終了して、main関数に戻ってきた。
i main関数の実行が終了した。

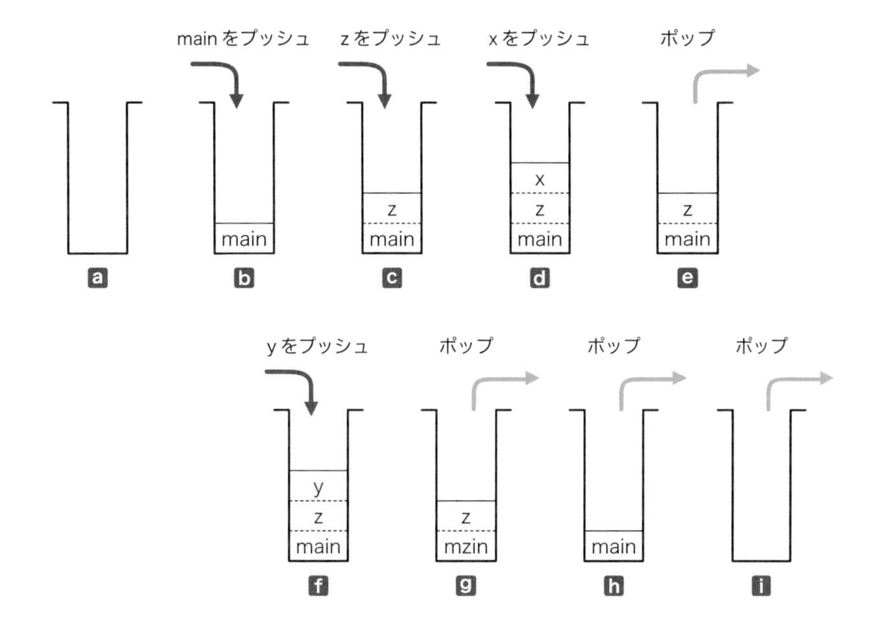

Fig.4-2　関数呼出しとスタック

このプログラムを起動すると、最初に**main**関数の実行が開始されます。その**main**関数は、関数**z**を呼び出します。呼び出された関数**z**は、関数**x**と関数**y**を順次呼び出す、という構造です。

このときのスタックの変化を示したのが、下側の図です。呼び出される際に関数がプッシュされ、実行が終了して呼出し元に戻る際に関数がポップされる様子が描かれています。

たとえば、図dに着目してみましょう。この図は、関数が、**main** ⇨ **z** ⇨ **x**と呼び出されていて、関数呼出しが階層構造となっていることを表しています。

この状態で関数**x**の実行が終了したときに、関数**x**と**z**の二つがポップされて、いきなり**main**関数に戻るといったことはありません。

▶　ここに示したのは、関数呼出しのイメージを理解するための概略図です。実際のスタックは、もっと複雑な構造です。

スタックの実現

スタックを実現するプログラムを作りましょう。データとして格納するのは、単一の int 型の値とし、容量（スタックに積める最大のデータ数）を生成時に決定する**固定長のスタック**とします。

List 4-1 の "IntStack.h" がヘッダ部で、右ページ **List 4-2** の "IntStack.c" がソース部です。

List 4-1 chap04/IntStack.h

```
// int型スタックIntStack（ヘッダ部）

#ifndef ___IntStack
#define ___IntStack

/*--- スタックを実現する構造体 ---*/
typedef struct {
    int max;     // スタックの容量
    int ptr;     // スタックポインタ
    int *stk;    // スタック本体（の先頭要素へのポインタ）
} IntStack;

/*--- スタックの初期化 ---*/
int Initialize(IntStack *s, int max);

/*--- スタックにデータをプッシュ ---*/
int Push(IntStack *s, int x);

/*--- スタックからデータをポップ ---*/
int Pop(IntStack *s, int *x);

/*--- スタックからデータをピーク ---*/
int Peek(const IntStack *s, int *x);

/*--- スタックを空にする ---*/
void Clear(IntStack *s);

/*--- スタックの容量 ---*/
int Capacity(const IntStack *s);

/*--- スタック上のデータ数 ---*/
int Size(const IntStack *s);

/*--- スタックは空か ---*/
int IsEmpty(const IntStack *s);

/*--- スタックは満杯か ---*/
int IsFull(const IntStack *s);

/*--- スタックからの探索 ---*/
int Search(const IntStack *s, int x);

/*--- 全データの表示 ---*/
void Print(const IntStack *s);

/*--- スタックの後始末 ---*/
void Terminate(IntStack *s);

#endif
```

スタック構造体：IntStack

スタックを管理するための構造体であり、3個のメンバで構成されます。

■ スタック本体用の配列：stk

プッシュされたデータを格納するスタック本体用の配列です。

右ページの **Fig.4-3** に示すように、添字 0 の要素をスタックの**底**とします。

▶ *stk* は、配列の本体ではなく、配列の先頭要素を指すポインタです。配列本体の生成は、関数 *Initialize* で行います

■ スタックの容量：max

スタックの容量を表す int 型のメンバです。

この値は、配列 *stk* の要素数と一致します。

▶ 図の例では、*max* の値は 8 です。

■ スタックポインタ：ptr

スタックに積まれているデータの個数を表すメンバであり、その値は**スタックポインタ**（stack pointer）と呼ばれます。

この *ptr* の値は、スタックが空であれば 0 で、満杯であれば *max* です。

▶ 最初にプッシュされた**底**が stk[0] で、最後にプッシュされた**頂上**が stk[ptr - 1] です。

List 4-2 [A] chap04/IntStack.c

```
// int型スタックIntStack（ソース部）

#include <stdio.h>
#include <stdlib.h>
#include "IntStack.h"

/*--- スタックの初期化 ---*/
int Initialize(IntStack *s, int max)
{
    s->ptr = 0;                                              ― 1
    if ((s->stk = calloc(max, sizeof(int))) == NULL) {
        s->max = 0;                       // 配列の生成に失敗    ― 2
        return -1;
    }
    s->max = max;                                            ― 3
    return 0;
}
```


初期化：Initialize

関数 ***Initialize*** は、スタック本体用の配列領域を確保するなどの準備処理を行います。

▶ 第1引数 *s* は、処理の対象となる**スタック構造体オブジェクトへのポインタ**です（これ以降のほとんどの関数も同様です）。

1 生成時のスタックは空（データが１個も積まれていない状態）ですから、スタックポインタ ***ptr*** の値を **0** にします。

2 要素数 ***max*** の配列 ***stk*** の本体を生成します。スタックの個々の要素をアクセスする添字式は、底から ***stk*[0], *stk*[1], …, *stk*[*max* - 1]** となります。

3 仮引数 ***max*** に受け取った値を、スタックの容量用データメンバ ***max*** にコピーします。

▶ 配列本体の確保に失敗した場合は、**2**で ***max*** の値を **0** にします。存在しない配列 ***stk*** の本体領域に対して、他の関数が不正にアクセスするのを防止するためです。

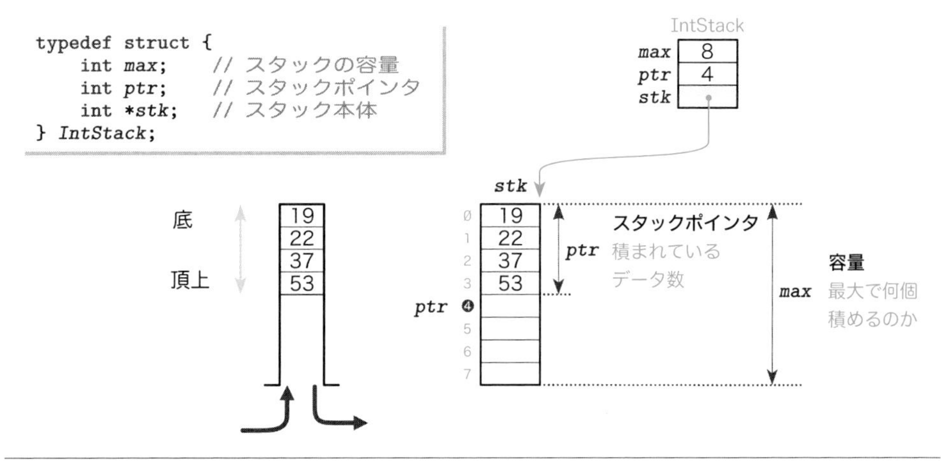

Fig.4-3 スタックの実現例

プッシュ：Push

関数 *Push* は、スタックにデータをプッシュする関数です。

▶ プッシュに成功すると 0 を返却し、スタックが満杯でプッシュできなければ -1 を返却します。

List 4-2 [B] chap04/IntStack.c

```
/*--- スタックにデータをプッシュ ---*/
int Push(IntStack *s, int x)
{
    if (s->ptr >= s->max)                          // スタックは満杯
        return -1;
    s->stk[s->ptr++] = x;
    return 0;
}
```

Fig.4-4 **a** に示すのが、プッシュ操作の一例です。受け取ったデータ **x** を、配列の要素 *stk*[*ptr*] に格納するとともに、スタックポインタ *ptr* をインクリメントします。

ポップ：Pop

関数 *Pop* は、スタックの頂上からデータをポップする関数です。

▶ ポップに成功すると 0 を返却し、スタックが空でポップできなければ -1 を返却します。

List 4-2 [C] chap04/IntStack.c

```
/*--- スタックからデータをポップ ---*/
int Pop(IntStack *s, int *x)
{
    if (s->ptr <= 0)                               // スタックは空
        return -1;
    *x = s->stk[--s->ptr];
    return 0;
}
```

図 **b** に示すのが、ポップ操作の一例です。まずスタックポインタ *ptr* の値をデクリメントし、それから *stk*[*ptr*] に格納されている値を、ポインタ **x** が指す変数に格納します。

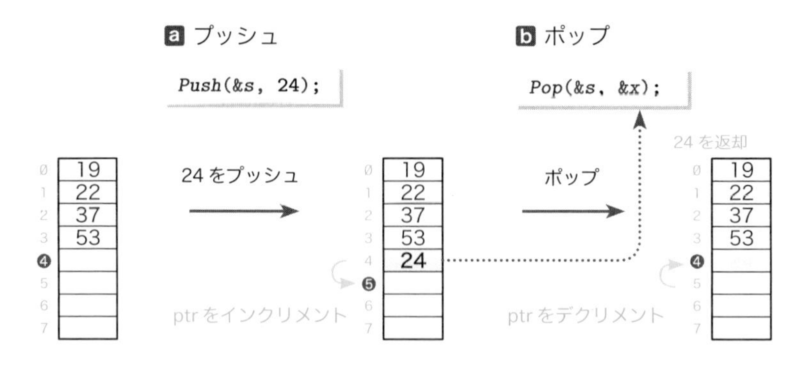

Fig.4-4 スタックへのプッシュとポップ

ピーク：Peek

関数 *Peek* は、スタックの頂上のデータ（次にポップを行ったときに取り出されるデータ）を"覗き見"する関数です。

▶ ピークに成功すると 0 を返却し、スタックが空でピークできなければ -1 を返却します。

List 4-2 [D] chap04/IntStack.c

```
/*--- スタックからデータをピーク ---*/
int Peek(const IntStack *s, int *x)
{
    if (s->ptr <= 0)                              // スタックは空
        return -1;
    *x = s->stk[s->ptr - 1];
    return 0;
}
```

スタックが空でなければ、頂上の要素 stk[ptr - 1] の値を、ポインタ x が指す変数に格納します。なお、データの出し入れがないため、スタックポインタは変化しません。

▶ 関数 Push と、Pop と Peek では、スタックが満杯であるか、あるいは、スタックが空であるかどうかを関数冒頭の if 文で判定しています。その判定で使っているのが、>= 演算子と <= 演算子です。

スタックが満杯である／空であるかどうかの判定は、等価演算子 == あるいは != を利用して、次のように行えるはずです。

```
if (s->ptr == s->max)        // スタックは満杯か？
if (s->ptr == 0)             // スタックは空か？
```

というのも、"IntStack.c" で提供されている関数のみを利用してスタック操作を行う限り、スタックポインタ ptr の値は、必ず 0 以上かつ s->max 以下になるからです。

とはいえ、プログラムミスなどに起因して ptr の値が不正に書きかえられた場合、0 より小さくなったり、s->max を超えたりする可能性があります。

本プログラムのように不等号を付けて判定すれば、スタック本体の配列に対する上限や下限を超えたアクセスを防げます。このような些細な工夫で、**プログラムの頑健さが向上します**

全要素の削除：Clear

関数 *Clear* は、スタックに積まれている全データを削除する関数です。

List 4-2 [E] chap04/IntStack.c

```
/*--- スタックを空にする ---*/
void Clear(IntStack *s)
{
    s->ptr = 0;
}
```

スタックに対するプッシュやポップなどのすべての操作は、スタックポインタに基づいて行われるため、スタック本体用の配列要素の値を変更する必要はありません。全要素の削除は、スタックポインタ ptr の値を 0 にするだけで完了します。

List 4-2 [F] chap04/IntStack.c

```
/*--- スタックの容量 ---*/
int Capacity(const IntStack *s)
{
    return s->max;
}

/*--- スタックに積まれているデータ数 ---*/
int Size(const IntStack *s)
{
    return s->ptr;
}

/*--- スタックは空か ---*/
int IsEmpty(const IntStack *s)
{
    return s->ptr <= 0;
}

/*--- スタックは満杯か ---*/
int IsFull(const IntStack *s)
{
    return s->ptr >= s->max;
}

/*--- スタックからの探索 ---*/
int Search(const IntStack *s, int x)
{
    for (int i = s->ptr - 1; i >= 0; i--)    // 頂上→底に線形探索
        if (s->stk[i] == x)
            return i;          // 探索成功
    return -1;                 // 探索失敗
}

/*--- 全データの表示 ---*/
void Print(const IntStack *s)
{
    for (int i = 0; i < s->ptr; i++)         // 底→頂上に走査
        printf("%d ", s->stk[i]);
    putchar('\n');
}

/*--- スタックの後始末 ---*/
void Terminate(IntStack *s)
{
    if (s->stk != NULL)
        free(s->stk);          // 配列を破棄
    s->max = s->ptr = 0;
}
```


容量を調べる：Capacity

関数 **Capacity** は、スタックの容量を返す関数です。メンバ **max** の値をそのまま返します。

データ数を調べる：Size

関数 **Size** は、スタックに積まれているデータ数を返す関数です。スタックポインタ **ptr** の値をそのまま返します。

空であるかを判定する：IsEmpty

関数 *IsEmpty* は、スタックが空（データが1個も積まれていない状態）であるかどうかを判定する関数です。空であれば **1** を、そうでなければ **0** を返します。

満杯であるかを判定する：IsFull

関数 *IsFull* は、スタックが満杯（データをプッシュできない状態）であるかどうかを判定する関数です。満杯であれば **1** を、そうでなければ **0** を返します。

探索：Search

関数 *Search* は、値 *x* のデータがスタックに積まれているかどうか、積まれていれば配列内のどこに積まれているのかを調べる関数です。

Fig.4-5 に示すのが、探索の一例です。この図に示すように、探索は、**頂上側から底側への**線形探索によって行います。すなわち、配列の添字の大きいほうの要素から小さいほうの要素へと走査します。

頂上側から走査するのは、《先にポップされるデータ》を優先的に見つけるためです。

探索に成功した場合は、見つけた要素の添字を返し、失敗した場合は **-1** を返します。

▶ 図に示すスタックには、値が 25 の要素が2個あります（添字 1 の要素と 4 の要素です）。ここから 25 を探索すると、**頂上側**の 25 の添字 4 を返します。

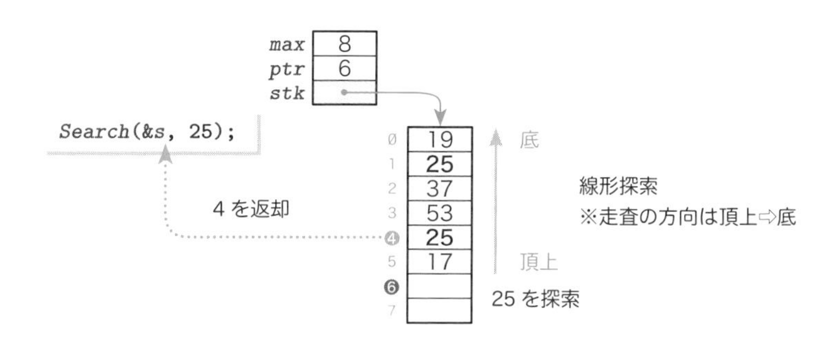

Fig.4-5 スタックからの探索

全データの表示：Print

関数 *Print* は、スタック本体用の配列内の全データを表示する関数です。スタックに積まれている *ptr* 個すべてのデータを底から頂上へと順に表示します。

後始末：Terminate

関数 *Terminate* は、後始末用の関数です。関数 *Initialize* で生成していたスタック本体用の配列を破棄して、容量 *max* とスタックポインタ *ptr* の値を **0** にします。

スタックを利用するプログラム例

スタックを利用するプログラムを作りましょう。**List 4-3** に示すのが、そのプログラム例です。

▶ 本プログラムのコンパイルには、"IntStack.h" と "IntStack.c" が必要です。

List 4-3 chap04/IntStackTest.c

```
// int型スタックIntStackの利用例

#include <stdio.h>
#include "IntStack.h"

int main(void)
{
    IntStack s;

    if (Initialize(&s, 64) == -1) {
        puts("スタックの生成に失敗しました。");
        return 1;
    }

    while (1) {
        int menu, x;

        printf("現在のデータ数：%d / %d\n", Size(&s), Capacity(&s));
        printf("(1)プッシュ　(2)ポップ　(3)ピーク　(4)表示　(0) 終了：");
        scanf("%d", &menu);

        if (menu == 0) break;

        switch (menu) {
         case 1: /*--- プッシュ ---*/
                printf("データ：");
                scanf("%d", &x);
                if (Push(&s, x) == -1)
                   puts("\aエラー：プッシュに失敗しました。");
                break;

         case 2: /*--- ポップ ---*/
                if (Pop(&s, &x) == -1)
                   puts("\aエラー：ポップに失敗しました。");
                else
                   printf("ポップしたデータは%dです。\n", x);
                break;

         case 3: /*--- ピーク ---*/
                if (Peek(&s, &x) == -1)
                   puts("\aエラー：ピークに失敗しました。");
                else
                   printf("ピークしたデータは%dです。\n", x);
                break;

         case 4: /*--- 表示 ---*/
                Print(&s);
                break;
        }
    }

    Terminate(&s);

    return 0;
}
```

容量 64 のスタックを生成した上で、プッシュ、ポップ、ピーク、スタック内データの表示を対話的に行います。

実行例

```
現在のデータ数：0 / 64
(1)プッシュ　(2)ポップ　(3)ピーク　(4)表示　(0)終了：1
データ：1                                        1をプッシュ
現在のデータ数：1 / 64
(1)プッシュ　(2)ポップ　(3)ピーク　(4)表示　(0)終了：1
データ：2                                        2をプッシュ
現在のデータ数：2 / 64
(1)プッシュ　(2)ポップ　(3)ピーク　(4)表示　(0)終了：1
データ：3                                        3をプッシュ
現在のデータ数：3 / 64
(1)プッシュ　(2)ポップ　(3)ピーク　(4)表示　(0)終了：1
データ：4                                        4をプッシュ
現在のデータ数：4 / 64
(1)プッシュ　(2)ポップ　(3)ピーク　(4)表示　(0)終了：3
ピークしたデータは4です。                        4をピーク
現在のデータ数：4 / 64
(1)プッシュ　(2)ポップ　(3)ピーク　(4)表示　(0)終了：4
1 2 3 4                                          スタックの中身を表示
現在のデータ数：4 / 64
(1)プッシュ　(2)ポップ　(3)ピーク　(4)表示　(0)終了：2
ポップしたデータは4です。                        4をポップ
現在のデータ数：3 / 64
(1)プッシュ　(2)ポップ　(3)ピーク　(4)表示　(0)終了：2
ポップしたデータは3です。                        3をポップ
現在のデータ数：2 / 64
(1)プッシュ　(2)ポップ　(3)ピーク　(4)表示　(0)終了：4
1 2                                              スタックの中身を表示
現在のデータ数：2 / 64
(1)プッシュ　(2)ポップ　(3)ピーク　(4)表示　(0)終了：0
```

演習 4–1

List 4-3 で利用しているのは、`"IntStack.c"` で提供される関数のうちの一部である。すべての関数を利用するプログラムを作成せよ。

演習 4–2

一つの配列を共有して二つのスタックを実現するスタックのプログラムを作成せよ。

スタックに格納するデータは `int` 型の値とし、図のように配列の先頭側と末尾側の両側を利用すること。

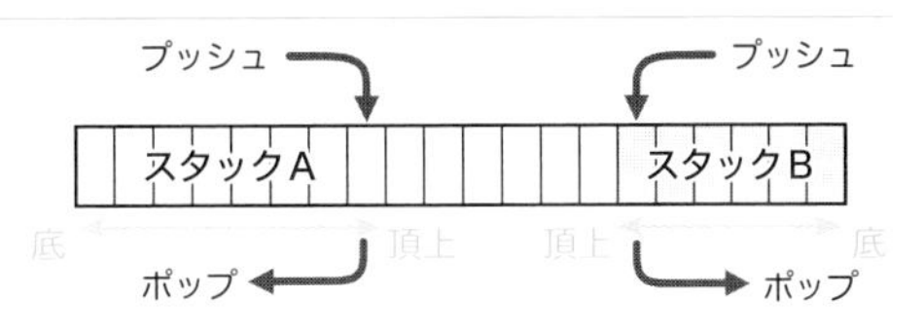

Column 4-1 関数名について

前章のハッシュ、本章のスタック、キュー、第8章の線形リストなどのプログラムには、同じ名前の関数があります（たとえば、*Initialize* など）。

そのため、それらのプログラムを併用するプログラムは作成不能です。もし併用の必要があれば、*Stack_Initialize*、*Queue_Initialize* など、異なる名前に置きかえるとよいでしょう。

4-2 キュー

本節で学習するキューは、スタックと同様、データを一時的に蓄えるデータ構造です。ただし、最初に入れたデータが最初に取り出される『先入れ先出し』である点が異なります。

キューとは

キュー（queue）は、スタックと同様に、データを一時的に蓄えるための基本的なデータ構造の一つです。**Fig.4-6** に示すように、最初に入れたデータが最初に取り出されるという**先入れ先出し**（FIFO ／ First In First Out）の構造です。

身近なキュー構造の例としては、**銀行の窓口の待ち行列**や、**スーパーのレジの待ち行列**などがあります。

▶ もしも、これらの待ち行列が《スタック》だったら、最初のほうに並んだ人がいつまでも待たされてしまいます。

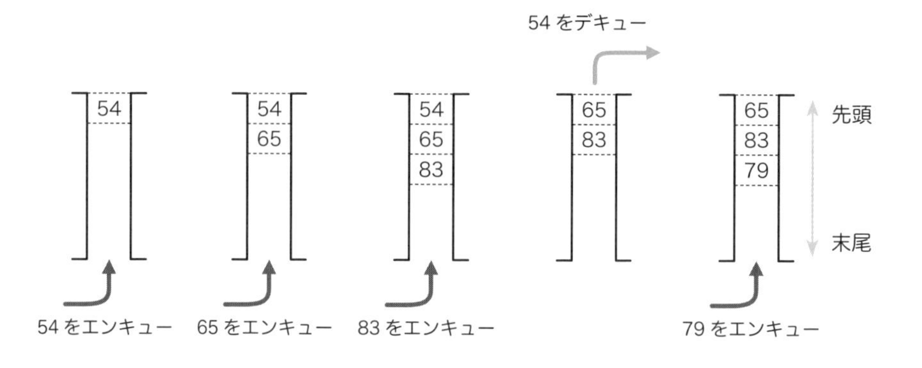

Fig.4-6　キューへのエンキューとデキュー

図に示すように、キューにデータを**押し込む**（追加する）操作は**エンキュー**（en-queue）と呼ばれ、データを取り出す操作は**デキュー**（de-queue）と呼ばれます。

なお、データが取り出される側が**先頭**（front）で、押し込まれる側が**末尾**（rear）です。

▶ **デキュー**（de-queue）と、**デック**（deque）＝**両方向待ち行列**（p.167）を混同しないように注意しましょう。

配列によるキューの実現

スタックと同様に、キューは配列を用いて実現できます。配列で実現されたキューに対する操作を、右ページの **Fig.4-7** を例に考えましょう。

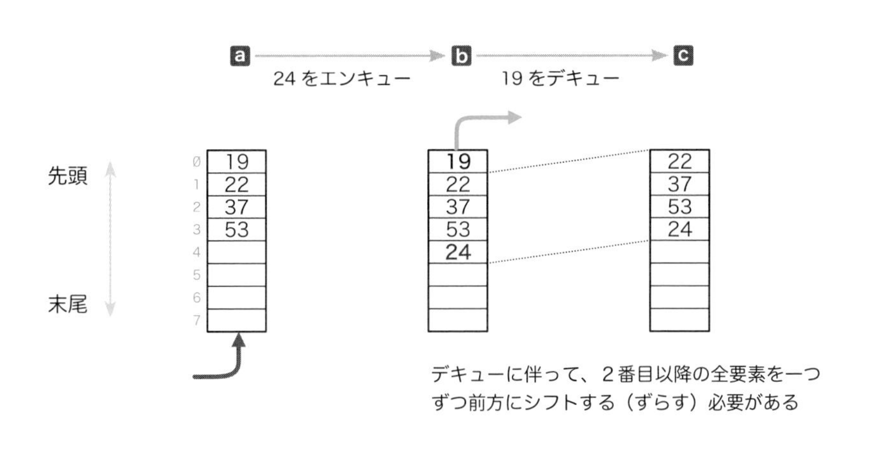

Fig.4-7　配列によるキューの実現例

図aは、配列の先頭から順に{19, 22, 37, 53}の4個のデータが入っている様子です。配列名をqueとすると、（添字0の要素をキューの先頭としているため）データが格納されているのはque[0]～que[3]の要素です。

この状態から、エンキューとデキューを行ってみます。

■24のエンキュー

まずは、データ24をエンキューします。

図bに示すように、末尾データが入っているque[3]の一つ後ろの要素que[4]に24を格納します。この処理の計算量はO(1)であり、低コストで実現できます。

■19のデキュー

次は、デキューを行います。

図cに示すように、que[0]に入っている19を取り出すのに伴って、2番目以降の要素すべてを先頭側にずらします。この処理の計算量はO(n)です。

データを取り出すたびに、このような処理を行っていては、高い実行効率は望めません。

演習4-3

本ページのアイディアに基づいて、キューを実現するプログラムを作成せよ。キューを管理する構造体は、次に示す*ArrayIntQueue*型とすること。

```
typedef struct {
    int max;        // キューの容量
    int num;        // 現在のデータ数
    int *que;       // キュー本体（の先頭要素へのポインタ）
} ArrayIntQueue;
```

なお、**List 4-5**（pp.161～164）に示す関数に対応する関数をすべて作成すること。

リングバッファによるキューの実現

デキューの際に配列内の要素を移動しなくてよいキューの実現法を学習しましょう。

ここで用いるのが、**リングバッファ**（ring buffer）というデータ構造であり、**Fig.4-8** に示すように、配列の末尾が先頭につながっているとみなします。どの要素が先頭であって、どの要素が末尾であるのかを識別するための変数が、*front* と *rear* です。

▶ ここでの《先頭》と《末尾》は、論理的なデータの並びとしての先頭／末尾のことであって、配列の物理的な要素の並びとしての先頭／末尾ではありません。

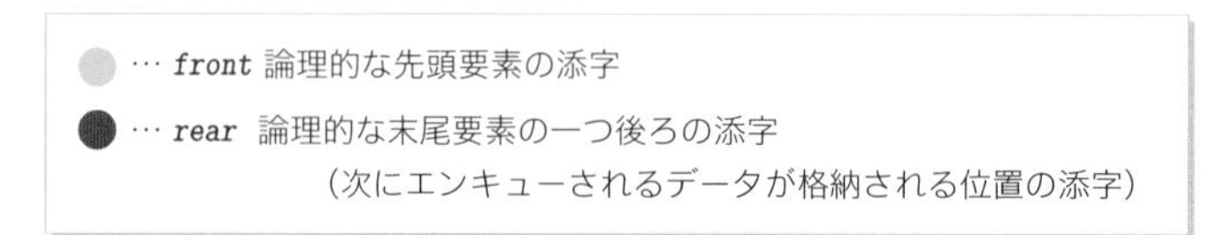

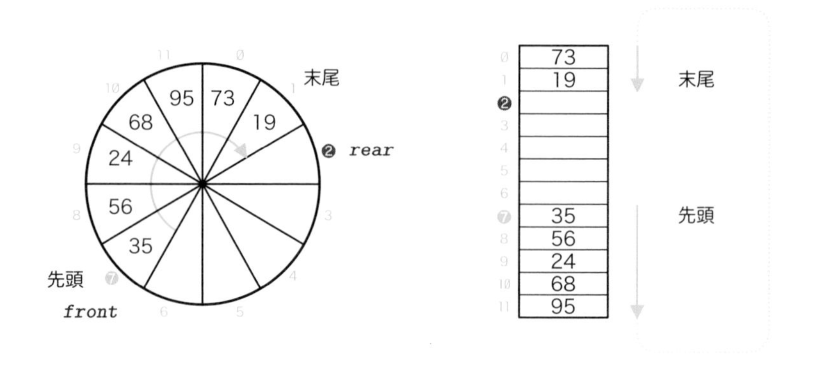

Fig.4-8 リングバッファによるキューの実現

変数 *front* と *rear* の値は、エンキューとデキューの操作に伴って変化します。右ページの **Fig.4-9** に示すのが、具体例です。

a 7 個のデータ {35, 56, 24, 68, 95, 73, 19} が、この並びの順で que[7], que[8], …, que[11], que[0], que[1] に格納されています。このとき、*front* の値は 7 で、*rear* の値は 2 です。

b 図**a**に対して 82 をエンキューした後の状態です。末尾の次に位置する que[rear] すなわち que[2] に 82 を格納するとともに、*rear* をインクリメントして 3 とします。

c 図**b**に対して 35 をデキューした後の状態です。先頭要素 que[front] すなわち que[7] に入っている 35 を取り出すとともに、*front* をインクリメントして 8 とします。

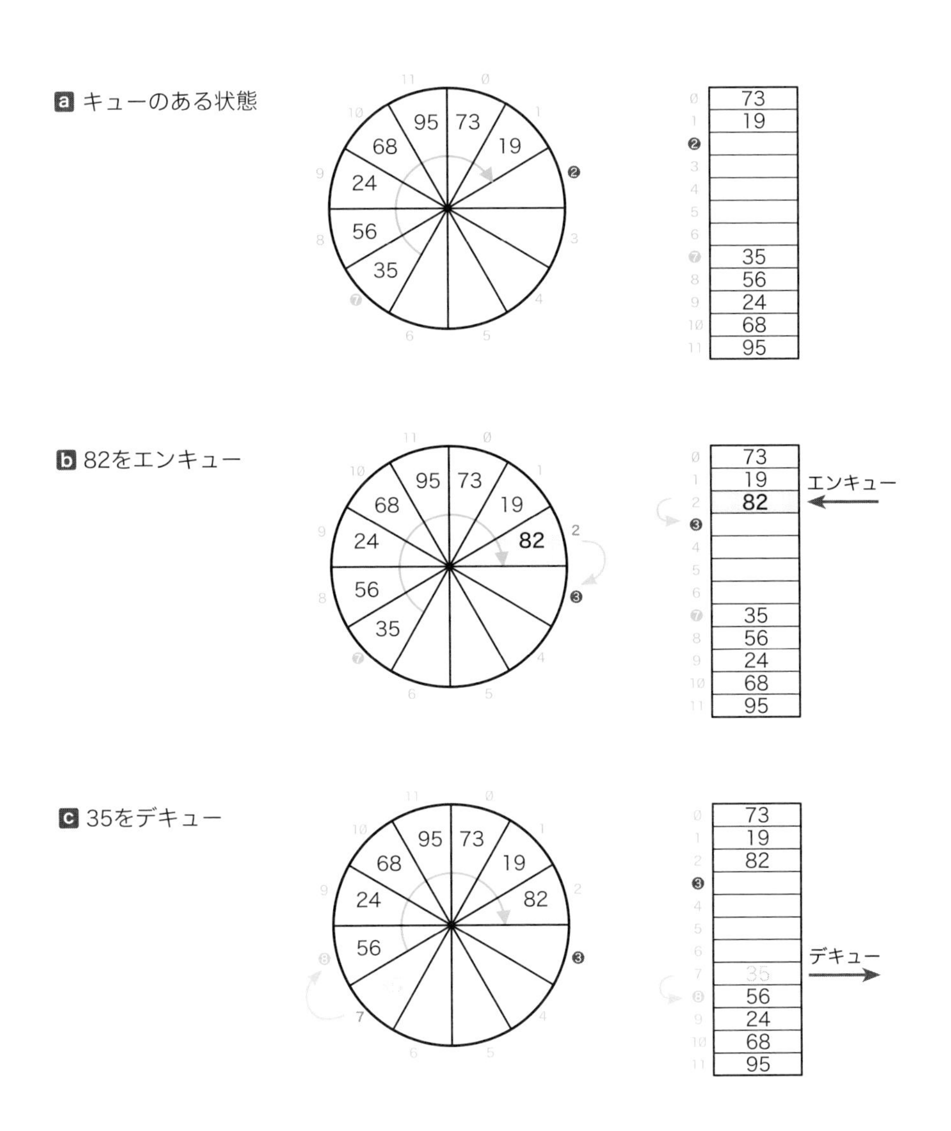

Fig.4-9　リングバッファに対するエンキューとデキュー

要素の移動が必要な **Fig.4-7**（p.157）とは異なり、***front*** や ***rear*** の値を更新するだけでエンキューやデキューが行えます。もちろん、いずれの処理も、計算量は O(1) です。

＊

リングバッファを用いてキューを実現するプログラムを作りましょう。

前節のスタックと同様に、格納するデータは `int` 型とし、容量（キューに押し込める最大のデータ数）は生成時に決定する固定長のものとします。

プログラムのヘッダ部 `"IntQueue.h"` を **List 4-4** に、ソース部 `"IntQueue.c"` を **List 4-5** に示します（いずれも次ページ以降に示しています）。

List 4-4 chap04/IntQueue.h

```
// int型キューIntQueue（ヘッダ部）

#ifndef ___IntQueue
#define ___IntQueue

/*--- キューを実現する構造体 ---*/
typedef struct {
    int max;     // キューの容量
    int num;     // 現在のデータ数
    int front;   // 先頭要素カーソル
    int rear;    // 末尾要素カーソル
    int *que;    // キュー本体（の先頭要素へのポインタ）
} IntQueue;

/*--- キューの初期化 ---*/
int Initialize(IntQueue *q, int max);

/*--- キューにデータをエンキュー ---*/
int Enque(IntQueue *q, int x);

/*--- キューからデータをデキュー ---*/
int Deque(IntQueue *q, int *x);

/*--- キューからデータをピーク ---*/
int Peek(const IntQueue *q, int *x);

/*--- 全データを削除 ---*/
void Clear(IntQueue *q);

/*--- キューの容量 ---*/
int Capacity(const IntQueue *q);

/*--- キュー上のデータ数 ---*/
int Size(const IntQueue *q);

/*--- キューは空か ---*/
int IsEmpty(const IntQueue *q);

/*--- キューは満杯か ---*/
int IsFull(const IntQueue *q);

/*--- キューからの探索 ---*/
int Search(const IntQueue *q, int x);

/*--- 全データの表示 ---*/
void Print(const IntQueue *q);

/*--- キューの後始末 ---*/
void Terminate(IntQueue *q);

#endif
```


キュー構造体：IntQueue

キューを管理するための構造体です。5個のメンバで構成されます。

■ キュー本体用の配列：que

押し込まれたデータを格納するキュー本体用の配列（の先頭要素へのポインタ）です。

■ キューの容量：max

キューの容量（キューに押し込める最大のデータ数）を表す **int** 型のメンバです。

配列 **que** の要素数と一致します。

■ 先頭／末尾カーソル：front／rear

キューに押し込まれているデータのうち、最初に押し込まれた先頭要素の添字を表すメンバが **front** です。

また、キューに押し込まれているデータのうち、最後に押し込まれた末尾要素の一つ後ろの添字（次にエンキューが行われる際に、データが格納される要素の添字）を表すメンバが **rear** です。

■ データ数：num

キューに蓄えられているデータ数を表すメンバです。キューが空のときに **0** となって、満杯のときに **max** と同じ値となります。

この変数が必要なのは、変数 **front** と **rear** の値が等しい場合、キューが空なのか満杯なのかが区別できなくなるからです（**Fig.4-10**：右ページ）。

▶ 図**a**が空の状態です。**front** と **rear** は同じ値です。図**b**は満杯の状態です。この図でも、**front** と **rear** は同じ値です（**que[2]** が先頭要素で、**que[1]** が末尾要素です）。図には示していませんが、両方とも **0** 以外の値であって、キューが空である、ということもありえます。

List 4-5 [A] chap04/IntQueue.c

```
// int型キューIntQueue（ソース部）

#include <stdio.h>
#include <stdlib.h>
#include "IntQueue.h"

/*--- キューの初期化 ---*/
int Initialize(IntQueue *q, int max)
{
    q->num = q->front = q->rear = 0;
    if ((q->que = calloc(max, sizeof(int))) == NULL) {
        q->max = 0;                            // 配列の生成に失敗
        return -1;
    }
    q->max = max;
    return 0;
}
```


初期化：Initialize

関数 ***Initialize*** は、キュー本体用配列の生成などの準備処理を行う関数です。

▶ 第1引数 *q* は、処理の対象となる**キュー構造体オブジェクトへのポインタ**です（これ以降のほとんどの関数も同様です）。

生成時のキューは空（データが1個もない状態）ですから、*num*、*front*、*rear* の値すべてを 0 にします。さらに、仮引数 *max* に受け取った《キューの容量》をメンバ *max* にコピーするとともに、要素数 *max* の配列 *que* の本体を確保します（図aの状態となります）。

▶ 配列確保の失敗時にメンバ *max* に 0 を代入する理由は、スタックの場合と同じです。

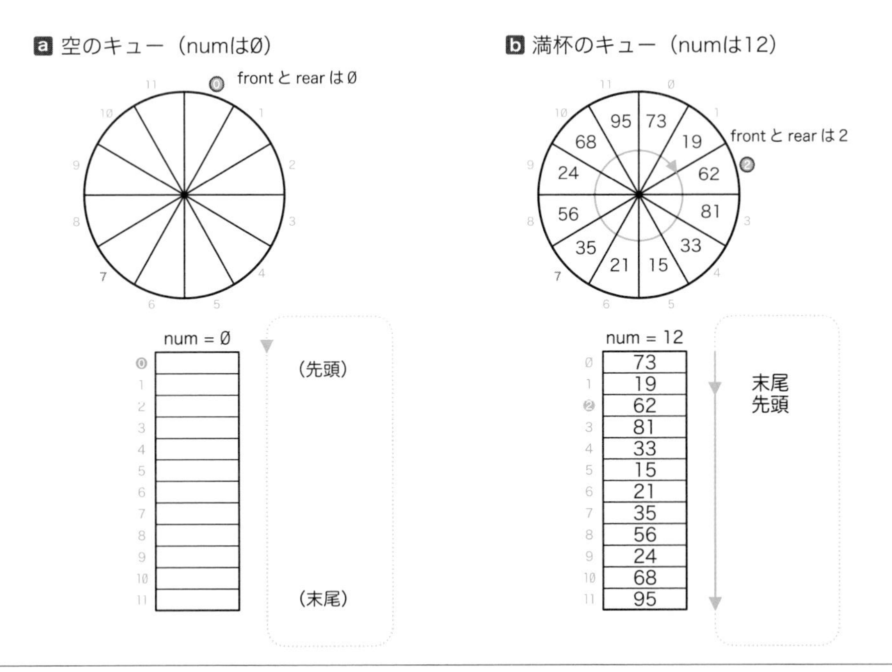

Fig.4-10 空のキューと満杯のキュー

エンキュー：Enque

関数 Enque は、キューにデータをエンキューする関数です。

▶ エンキューに成功すると 0 を返却し、キューが満杯でエンキューできなければ -1 を返却します。

List 4-5 [B] chap04/IntQueue.c

```
/*--- キューにデータをエンキュー ---*/
int Enque(IntQueue *q, int x)
{
    if (q->num >= q->max)
        return -1;                        // キューは満杯
    else {
        q->num++;
        q->que[q->rear++] = x;         ←1
        if (q->rear == q->max)         ←2
            q->rear = 0;
        return 0;
    }
}
```

➡

エンキューを行う **Fig.4-11** を見ながら理解しましょう。

図aは、{3, 5, 2, 6, 9, 7, 1} が押し込まれているキューに 8 をエンキューする様子です。que[rear] すなわち que[2] にエンキューするデータを格納して、rear と num の値をインクリメントする（プログラム1部）と、エンキューは完了します。

＊

さて、エンキュー前の rear が配列の物理的な末尾（本図の例では 11）であるときに rear をインクリメントすると、その値が max（本図の例では 12）と等しくなって、**配列の添字の上限を超えます**。

そこで、図bに示すように、インクリメントした後の rear の値がキューの容量 max と等しくなった場合は、rear を配列の先頭の添字 0 に戻します（プログラム2部）。

▶ こうしておくと、次にエンキューされるデータは、正しく que[0] の位置に格納されます。

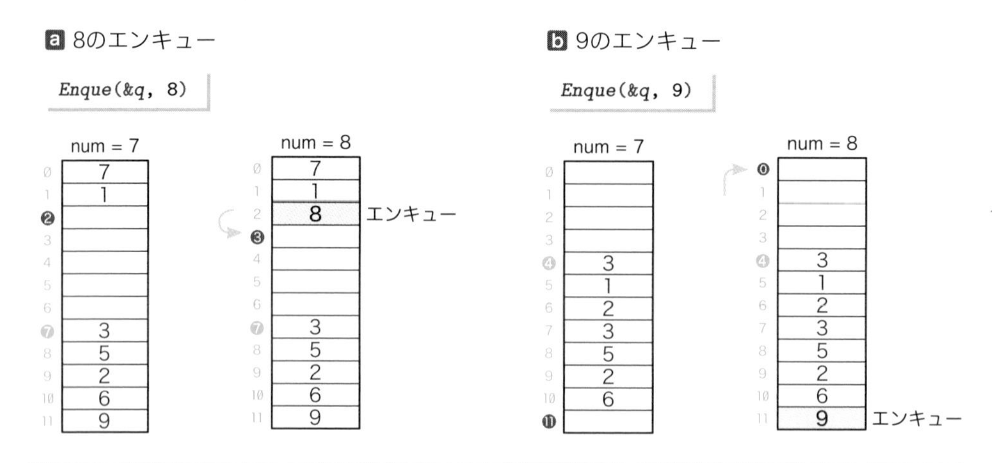

Fig.4-11 キューへのエンキュー

デキュー：Deque

関数 **Deque** は、キューからデータをデキューする関数です。

▶ デキューに成功すると 0 を返却し、キューが空でデキューできなければ -1 を返却します。

List 4-5 [C] chap04/IntQueue.c

```
/*--- キューからデータをデキュー ---*/
int Deque(IntQueue *q, int *x)
{
    if (q->num <= 0)                              // キューは空
        return -1;
    else {
        q->num--;                          ―1
        *x = q->que[q->front++];
        if (q->front == q->max)            ―2
            q->front = 0;
        return 0;
    }
}
```


デキューを行う **Fig.4-12** を見ながら理解しましょう。

図aは、{3, 5, 2, 6, 9, 7, 1, 8} が押し込まれているキューからデキューする様子です。que[front] すなわち que[7] に格納されている値 3 を取り出して、front の値をインクリメントして num の値をデクリメントする（プログラム1部）と、デキューは完了します。

＊

さて、デキュー前の front が配列の物理的な末尾（本図の例では 11）であるときに front をインクリメントすると、その値が max（本図の例では 12）となって、配列の**添字の上限を超えます**（エンキューの場合と同じ問題が発生します。）

そこで、図bに示すように、インクリメントした後の front の値が容量 max と等しくなった場合は、front を配列の先頭添字 0 に戻します（プログラム2部）。

▶ こうしておくと、次に行われるデキューでは、正しく que[0] の位置からデータが取り出されます。

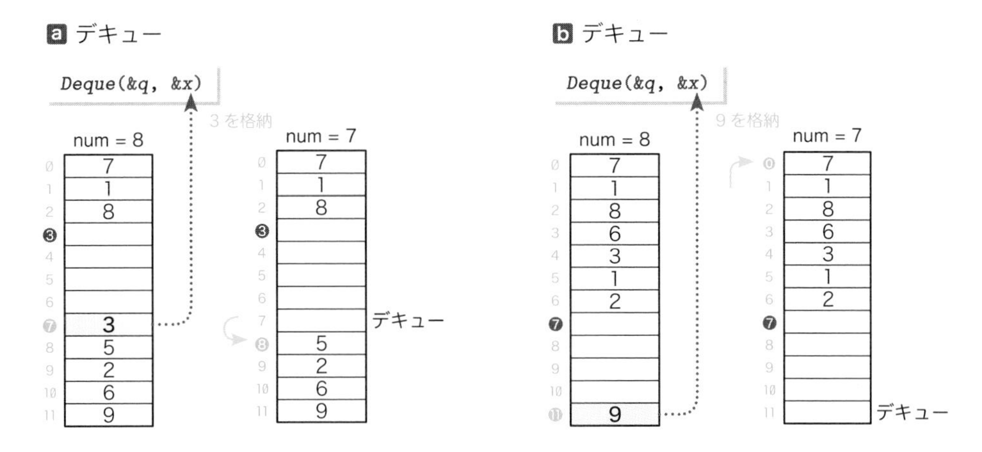

Fig.4-12　キューからのデキュー

List 4-5 [D]　　chap04/IntQueue.c

```
/*--- キューからデータをピーク ---*/
int Peek(IntQueue *q, int *x)
{
    if (q->num <= 0)                            // キューは空
        return -1;
    *x = q->que[q->front];
    return 0;
}

/*--- 全データを削除 ---*/
void Clear(IntQueue *q)
{
    q->num = q->front = q->rear = 0;
}

/*--- キューの容量 ---*/
int Capacity(const IntQueue *q)
{
    return q->max;
}

/*--- キューに蓄えられているデータ数 ---*/
int Size(const IntQueue *q)
{
    return q->num;
}

/*--- キューは空か ---*/
int IsEmpty(const IntQueue *q)
{
    return q->num <= 0;
}

/*--- キューは満杯か ---*/
int IsFull(const IntQueue *q)
{
    return q->num >= q->max;
}

/*--- キューからの探索 ---*/
int Search(const IntQueue *q, int x)
{
    for (int i = 0; i < q->num; i++) {
        int idx;
        if (q->que[idx = (i + q->front) % q->max] == x)
            return idx;     // 探索成功
    }
    return -1;              // 探索失敗
}

/*--- 全データの表示 ---*/
void Print(const IntQueue *q)
{
    for (int i = 0; i < q->num; i++)
        printf("%d ", q->que[(i + q->front) % q->max]);
    putchar('\n');
}

/*--- キューの後始末 ---*/
void Terminate(IntQueue *q)
{
    if (q->que != NULL)
        free(q->que);                           // 配列を破棄
    q->max = q->num = q->front = q->rear = 0;
}
```

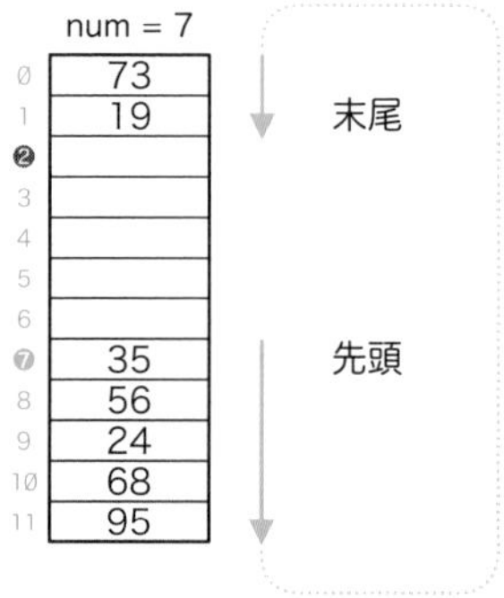

Fig.4-13　キュー内の線形探索

□ ピーク：Peek

関数 ***Peek*** は、先頭のデータ、すなわち、次のデキューで取り出されるデータを"覗き見"する関数です。**que[front]** の値を調べるだけであって、データの取出しは行いませんので、***front*** や ***rear*** や **num** の値の更新は行いません。

▶ ピークに成功すると **0** を返却し、キューが空でピークできなければ **-1** を返却します。

□ 全データの削除：Clear

関数 ***Clear*** は、現在キューに押し込まれている全データを削除する関数です。

▶ エンキューやデキューは **num**、**front**、**rear** の値に基づいて行われますので、それらの値を **0** にするだけです（キュー本体用の配列要素の値を変更する必要はありません）。

□ 容量／データ数を調べる：Capacity ／ Size

関数 ***Capacity*** は、キューの容量、すなわちキューに押し込める最大のデータ数を返す関数です。メンバ **max** の値をそのまま返します。

関数 ***Size*** は、現在キューに押し込まれているデータ数を返す関数です。メンバ **num** の値をそのまま返します。

□ 空であるか／満杯であるかを判定する：IsEmpty ／ IsFull

関数 ***IsEmpty*** は、キューが空（データが１個も押し込まれていない状態）であるかどうかを判定する関数です。空であれば **1** を、そうでなければ **0** を返します。

関数 ***IsFull*** は、キューが満杯（これ以上データが押し込めない状態）であるかどうかを判定する関数です。満杯であれば **1** を、そうでなければ **0** を返します。

□ 探索：Search

関数 ***Search*** は、キューの配列内の、**x** と等しいデータが含まれている位置を調べる関数です。探索成功時は見つけた要素の添字を返し、失敗時は **-1** を返します。

左ページの **Fig.4-13** に示すように、先頭から末尾側へと線形探索を行います。走査の開始は、配列としての物理的な先頭要素ではなく、キューとしての論理的な先頭要素です。

そのため、走査において着目する添字の計算式が **(*i* + *q*->front) % *q*->max** と複雑です。

▶ 図の例では、**for** 文の繰返しにおける変数 ***i*** と添字の値は、次のように変化します。

i	0 ⇨ 1 ⇨ 2 ⇨ 3 ⇨ 4 ⇨ 5 ⇨ 6
添字	7 ⇨ 8 ⇨ 9 ⇨ 10 ⇨ 11 ⇨ 0 ⇨ 1

□ 全データの表示：Print

関数 ***Print*** は、キューに押し込まれている全 **num** 個のデータを、先頭から末尾へと順に表示する関数です。走査中の要素の添字の計算は、関数 ***Search*** と同じです。

□ 後始末：Terminate

関数 ***Terminate*** は、キュー本体用の配列を破棄する後始末用の関数です。

利用例

キューを利用するプログラムを作りましょう。**List 4-6** にプログラム例を示します。

▶ 本プログラムのコンパイルには、"IntQueue.h" と "IntQueue.c" が必要です。

List 4-6 chap04/IntQueueTest.c

```
// int型キューIntQueueの利用例

#include <stdio.h>
#include "IntQueue.h"

int main(void)
{
    IntQueue que;

    if (Initialize(&que, 64) == -1) {
        puts("キューの生成に失敗しました。");
        return 1;
    }

    while (1) {
        int m, x;

        printf("現在のデータ数：%d / %d\n", Size(&que), Capacity(&que));
        printf("(1)エンキュー　(2)デキュー　(3)ピーク　(4)表示　(0)終了：");
        scanf("%d", &m);

        if (m == 0) break;

        switch (m) {
         case 1: /*--- エンキュー ---*/
                 printf("データ：");   scanf("%d", &x);
                 if (Enque(&que, x) == -1)
                    puts("\aエラー：エンキューに失敗しました。");
                 break;

         case 2: /*--- デキュー ---*/
                 if (Deque(&que, &x) == -1)
                    puts("\aエラー：デキューに失敗しました。");
                 else
                    printf("デキューしたデータは%dです。\n", x);
                 break;

         case 3: /*--- ピーク ---*/
                 if (Peek(&que, &x) == -1)
                    puts("\aエラー：ピークに失敗しました。");
                 else
                    printf("ピークしたデータは%dです。\n", x);
                 break;

         case 4: /*--- 表示 ---*/
                 Print(&que);
                 break;
        }
    }

    Terminate(&que);

    return 0;
}
```

容量 64 のキューを生成して、エンキュー、デキュー、ピーク、キュー内データの表示を対話的に行います。

実行例

```
現在のデータ数：0 / 64
(1)エンキュー (2)デキュー (3)ピーク (4)表示 (0)終了：1↵
データ：1↵                                          1をエンキュー
現在のデータ数：1 / 64
(1)エンキュー (2)デキュー (3)ピーク (4)表示 (0)終了：1↵
データ：2↵                                          2をエンキュー
現在のデータ数：2 / 64
(1)エンキュー (2)デキュー (3)ピーク (4)表示 (0)終了：4↵
1 2                                                 キューの中身を表示
現在のデータ数：2 / 64
(1)エンキュー (2)デキュー (3)ピーク (4)表示 (0)終了：2↵
デキューしたデータは1です。                         1をデキュー
現在のデータ数：1 / 64
(1)エンキュー (2)デキュー (3)ピーク (4)表示 (0)終了：4↵
2                                                   キューの中身を表示
現在のデータ数：1 / 64
(1)エンキュー (2)デキュー (3)ピーク (4)表示 (0)終了：3↵
ピークしたデータは2です。                           2をピーク
現在のデータ数：1 / 64
(1)エンキュー (2)デキュー (3)ピーク (4)表示 (0)終了：4↵
2                                                   キューの中身を表示
現在のデータ数：1 / 64
(1)エンキュー (2)デキュー (3)ピーク (4)表示 (0)終了：0↵
```


演習 4-4

int 型キューのプログラムに、任意のデータを探索する関数を追加せよ。

```
int Search2(const IntQueue& q, int x);
```

関数 *Search* のように見つけた位置の配列の添字を返すのではなく、キュー内での論理的なデータの並びにおいて、先頭の何個後ろに存在するのかを返すこと。なお、探索に失敗した場合に返す値は **-1** とする。

たとえば、**Fig.4-13**（p.164）の例であれば、**35** を探索すると **0** を、**56** を探索すると **1** を、**73** を探索すると **5** を返す。また、キューに存在しない **99** を探索すると **-1** を返す。

演習 4-5

List 4-6 で利用しているのは、**"IntQueue.c"** で提供される関数のうちの一部である。前問で作成した関数 *Search2* を含め、すべての関数を利用するプログラムを作成せよ。

演習 4-6

一般に**デック**と呼ばれる**両方向待ち行列**（deque ／ double ended queue）は、下図に示すように、先頭と末尾の両方に対して、データの押込み・取出しが行えるデータ構造である。両方向待ち行列を実現するプログラムを作成せよ。なお、デックに格納するデータは **int** 型の値とする。

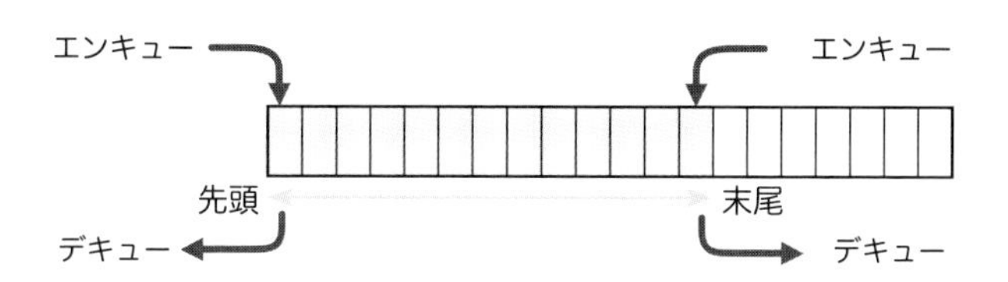

Column 4-2 リングバッファの応用例

リングバッファは、“古いデータを捨てる” 用途に応用できます。具体的な例をあげると、要素数 n の配列に対して、次々にデータが入力されるとき、最新の n 個のみを保存しておき、それより古いデータは切り捨てるといった用途です。

そのようなプログラムの一例を **List 4C-1** に示します。配列 a の要素数は 10 です。整数の入力自体は何回でも行えますが、配列に保存されるのは最新の *N* 個すなわち 10 個のみです。

List 4C-1 chap04/last.c

```
// 好きな個数だけ値を読み込んで要素数Nの配列に最後のN個を格納

#include <stdio.h>

#define N  10          // 保存する値の個数

int main()
{
    int a[N];          // 読み込んだ値を格納
    int cnt = 0;       // 読み込んだ個数
    int retry;         // もう一度？

    puts("整数を入力してください。");

    do {
        printf("%d個目の整数 : ", cnt + 1);
        scanf("%d", &a[cnt++ % N]);                    ―1

        printf("続けますか？ (Yes…1／No…0) : ");
        scanf("%d", &retry);
    } while (retry == 1);

    int i = cnt - N;
    if (i < 0) i = 0;
                                                         ―2
    for ( ; i < cnt; i++)
        printf("%2d個目の整数 = %d\n", i + 1, a[i % N]);

    return 0;
}
```

右ページの **Fig.4C-1** に示すのは、以下に示す 12 個の整数を読み込んだ例です。

15, 17, 64, 57, 99, 21, 0, 23, 44, 55, 97, 85

ただし、配列に残っているのは最後の 10 個です。すなわち、次に示すように、最初に読み込んだ2個は切り捨てられています。

15, 17, 64, 57, 99, 21, 0, 23, 44, 55, 97, 85

←→ 切捨て

*

プログラムの1では、キーボードから読み込んだ値を a[cnt++ % N] に格納しています。読み込まれた値がどのように配列の要素に格納されるのかを、具体的に検証してみましょう。

- 1個目の値の読込み

cnt の値は 0 であり、それを 10 で割った剰余は 0 です。読み込んだ数値は a[0] に格納されます。

- 2個目の値の読込み

cnt の値は 1 であり、それを 10 で割った剰余は 1 です。読み込んだ数値は a[1] に格納されます。

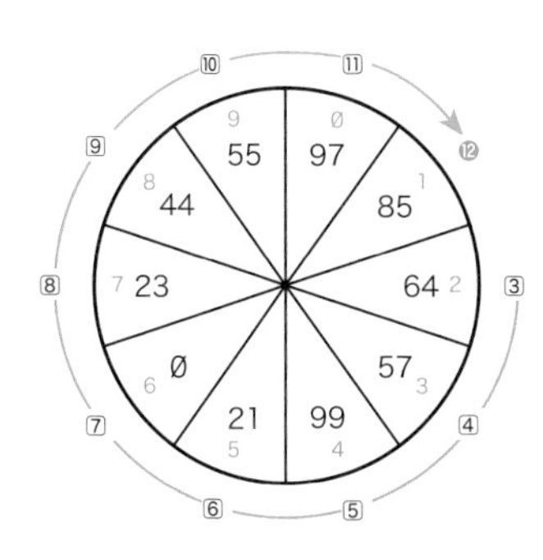

※青文字の数値 … 要素の添字
□内の数値 … 何個目に読み込んだか

```
実行例
整数を入力してください。
1個目の整数 : 15↵
続けますか？ (Yes…1／No…0) : 1↵
2個目の整数 : 17↵
続けますか？ (Yes…1／No…0) : 1↵
… 中略 …
12個目の整数 : 85↵
続けますか？ (Yes…1／No…0) : 0↵
 3個目の整数 = 64
 4個目の整数 = 57
 5個目の整数 = 99
… 中略 …
10個目の整数 = 55
11個目の整数 = 97
12個目の整数 = 85
```

Fig.4C-1　リングバッファへの値の読込み

▪ 3個目の値の読込み

cnt の値は 2 であり、それを 10 で割った剰余は 2 です。読み込んだ数値は a[2] に格納されます。

… 中略 …

▪ 11 個目の値の読込み

cnt の値は 10 であり、それを 10 で割った剰余は 0 です。読み込んだ数値は a[0] に格納されます。すなわち、1 個目のデータが、11 個目のデータで上書きされます。

▪ 12 個目の値の読込み

cnt の値は 11 であり、それを 10 で割った剰余は 1 です。読み込んだ数値は a[1] に格納されます。すなわち、2 個目のデータが、12 個目のデータで上書きされます。

読み込んだ値の格納先要素の添字を *cnt++ % N* で求めることによって、配列の全要素を循環的に利用していることが分かりました。

※ *IntQueue* の関数 *Search* における添字の計算も、これと同様です。

＊

なお、読み込んだ値の表示の際は、ちょっとした工夫が必要です（プログラム2）。

読み込んだ個数 *cnt* が 10 以下であれば、

```
a[0] ～ a[cnt - 1]
```

を順に表示するだけで実現できます（表示する値は *cnt* 個です）。

ただし、図に示すように、たとえば 12 個読み込んだ場合は、

```
a[2], a[3], …, a[9], a[0], a[1]
```

という順で表示する必要があります（表示する値は *N* 個すなわち 10 個です）。

ここでも、剰余演算子 % を利用して簡潔に処理しています。プログラムをしっかり読んで、理解しましょう。

章末問題

▪ 平成18年度(2006年度)春期 午前 問12

空の状態のキューとスタックの二つのデータ構造がある。右の手続を順に実行した場合、変数xに代入されるデータはどれか。ここで、

データyをスタックに挿入することをpush(y)、
スタックからデータを取り出すことをpop()、
データyをキューに挿入することをenq(y)、
キューからデータを取り出すことをdeq()、
とそれぞれ表す。

```
push(a)
push(b)
enq(pop())
enq(c)
push(d)
push(deq())
x ← pop()
```

ア　a　　イ　b　　ウ　c　　エ　d

▪ 平成11年度(1999年度)秋期 午前 問13

FIFO（First-In First-Out）の処理に適したデータ構造はどれか。

ア　2分木　　イ　キュー　　ウ　スタック　　エ　ヒープ

▪ 平成15年度(2003年度)秋期 午前 問13

スタック操作の特徴を表す用語はどれか。

ア　FIFO　　イ　LIFO　　ウ　LILO　　エ　LRU

▪ 平成24年度(2012年度)春期 午前 問6

十分な大きさの配列Aと初期値が0の変数pに対して、関数$f(x)$と$g()$が次のとおり定義されている。配列Aと変数pは、関数$f(x)$と$g()$だけでアクセス可能である。これらの関数が操作するデータ構造はどれか。

```
function f(x) {
    p = p + 1;
    A[p] = x;
    return None;
}

function g() {
    x = A[p];
    p = p − 1;
    return x;
}
```

ア　キュー　　イ　スタック　　ウ　ハッシュ　　エ　ヒープ

▪ 平成29年度(2017年度)秋期 午前 問5

A、B、C、Dの順に到着するデータに対して、一つのスタックだけを用いて出力可能なデータ列はどれか。

ア　A、D、B、C　　イ　B、D、A、C　　ウ　C、B、D、A　　エ　D、C、A、B

▪ 平成30年度(2018年度)秋期 午前 問5

待ち行列に対する操作を、次のとおり定義する。

ENQ n：待ち行列にデータ n を挿入する。

DEQ　：待ち行列からデータを取り出す。

空の待ち行列に対し、ENQ 1, ENQ 2, ENQ 3, DEQ, ENQ 4, ENQ 5, DEQ, ENQ 6, DEQ, DEQの操作を行った。次のDEQの操作で取り出される値はどれか。

ア　1　　イ　2　　ウ　5　　エ　6

▪ 平成27年度(2015年度)春期 午前 問5

キューに関する記述として、最も適切なものはどれか。

ア　最後に格納されたデータが最初に取り出される。
イ　最初に格納されたデータが最初に取り出される。
ウ　添字を用いて特定のデータを参照する。
エ　二つ以上のポインタを用いてデータの階層関係を表現する。

▪ 平成17年度(2005年度)春期 午前 問13

PUSH命令でスタックにデータを入れ、POP命令でスタックからデータを取り出す。動作中のプログラムにおいて、ある状態から次の順で10個の命令を実行したとき、スタックの中のデータは図のようになった。1番目のPUSH命令でスタックに入れたデータはどれか。

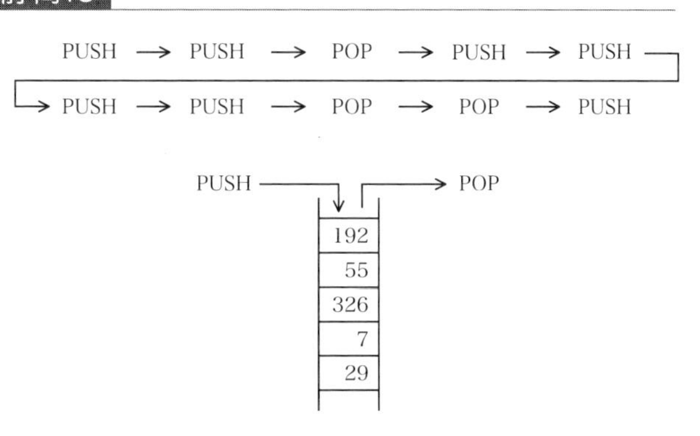

ア　7　　イ　29　　ウ　55　　エ　326

第5章

再帰的アルゴリズム

- 再帰
- 階乗値
- 最大公約数（ユークリッドの互除法）
- トップダウン解析／ボトムアップ解析
- 再帰アルゴリズムの非再帰的表現
- メモ化
- ハノイの塔
- ８王妃問題
- 分割統治法と分枝限定法

5-1 再帰の基本

本節では、再帰的アルゴリズムの基本を学習します。

再帰とは

ある事象は、自分自身を含んでいたり、自分自身を用いて定義されていたりすれば、**再帰的**（recursive）であるといわれます。

Fig.5-1 に示すのが、再帰的な図の一例です。ディスプレイ画面の中に、ディスプレイ画面が映っています。そのディスプレイ画面の中にも … 。

再帰の考えを利用すると、1 から始まって、2、3、… と無限に続く自然数は、次のように定義できます。

▪ 自然数の定義

[a] 1 は自然数である。

[b] ある自然数の直後の整数も自然数である。

再帰的定義（recursive definition）によって、無限に存在する自然数を、わずか二つの文で表しました。

再帰を効果的に利用すれば、定義だけではなく、プログラムも簡潔かつ効率のよいものとなります。

▶ 再帰的アルゴリズムは、第6章で学習するマージソートとクイックソート、第9章で学習する2分探索木などで応用します。

Fig.5-1 再帰の例

階乗値

再帰を用いるプログラム例として最初に取り上げるのは、**非負の整数値の階乗値を求める**問題です。

非負の整数 n の階乗を、再帰的に定義すると、次のようになります。

■ 階乗 n! の定義（n は非負の整数とする）

[a] 0! = 1

[b] n > 0 ならば　n! = n × (n - 1)!

たとえば、10 の階乗である 10! は、10 × 9! で求められますし、そこで使われている 9! は、9 × 8! で求められます。

＊

上記の再帰的定義をプログラムとして実現しましょう。それが、**List 5-1** に示すプログラム中の関数 *factorial* です。

List 5-1　chap05/factorial.c

```
// 階乗値を再帰的に求める

#include <stdio.h>

/*--- 整数値nの階乗を返却 ---*/
int factorial(int n)
{
    if (n > 0)
        return n * factorial(n - 1);
    else
        return 1;
}

int main(void)
{
    int x;

    printf("整数を入力せよ：");
    scanf("%d", &x);

    printf("%dの階乗は%dです。\n", x, factorial(x));

    return 0;
}
```

実行例

```
整数を入力せよ：3
3の階乗は6です。
```

関数 *factorial* が返す値は、次のようになっています。

- 仮引数 n に受け取った値が 0 より大きければ：n * *factorial*(n - 1)
- そうでなければ：1

▶ 関数 *factorial* の本体は、条件演算子を使うと1行で実現できます（"chap05/factorial2.c"）。

```
return (n > 0) ? n * factorial(n - 1) : 1;
```

再帰呼出し

関数 **factorial** がどのように階乗値を求めていくのかを、**Fig.5-2** に示す『3の階乗値を求める』例で理解しましょう。

a 関数呼び出し式 ***factorial*(3)** の評価・実行によって関数 ***factorial*** が起動されます。この関数は、仮引数 ***n*** に **3** を受け取っており、次の値を返します。

```
3 * factorial(2)
```

もっとも、この乗算を行うには、***factorial*(2)** の値が必要です。そこで、実引数として整数値 **2** を渡して関数 ***factorial*** を呼び出します。

b 呼び出された関数 ***factorial*** は、仮引数 ***n*** に **2** を受け取っています。

```
2 * factorial(1)
```

の乗算を行うために、関数 ***factorial*(1)** を呼び出します。

c 呼び出された関数 ***factorial*** は、仮引数 ***n*** に **1** を受け取っています。

```
1 * factorial(0)
```

の乗算を行うために、関数 ***factorial*(0)** を呼び出します。

d 呼び出された関数 ***factorial*** は、仮引数 ***n*** に受け取った値が **0** ですから、**1** を返します。

▶ この時点で、初めて **return** 文が実行されます。

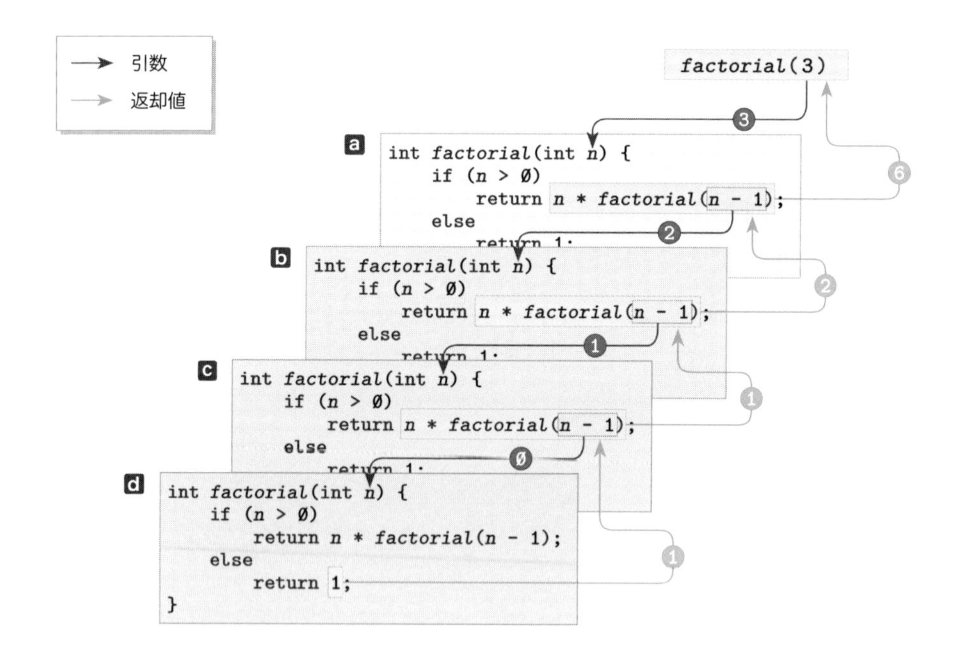

Fig.5-2 3の階乗値を再帰的に求める手順

c 返却された値 1 を受け取った関数 *factorial* は、1 * *factorial*(0) すなわち 1 * 1 を返します。

b 返却された値 1 を受け取った関数 *factorial* は、2 * *factorial*(1) すなわち 2 * 1 を返します。

a 返却された値 2 を受け取った関数 *factorial* は、3 * *factorial*(2) すなわち 3 * 2 を返します。

これで 3 の階乗値 6 が得られます。

関数 *factorial* は、*n* - 1 の階乗値を求めるために、関数 *factorial* を呼び出します。このような関数呼出しが**再帰呼出し**（recursive call）です。

▶ 再帰呼出しは、『"自分自身の関数" を呼び出すこと』というよりも、『"自分自身と同じ関数" を呼び出すこと』と理解したほうが自然です。もしも本当に自分自身を呼び出すのであれば、延々（えんえん）と自分自身を呼び出し続けることになってしまいますから。

直接的な再帰と間接的な再帰

関数 *factorial* のように、自分自身と同じ関数を呼び出すのが**直接的な**（direct）**再帰**です。Fig.5-3 **a**の関数 a は、その例です。

一方、図**b**のように、関数 *x* が関数 *y* を呼び出して、その関数 *y* が関数 *x* を呼び出す構造であれば、関数 *x* は、**間接的な**（indirect）**再帰**です。

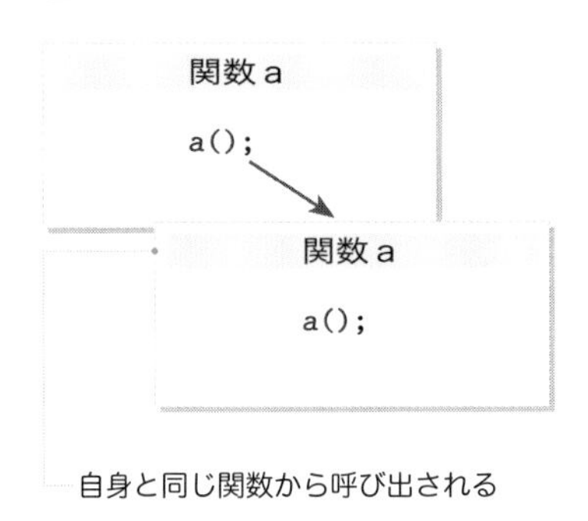

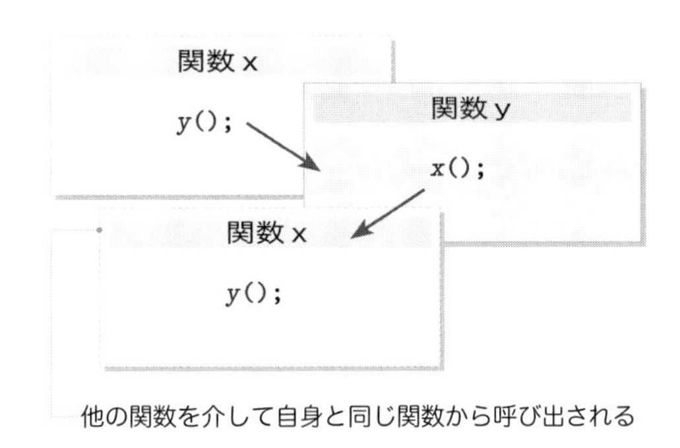

Fig.5-3 直接的な再帰と間接的な再帰

再帰的アルゴリズムが適しているのは、解くべき問題や計算すべき関数、あるいは処理すべきデータ構造が再帰的に定義されている場合です。

再帰的手続きによって階乗値を求めるのは、再帰の原理を理解するための一例にすぎないものであり、**現実的には適切ではありません**。

ユークリッドの互除法

次に考えるのは、二つの整数値の**最大公約数**（greatest common divisor）を再帰的に求めるアルゴリズムです。二つの整数値を長方形の2辺の長さとすると、それらの最大公約数を求める問題は、次の問題に置きかえられます。

長方形を、正方形で埋めつくす。
そのようにして作ることのできる正方形の最大の辺の長さを求めよ。

辺の長さが22と8である長方形を例に、具体的な手順を示したのが、**Fig.5-4** です。

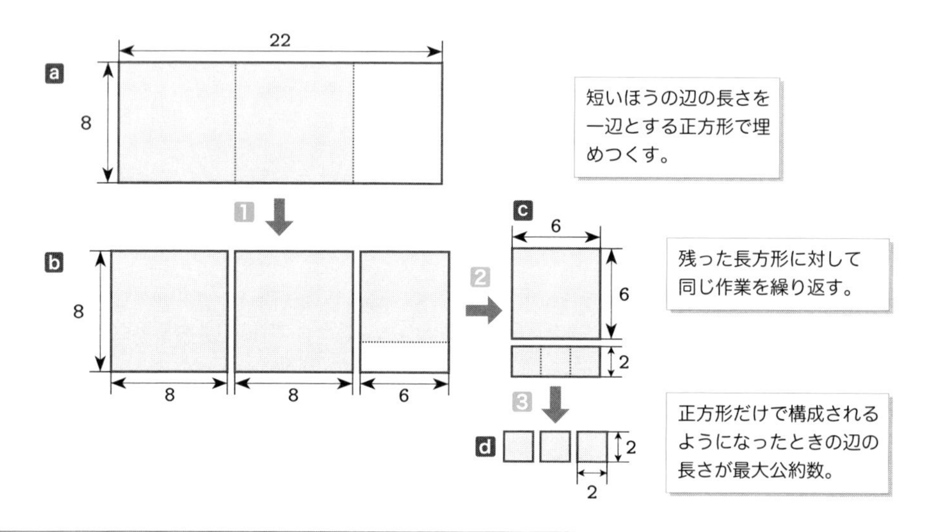

Fig.5-4　22と8の最大公約数を求める手順

1　図aの22×8の長方形を、短い辺の長さ8の正方形に分割します。その結果、図bに示すように、8×8の正方形が二つタイル張りにされて、8×6の長方形が残ります。

2　残った8×6の長方形に対して、同じ手順を試みた結果が図cです。6×6の正方形が1個できて、6×2の長方形が残ります。

3　残った6×2の長方形に対して同じ手順を試みた結果が図dです。今回は2×2の正方形のタイル三つで埋まります。得られた2が最大公約数です。

二つの整数値が与えられたとき、大きいほうの値を小さいほうの値で割ってみて、割り切れる場合は、小さいほうの値が最大公約数です（例：3）。

割り切れない場合は、小さいほうの値と、得られた剰余に対して、割り切れるまで同じ手続きを再帰的に繰り返します（例：1および2）。

この手続きを数学的に表現しましょう。二つの整数 x と y の最大公約数を $gcd(x, y)$ と表記するものとします。このとき、$x = az$ と $y = bz$ を満たす整数 a, b が存在する最大の整数 z が、$gcd(x, y)$ です。すなわち、最大公約数は、次のように求められます。

- y が 0 であれば … x
- そうでなければ … $gcd(y, x \% y)$

これが、**ユークリッドの互除法**（Euclidean method of mutual division）と呼ばれるアルゴリズムです。このアルゴリズムを使って、二つの整数値の最大公約数を求めて表示するプログラムを **List 5-2** に示します。

List 5-2 chap05/euclid.c

```
// ユークリッドの互除法によって最大公約数を求める

#include <stdio.h>

/*--- 整数値x, yの最大公約数を返却する ---*/
int gcd(int x, int y)
{
    if (y == 0)
        return x;
    else
        return gcd(y, x % y);
}

int main(void)
{
    int x, y;

    puts("二つの整数の最大公約数を求めます。");

    printf("整数を入力せよ：");
    scanf("%d", &x);

    printf("整数を入力せよ：");
    scanf("%d", &y);

    printf("最大公約数は%dです。\n", gcd(x, y));

    return 0;
}
```

実行例

```
二つの整数の最大公約数を求めます。
整数を入力せよ：22↵
整数を入力せよ：8↵
最大公約数は2です。
```

▶ このアルゴリズムは、紀元前300年頃に記されたユークリッドの『原論』に示されている、極めて歴史のあるアルゴリズムです。

演習 5-1

再帰呼出しを用いずに、関数 `factorial` を実現せよ。

演習 5-2

再帰呼出しを用いずに、関数 `gcd` を実現せよ。

演習 5-3

配列 `a` の全要素の最大公約数を求める関数を作成せよ。

```
int gcd_array(const int a[], int n);
```

5-2 再帰アルゴリズムの解析

本節では、再帰アルゴリズムを解析する手法、再帰アルゴリズムを非再帰的に実現する手法、再帰アルゴリズムの効率を高める手法を学習します。

再帰アルゴリズムの解析

本節で考えるのは、**List 5-3** に示すプログラムです。わずか数行の再帰的な関数 *recur* と、main 関数とで構成されています。

List 5-3 chap05/recur.c

```
// 再帰に対する理解を深めるための真に再帰的な関数

#include <stdio.h>

/*--- 真に再帰的な関数recur ---*/
void recur(int n)
{
    if (n > 0) {
        recur(n - 1);
        printf("%d\n", n);
        recur(n - 2);
    }
}

int main(void)
{
    int x;

    printf("整数を入力せよ：");
    scanf("%d", &x);

    recur(x);

    return 0;
}
```

実行例

```
整数を入力せよ：4
1
2
3
1
4
1
2
```

関数 *recur* が、関数 *factorial* や関数 *gcd* と大きく異なるのは、関数の中で行う再帰呼出しの回数が2回である点です。このように、再帰呼出しを複数回行う関数の挙動は複雑であって、**真に**（genuinely）**再帰的**と呼ばれます。

＊

関数 *recur* が仮引数 *n* に 4 を受け取ると、1231412 の数字を（1行に1文字ずつ）表示することが、実行例から分かります。

それでは、*n* が 3 や 5 などの値であったら、どのような表示が行われるでしょう。簡単には分からないはずです。

ここでは、関数 *recur* を、**トップダウン解析**と**ボトムアップ解析**の二つの手法で解析していきます。

トップダウン解析

仮引数 *n* に 4 を受け取った関数 ***recur*** は、次のことを順に実行します。

***recur*(4)**	a ***recur*(3)** を実行
	b 4 を出力
	c ***recur*(2)** を実行

もちろん、bで 4 の出力を行うのは、aによる ***recur*(3)** の実行が完了した後ですから、まず ***recur*(3)** が何をするのかを調べねばなりません。

Fig.5-5 の図を見ながら考えていきましょう。この図では、それぞれの箱が、関数 ***recur*** の挙動を表しています。ただし、受け取った値が 0 以下であれば関数 ***recur*** は実質的に何も行わないため、箱の中を "−" と表記しています。

最上流の箱が ***recur*(4)** の挙動です。aの ***recur*(3)** によって何が行われるのかは、左下側の矢印をたどると分かりますし、cの ***recur*(2)** によって何が行われるのかは、右下側の矢印をたどると分かります。

▶ 『左側の矢印をたどって1個下流の箱へと移動し、戻ってきたら■の中に書かれた値を表示し、右側の矢印をたどって1個下流の箱へと移動する』という一連の作業が完了すると、1個上流に戻ります。もちろん、空の箱に行きついた場合は、何もすることなくそのまま戻ります。

このような、上流に位置する呼出し側から始めて、段階的に詳細に調べていく解析手法が、**トップダウン解析**（top-down analysis）です。

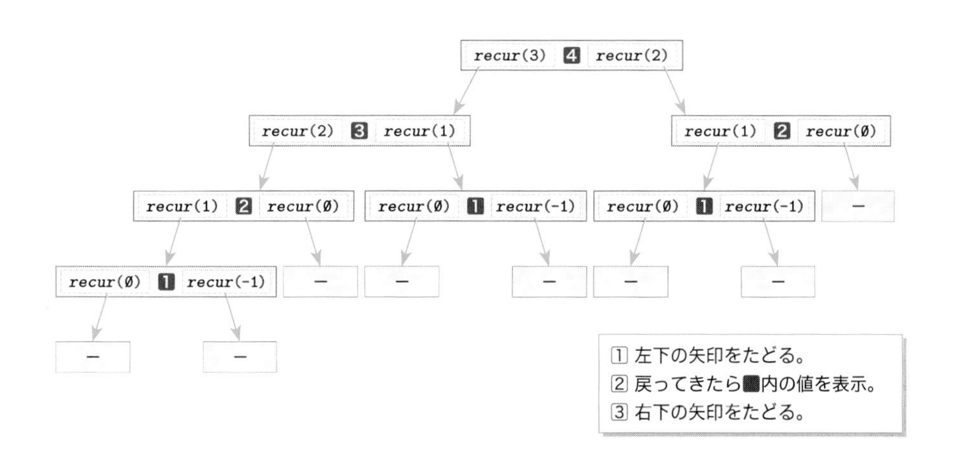

Fig.5-5　関数 recur のトップダウン解析

さて、この図には、***recur*(1)** や ***recur*(2)** の解析が複数個存在します。もちろん、それらは同じものです。てっぺんから解析しようとすると、下流に同じものが何度も出てくるという点では、このトップダウン解析は必ずしも効率がよいとはいえません。

ボトムアップ解析

上流側からの解析を行うトップダウン解析とは対照的に、下流側から積み上げていくのが、**ボトムアップ解析**（bottom–up analysis）です。

関数 **recur** は、**n** が正のときにのみ実質的な処理を行いますので、まず **recur(1)** について考えます。

recur(1) が行う処理は、次のとおりです。

recur(1)	a recur(0) を実行 b 1 を出力 c recur(-1) を実行

ここで、aの **recur(0)** とcの **recur(-1)** は何も表示しませんので、**recur(1)** が 1 とだけ出力することが分かります。

次に、**recur(2)** について考えましょう。

recur(2)	a recur(1) を実行 b 2 を出力 c recur(0) を実行

aの **recur(1)** は 1 と出力し、cの **recur(0)** は何も出力しませんので、出力するのが 1 と 2 であることが分かります。

この作業を **recur(4)** まで積み上げたものが **Fig.5-6** です。これで、**recur(4)** の出力が得られます。

```
recur(-1)  :  何も表示しない
recur(0)   :  何も表示しない
.................................................
recur(1)   :  recur(0) 1 recur(-1)  ⇨ 1
recur(2)   :  recur(1) 2 recur(0)   ⇨ 1 2
recur(3)   :  recur(2) 3 recur(1)   ⇨ 1 2 3 1
recur(4)   :  recur(3) 4 recur(2)   ⇨ 1 2 3 1 4 1 2
```

Fig.5-6　関数 recur のボトムアップ解析

演習 5–4

右に示す関数 **recur2** に対して、トップダウン解析とボトムアップ解析を行え。

```
void recur2(int n)
{
    if (n > 0) {
        recur2(n - 2);
        printf("%d\n", n);
        recur2(n - 1);
    }
}
```

再帰アルゴリズムの非再帰的表現

次は、関数 recur を非再帰的に実現する方法を考えます。

末尾再帰の除去

まず、末尾側の再帰呼出し recur(n - 2) に着目します。

“引数として n - 2 の値を渡して関数 recur を呼び出す” のですから、次の動作に置きかえられます。

n の値を n - 2 に更新して、関数の先頭に戻る。

このように書きかえたのが **List 5-4** です。プログラムの流れは、n の値を 2 減らした後に、goto 文の働きによって関数の先頭（ラベル Top が付いた if 文）に戻ります。

List 5-4 chap05/recur_nr1.c

```
/*--- 関数recur（末尾再帰を除去）---*/
void recur(int n)
{
Top:
    if (n > 0) {
        recur(n - 1);
        printf("%d\n", n);
        n = n - 2;
        goto Top;
    }
}
```

```
/*--- オリジナル版 ---*/
void recur(int n)
{
    if (n > 0) {
        recur(n - 1);
        printf("%d\n", n);
        recur(n - 2);
    }
}
```

このように、**関数の最後に行われる再帰呼出し**である**末尾再帰**（tail recursion）は、容易に除去できます。

再帰の除去

次に、先頭側の再帰呼出しの除去を考えます。

変数 n の値を出力する前に、recur(n - 1) が行う処理を完了させねばなりませんので、その再帰呼出し recur(n - 1) を、次のように単純に置きかえることはできません。

n の値を n - 1 に更新して、関数の先頭に戻る。　　← NG

たとえば n が 4 であれば、再帰呼出し recur(3) の処理が完了するまで、n の値 4 の保存が必要です。すなわち、

現在の n の値を “一時的に” 保存しておく。

という処理が必要です。さらに、recur(n - 1) の処理が完了して n の値を表示する際は、次の手順を踏むことになります。

保存していた n を取り出して、その値を表示する。

変数 n の値の“一時的な”保存の必要性が分かりました。それに最適なデータ構造が、前章で学習した**スタック**（stack）です。

スタックを用いて非再帰的に実現した関数 recur を **List 5-5** に示します。

▶ 本プログラムのコンパイル・実行に際しては、**List 4-1**（p.148）の "IntStack.h" と、**List 4-2**（pp.149 ～ 152）の "IntStack.c" が必要です。

List 5-5 chap05/recur_nr2.c

要：IntStack

```
/*--- 関数recur（再帰を除去）---*/
void recur(int n)
{
    IntStack stk;                   // スタック
    Initialize(&stk, 100);
Top:
    if (n > 0) {
        Push(&stk, n);              // nの値をプッシュ          ―1
        n = n - 1;                                              ―2
        goto Top;                                               ―3
    }
    if (!IsEmpty(&stk)) {           // スタックが空でなければ
        Pop(&stk, &n);              // 値を保存していたnをポップ ―4
        printf("%d\n", n);                                      ―5
        n = n - 2;                                              ―6
        goto Top;                                               ―7
    }
    Terminate(&stk);
}
```

本関数が recur(4) と呼び出されたときの挙動を考えましょう。

n に受け取った値 4 は 0 より大きいため、先頭側の if 文の働きによって、次の処理が行われます（**Fig.5-7**：右ページ）。

1 n の値 4 をスタックにプッシュする（図a）。
2 n の値を 1 減らして 3 にする。
3 goto 文の働きによって、ラベル Top の付いた if 文に戻る。

n の値 3 は 0 より大きいため、if 文の働きによって、上記と同様な処理が行われます。その結果、図b⇨図c⇨図dと進んで、スタックに 4, 3, 2, 1 が積まれていきます。

スタックに 1 を積んだ後は、n の値が一つ減らされて 0 となり、ラベル Top 付きの if 文に戻ります。

そうすると、n の値は 0 ですから、この if 文は実質的に素通りされます。その結果、後ろ側の if 文の働きによって、次の処理が行われます。

4 スタックからポップした値 1 を n に取り出す（図e）。
5 n の値 1 を表示する。
6 n の値を 2 減らして -1 とする。
7 goto 文の働きによって、ラベル Top の付いた if 文に戻る。

n の値は **-1** ですから、先頭側の **if** 文が素通りされます。再び後ろ側の **if** 文が実行され、図**f**に示すように、スタックから **2** がポップされ、表示されます。

以降の手順の解説は省略しますので、図をよく見て理解を深めましょう。なお、**n** が **0** 以下になってスタックが空となると、二つの **if** 文のいずれも実行されることなく、関数の実行が終了します。

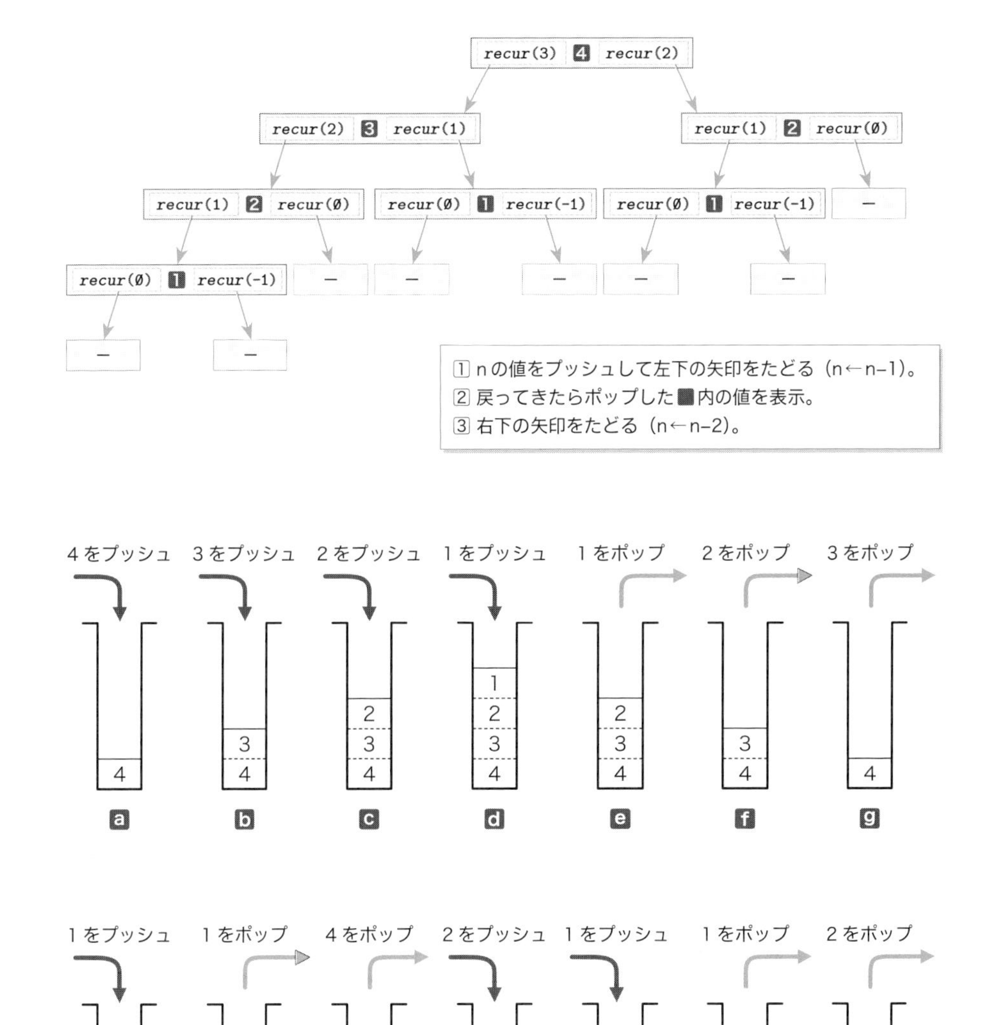

Fig.5-7 List 5–5 の関数実行に伴うスタックの変化

メモ化

関数*recur*の実行過程では、同じ計算が何度も行われます。たとえば、前ページの**Fig.5-7**では、*recur*(1)が3回も実行されています。*n*の値が大きくなれば、重複した計算の数は、極めて多くなります。

同一の計算は、1回きりにして、複数回行わないように改良しましょう。その際に必要となるのが、**メモ化**（memoization）のテクニックです。

ある**問題**（この場合、関数*recur*が受け取る*n*）に対する**解答**が得られたら、それを**メモ**しておきます。たとえば、*recur*(3)は、1、2、3、1と表示するわけですから、表示する文字列"1\n2\n3\n1"をメモします。再び*recur*(3)が呼び出されたときは、メモしておいた内容（文字列）を画面に表示すれば、計算は不要、というわけです。

このアイディアを使って実現したのが、**List 5-6**のプログラムです。

List 5-6 chap05/recur_memo.c

```
// 真に再帰的な関数recurをメモ化して実現

#include <stdio.h>

static char memo[128][1024];          // メモ用文字列の配列

/*--- メモ化を導入した関数recur ---*/
void recur(int n) {
    if (memo[n + 1][0] != '\0')
        printf("%s", memo[n + 1]);                    // メモを出力        ←1
    else {
        if (n > 0) {
            recur(n - 1);
            printf("%d\n", n);                                              ←2
            recur(n - 2);
            sprintf(memo[n + 1], "%s%d\n%s", memo[n], n, memo[n - 1]);      ←3
        } else {
            strcpy(memo[n + 1], "");                                        ←4
        }
    }
}

int main(void)
{
    int x;

    printf("整数を入力せよ：");
    scanf("%d", &x);

    recur(x);

    return 0;
}
```

実行例

```
整数を入力せよ：4⏎
1
2
3
1
4
1
2
```

▪ メモ用の文字列の配列

メモするのは、表示すべき文字列です。メモをとるのは1回ではありませんので、メモの格納先は、**文字列の配列**として用意しています。

そのためにプログラム冒頭で定義しているのが、2次元配列*memo*です。

メモの格納先は memo[0] ～ memo[127] であり、（ナル文字を含めて）最大 1024 文字のメモを最大 128 個格納できます。

static 付きで宣言することによって、すべての文字がナル文字で初期化される結果、これらの 128 個のメモ用文字列は、**空文字列**となります。そのため、『まだメモをとっていない』ときのメモは、空文字列となります。

さて、配列 memo へのメモは、次のように行います。

---

recur(-1) の実行結果（表示すべき文字列） "" ⇨ *memo*[0]
recur(0) の実行結果（表示すべき文字列） "" ⇨ *memo*[1]
recur(1) の実行結果（表示すべき文字列） "1" ⇨ *memo*[2]
recur(2) の実行結果（表示すべき文字列） "1\n2" ⇨ *memo*[3]
⋮

すなわち、*recur* が n に受け取る引数の値と、メモ用配列 *memo* の添字は 1 ずれます。

それでは、関数 *recur* の動作を理解していきましょう。

■ メモを既に取っている場合

n に対するメモを既に取っている（すなわち、メモが空文字列でない）場合、そのメモの内容 *memo*[n + 1] を、そのまま画面に表示するだけで、処理が完了します（1）。

■ そうでない場合

▫ n が 0 より大きいとき：

最初に、2の箇所で、オリジナルの *recur* と同じ処理を行います。その後、3の箇所で、表示した文字列を配列の要素 *memo*[n + 1] にメモします。

▫ そうでないとき：

n は 0 か -1 です。空文字列 "" をメモします（4）。

▶ メモを行わなくても、初期値として空の文字列が入っているため、4は省略可能です。

関数 *recur* の呼び出し回数を、オリジナル版と、メモ化版を比較したのが、**Table 5-1** です。メモ化版は、呼び出し回数が抑えられています。

Table 5-1 関数の呼び出し回数

n	1	2	3	4	5	6	7	8	9	10
オリジナル版	3	5	9	15	25	41	67	109	177	287
メモ化版	3	5	7	9	11	13	15	17	19	21

演習 5-5

関数呼び出し回数をカウント・表示するように、**List 5-3**（p.180）と **List 5-6** を書きかえたプログラムを、それぞれ作成せよ。

5-3 ハノイの塔

本節では、重ねられた円盤を最少の回数で移すためのアルゴリズムである《ハノイの塔》を学習します。

ハノイの塔

ハノイの塔（towers of Hanoi）は、小さいものが上に、大きいものが下になるように重ねられた円盤を、3 本の柱のあいだで移動する問題です。

すべての円盤の大きさは異なっていて、第 1 軸上に重ねられています。この状態から、すべての円盤を第 3 軸に最少の回数で、次の条件のもとで移動します。

- 移動は 1 枚ずつ行う。
- より大きい円盤を上に重ねることはできない。

Fig.5-8 に示すのが、円盤が 3 枚であるときの解法です。順に眺めていけば、解法の手順が理解できるでしょう。

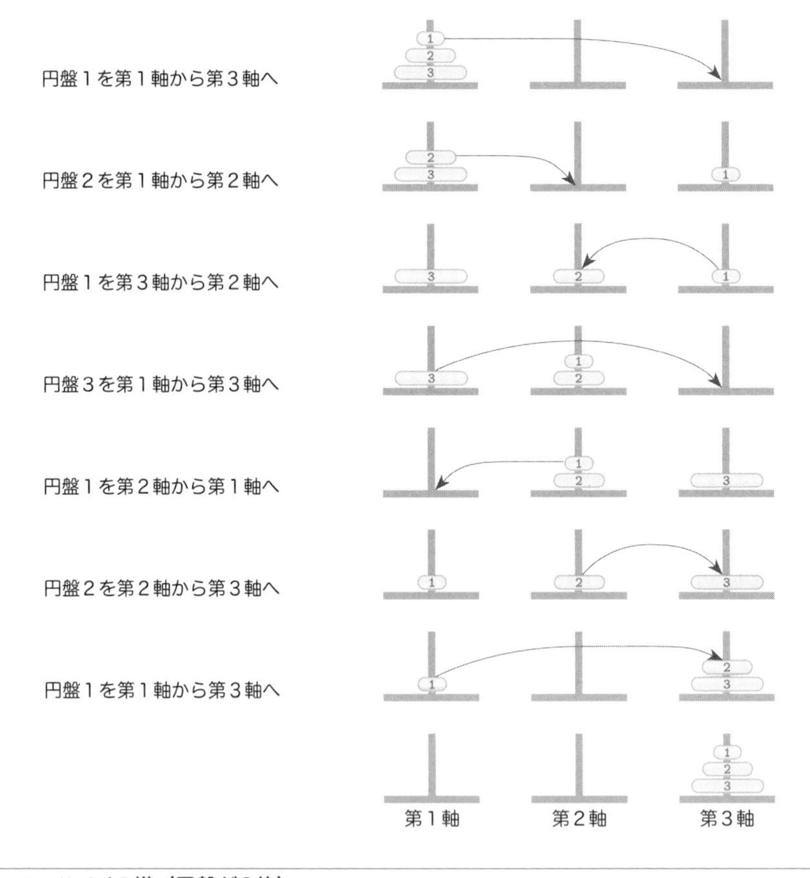

Fig.5-8　ハノイの塔（円盤が 3 枚）

円盤の移動手順を一般化して考えていきましょう。なお、円盤の移動元の軸を**開始軸**、移動先の軸を**目的軸**、残りの軸を**中間軸**と呼びます。

Fig.5-9 に示すのは、円盤が３枚のときの移動手順の概略です。円盤１と円盤２が重なったものを《グループ》とします。この図が示すように、最大の円盤を最少のステップで目的軸へ移動するには、まず最初に《グループ》を中間軸に移します。そうすると、３ステップで完了します。

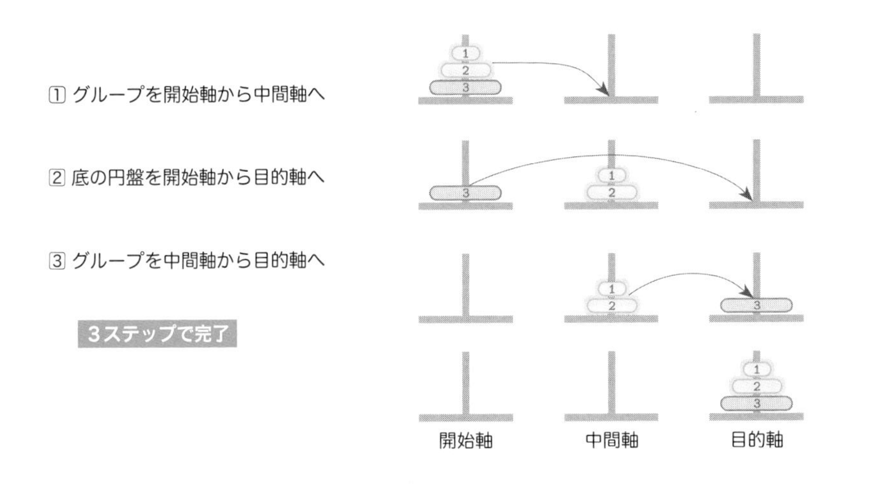

Fig.5-9　ハノイの塔の考え方（円盤が3枚）

それでは、円盤1と円盤2が重なった《グループ》の移動ステップを考えます。**Fig.5-10** に示すのが、その手順です。円盤1だけを《グループ》とみなすと、**Fig.5-9** とまったく同じ３ステップで実現できます。

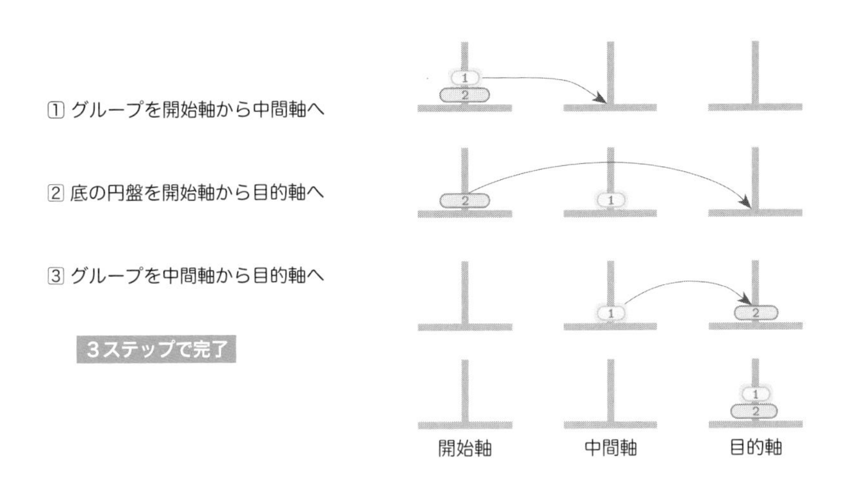

Fig.5-10　ハノイの塔の考え方（円盤が2枚）

円盤が4枚でも同じです。**Fig.5-11** に示すように、円盤1・円盤2・円盤3の3枚を重ねたものを《グループ》とみなすと、3ステップで移動が完了します。

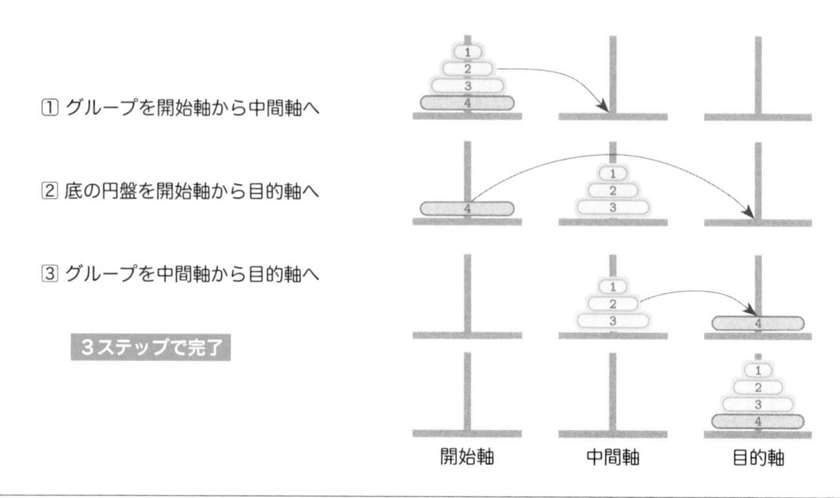

Fig.5-11　ハノイの塔の考え方（円盤が4枚）

それでは、3枚の《グループ》の移動はどうするかというと、既に前ページの図に示したとおりです。

＊

ここまでの考えを実現したのが **List 5-7** です。ハノイの塔を解く関数 *move* は、仮引数 *no* に移動すべき円盤の枚数を、*x* に開始軸の番号を、*y* に目的軸の番号を受け取ります。

List 5-7　chap05/hanoi.c

```
// ハノイの塔

#include <stdio.h>

/*--- 円盤[1]～円盤[no]をx軸からy軸へ移動 ---*/
void move(int no, int x, int y)
{
    if (no > 1)
        move(no - 1, x, 6 - x - y);          // グループを開始軸から中間軸へ  ❶

    printf("円盤[%d]を%d軸から%d軸へ移動\n", no, x, y);    // 底を目的軸へ  ❷

    if (no > 1)
        move(no - 1, 6 - x - y, y);          // グループを中間軸から目的軸へ  ❸
}

int main(void)
{
    int n;        // 円盤の枚数

    printf("ハノイの塔\n円盤の枚数：");
    scanf("%d", &n);

    move(n, 1, 3);

    return 0;
}
```

実行例

```
ハノイの塔
円盤の枚数：3⏎
円盤[1]を1軸から3軸へ移動
円盤[2]を1軸から2軸へ移動
円盤[1]を3軸から2軸へ移動
円盤[3]を1軸から3軸へ移動
円盤[1]を2軸から1軸へ移動
円盤[2]を2軸から3軸へ移動
円盤[1]を1軸から3軸へ移動
```

軸の番号は、1, 2, 3 の整数値です。これらの合計が 6 ですから、開始軸・目的軸がどの軸であっても、中間軸は 6 - x - y となります。

関数 *move* は、*no* 枚の円盤の移動を、次の３ステップで行います。

1. 底の円盤を除いたグループ（円盤 [1] ～円盤 [*no* - 1]）を開始軸から中間軸へ移動。
2. 底の円盤 *no* を開始軸から目的軸へ移動した旨を表示。
3. 底の円盤を除いたグループ（円盤 [1] ～円盤 [*no* - 1]）を中間軸から目的軸へ移動。

もちろん、1と3は、再帰呼出しで実現しています。*no* が 3 のときの関数 *move* の挙動を示したのが、**Fig.5-12** です。

▶ 1と3を行うのは、*no* が 1 より大きいときに限られますので、この図では、*no* が 1 の箇所（最下流に相当する箇所）では、2だけを示しています。

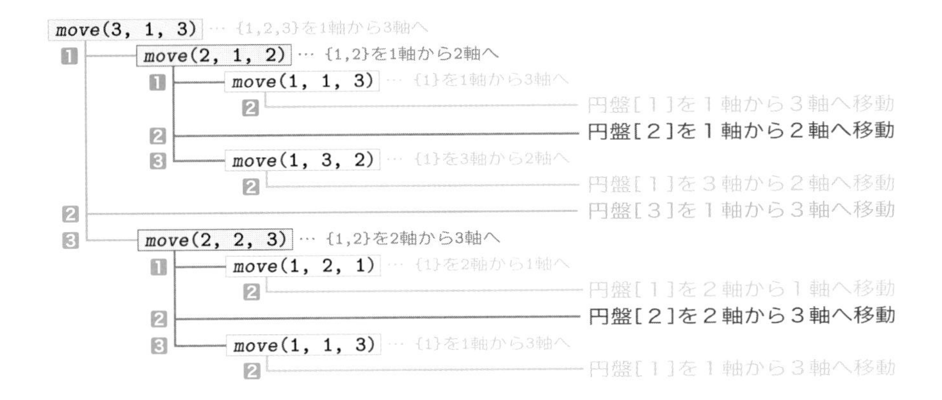

Fig.5-12　関数 move の挙動（no = 3 の場合）

演習 5-6

右に示す関数 *recur3* を非再帰的に実現せよ。

※本問は、前節の内容に関する問題である。

```
void recur3(int n)
{
    if (n > 0) {
        recur3(n - 1);
        recur3(n - 2);
        printf("%d\n", n);
    }
}
```

演習 5-7

List 5-7 を、数値でなく文字列で軸名を表示するように変更したプログラムを作成せよ（たとえば、"A軸", "B軸", "C軸" のようにする）。

演習 5-8

List 5-7 の関数 *move* を非再帰的に実現するように書きかえたプログラムを作成せよ。

5-4 8王妃問題

本節では8王妃問題を学習します。ハノイの塔と同様に、問題を小問題に分割することによって、解を導きます。

8王妃問題とは

本節で学習する**8王妃問題**（8-Queen problem）は、

互いに取りあえないように、8個の王妃を8×8のチェス盤に配置せよ。

という一見単純な問題です。

再帰的アルゴリズムの理解を深めるための例題として頻繁に取り上げられる問題であるとともに、19世紀の有名な数学者 C.F.Gauss が誤った解答を出したことでも知られています。

▶ チェスの**王妃**は、将棋での**飛車**と**角**の働きをあわせもっており、縦／横／斜めのライン上のコマを取ることができます。

この問題の解答は92個あり、**Fig.5-13** に示すのが、その中の1個です。

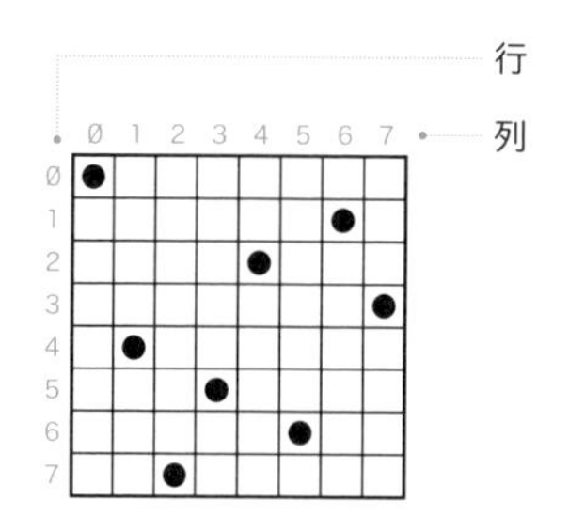

Fig.5-13　8王妃問題の解の一例

チェス盤の横方向の並びを**行**、縦方向の並びを**列**と呼び、それらに（配列の添字と対応させて）**0**～**7** の番号をふることにします。

この図に配置されている王妃は、左側から順に、0行0列、4行1列、7行2列、5行3列、2行4列、6行5列、1行6列、3行7列です。

王妃の配置

8個の王妃を配置する組合せが全部で何通りあるかを考えてみましょう。

チェス盤には8×8＝64個のマスがありますから、最初に王妃を1個置くときは、64マスの好きな場所を選べます。そして、次に王妃を置くときは、残りの63マスから任意に選択できます。

同様にして８個目まで考えると、実に、

$64 \times 63 \times 62 \times 61 \times 60 \times 59 \times 58 \times 57 = 178{,}462{,}987{,}637{,}760$

もの組合せとなります。これらをすべて列挙して、個々の配置が８王妃問題の条件を満足するかどうかを調べるのは、非現実的です。

王妃は自分と同じ列（縦方向）のコマを取れますから、次のようにしましょう。

【方針１】各列には王妃を１個だけ配置する。

これで王妃の配置の組合せは激減しますが、それでも、その数は、

$8 \times 8 \times 8 \times 8 \times 8 \times 8 \times 8 \times 8 = 16{,}777{,}216$

にもなります。**Fig.5-14** には、その配置のごく一部を示していますが、ここには、８王妃問題を満たす解は１個もありません。

しかも、すべての配置が８王妃問題の解でないことは、一目瞭然です。というのも、王妃は自分と同じ行（横方向）のコマを取れるからです。

▶ 同じ行に王妃が２個以上配置されていれば、８王妃問題の解でないのは、いうまでもありません。

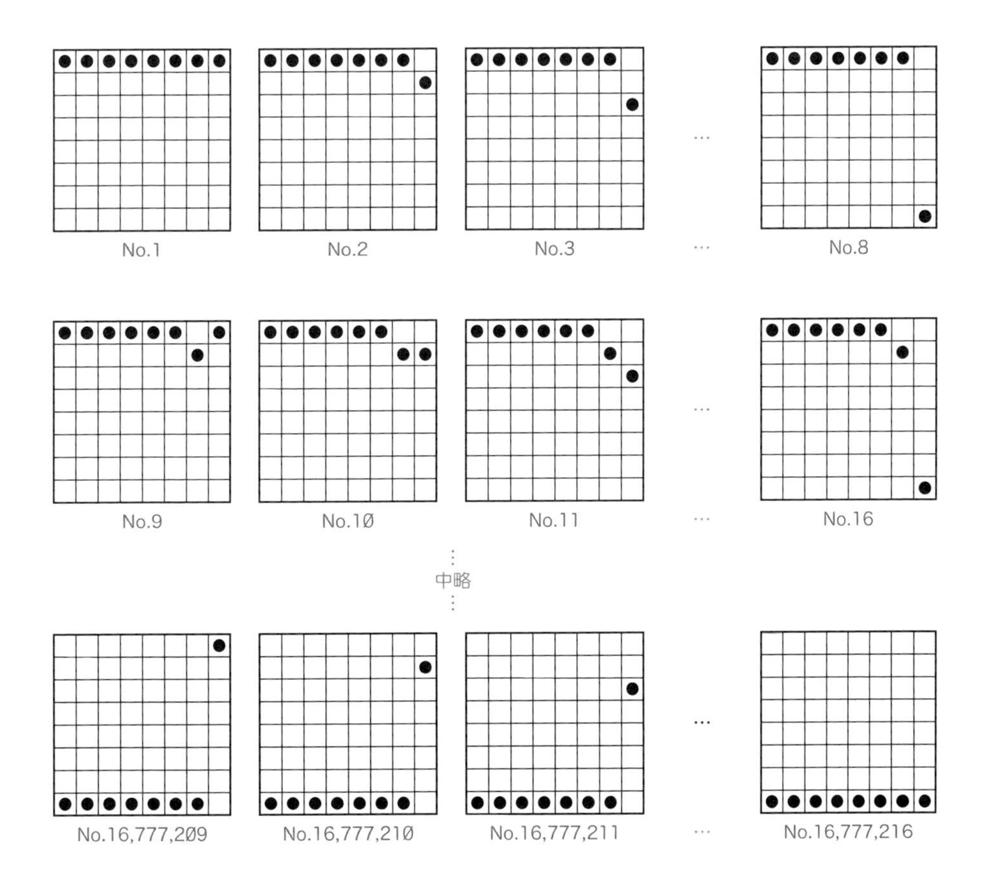

Fig.5-14　王妃を各列に１個だけ配置する組合せ

そこで、次の方針を加えることにします。

【方針2】各行には王妃を1個だけ配置する。

Fig.5-15 に示すのは、前ページの図の配置順の中で、【方針2】を満たす最初の4通りの配置です。組合せの数は激減します。

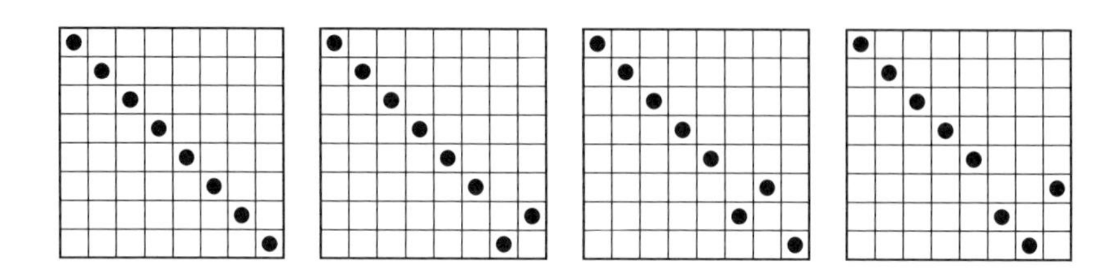

Fig.5-15　王妃を各行・各列に1個だけ配置する組合せの一例

それでは、この組合せを列挙するアルゴリズムは、どのようになるでしょう。簡単には作れそうにありません。

まずは、【方針1】に基づいた組合せを列挙するアルゴリズムを考えていきましょう。

ここで、王妃の列挙を開始する直前の状態を、**Fig.5-16** のように表します。図中の?は、その列に**王妃が未配置である**ことの目印です。

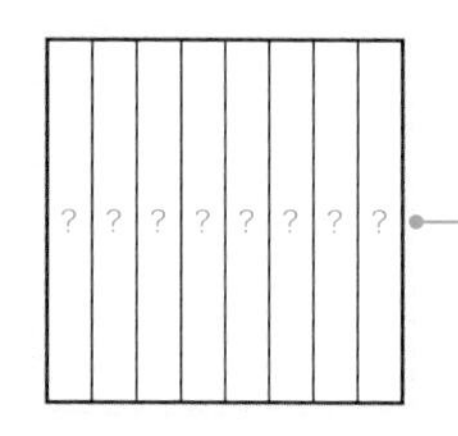

Fig.5-16　各列に王妃を1個だけ配置する原問題

最初はすべての列が?であり、8列すべての?を埋めると配置が完了します。

まずØ列目への王妃の配置を行います。右ページの **Fig.5-17** に示す8通りがあります。図中の●は、その位置に王妃が配置されたことを表します。すなわち、1～8の各図は、いずれもØ列目の王妃の配置が確定し、それ以外の列が未配置の状態です。

▶ 少し難しい言葉で表現すると、**Fig.5-16** に示す『**原**(げん)**問題**』を『8個の**部分問題**』に“**分割した**”結果が **Fig.5-17** ということです。

Ø列目への王妃の配置が完了しましたので、次は1列目への王妃の配置を考えます。

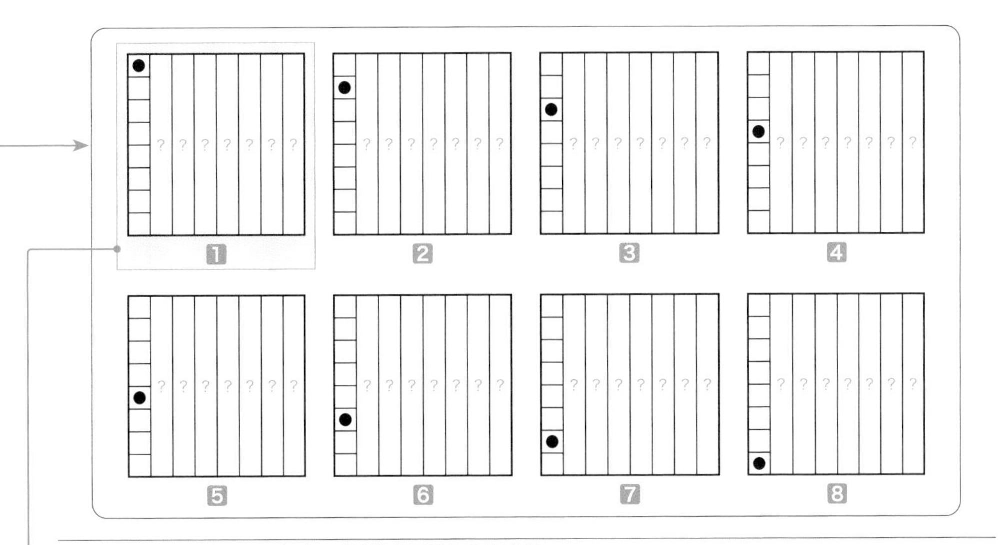

Fig.5-17　Ø 列目に王妃を1個だけ配置する組合せ

たとえば、『**Fig.5-17** の1の局面に対して、1列目に王妃を配置する』組合せを列挙すると、**Fig.5-18** に示す8通りが得られます。

▶ すなわち、**Fig.5-17** 1の問題を『8個の部分問題』に分割した結果が **Fig.5-18** です。

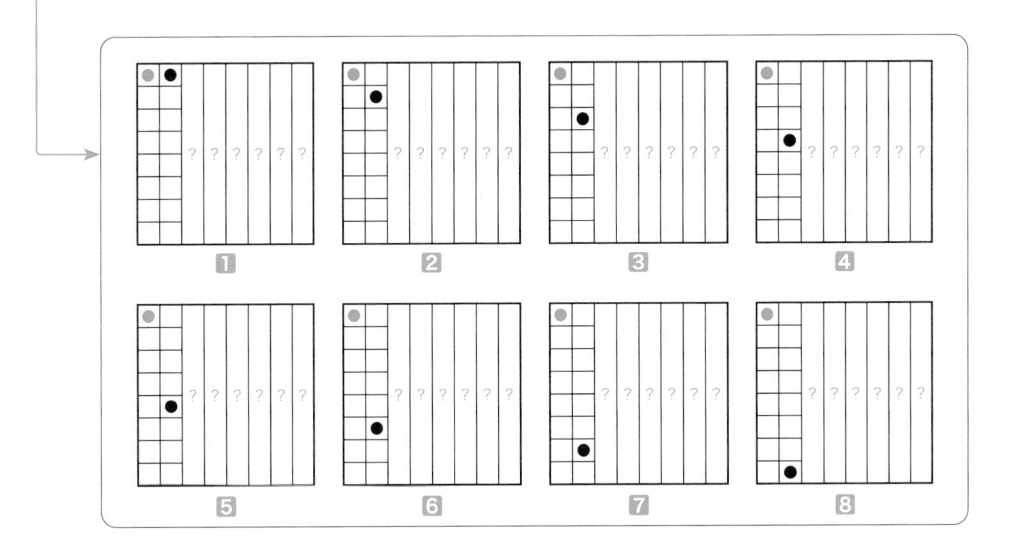

Fig.5-18　Fig.5–17 1に対して1列目に王妃を1個だけ配置する組合せ

Fig.5-17 の2～8に対しても同様な配置を行うため、Ø列目と1列目が確定した配置は全部で64通りとなります。

この作業を繰り返して、7列目までのすべての配置が完了した組合せを示したのが、次ページの **Fig.5-19** です。全部で16,777,216通りです。

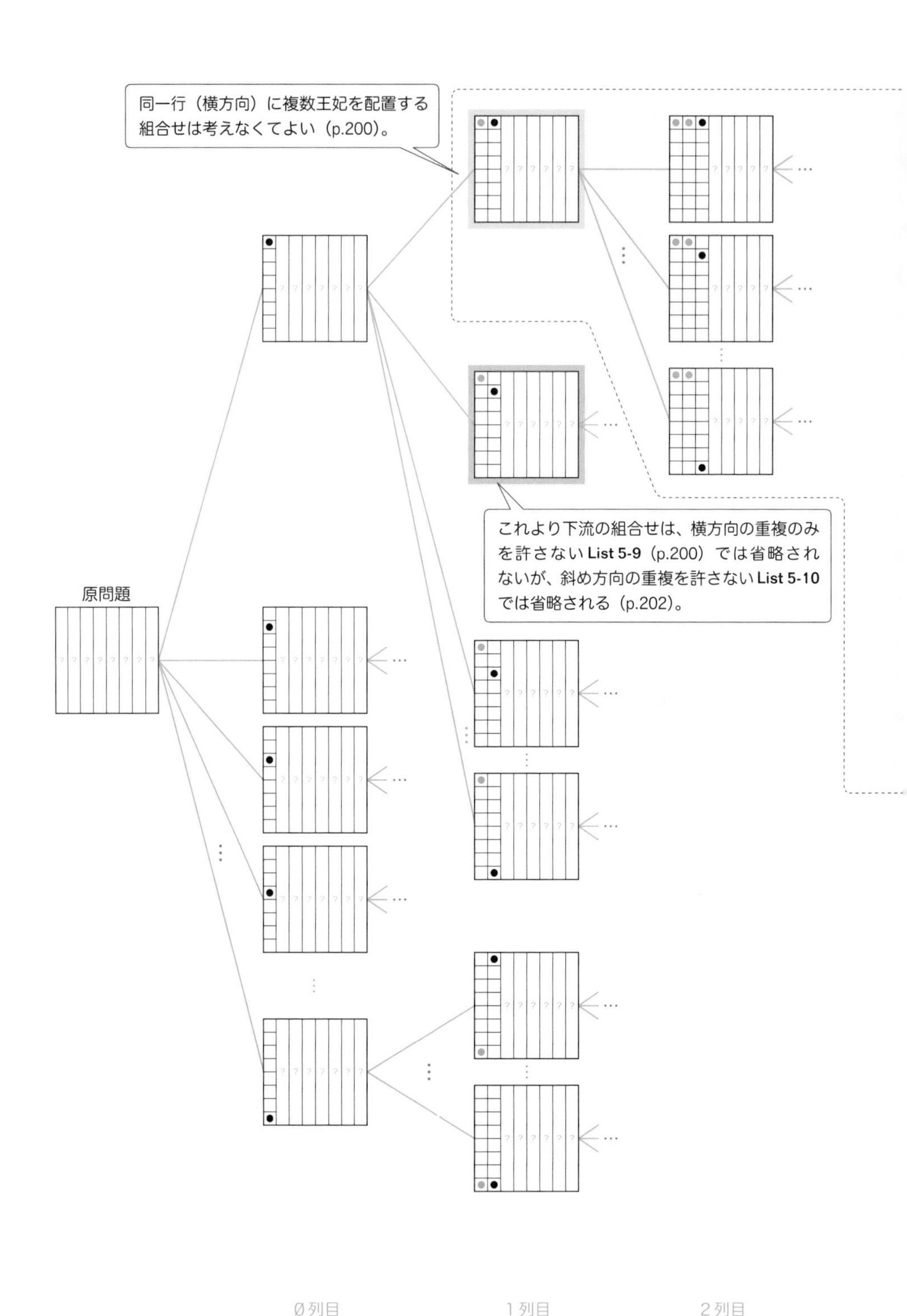

Fig.5-19　各列に王妃を1個だけ配置する組合せの列挙

※本図には、次ページ以降で学習する内容も書き込まれています。

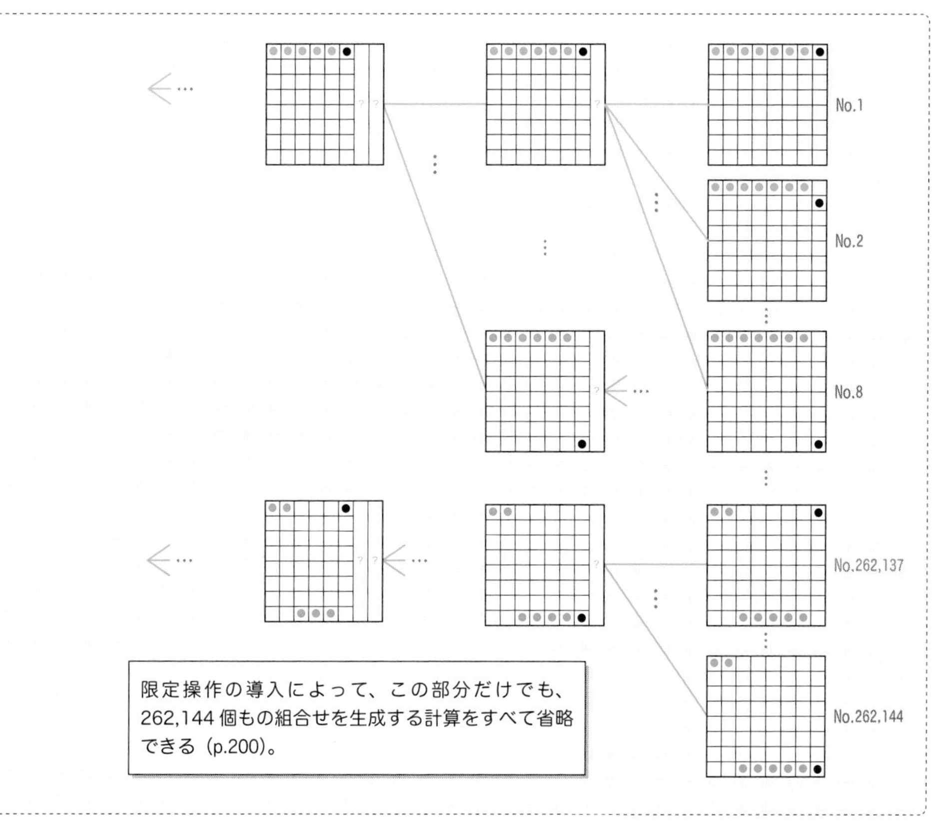

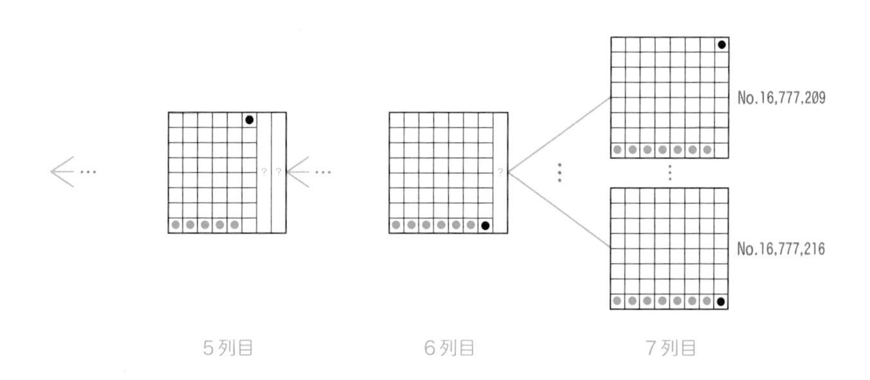

分枝操作

前ページの図のように、次々と枝分かれを行うことによって、すべての組合せを列挙するプログラムを作りましょう。それが、右ページの **List 5-8** に示すプログラムです。

▶ 組合せを生成するだけであって、8王妃問題を解いているわけではありません。

王妃の配置を表すのが配列 ***pos*** です。*i* 列目に配置されている王妃の位置が *j* 行目であれば、*pos*[*i*] の値を *j* とします。

Fig.5-20 に示すのが、具体例です。

▶ たとえば、*pos*[0] の値 0 は、0列目の王妃が0行目に配置されていることを表しています。
　また、*pos*[1] の値 4 は、1列目の王妃が4行目に配置されていることを表します。

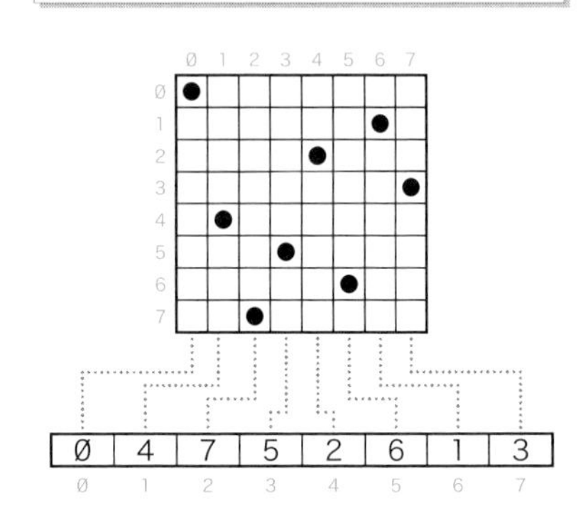

Fig.5-20　王妃配置を表現する配列

関数 ***set*** は、*pos*[*i*] に 0 から 7 の値を代入することによって、

i 列目に王妃を1個だけ配置する8通りの組合せを生成する

という再帰的な関数です。配置の対象となる列は、仮引数 *i* に受け取ります。

さて、この関数が最初に呼び出されるのは、**main** 関数中の、次の呼出しです。

```
set(0);                    // 0列目に王妃を配置
```

呼び出された関数 ***set*** は、仮引数 *i* に 0 を受け取りますので、**Fig.5-19**（p.196）に示した、王妃を0列目に配置する作業を行います。

for 文による繰返しでは、*j* の値を 0 から 7 までインクリメントしながら *pos*[*i*] に *j* を代入することで、王妃を *j* 行目に配置します。この代入で0列目が確定しますので、次は、1列目の確定が必要です。

そこで行うのが、関数末尾に置かれている、

```
set(i + 1);                // 次の列に王妃を配置
```

という再帰呼出しです。これで、次の列である1列目に対して同じ操作を行います。

▶ 念のためにまとめましょう：***set***(0) と呼び出された関数 ***set*** は、**Fig.5-17**（p.195）の1～8の組合せを列挙します。1の列挙時に呼び出された ***set***(1) は、**Fig.5-18**（p.195）の1～8の組合せを列挙します。

同様に、再帰呼出しを繰り返していき、再帰の呼出しが深くなって、*i* が 7 になると、8個の王妃が配置ずみとなります。それ以上の配置は不要ですから、その時点で関数 ***print*** を呼

List 5-8 chap05/queen_b.c

```
// 各列に１個の王妃を配置する組合せを再帰的に列挙

#include <stdio.h>

int pos[8];          // 各列の王妃の位置

/*--- 盤面（各列の王妃の位置）を出力 ---*/
void print(void)
{
    for (int i = 0; i < 8; i++)
        printf("%2d", pos[i]);
    putchar('\n');
}

/*--- i列目に王妃を配置 ---*/
void set(int i)
{
    for (int j = 0; j < 8; j++) {
        pos[i] = j;
        if (i == 7)              // 全列に配置終了
            print();
        else
            set(i + 1);          // 次の列に王妃を配置
    }
}

int main(void)
{
    set(0);                      // 0列目に王妃を配置

    return 0;
}
```

列　行

実行結果

```
0 0 0 0 0 0 0 0
0 0 0 0 0 0 0 1
0 0 0 0 0 0 0 2
0 0 0 0 0 0 0 3
0 0 0 0 0 0 0 4
0 0 0 0 0 0 0 5
0 0 0 0 0 0 0 6
0 0 0 0 0 0 0 7
0 0 0 0 0 0 1 0
0 0 0 0 0 0 1 1
0 0 0 0 0 0 1 2
0 0 0 0 0 0 1 3
0 0 0 0 0 0 1 4
0 0 0 0 0 0 1 5
0 0 0 0 0 0 1 6
0 0 0 0 0 0 1 7
0 0 0 0 0 0 2 0
0 0 0 0 0 0 2 1
0 0 0 0 0 0 2 2
0 0 0 0 0 0 2 3
0 0 0 0 0 0 2 4
0 0 0 0 0 0 2 5
0 0 0 0 0 0 2 6
  … 中略 …
7 7 7 7 7 7 7 6
7 7 7 7 7 7 7 7
```


び出して、盤面（配列 *pos* の要素の値）を出力します。

プログラムを実行すると、**Fig.5-19**（p.196）に示した16,777,216個のすべての組合せが列挙されます。

▶ たとえば、最初に表示される『0 0 0 0 0 0 0 0』は、すべての王妃が0行目に配置されていることを表します（**Fig.5-19** のNo.1に相当します）。
　また、最後に表示される『7 7 7 7 7 7 7 7』は、すべての王妃が7行目に配置されていることを表します（**Fig.5-19** のNo. 16, 777, 216に相当します）。

枝分かれを次々と行うことで、組合せを列挙しました。これが、**分枝**（ぶんし）（branching）操作と呼ばれる手法です。

＊

ハノイの塔や8王妃問題のように、問題を小問題（部分問題）に分割して、小問題の解を結合して全体の解を得る手法が、分割統治法（ぶんかつとうちほう）（divide and conquer method）**です。**

もちろん、問題を分割する際は、小問題の解から、もとの問題の解が容易に導けるように設計しなければなりません。

▶ なお、次章で学習するクイックソートやマージソートも、分割統治法によるアルゴリズムです。

限定操作と分枝限定法

分枝操作によって、王妃の配置のすべての組合せを列挙しました。次は、p.194 に示した

【方針2】各行には王妃を1個だけ配置する。

という考えを組み入れましょう。**List 5-9** に示すのが、そのプログラムです。

List 5-9 chap05/queen_bb.c

```
// 各行・各列に1個の王妃を配置する組合せを再帰的に列挙

#include <stdio.h>

int flag[8];          // 各行に王妃が配置ずみか
int pos[8];           // 各列の王妃の位置

/*--- 盤面（各列の王妃の位置）を出力 ---*/
void print(void)
{
    for (int i = 0; i < 8; i++)
        printf("%2d", pos[i]);
    putchar('\n');
}

/*--- i列目の適当な位置に王妃を配置 ---*/
void set(int i)
{
    for (int j = 0; j < 8; j++) {
        if (!flag[j]) {           // j行には王妃は未配置
            pos[i] = j;
            if (i == 7)           // 全列に配置終了
                print();
            else {
                flag[j] = 1;
                set(i + 1);       // 次の列に配置
                flag[j] = 0;
            }
        }
    }
}

int main(void)
{
    for (int i = 0; i < 8; i++)
        flag[i] = 0;

    set(0);                       // 0列目に配置

    return 0;
}
```

実行結果

```
0 1 2 3 4 5 6 7
0 1 2 3 4 5 7 6
0 1 2 3 4 6 5 7
0 1 2 3 4 6 7 5
0 1 2 3 4 7 5 6
0 1 2 3 4 7 6 5
0 1 2 3 5 4 6 7
0 1 2 3 5 4 7 6
0 1 2 3 5 6 4 7
0 1 2 3 5 6 7 4
0 1 2 3 5 7 4 6
0 1 2 3 5 7 6 4
0 1 2 3 6 4 5 7
0 1 2 3 6 4 7 5
0 1 2 3 6 5 4 7
0 1 2 3 6 5 7 4
0 1 2 3 6 7 4 5
0 1 2 3 6 7 5 4
0 1 2 3 7 4 5 6
0 1 2 3 7 4 6 5
0 1 2 3 7 5 4 6
0 1 2 3 7 5 6 4
0 1 2 3 7 6 4 5
0 1 2 3 7 6 5 4
   … 中略 …
7 6 5 4 3 2 1 0
```

本プログラムでは、配列 `flag` を新しく導入しています。この配列は、同一行に王妃を重複して配置しないようにするための目印です。*j* 行に王妃が配置ずみであれば `flag[j]` を `1` とし、未配置であれば `0` とします。

具体的に考えていきましょう。0列目に王妃を配置するために呼び出された関数 `set` は、ま

ず最初に、王妃をØ行目に配置します（flag[Ø]がØであるため）。その際、配置ずみを表す1をflag[Ø]に代入した上で、関数setを再帰的に呼び出します。

呼び出された関数setでは、1列目への配置を考えます。1列目への配置を行う関数setの働きを示したのが、Fig.5-21です。

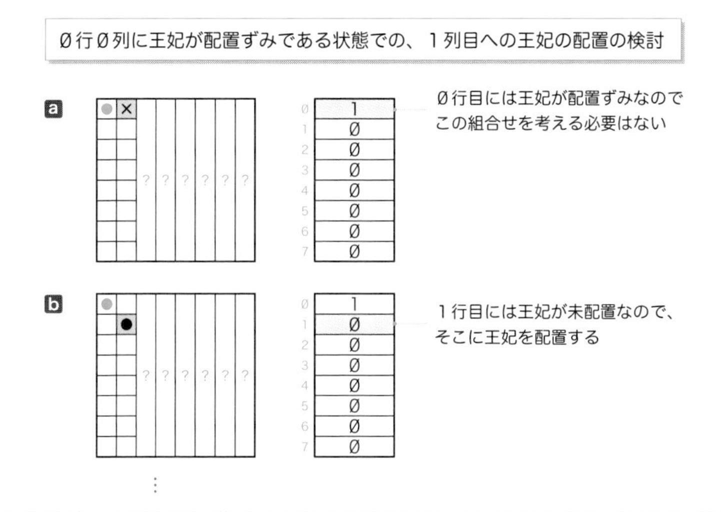

Fig.5-21　配列flagによる限定操作

for文の繰返しでは、Ø行目～7行目への配置を検討します。

a　Ø行目への配置を検討します。flag[Ø]が1ですから、この行には王妃が配置ずみです。ここへの配置は不要と判断できるため、プログラム網かけ部の実行をスキップします（次の列への配置を行うための関数setの再帰呼出しを行いません）。

その結果、**Fig.5-19**（p.196）の点線で囲んだ262,144個もの組合せの列挙の**すべてが省略されます**。

b　1行目への配置を検討します。flag[1]がØですから、この行には王妃が未配置です。ここには王妃の配置が必要ですから、網かけ部を実行します。関数setの再帰呼出しによって、次の列である2列目への配置が行われます。

▶　図や説明は省略しますが、2行目から7行目も同様に配置を行います。

なお、再帰的に呼び出した関数set(i + 1)から戻ってきたときには、未配置を表すØをflag[j]に対して代入することによって、王妃をj行目から取り除きます。

＊

関数setでは、王妃が未配置の行（flag[j]がØである行）に対してのみ王妃を配置していきます。このように、必要のない枝分かれを抑制して、不要な組合せの列挙を省く手法を**限定**（bounding）操作と呼びます。分枝操作と限定操作を組み合わせて問題を解いていくのが、**分枝限定法**（branching and bounding method）です。

8王妃問題を解くプログラム

List 5-9 のプログラムは、王妃が行方向と列方向に重複しない組合せを列挙するものでした。すなわち、8王妃(クイーン)問題ではなく、8飛車(ルーク)問題(?)の解を求めるものです。

王妃は斜め方向のコマも取れますから、どの斜めライン上にも王妃を1個のみ配置するための限定操作の追加採用が必要です。

そうすると、**List 5-10** に示す、8王妃問題を解くプログラムが完成します。

List 5-10 chap05/eight_queen.c

```
// 8王妃問題を解く

#include <stdio.h>

int flag_a[8];      // 各行に王妃が配置ずみか
int flag_b[15];     // ／対角線に王妃が配置ずみか
int flag_c[15];     // ＼対角線に王妃が配置ずみか
int pos[8];         // 各列の王妃の位置

/*--- 盤面(各列の王妃の位置)を出力 ---*/
void print(void)
{
    for (int i = 0; i < 8; i++)
        printf("%2d", pos[i]);
    putchar('\n');
}

/*--- i列目の適当な位置に王妃を配置 ---*/
void set(int i)
{
    for (int j = 0; j < 8; j++) {
        if (!flag_a[j] && !flag_b[i + j] && !flag_c[i - j + 7]) {   ―1
            pos[i] = j;
            if (i == 7)         // 全列に配置終了
                print();
            else {
                flag_a[j] = flag_b[i + j] = flag_c[i - j + 7] = 1;
                set(i + 1);     // 次の列に配置
                flag_a[j] = flag_b[i + j] = flag_c[i - j + 7] = 0;
            }
        }
    }
}

int main(void)
{
    for (int i = 0; i <  8; i++)
        flag_a[i] = 0;
    for (int i = 0; i < 15; i++)
        flag_b[i] = flag_c[i] = 0;

    set(0);                     // 0列目に配置

    return 0;
}
```

実行結果

```
0 4 7 5 2 6 1 3
0 5 7 2 6 3 1 4
0 6 3 5 7 1 4 2
0 6 4 7 1 3 5 2
1 3 5 7 2 0 6 4
1 4 6 0 2 7 5 3
1 4 6 3 0 7 5 2
  … 中略 …
7 2 0 5 1 4 6 3
7 3 0 2 5 1 6 4
```

Fig.5-22 に示すように、／方向および＼方向の対角線上に王妃が配置されているかどうかを表すのが、新たに追加された配列 **flag_b** と **flag_c** です。

▶ 前のプログラムで、行方向に王妃が配置ずみであるかどうかを表す配列 flag は、本プログラムでは flag_a という名前に変更しています。

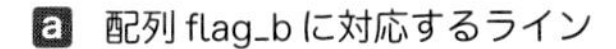

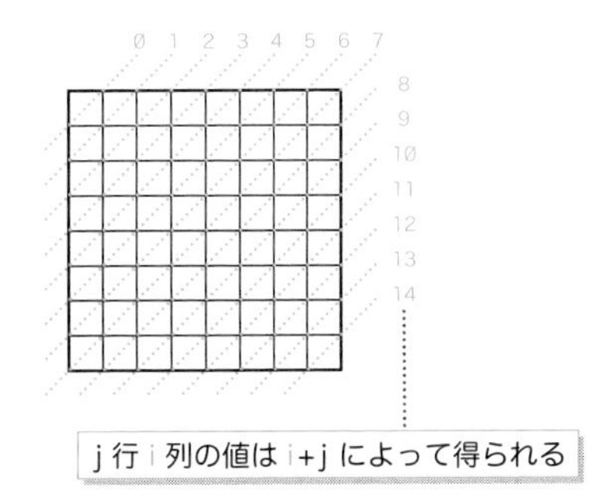

b 配列 flag_c に対応するライン

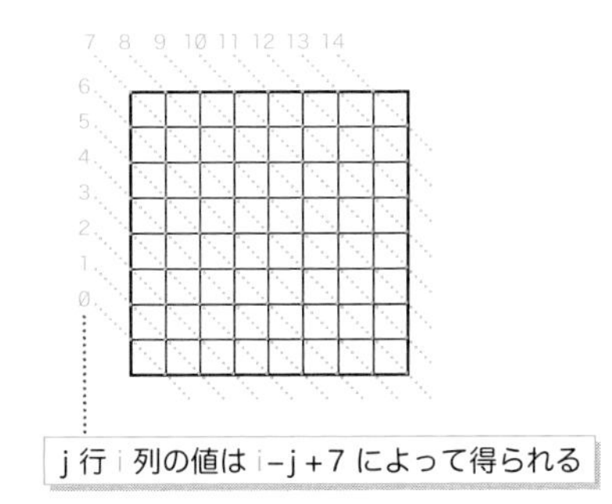

Fig.5-22 斜めラインの配置

▶ 図aに示すように、／方向を表す flag_b の添字 0 ～ 14 の値は i + j で得られます。また、図bに示すように、＼方向を表す flag_c の添字 0 ～ 14 の値は、i - j + 7 で得られます。

王妃の配置を検討する際には、同一行に王妃が配置されているかどうかの判定に加えて、斜めのライン上に王妃が配置されているかどうかの判定も行います（1）。

横方向（同一行）と／方向と＼方向の、どれか 1 個のライン上にでも王妃が配置ずみであれば、そのコマへの配置は不要ですので、青網部の実行をスキップします。

▶ 具体例を考えましょう。**Fig.5-21**（p.201）の図bでは、1 列目の **1 行目**に王妃を配置しました。flag[1] の値が 0 だから（同じ行の左隣に王妃が未配置だから）でした。
　今回の場合は、1 列目の **1 行目**への王妃の配置は行いません。というのも、flag_c[7] の値が 1 だから（左上の 0 列目の **0 行目**に王妃が配置ずみだから）です。

＊

三つの配列を利用した限定操作を行うことによって、8 王妃問題を満たす配置を効率よく列挙できます。プログラムを実行すると、92 個の解が表示されます。

これで、8 王妃問題を解くプログラムが完成しました。

演習 5-9

List 5-10 の関数 print を書きかえて、右のように全角記号文字■と□とを用いて盤面を表示するプログラムを作成せよ。

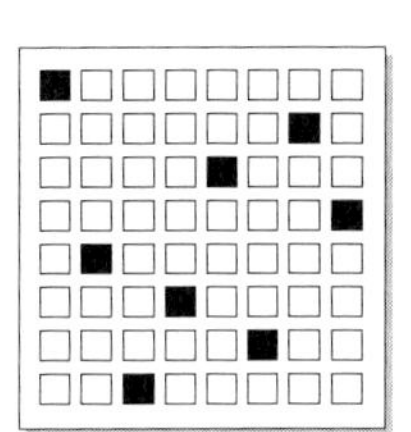

演習 5-10

8 王妃問題を非再帰的に実現したプログラムを作成せよ。

章末問題

▪ 平成29年度(2017年度)秋期 午前 問6

再帰呼出しの説明はどれか。

ア　あらかじめ決められた順番ではなく、起きた事象に応じた処理を行うこと
イ　関数の中で自分自身を用いた処理を行うこと
ウ　処理が終了した関数をメモリから消去せず、必要になったとき再び用いること
エ　処理に失敗したときに、その処理を呼び出す直前の状態に戻すこと

▪ 平成16年度(2004年度)秋期 午前 問42

再帰的プログラムの特徴として、最も適切なものはどれか。

ア　一度実行した後、ロードし直さずに再び実行を繰り返しても、正しい結果が得られる。
イ　実行中に自分自身を呼び出すことができる。
ウ　主記憶上のどこのアドレスに配置しても、実行することができる。
エ　同時に複数のタスクが共有して実行しても、正しい結果が得られる。

▪ 平成8年度(1996年度)秋期 午前 問17

問題を幾つかの互いに重ならない部分問題に分け、それぞれの解を得ることによって全体の解を求めようとする問題解決の方法はどれか。

ア　オブジェクト指向　　イ　再帰呼出し　　ウ　動的計画法
エ　二分探索法　　オ　分割統治法

▪ 令和元年度(2019年度)秋期 午前 問11

自然数nに対して、次のとおり再帰的に定義される関数$f(n)$を考える。$f(5)$の値はどれか。

$f(n)$: if $n \leqq 1$ then return 1 else return $n + f(n - 1)$

ア　6　　イ　9　　ウ　15　　エ　25

▪ 平成16年度(2004年度)春期 午前 問14

非負の整数nに対して次のとおりに定義された関数$F(n)$、$G(n)$がある。$F(5)$の値は幾らか。

$F(n)$: if $n \leqq 1$ then return 1 else return $n \times G(n - 1)$

$G(n)$: if $n = 0$ then return 0 else return $n + F(n - 1)$

ア　50　　イ　65　　ウ　100　　エ　120

▪ 平成28年度(2016年度)秋期 午前 問7

整数x, y（$x > y \geqq 0$）に対して、次のように定義された関数$F(x, y)$がある。$F(231, 15)$の値は幾らか。ここで、$x \bmod y$はxをyで割った余りである。

$$F(x, y) = \begin{cases} x & (y = 0\text{のとき}) \\ F(y, x \bmod y) & (y > 0\text{のとき}) \end{cases}$$

ア　2　　イ　3　　ウ　5　　エ　7

▪ 平成26年度(2014年度)秋期 午前 問7

次の関数$f(n, k)$がある。$f(4, 2)$の値は幾らか。

$$f(n, k) = \begin{cases} 1 & (k = 0), \\ f(n-1, k-1) + f(n-1, k) & (0<k<n), \\ 1 & (k = n). \end{cases}$$

ア　3　　イ　4　　ウ　5　　エ　6

▪ 平成28年度(2016年度)春期 午前 問7

nの階乗を再帰的に計算する$F(n)$の定義において、 a に入れるべき式はどれか。ここで、nは非負の整数とする。

$n > 0$のとき、$F(n) =$ [a]
$n = 0$のとき、$F(n) = 1$

ア　$n + F(n-1)$　　イ　$n - 1 + F(n)$　　ウ　$n \times F(n-1)$　　エ　$(n-1) \times F(n)$

▪ 平成9年度(1997年度)秋期 午前 問5

次に示す関数F(K)で、K = 7のときの関数値はどれか。

関数の定義
$F(0) = 0$、$F(1) = 1$、
$F(K) = F(K-1) + F(K-2)$　$(K \geqq 2)$

ア　5　　イ　8　　ウ　13　　エ　21

第6章

ソート

- 単純交換ソート（バブルソート）
- 単純選択ソート
- 単純挿入ソート
- シェルソート
- クイックソート
- qsort 関数によるソート
- マージソート
- ヒープソート
- 度数ソート

6-1 ソートとは

本章では、データを一定の順序で並びかえるソートアルゴリズムについて学習します。本節は、その導入です。

ソートとは

整列（せいれつ）（sorting）すなわち**ソート**は、名前／学籍番号／身長といったキーとなる項目の値の大小関係に基づいて、データの集合を一定の順序に並べかえる作業です。

データをソートすれば**探索が容易になる**のは、いうまでもありません。もし辞書に収録されている何万語や何十万語にも及ぶ語句がアルファベットや五十音の順でソートされていなければ、目的とする語句を見つけるのは、事実上不可能です。

Fig.6-1 に示すように、キー値の小さいデータを先頭に並べるのが**昇順**（しょうじゅん）（ascending order）のソートで、その逆が**降順**（こうじゅん）（descending order）のソートです。

▶ 単に『ソート』といった場合、昇順ソートのことを指すのが一般的です。

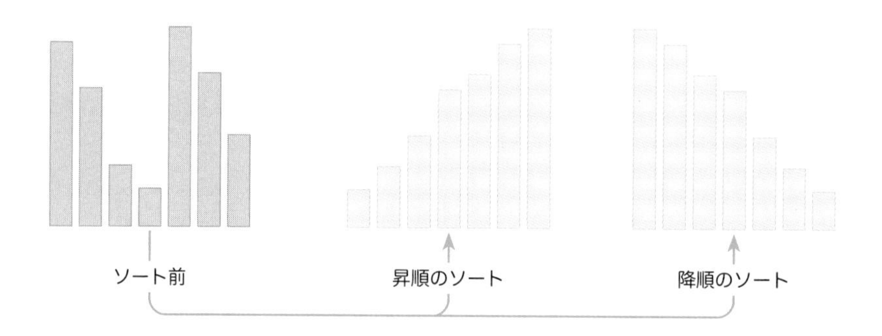

Fig.6-1　昇順ソートと降順ソート

ソートアルゴリズムの安定性

本章では、数多くのソートアルゴリズムから、代表的なものを学習します。それらのソートアルゴリズムは、**安定な**（stable）ものと、そうでないものとに分けられます。

安定なソートのイメージを表したのが、右ページの **Fig.6-2** です。棒の高さが点数で、棒中の 1 から 9 の数値が学籍番号です。左の図では、テストの点数が学籍番号順に並んでおり、点数をキーとしてソートしたのが右の図です。

ソート後、同じ点数の学生は、学籍番号の小さいほうが前に位置し、学籍番号の大きいほうが後ろに位置しています。このように、**同じキーをもつ要素の順序がソート前後で維持される**のが、安定なソートです。

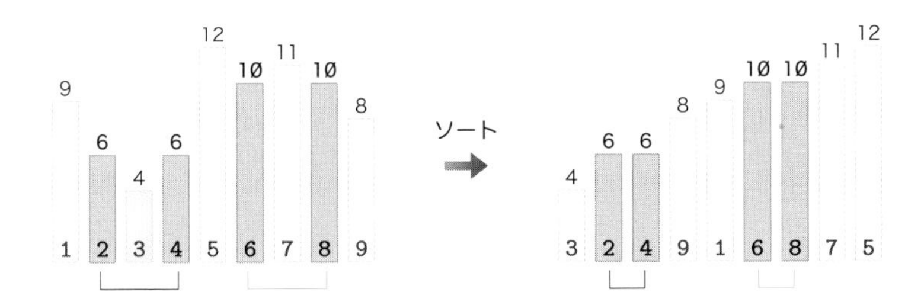

同一キーをもつ要素の順序がソート前後で維持される

Fig.6-2　安定なソート

安定でないアルゴリズムを利用してソートを行うと、たまたま学籍番号順になることもありますが、それが保証されるわけではありません。

ソートの考え方

ソートアルゴリズムの三大要素は、**交換**と**選択**と**挿入**です。ソートアルゴリズムの多くは、これらの要素を応用したものです。

Column 6-1　内部ソートと外部ソート

最大で30枚のカードを並べられる机の上で、トランプのカードをソートすることを考えましょう。

もしカードが30枚以下であれば、すべてのカードを机に置いて、一度に見渡しながら作業を行えます。しかし、カードが500枚といった感じで大量になると、机の上にすべてのカードは並べられません。そのため、大きな机を別に用意するなどして、作業を行うことになります。

プログラムも同様です。次に示すように、ソートアルゴリズムは、**内部ソート**（internal sorting）と**外部ソート**（external sorting）の2種類に分類されます。

- 内部ソート
  ソートの対象となるすべてのデータが、一つの配列に格納できる場合に用いるアルゴリズムです。カードは、配列上に展開された要素に相当します。

- 外部ソート
  ソートの対象となるデータが大量であり、一度に並べかえることができない場合に用いるアルゴリズムです。

外部ソートは、内部ソートの応用です。その実現には作業用ファイルなどが必要であり、アルゴリズムも複雑です。

本書で学習するアルゴリズムは、すべて内部ソートです。

6-2 単純交換ソート（バブルソート）

隣り合う二つの要素の大小関係を調べて、必要に応じて交換を繰り返すのが、本節で学習する単純交換ソートです。

単純交換ソート（バブルソート）

次に示すデータの並びを例に、**単純交換ソート**（straight exchange sort）の手順を理解していきましょう。

6	4	3	7	1	9	8

まず、末尾に位置する二つの要素 **9** と **8** に着目します。昇順にソートするのであれば、先頭側＝左側の値は、末尾側＝右側の値と、同じか、あるいは小さくなければなりません。

そこで、これらの2値を交換すると、並びは次のようになります。

6	4	3	7	1	8	9

引き続き、後ろから2番目と3番目の要素 **1** と **8** に着目します。左側の **1** が、右側の **8** より小さいため、交換は不要です。

このように、隣り合う要素を比較して必要ならば交換する、という作業を、先頭要素まで続けた様子を示したのが **Fig.6-3** です。

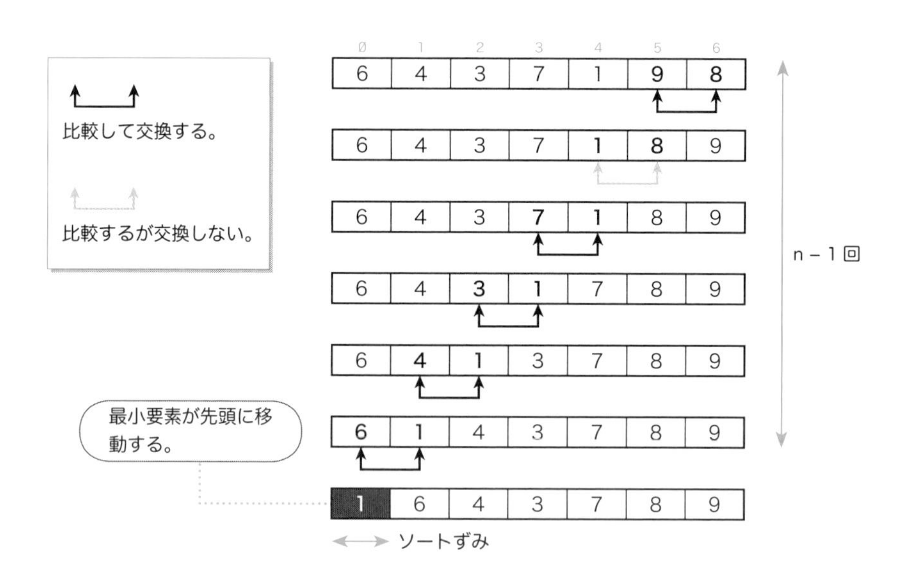

Fig.6-3　単純交換ソートにおける1回目のパス

要素数 n の配列に対して $n - 1$ 回の比較・交換を行うと、**最小要素が先頭に移動します。** この一連の比較・交換の作業を**パス**と呼びます。

引き続き、配列の２番目以降の要素に対して比較・交換のパスを行います。その様子を示したのが **Fig.6-4** です。

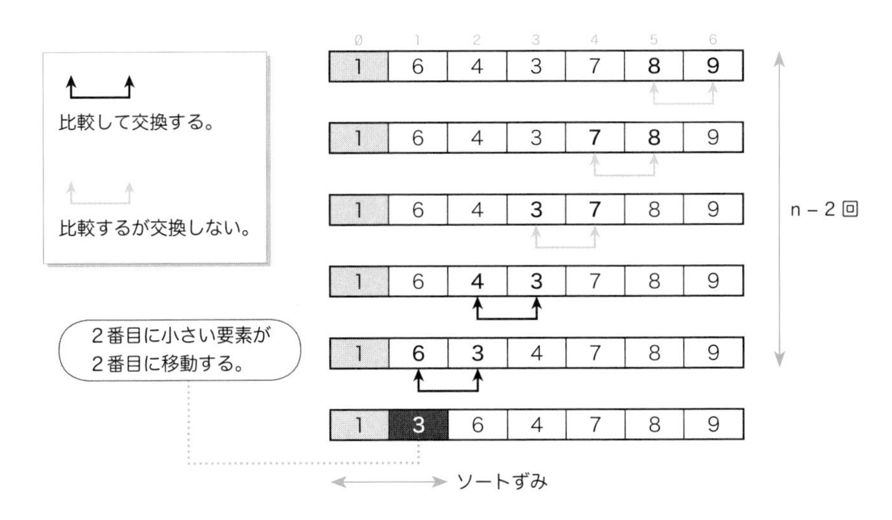

Fig.6-4　単純交換ソートにおける２回目のパス

このパスが完了すると、２番目に小さい**3**が、先頭から２番目の位置へと移動します。これで、**先頭２個の要素がソートずみ**となりました。

この２パス目の比較回数は、１パス目より１回少ない $n - 2$ 回です（パスを１回行うたびにソートすべき要素が１個ずつ減っていきます）。

パスを k 回行うと、**先頭側 k 個の要素がソートずみ**となることが分かりました。全体のソートを完了させるために必要なパスは、$n - 1$ 回です。

▶ 行うパスの回数が、n 回ではなくて $n - 1$ 回でよいのは、先頭 $n - 1$ 個の要素がソートずみとなれば、最大要素が末尾に位置して全体がソートずみとなるからです。

＊

液体中の気泡を想像しましょう。液体より軽い（値の小さい）気泡が、ブクブクと上にあがってきます。

そのイメージと似ているため、単純交換ソートは、**バブルソート**（bubble sort）や、**泡立ち**(あわだ)**ソート**などとも呼ばれます。

単純交換ソートのプログラム

単純交換ソートのアルゴリズムを、プログラムとして実現します。

パスを $n - 1$ 回行うことを、変数 i の値を **0** から $n - 2$ までインクリメントすることで実現しましょう。そうすると、コードは次のようになります（次ページ）。

```
for (int i = 0; i < n - 1; i++) {
    a[i], a[i+1], …, a[n - 1]に対して、
    隣接する２要素を比較して先頭側が大きければ交換する作業を、
    末尾側から先頭側へ走査しながら行う。
}
```

ここで、比較のために着目する2要素の添字を、j - 1とjとします。変数jの値を、どのように変化させればよいのか、**Fig.6-5** を見ながら考えていきましょう。

走査は配列の末尾から先頭へと行いますので、走査におけるjの開始値は、すべてのパスで、末尾要素の添字であるn - 1です。

走査の過程では、a[j - 1]とa[j]の2要素を比較して、前者のほうが大きければ交換します。これを先頭側に向かって行うために、jの値を一つずつデクリメントしていきます。

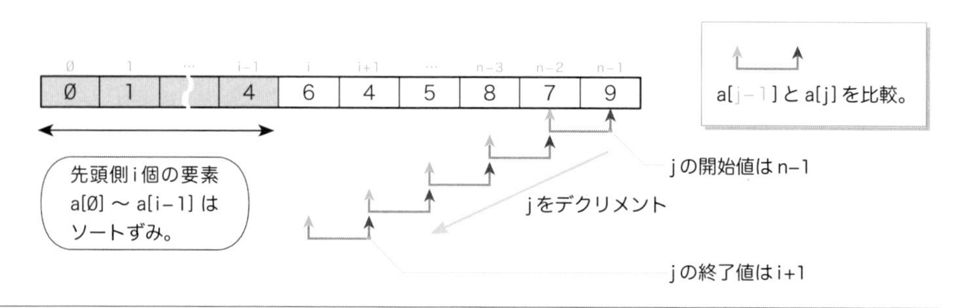

Fig.6-5　単純交換ソートにおけるi回目のパス

各パスにおいて、先頭i個の要素はソートずみであって、未ソート部はa[i] ～ a[n-1]です。そのため、jのデクリメントは、値がi + 1になるまで行います。

▶ 前ページまでに示した二つの図で確認しましょう。次のようになっています。
- iが0である1回目のパスでは、jの値が1になるまで繰り返す（**Fig.6-3**）。
- iが1である2回目のパスでは、jの値が2になるまで繰り返す（**Fig.6-4**）。

なお、比較する2要素の末尾側＝右側の添字がi + 1になるまでデクリメントを行うわけですから、先頭側＝左側の添字はiになるまでデクリメントされます。

ここまでの設計をもとに作成したのが、右ページの **List 6-1** のプログラムです。

＊

このソートアルゴリズムは**安定です**。というのも、飛び越えた要素を一気に交換せず、隣り合う要素のみを交換するからです。

なお、要素の**比較回数**は、1回目のパスではn - 1、2回目のパスではn - 2、… ですから、その合計は、次のようになります。

$$(n - 1) + (n - 2) + \cdots + 1 = n(n - 1) / 2$$

ただし、実際の要素の**交換回数**は、配列の要素の値によって左右されます。その平均値は、比較回数の半分のn(n - 1) / 4回です。

▶ swap内で移動（代入）が3回行われますので、移動回数の平均は3n(n - 1) / 4回です。

List 6-1 chap06/bubble1.c

```
// 単純交換ソート（第1版）

#include <stdio.h>
#include <stdlib.h>

#define swap(type, x, y)  do { type t = x; x = y; y = t; } while (0)

/*--- 単純交換ソート ---*/
void bubble(int a[], int n)
{
    for (int i = 0; i < n - 1; i++) {
        for (int j = n - 1; j > i; j--)
            if (a[j - 1] > a[j])
                swap(int, a[j - 1], a[j]);
    }
}

int main(void)
{
    int nx;

    puts("単純交換ソート");
    printf("要素数 : ");
    scanf("%d", &nx);
    int *x = calloc(nx, sizeof(int));

    for (int i = 0; i < nx; i++) {
        printf("x[%d] : ", i);
        scanf("%d", &x[i]);
    }

    bubble(x, nx);                      // 配列xを単純交換ソート

    puts("昇順にソートしました。");
    for (int i = 0; i < nx; i++)
        printf("x[%d] = %d\n", i, x[i]);

    free(x);                            // 配列xを破棄

    return 0;
}
```

パス

実行例

```
単純交換ソート
要素数 : 7↵
x[0] : 6↵
x[1] : 4↵
x[2] : 3↵
x[3] : 7↵
x[4] : 1↵
x[5] : 9↵
x[6] : 8↵
昇順にソートしました。
x[0] = 1
x[1] = 3
x[2] = 4
x[3] = 6
x[4] = 7
x[5] = 8
x[6] = 9
```


演習 6-1

単純交換ソートの各パスにおける比較・交換の走査を、末尾側ではなく先頭側から行っても、ソートは行える（各パスでは最大要素が末尾側に移動する）。

そのように変更したプログラムを作成せよ。

演習 6-2

右のように、比較・交換の過程を詳細に表示しながら単純交換ソートを行うプログラムを作成せよ。

比較する２要素間には、交換を行う場合は '+' を、交換を行わない場合は '-' を表示すること。

さらに、ソート終了時に、比較回数と交換回数を表示するものとする。

```
パス1:
  6   4   3   7   1   9 + 8
  6   4   3   7   1 - 8   9
  6   4   3   7 + 1   8   9
  6   4   3 + 1   7   8   9
  6   4 + 1   3   7   8   9
  6 + 1   4   3   7   8   9
  1   6   4   3   7   8   9
パス2:
  1   6   4   3   7   8 - 9
  … 中略 …
比較は21回でした。
交換は8回でした。
  … 以下省略 …
```

アルゴリズムの改良（1）

Fig.6-4（p.211）では、2番目に小さい要素を並べるまでの様子を考えました。比較・交換の作業を続けましょう。**Fig.6-6** に示すのが、3パス目の手続きです。パス終了時に、3番目に小さい要素である **4** が3番目に位置します。

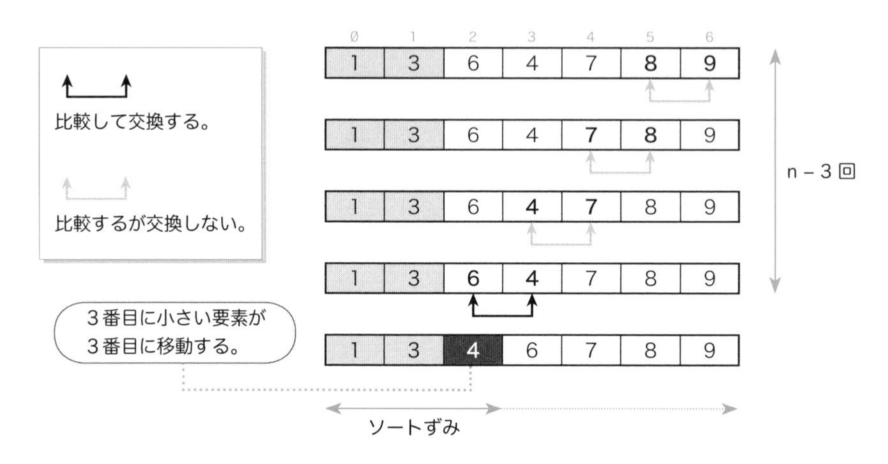

Fig.6-6　単純交換ソートにおける3回目のパス

次に行う4パス目の手続きを示したのが、**Fig.6-7** です。ここでは、要素の交換が1回も行われません。というのも、**3パス目でソートが完了しているから**です。

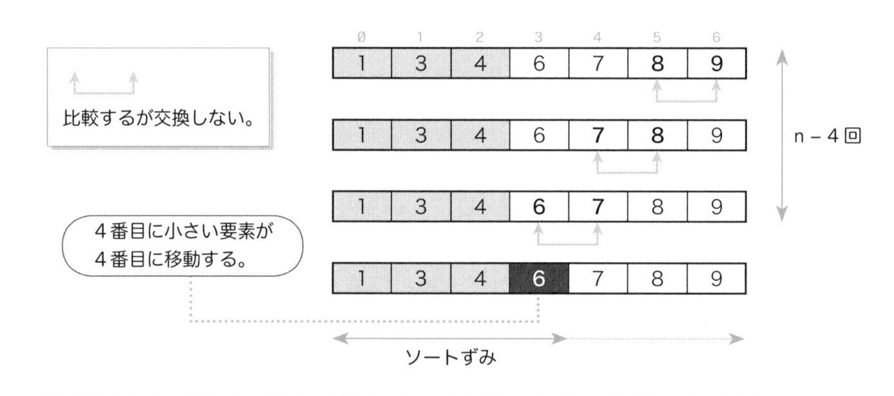

Fig.6-7　単純交換ソートにおける4回目のパス

ソートが完了すれば、それ以降のパスで交換が行われることはありません。図は省略しますが、5パス目と6パス目でも、要素の交換は行われません。

あるパスにおける要素の交換回数が **0** であれば、すべての要素がソートずみですから、**それ以降のパスは不要であって、ソート作業は打ち切れます。**

この《打切り》を導入したのが、右ページの **List 6-2** に示す関数 **`bubble`** 第2版です。

List 6-2 chap06/bubble2.c

```
/*--- 単純交換ソート（第２版：交換回数による打切り）---*/
void bubble(int a[], int n)
{
    for (int i = 0; i < n - 1; i++) {
        int exchg = 0;                  // パスにおける交換回数
        for (int j = n - 1; j > i; j--)
            if (a[j - 1] > a[j]) {
                swap(int, a[j - 1], a[j]);   ← パス
                exchg++;
            }
        if (exchg == 0) break;          // 交換が行われなかったら終了
    }
}
```

変数**exchg**が新しく導入されています。パスの開始直前に**0**にしておき、要素を交換するたびにインクリメントしますので、パスが終了した（内側の**for**文の繰返しが完了した）時点での変数**exchg**の値は、**そのパスにおける交換回数**となります。

パス終了時点での**exchg**の値が**0**であれば、ソート完了と判定できるため、**break**文によって外側の**for**文を強制的に脱出して、関数の実行を終了します。

演習 6-3

第２版の単純交換ソートの考え方は、配列がソートずみであるかどうかの検証に応用できる。受け取った配列aが昇順にソートずみであるかどうかを判定する関数を作成せよ。

```
int is_sorted(const int a[], int n);
```

昇順にソートずみであれば1を、そうでなければ0を返却すること。

演習 6-4

演習**6-2**（p.213）と同様に、比較・交換の過程を詳細に表示するように、第２版を書きかえたプログラムを作成せよ。

※ 続く２問は、次ページで学習する**第３版**の学習が終わってから解くようにします。

演習 6-5

演習**6-2**（p.213）と同様に、比較・交換の過程を詳細に表示するように第３版を書きかえたプログラムを作成せよ。

演習 6-6

次に示すデータの並びをソートすることを考えよう。

```
9 1 3 4 6 7 8
```

ほぼソートずみであるにもかかわらず、第３版のアルゴリズムでも、ソート作業の早期打切りが行えない。先頭に位置する最大の要素9が、１回のパスで一つずつしか後方に移動しないためである。

奇数パスでは最小要素を先頭側に移動させ、偶数パスでは最大要素を末尾側に移動させるように、パスの走査方向を交互に変えると、このような並びのソートを少ない比較回数で行える。バブルソートを改良したこのアルゴリズムは、**双方向バブルソート**（bidirection bubble sort）あるいは**シェーカーソート**（shaker sort）という名称で知られている。

第３版を改良して、双方向バブルソートを行うプログラムを作成せよ。

アルゴリズムの改良（2）

次は、{1, 3, 9, 4, 7, 8, 6} というデータの並びに対して単純交換ソートを行ってみます。最初のパスにおける比較・交換の過程を示したのが **Fig.6-8** です。

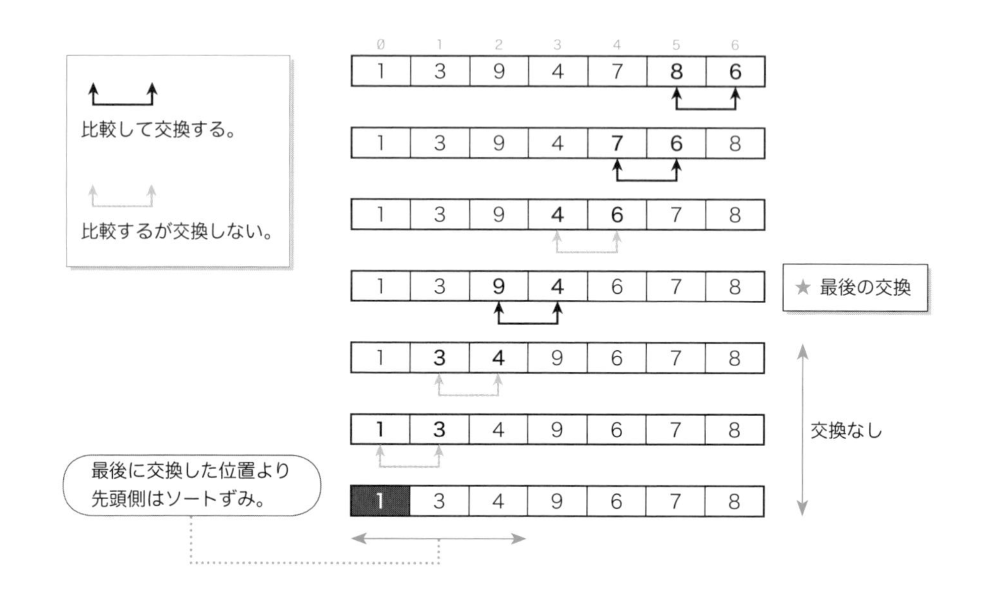

Fig.6-8　単純交換ソートにおける1回目のパス

★の交換が終了した時点で、先頭の３要素 {1, 3, 4} がソートずみとなっています。

この例が示すように、**一連の比較・交換を行うパスにおいて、ある時点以降に交換がなければ、それより先頭側はソートずみです。**

そのため、２回目のパスは、先頭を除いた６要素ではなく、４要素に絞り込めます。すなわち、**Fig.6-9** に示すように、４要素のみを比較・交換の対象とすればよいのです。

このアイディアに基づいて改良したのが、**List 6-3** に示す第３版の関数 `bubble` です。

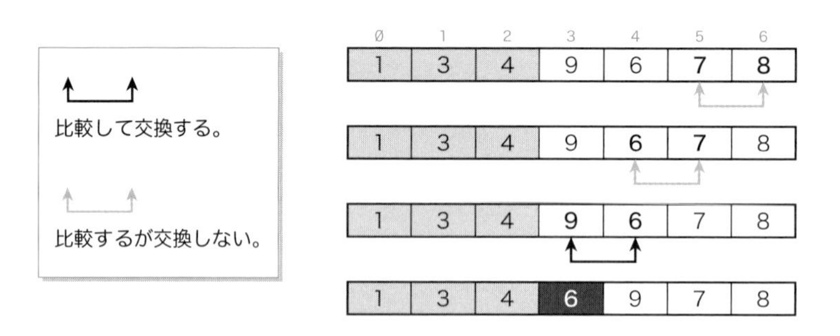

Fig.6-9　単純交換ソートにおける２回目のパス

List 6-3 chap06/bubble3.c

```
/*--- 単純交換ソート（第3版：走査範囲を限定）---*/
void bubble(int a[], int n)
{
    int k = 0;                              // a[k]より前はソートずみ

    while (k < n - 1) {
        int last = n - 1;                   // 最後に交換した位置

        for (int j = n - 1; j > k; j--)
            if (a[j - 1] > a[j]) {
                swap(int, a[j - 1], a[j]);  ← パス
                last = j;
            }
        k = last;
    }
}
```


交換を行うたびに右側要素の添字の値を `last` に代入しますので、パス終了時は、最後に交換した２要素の右側要素の添字が `last` に入っています。

その `last` の値を `k` に代入することによって、次に行われるパスの走査範囲は、`a[k]` までに限定されます（次のパスで最後に比較される２要素は、`a[k]` と `a[k + 1]` になります）。

▶ **Fig.6-8** の例であれば、パス終了時の `last` の値は **3** です（これは、**9** と **4** を比較した際の右側の要素の添字です）。そのため、次に行われる２回目のパス（**Fig.6-9**）では、`j` の値を **6, 5, 4** とデクリメントしながら走査します。

なお、関数の冒頭で `k` の値を `0` に初期化しているのは、第１回目のパスで、先頭までの全要素を走査するためです。

第１版～第３版のプログラムにおける交換過程を比べてみましょう。

▶ ここに示すのは、演習 **6-2**、演習 **6-4**、演習 **6-5** の実行結果です。

第１版

実行例

```
パス1:
 1   3   9   4   7   8 + 6
 1   3   9   4   7 + 6   8
 1   3   9   4 - 6   7   8
 1   3   9 + 4   6   7   8
 1   3 - 4   9   6   7   8
 1 - 3   4   9   6   7   8
 1   3   4   9   6   7   8
パス2:
 1   3   4   9   6   7 - 8
 1   3   4   9   6 - 7   8
 1   3   4   9 + 6   7   8
 1   3   4 - 6   9   7   8
 1   3 - 4   6   9   7   8
 1   3   4   6   9   7   8
パス3
 1   3   4   6   9   7 - 8
 1   3   4   6   9 + 7   8
 1   3   4   6 - 7   9   8
 1   3   4 - 6   7   9   8
 1   3   4   6   7   9   8
…中略（パス6まで行われる）…
比較は21回でした。
交換は6回でした。
```

第２版

実行例

```
パス1
 1   3   9   4   7   8 + 6
 1   3   9   4   7 + 6   8
 1   3   9   4 - 6   7   8
 1   3   9 + 4   6   7   8
 1   3 - 4   9   6   7   8
 1 - 3   4   9   6   7   8
 1   3   4   9   6   7   8
パス2
 1   3   4   9   6   7 - 8
 1   3   4   9   6 - 7   8
 1   3   4   9 + 6   7   8
 1   3   4 - 6   9   7   8
 1   3 - 4   6   9   7   8
 1   3   4   6   9   7   8
パス3
 1   3   4   6   9   7 - 8
 1   3   4   6   9 + 7   8
 1   3   4   6 - 7   9   8
 1   3   4 - 6   7   9   8
 1   3   4   6   7   9   8
…中略（パス5まで行われる）…
比較は20回でした。
交換は6回でした。
```

第３版

実行例

```
パス1
 1   3   9   4   7   8 + 6
 1   3   9   4   7 + 6   8
 1   3   9   4 - 6   7   8
 1   3   9 + 4   6   7   8
 1   3 - 4   9   6   7   8
 1 - 3   4   9   6   7   8
 1   3   4   9   6   7   8
パス2
 1   3   4   9   6   7 - 8
 1   3   4   9   6 - 7   8
 1   3   4   9 + 6   7   8
 1   3   4   6   9   7   8
パス3
 1   3   4   6   9   7 - 8
 1   3   4   6   9 + 7   8
 1   3   4   6   7   9   8
パス4
 1   3   4   6   7   9 + 8
 1   3   4   6   7   8   9
比較は12回でした。
交換は6回でした。
```

6-3 単純選択ソート

単純選択ソートは、最小要素を先頭に移動し、2番目に小さい要素を先頭から2番目に移動する、といった作業を繰り返すアルゴリズムです。

単純選択ソート

次に示すデータの並びのソートを例に、**単純選択ソート**（straight selection sort）のアルゴリズムを考えていきましょう。まず着目するのは、最小の要素 **1** です。

6	4	8	3	1	9	7

これは、配列の先頭に位置すべきものですから、先頭要素 **6** と交換します。そうすると、データの並びは次のようになります。

1	4	8	3	6	9	7

これで**最小の要素が先頭に位置しました。**

引き続き、2番目に小さい要素 **3** に着目します。先頭から2番目の要素 **4** と交換すると、次に示すように、2番目の要素までのソートが完了します。

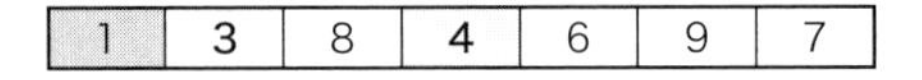

同様な作業を続けていく様子を示したのが、**Fig.6-10** です。未ソート部から最小の要素を**選択**して、未ソート部の先頭要素と**交換**する操作を繰り返します。

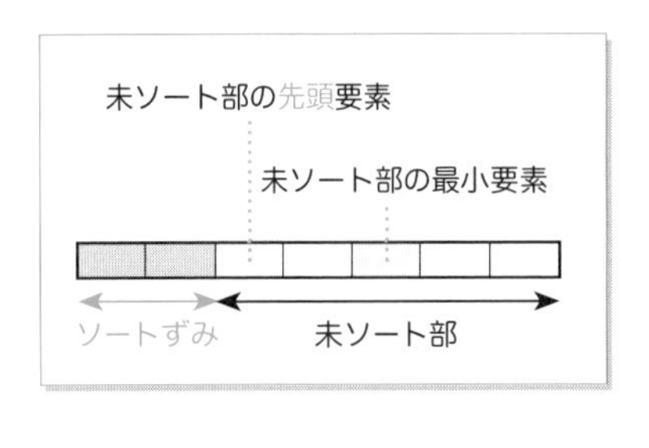

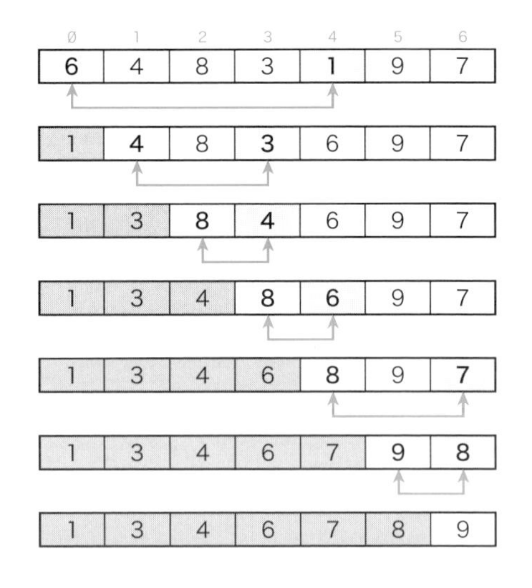

Fig.6-10 単純選択ソートの手順

交換の手順は、次のとおりです。

1 未ソート部から最小のキーをもつ要素 a[*min*] を選択する。
2 a[*min*] と未ソート部の先頭要素を交換する。

これを *n* - 1 回繰り返すと、未ソート部がなくなってソートが完了します。そのため、アルゴリズムは、次のようになります。

```
for (int i = 0; i < n - 1; i++) {
    min ← a[i], …, a[n - 1]で最小のキーをもつ要素の添字。
    a[i]とa[min]の値を交換する。
}
```

List 6-4 に示す *selection* が、単純選択ソートを行う関数です。

List 6-4 chap06/selection.c

```
/*--- 単純選択ソート ---*/
void selection(int a[], int n)
{
    for (int i = 0; i < n - 1; i++) {
        int min = i;
        for (int j = i + 1; j < n; j++)
            if (a[j] < a[min])
                min = j;
        swap(int, a[i], a[min]);
    }
}
```

単純選択ソートアルゴリズムでは、要素の値を比較する回数は、$(n^2 - n) / 2$ です。

＊

このソートアルゴリズムは、離れた要素を交換するため、**安定ではありません**。

安定でないソートが行われる具体例が **Fig.6-11** です。値 3 の要素が2個あります（識別のために、ソート前の先頭側を 3^L、末尾側を 3^R と表しています）が、これらの要素の順序は、ソート後には反転しています。

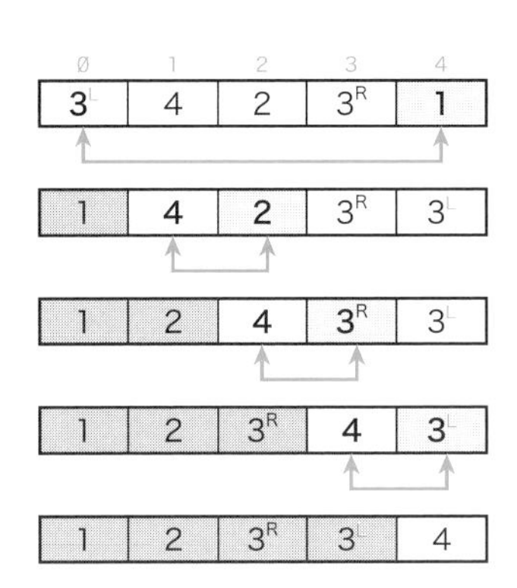

Fig.6-11 単純選択ソートが安定でないことを示す例

6-4 単純挿入ソート

単純挿入ソートは、着目要素をそれより先頭側の適切な位置に“挿入する”という作業を繰り返してソートを行うアルゴリズムです。

単純挿入ソート

単純挿入ソート（straight insertion sort）は、トランプのカードを並べるときに使う方法に似たアルゴリズムです。次に示すデータの並びで考えていきましょう。

6	**4**	1	7	3	9	8

まず2番目の要素 **4** に着目します。これは、先頭の **6** よりも先頭側に位置すべきですから、先頭に挿入します。これに伴って **6** を右にずらすと、次のようになります。

4	6	1	7	3	9	8

次に3番目の要素 **1** に着目し、先頭に挿入します。以下、同様な作業を行っていきます。その様子を示したのが **Fig.6-12** です。

図に示すように、**目的列**と**原列**とで配列が構成されると考えると、

原列の先頭要素を、目的列内の適切な位置に挿入する。

という操作を $n - 1$ 回繰り返せばソートが完了します。

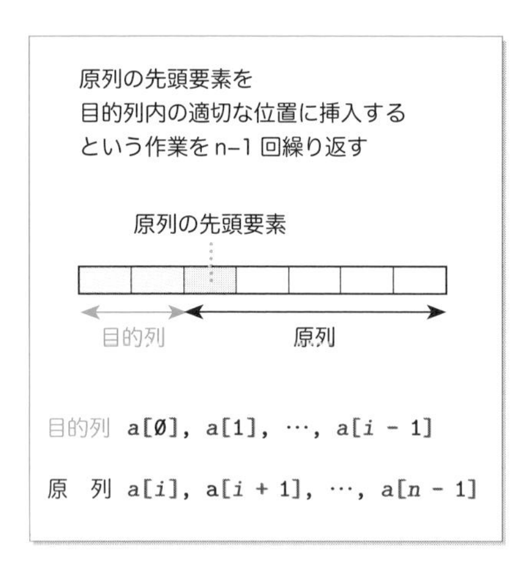

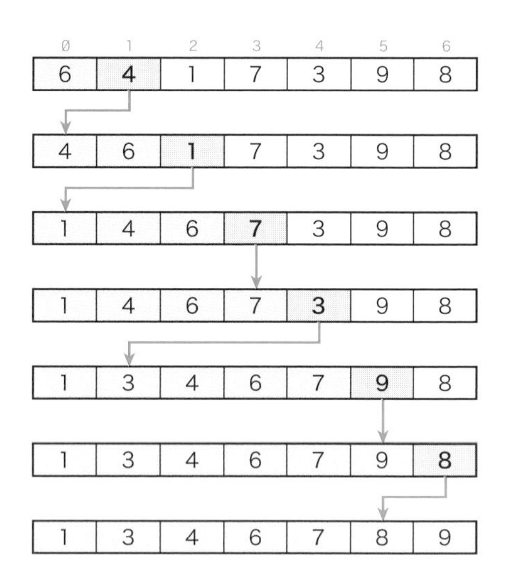

Fig.6-12 単純挿入ソートの手順

このとき、*i* を 1, 2, … , *n* - 1 とインクリメントしながら、要素 a[*i*] を取り出して、それを目的列内の適切な位置に挿入します。

そのため、アルゴリズムは、次のようになります。

```
for (int i = 1; i < n; i++) {
    tmp ← a[i]
    a[0], …, a[i - 1]の適切な位置にtmpを挿入する。
}
```

さて、C言語には《配列の適切な位置に値を挿入する》という命令はありません。

その実現には多少の工夫が必要であり、その具体的な手続きの一例が **Fig.6-13** です。これは、値 3 の要素を、それより先頭側の適切な位置に挿入する手順です。

左隣の要素が、現在着目している要素の値よりも大きければ、その値を代入します。この作業を先頭側に向かって繰り返していき、挿入する値以下の要素に出会ったら（そこから先の走査は不要なため）ストップします。その位置に挿入する値を代入します。

①〜③ … 3より小さい要素に出会うまで一つ左側の要素を代入する操作を繰り返す。

④ … ストップした位置に3を代入。

```
j = i;
tmp = a[i];
while (j > 0 && a[j - 1] > tmp)
    a[j] = a[j - 1];
    j--
a[j] = tmp;
```

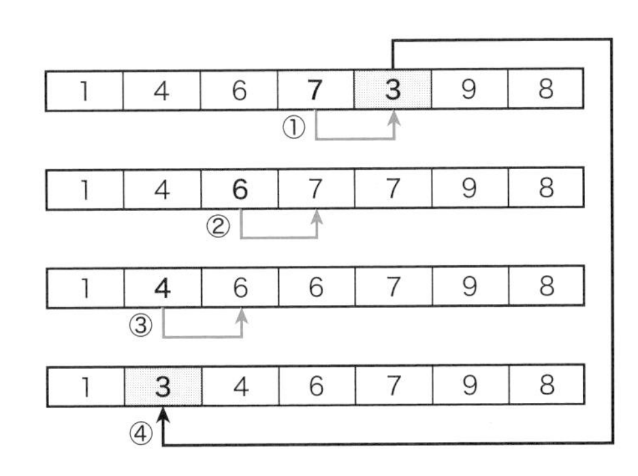

Fig.6-13　単純挿入ソートにおける《挿入》の手続き

すなわち、繰返し制御用の変数 *j* に *i* を代入し、*tmp* に a[*i*] を代入しておき、

1. 目的列の左端に達した。
2. *tmp* と等しいか小さいキーをもった項目 a[*j* - 1] が見つかった。

OR 終了条件

のいずれか一方が成立するまで *j* をデクリメントしながら代入を繰り返します。

ド・モルガンの法則（**Column 1-7**：p.32）を用いると、次に示す二つの条件の両方が成立しているあいだ繰り返すことになります。

1. *j* が 0 より大きい。
2. a[*j* - 1] の値が *tmp* より大きい。

AND 継続条件

この走査終了後に、終了位置の要素 a[*j*] に、挿入すべき値である *tmp* を代入します。

単純挿入ソートを行うプログラムを **List 6-5** に示します。

List 6-5 chap06/insertion.c

```
// 単純挿入ソート

#include <stdio.h>
#include <stdlib.h>

/*--- 単純挿入ソート ---*/
void insertion(int a[], int n)
{
    for (int i = 1; i < n; i++) {
        int tmp = a[i];
        int j;
        for (j = i; j > 0 && a[j - 1] > tmp; j--)
            a[j] = a[j - 1];
        a[j] = tmp;
    }
}

int main(void)
{
    int nx;

    puts("単純挿入ソート");
    printf("要素数 : ");
    scanf("%d", &nx);
    int *x = calloc(nx, sizeof(int));    // 要素数nxのint型配列xを生成

    for (int i = 0; i < nx; i++) {
        printf("x[%d] : ", i);
        scanf("%d", &x[i]);
    }

    insertion(x, nx);                    // 配列xを単純挿入ソート

    puts("昇順にソートしました。");
    for (int i = 0; i < nx; i++)
        printf("x[%d] = %d\n", i, x[i]);

    free(x);                             // 配列xを破棄

    return 0;
}
```

実行例

```
単純挿入ソート
要素数 : 7
x[0] : 6
x[1] : 4
x[2] : 3
x[3] : 7
x[4] : 1
x[5] : 9
x[6] : 8
昇順にソートしました。
x[0] = 1
x[1] = 3
x[2] = 4
x[3] = 6
x[4] = 7
x[5] = 8
x[6] = 9
```

▶ 前ページでは、要素の挿入を `while` 文で実現していました。本プログラムでは、同等な `for` 文に置きかえています。

飛び越えた要素の交換が行われることはありませんので、単純挿入ソートのアルゴリズムは安定です。要素の比較回数と交換回数は、ともに $n^2 / 2$ です。

なお、単純挿入ソートは、**シャトルソート**（shuttle sort）とも呼ばれます。

単純ソートの時間計算量

ここまで学習してきた三つの**単純ソート**の時間計算量は、いずれも $O(n^2)$ であり、非常に効率の悪いものです。

次節以降では、これらのソートを改良した、効率のよいアルゴリズムを学習します。

演習 6-7

要素の交換過程を詳細に表示するように書きかえた、単純選択ソートのプログラムを作成せよ。

右に示すように、未ソート部の先頭要素の上に記号文字 '*' を表示して、未ソート部の最小要素の上に記号文字 '+' を表示する。

※本問は、前節の内容に関する演習問題である。

```
*               +
6   4   8   3   1   9   7
    *       +
1   4   8   3   6   9   7
        *   +
1   3   8   4   6   9   7
…以下省略…
```

演習 6-8

要素の挿入過程を詳細に表示するように書きかえた、単純挿入ソートのプログラムを作成せよ。

右に示すように、着目要素の下に記号文字 '+' を表示し、挿入される位置の要素の下に記号文字 '^' を表示し、それらのあいだを記号文字 '-' で埋める。

なお、挿入が行われない（要素の移動が必要ない）場合は、着目要素の下に '+' のみを表示する。

```
6   4   8   5   2   9   7
^---+
4   6   8   5   2   9   7
        +
4   6   8   5   2   9   7
    ^-------+
4   5   6   8   2   9   7
^---------------+
…以下省略…
```


演習 6-9

単純挿入ソートにおいて、配列の先頭要素 a[0] が未使用であって、データが a[1] 以降に格納されていれば、a[0] を番兵とすることによって、挿入処理の終了条件を緩和できる。

このアイディアに基づいて単純挿入ソートを行う関数を作成せよ。

演習 6-10

単純挿入ソートでは、配列の要素数が多くなると、要素の挿入に要する比較・代入のコストが無視できなくなる。目的列はソートずみであるため、挿入すべき位置は２分探索法で調べられる。そのように変更したプログラムを作成せよ。

なお、このソート法は、**２分挿入ソート**（binary insertion sort）と呼ばれるアルゴリズムとして知られている。

※２分挿入ソートは、安定ではなくなることに注意しなければならない。

演習 6-11

前問のアルゴリズムでは、挿入する位置の探索が高速に行えるものの、挿入のために要素を一つずつずらす作業のコストは、単純挿入ソートと同じである。

要素をずらす作業を、標準ライブラリである memmove 関数を使って実現すれば、高速化が期待できる。このアイディアに基づいて２分挿入ソートを行う関数を作成せよ。

6-5 シェルソート

シェルソートは、単純挿入ソートの長所を活かしたまま、その短所を補うことで、高速にソートを行うアルゴリズムです。

単純挿入ソートの特徴

次に示すデータの並びに対して、単純挿入ソートを適用してみましょう。

1	2	3	4	5	0	6

2番目の要素 **2**、3番目の要素 **3**、…、5番目の要素 **5** と順に着目していきます。ソートずみであって、要素の移動（値の代入）は1回も発生しません。ここまでのステップは、素早く完了します。

しかし、6番目の要素 **0** の挿入では、**Fig.6-14** に示すように**6回もの移動（代入）**が必要です。

①～⑤ … 0より小さい要素に出会うまで一つ左側の要素を代入する操作を繰り返す。
⑥ … ストップした位置に0を代入。

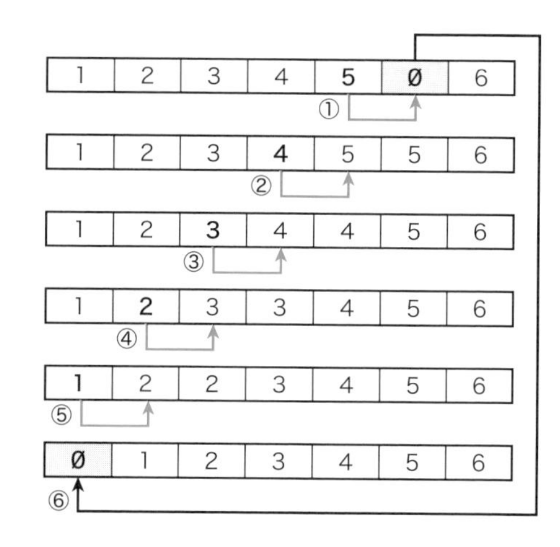

Fig.6-14　単純挿入ソートにおける要素の移動

この例は、単純挿入ソートに関する、次の特徴を示しています。

Ⓐ ソートずみあるいは、それに近い状態では高速である。
Ⓑ 挿入先が遠く離れている場合は、移動（代入）回数が多くなる。

もちろん、Ⓐは長所であり、Ⓑは短所です。

シェルソート

単純挿入ソートのⒶの長所を活かしつつ、Ⓑの短所を補うのが、D.L. Shell によって考案された**シェルソート**（shell sort）という優れたアルゴリズムです。

まず最初に離れた要素をグループ化して大まかなソートを行い、そのグループを縮小しながらソートを繰り返すことで、移動回数を減らそうというアイディアです。

▶ 次節で学習するクイックソートが考案されるまでは、最高速のアルゴリズムとして知られていました。

Fig.6-15 に示すデータの並びを例にして、アルゴリズムを理解していきましょう。

まずは、要素を4個間隔で取り出した {8, 7}、{1, 6}、{4, 3}、{2, 5} の四つのグループに分けて、各グループをそれぞれソートします。

▶ すなわち、①では {8, 7} をソートして {7, 8} とし、②では {1, 6} をソートして {1, 6} とし、③では {4, 3} をソートして {3, 4} とし、④では {2, 5} をソートして {2, 5} とします。

このように、4個間隔で取り出した要素のソートを行うことを "4－ソート" と呼びます。ソートは完了しないものの、ソートずみの状態に近づいています。

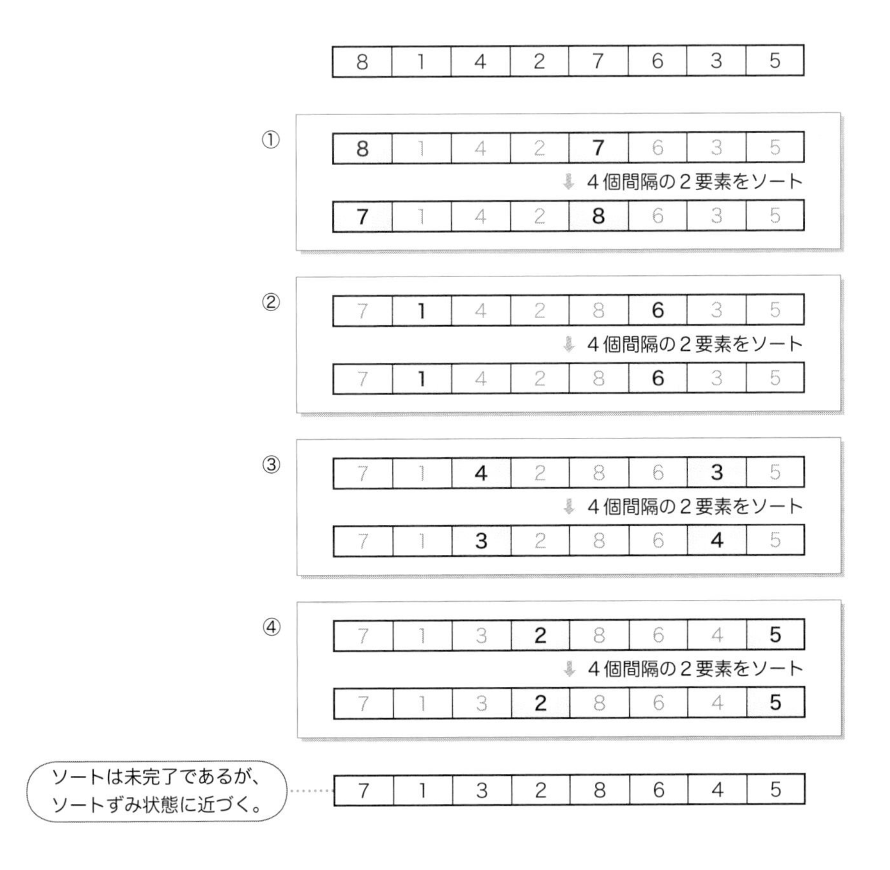

Fig.6-15 シェルソートにおける4－ソート

続いて、要素を2個間隔で取り出した{7, 3, 8, 4}と{1, 2, 6, 5}の二つのグループに分けて“2－ソート”を行います。その様子を示したのが**Fig.6-16**です。

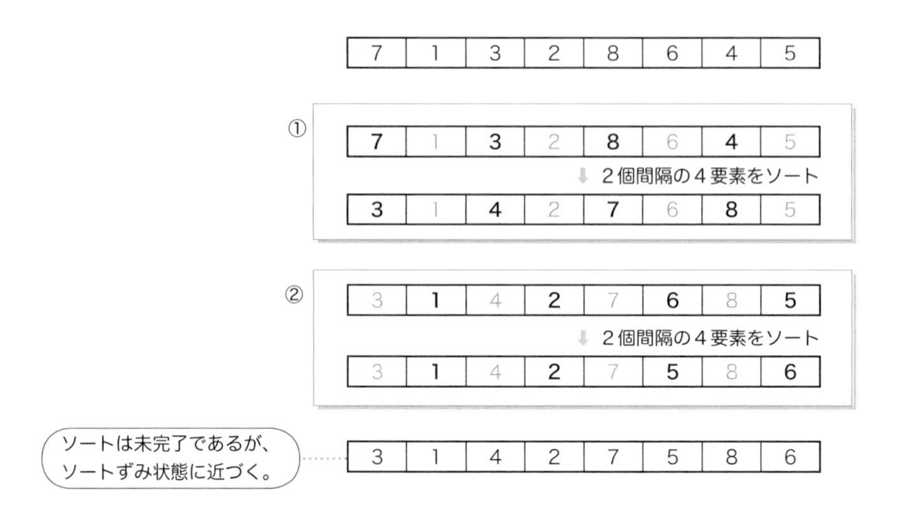

Fig.6-16　シェルソートにおける2－ソート

得られた配列は、さらにソートずみの状態に近づきました。最後に、“1－ソート”を適用して、1個間隔で取り出した要素、すなわち配列全体をソートすると、ソートは完了します。

全体の流れを示したのが、**Fig.6-17**です。シェルソートの過程における個々のソートを、“h－ソート”と呼びます。この例では、hの値を4, 2, 1と減らしながら、次に示すように、都合7回のソートを行うことによって、ソートを完了させました。

- 2個の要素に対して“4－ソート”を行う　×　4グループ　…　4回
- 4個の要素に対して“2－ソート”を行う　×　2グループ　…　2回
- 8個の要素に対して“1－ソート”を行う　×　1グループ　…　1回

計7回

図aの配列に対して、単純挿入ソートをいきなり適用せずに、4－ソートや2－ソートによ

Fig.6-17　シェルソートの大まかな流れ

る“地ならし”をして、ソートずみに近い図Cの状態にしておき、それから単純挿入ソートを最後にもう1回行うことによって、ソートを完了させるのです。

▶ もちろん、7回のソートは、すべて単純挿入ソートによって行います。

このように、わざわざ何回もソートする理由は、単純挿入ソートの長所を活かして欠点を補うためです。ソートの回数は増えても、全体としての要素の移動回数が少なくなることが期待できるからです。

List 6-6 に示すのが、シェルソートを行うプログラムです。

List 6-6 chap06/shell1.c

```
// シェルソート（第1版）

#include <stdio.h>
#include <stdlib.h>

/*--- シェルソート（第1版）---*/
void shell(int a[], int n)
{
    for (int h = n / 2; h > 0; h /= 2)
        for (int i = h; i < n; i++) {
            int tmp = a[i];
            int j;
            for (j = i - h; j >= 0 && a[j] > tmp; j -= h)
                a[j + h] = a[j];
            a[j + h] = tmp;
        }
}

int main(void)
{
    int nx;

    puts("シェルソート");
    printf("要素数 : ");
    scanf("%d", &nx);
    int *x = calloc(nx, sizeof(int));

    for (int i = 0; i < nx; i++) {
        printf("x[%d] : ", i);
        scanf("%d", &x[i]);
    }

    shell(x, nx);                    // 配列xをシェルソート

    puts("昇順にソートしました。");
    for (int i = 0; i < nx; i++)
        printf("x[%d] = %d\n", i, x[i]);

    free(x);                         // 配列xを破棄

    return 0;
}
```

実行例

```
シェルソート
要素数 : 7
x[0] : 6
x[1] : 4
x[2] : 3
x[3] : 7
x[4] : 1
x[5] : 9
x[6] : 8
昇順にソートしました。
x[0] = 1
x[1] = 3
x[2] = 4
x[3] = 6
x[4] = 7
x[5] = 8
x[6] = 9
```

▶ 単純挿入ソートを行う網かけ部は、p.222 の **List 6-5** とほぼ同じです。異なるのは、着目要素と比較する要素が、隣接要素ではなく、h個だけ離れた要素に変更されている点です。

そのhの初期値は、n / 2として求めています（nの半分です）。そして、for文による繰返しを行うたびに、2で割っていきます（半分の値となるように更新されます）。

増分の選択

先ほどの例では、*h* の値を次のように変化させました。

```
h = 4 ⇨ 2 ⇨ 1
```

h は、ある値から減少していって最後に 1 となればよい性質のものです。実際には、どのような数列が適当でしょうか。

まずは、先ほどの例におけるグループ分けを検討します（**Fig.6-18**）。

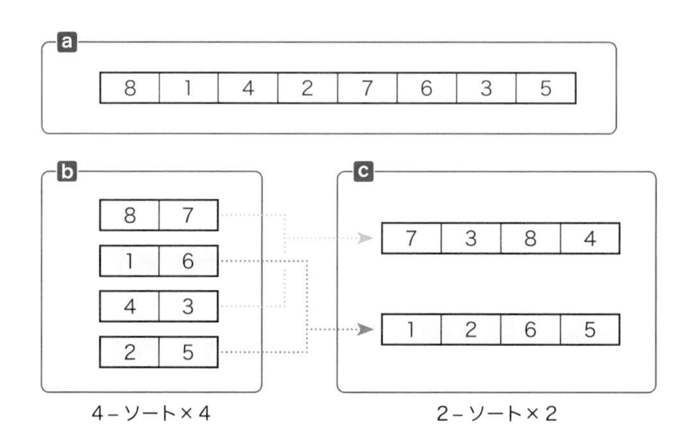

Fig.6-18　シェルソートにおけるグループ分け（h = 4, 2, 1）

図aの配列が、8人の学生の点数であると考えましょう。まず図bのように、学生を2人ずつの4グループに分けてソートを行い、その後、図cのように、学生を4人ずつの2グループに分けてソートを行っています。

そのため、図b内の2グループをあわせたものが、そのまま図cのグループとなっています。すなわち、《青グループ》と《黒グループ》には、“交流”がありません。

同じメンバーで構成されるグループの学生ばかりをソートしているため、**せっかくのグループ分けが十分には機能していないことを示唆しています。**

＊

h の値が**互いに倍数とならない**ようにすれば、要素が十分にかき混ぜられて、効率のよいソートの実行が期待できます。

単純に作り出せて、しかもよい結果が得られるのが、次の数列です。

```
h = … ⇨ 121 ⇨ 40 ⇨ 13 ⇨ 4 ⇨ 1
```

逆算すると、1 から始めて、3倍した値に 1 を加える数列です。

この数列を利用してシェルソートを行うプログラムが、右ページの **List 6-7** です。

1の `for` 文では、*h* の初期値を求めます。1 から始めて、3倍して 1 を加える作業を繰り返して、*n* を超えない最大値を *h* に代入します。

List 6-7 chap06/shell2.c

```
// シェルソート（第２版：h = …, 13, 4, 1）

#include <stdio.h>
#include <stdlib.h>

/*--- シェルソート（第２版：h = …, 13, 4, 1）---*/
void shell(int a[], int n)
{
    int h;

    for (h = 1; h < n; h = h * 3 + 1)
        ;                                                    ―1

    for ( ; h > 0; h /= 3)
        for (int i = h; i < n; i++) {
            int tmp = a[i];
            int j;
            for (j = i - h; j >= 0 && a[j] > tmp; j -= h)   ―2
                a[j + h] = a[j];
            a[j + h] = tmp;
        }
}

int main(void)
{
    int nx;

    puts("シェルソート");
    printf("要素数：");
    scanf("%d", &nx);
    int *x = calloc(nx, sizeof(int));

    for (int i = 0; i < nx; i++) {
        printf("x[%d] : ", i);
        scanf("%d", &x[i]);
    }

    shell(x, nx);                   // 配列xをシェルソート

    puts("昇順にソートしました。");
    for (int i = 0; i < nx; i++)
        printf("x[%d] = %d\n", i, x[i]);

    free(x);                        // 配列xを破棄

    return 0;
}
```

実行例

```
シェルソート
要素数：7
x[0] : 6
x[1] : 4
x[2] : 3
x[3] : 7
x[4] : 1
x[5] : 9
x[6] : 8
昇順にソートしました。
x[0] = 1
x[1] = 3
x[2] = 4
x[3] = 6
x[4] = 7
x[5] = 8
x[6] = 9
```

2の for 文は、基本的には第１版と同じです。異なるのは、h の変化のさせ方だけです。繰返しのたびに h の値を 3 で割っていきます（繰返しの最後に h は 1 となります）。

▶ 実行例の場合、要素数が 7 ですから、h の初期値は 4 となります（そのため、実質的に、シェルソートではなく、単純挿入ソートが行われます）。

シェルソートの時間計算量は $O(n^{1.25})$ であり、極めて高速です。ただし、離れた要素を交換するため**安定ではありません**。

演習 6-12

要素の移動回数をカウントするように第１版と第２版を書きかえたプログラムを作成せよ。いろいろな配列に対してプログラムを実行して移動回数を比較すること。

6-6 クイックソート

クイックソートは、高速なソートアルゴリズムの一つとして知られており、広く利用されています。

クイックソートの概略

クイックソート（quick sort）は、広く一般的に使われている高速なアルゴリズムです。

素早いソートという名称は、高速性が劇的であることから、考案者のC.A.R.Hoare自身が与えたものです。

このアルゴリズムによって、８人のグループを身長順にソートする様子を示したのが**Fig.6-19**です。まず最初に、168cmのA君に着目した上で、一つ下の段に示すように、A君以下のグループと、A君以上のグループとに分けます。

ここで、グループ分けの基準としたA君の身長を、**枢軸**（pivot）と呼びます。

▶ 枢軸の選び方は任意であり、左側グループと右側グループのどちらに入れても構いません。

各グループに対して枢軸を設定して分割する作業を繰り返していき、すべてのグループが１人だけになるとソートは完了です。

これで、アルゴリズムの概略は理解できました。詳細を学習していきましょう。

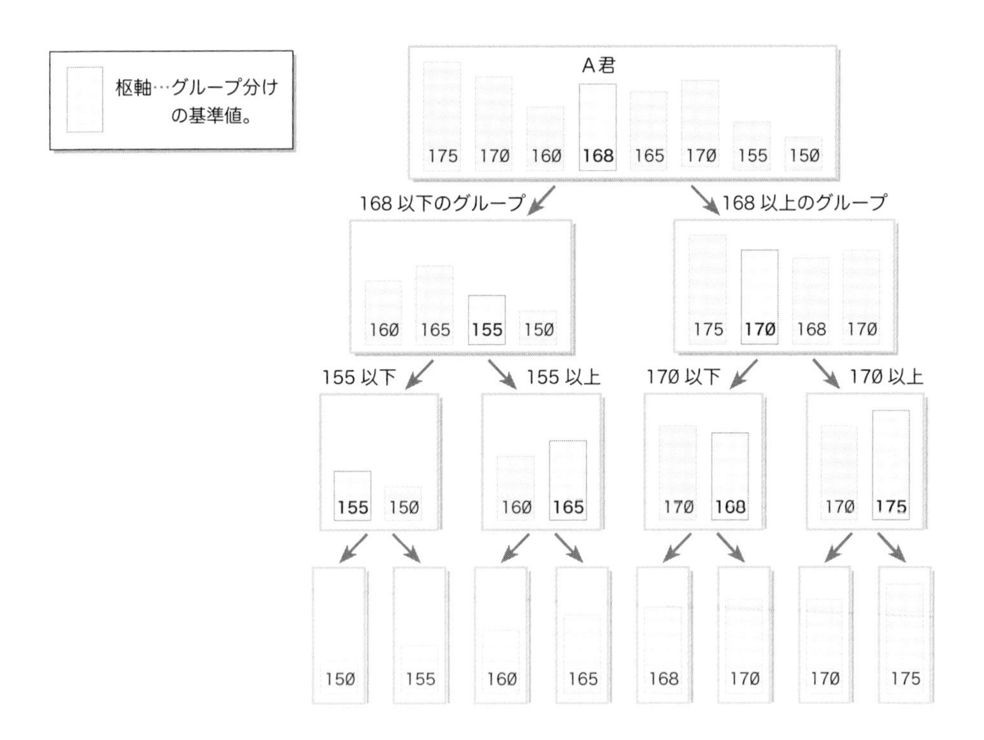

Fig.6-19　クイックソートの概略

分割の手順

まずは、配列を二つのグループに**分割**する手順を考えます。下図に示す配列 a から枢軸として 6 を選んで分割を行うものとします。なお、枢軸を *x* と表すとともに、左端の要素の添字 *pl* を**左カーソル**、右端の要素の添字 *pr* を**右カーソル**と呼びます。

pl								*pr*
0	1	2	3	4	5	6	7	8
5	7	1	4	6	2	3	9	8

分割を行うには、枢軸以下の要素を配列の左側（先頭）側に、枢軸以上の要素を配列の右側（末尾）側に移動させなければなりません。そのために行うのが、次のことです。

- a[*pl*] >= *x* が成立する要素が見つかるまで *pl* を右方向へ走査する。
- a[*pr*] <= *x* が成立する要素が見つかるまで *pr* を左方向へ走査する。

この走査によって、*pl* と *pr* は下図の位置でストップします。左カーソルが位置するのは枢軸以上の要素であり、右カーソルが位置するのは枢軸以下の要素です。

ストップしたところで、左右のカーソルが位置する要素 a[*pl*] と a[*pr*] の値を交換します。そうすると、枢軸以下の値が左側に移動して、枢軸以上の値が右側に移動します。

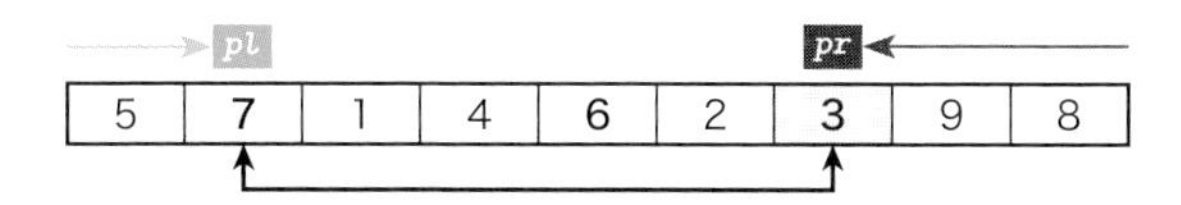

再び走査を続けると、左右のカーソルは下図の位置でストップします。さきほどと同様に、二つの要素 a[*pl*] と a[*pr*] の値を交換します。

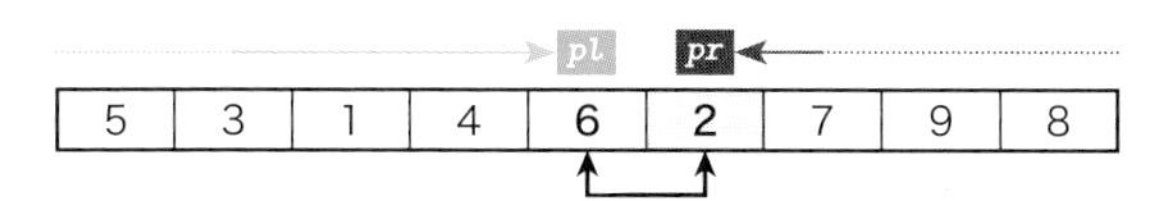

さらに走査を続けようとすると、下図のようにカーソルが交差します。

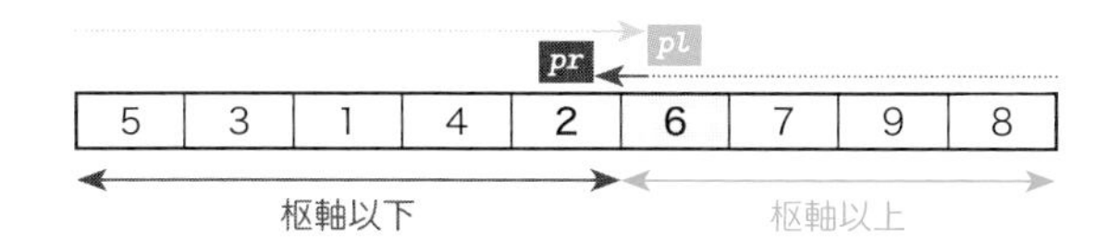

これで分割が完了しました。配列は、次のようにグループ分けされています。

- 枢軸以下のグループ　：　a[0], … , a[*pl* - 1]
- 枢軸以上のグループ　：　a[*pr* + 1], …, a[*n* - 1]

なお、*pl* > *pr* + 1 のときに限り、次のグループができます（次ページで検証します）。

- 枢軸と一致するグループ　：　a[*pr* + 1], … , a[*pl* - 1]

枢軸と一致するグループが生成される例をFig.6-20に示します。図aが最初の状態であり、枢軸の値は5です。

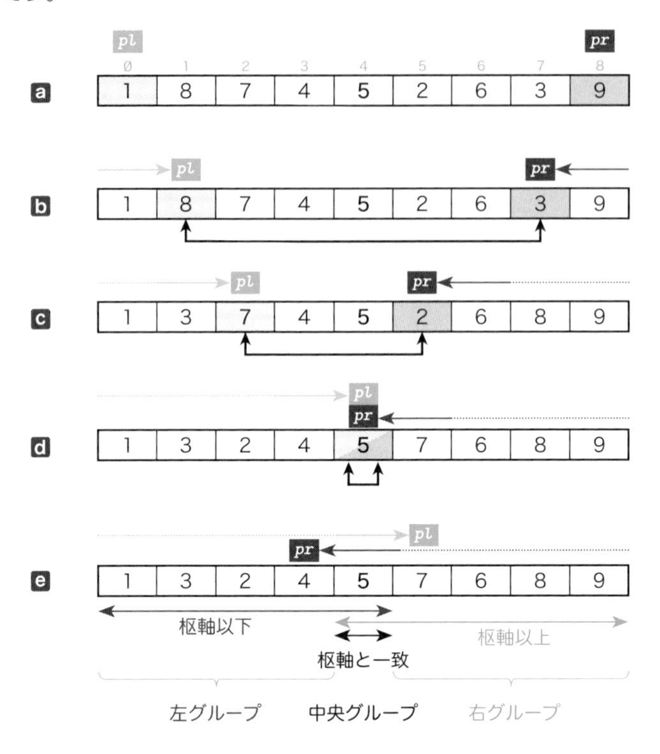

Fig.6-20　配列を分割する例

図b・図c・図dは、左カーソル／右カーソルが、枢軸以上／枢軸以下の要素を見つけてストップした状態です。

3回目にストップした図dでは、*pl*と*pr*の両方が同一要素a[4]上に位置しています。そこで、同一要素であるa[4]とa[4]の交換を行います。

▶ 『同一要素の交換』は無駄なように感じられるでしょうが、最大で1回しか行われません。なお、要素の交換を行おうとするたびに"*pl*と*pr*が同じ要素上にあるかどうか"をチェックすれば、同一要素の交換は回避可能です。ただし、そのようなチェックを毎回行うよりも、高々1回しか行われない『同一要素の交換』を行ったほうが、(一般的には) コストは小さくなります。

走査を続けようとすると、*pl*と*pr*が交差するため、分割が完了します (図e)。

▶ 前ページで学習したように、中央グループができるのは、分割完了時に*pl* > *pr* + 1が成立するときのみです。

以上のアイディアに基づいて、配列の分割を行うプログラムが、右ページのList 6-8です。関数*partition*内の網かけ部で配列aを分割しています。

なお、枢軸は"配列の中央に位置する要素"であるa[*n* / 2]としています。枢軸の選択は、分割およびソートのパフォーマンスに影響を与えます (この点は、後で考察します)。

List 6-8 chap06/partition.c

```
// 配列の分割

#include <stdio.h>
#include <stdlib.h>

#define swap(type, x, y)  do { type t = x; x = y; y = t; } while (0)

/*--- 配列を分割する ---*/
void partition(int a[], int n)
{
    int pl = 0;          // 左カーソル
    int pr = n - 1;      // 右カーソル
    int x = a[n / 2];    // 枢軸は中央の要素

    do {
        while (a[pl] < x) pl++;
        while (a[pr] > x) pr--;
        if (pl <= pr) {
            swap(int, a[pl], a[pr]);
            pl++;
            pr--;
        }
    } while (pl <= pr);

    printf("枢軸の値は%dです。\n", x);

    printf("枢軸以下のグループ\n");                // 枢軸以下のグループ
    for (int i = 0; i <= pl - 1; i++)             // a[0] ～ a[pl - 1]
        printf("%d ", a[i]);
    putchar('\n');

    if (pl > pr + 1) {
        printf("枢軸と一致するグループ\n");        // 枢軸と同じグループ
        for (int i = pr + 1; i <= pl - 1; i++)    // a[pr + 1] ～ a[pl - 1]
            printf("%d ", a[i]);
        putchar('\n');
    }

    printf("枢軸以上のグループ\n");                // 枢軸以上のグループ
    for (int i = pr + 1; i < n; i++)              // a[pr + 1] ～ a[n - 1]
        printf("%d ", a[i]);
    putchar('\n');
}

int main(void)
{
    int nx;

    puts("配列を分割します。");
    printf("要素数 : ");
    scanf("%d", &nx);
    int *x = calloc(nx, sizeof(int));    // 要素数nxのint型配列xを生成

    for (int i = 0; i < nx; i++) {
        printf("x[%d] : ", i);
        scanf("%d", &x[i]);
    }

    partition(x, nx);                    // 配列xを分割

    free(x);                             // 配列xを破棄

    return 0;
}
```

配列 a を枢軸 x で分割

実行例

```
配列を分割します。
要素数 : 9
x[0] : 1
x[1] : 8
x[2] : 7
x[3] : 4
x[4] : 5
x[5] : 2
x[6] : 6
x[7] : 3
x[8] : 9
枢軸の値は5です。
枢軸以下のグループ
1 3 2 4 5
枢軸と一致するグループ
5
枢軸以上のグループ
5 7 6 8 9
```

クイックソート

配列の分割を少し発展させるだけで、クイックソートのアルゴリズムが得られます。

Fig.6-21 の例で考えていきましょう。図aに示すように、要素9個の配列 a を分割すると、a[0] ～ a[4] の左グループと、a[5] ～ a[8] の右グループが得られます。

それぞれのグループに対して同じ手続きで再分割を行う様子を表したのが、図bと図cです。図bは a[0] ～ a[4] の分割の様子で、図cは a[5] ～ a[8] の分割の様子です。

▶ この図では、図b以降の分割と図c以降の分割を省略しています（この分割の続きは、p.236 の **Fig.6C-1** と p.239 の **Fig.6-22** の両方に示しています）。

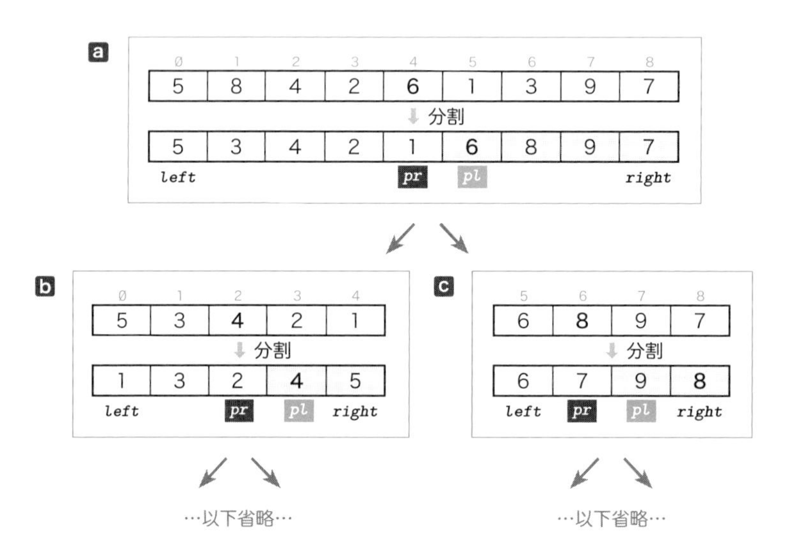

Fig.6-21　配列の分割によるクイックソート

要素数 1 のグループは、それ以上の分割は不要ですから、再分割を適用するのは要素数が 2 以上のグループのみです。

そのため、配列の分割は、次のように繰り返すことになります。

- *pr* が先頭より右側に位置する（*left* < *pr*） のであれば、左グループを分割する。
- *pl* が末尾より左側に位置する（*pl* < *right*） のであれば、右グループを分割する。

▶ 中央グループ（a[*pr* + 1] ～ a[*pl* - 1]）ができた場合（p.232）、その部分は分割の対象から外します（分割の必要がないからです）。

クイックソートは、前章で学習した８王妃問題と同様、一種の**分割統治法**（p.199）であるため、再帰呼出しを用いて簡潔に実現できます。

List 6-9 に示すのが、クイックソートを行うプログラムです。関数 *quick* は、配列 a と、分割すべき区間の先頭要素の添字 *left* と末尾要素の添字 *right* を受け取ってソートします。

List 6-9 chap06/quick.c

```
// クイックソート

#include <stdio.h>
#include <stdlib.h>

#define swap(type, x, y) do { type t = x; x = y; y = t; } while (0)

/*--- クイックソート ---*/
void quick(int a[], int left, int right)
{
    int pl = left;                // 左カーソル
    int pr = right;               // 右カーソル
    int x = a[(pl + pr) / 2];     // 枢軸は中央の要素

    do {                                           List 6-8と同じ
        while (a[pl] < x) pl++;
        while (a[pr] > x) pr--;
        if (pl <= pr) {
            swap(int, a[pl], a[pr]);                          ─1
            pl++;
            pr--;
        }
    } while (pl <= pr);

    if (left < pr)  quick(a, left, pr);
    if (pl < right) quick(a, pl, right);                      ─2
}

int main(void)
{
    int nx;

    puts("クイックソート");
    printf("要素数 : ");
    scanf("%d", &nx);
    int *x = calloc(nx, sizeof(int));    // 要素数nxのint型配列xを生成

    for (int i = 0; i < nx; i++) {
        printf("x[%d] : ", i);
        scanf("%d", &x[i]);
    }

    quick(x, 0, nx - 1);                 // 配列xをクイックソート

    puts("昇順にソートしました。");
    for (int i = 0; i < nx; i++)
        printf("x[%d] = %d\n", i, x[i]);

    free(x);                             // 配列xを破棄

    return 0;
}
```

実行例

```
クイックソート
要素数 : 9
x[0] : 5
x[1] : 8
x[2] : 4
x[3] : 2
x[4] : 6
x[5] : 1
x[6] : 3
x[7] : 9
x[8] : 7
昇順にソートしました。
x[0] = 1
x[1] = 2
x[2] = 3
x[3] = 4
x[4] = 5
x[5] = 6
x[6] = 7
x[7] = 8
x[8] = 9
```


▶ 前ページの**Fig.6-21**の各図における *left* と *right* の値は、次のようになります。

図**a**：*left* = 0・*right* = 8

図**b**：*left* = 0・*right* = 4

図**c**：*left* = 5・*right* = 8

分割を行う**1**は、**List 6-8**（p.233）と同じであり、左右の各グループを再分割するための、関数末尾の**2**の再帰呼出しが追加されています。この追加箇所を除くと、分割のプログラムとほとんど同じです。

なお、クイックソートは、隣接していない要素を交換するため、**安定ではありません**。

Column 6-2　クイックソートにおける分割の過程の表示

前ページに示したクイックソートのプログラムは、途中経過を表示しないため、配列が分割されていく様子が分かりません。クイックソートを行う関数を **List 6C-1** のように書きかえると、配列が分割されていく様子を表示できます（網かけ部を追加するだけです）。

List 6C-1　chap06/quick_v.c

```
/*--- クイックソート（配列の分割過程を表示）---*/
void quick(int a[], int left, int right)
{
    int pl = left;              // 左カーソル
    int pr = right;             // 右カーソル
    int x = a[(pl + pr) / 2];   // 枢軸は中央の要素

    printf("a[%d]～a[%d]：{", left, right);
    for (int i = left; i < right; i++)
        printf("%d , ", a[i]);
    printf("%d}\n", a[right]);

    do {
        while (a[pl] < x) pl++;
        while (a[pr] > x) pr--;
        if (pl <= pr) {
            swap(int, a[pl], a[pr]);
            pl++;
            pr--;
        }
    } while (pl <= pr);

    if (left < pr)  quick(a, left, pr);
    if (pl < right) quick(a, pl, right);
}
```

網かけ部の実行例

```
a[0]～a[8]：{5, 8, 4, 2, 6, 1, 3, 9, 7}
a[0]～a[4]：{5, 3, 4, 2, 1}
a[0]～a[2]：{1, 3, 2}
a[0]～a[1]：{1, 2}
a[3]～a[4]：{4, 5}
a[5]～a[8]：{6, 8, 9, 7}
a[5]～a[6]：{6, 7}
a[7]～a[8]：{9, 8}
```

なお、ここに示す実行例は、前ページの実行例と同じ値を入力した場合に、表示される値です。配列は、**Fig.6C-1** のように分割されます。

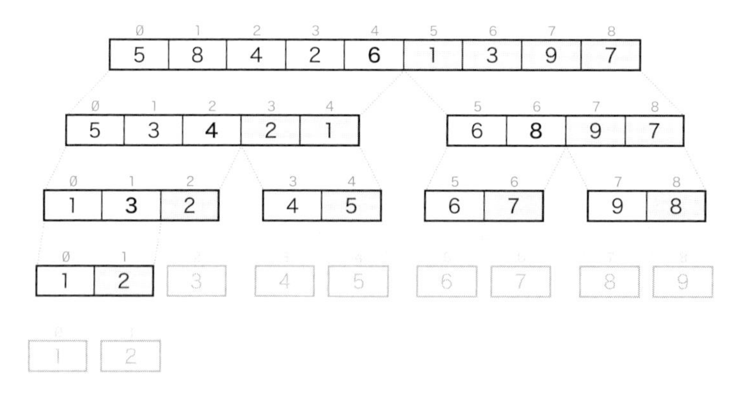

Fig.6C-1　クイックソートにおける配列の分割の過程

非再帰的クイックソート

5-2節では、再帰的な関数 **recur** を、非再帰的に実現することで理解を深めました。関数 **quick** を非再帰的に実現しましょう。**List 6-10** に示すのが、そのプログラムです。

▶ 本プログラムのコンパイル・実行には、**List 4-1**（p.148）の "IntStack.h" と、**List 4-2**（pp.149～152）の "IntStack.c" が必要です。

List 6-10 chap06/quick_nr.c

要：IntStack

```
/*--- クイックソート（非再帰版）---*/
void quick(int a[], int left, int right)
{
    IntStack lstack;        // 分割すべき先頭要素の添字のスタック   ─A
    IntStack rstack;        // 分割すべき末尾要素の添字のスタック

    Initialize(&lstack, right - left + 1);                        ─B
    Initialize(&rstack, right - left + 1);

    Push(&lstack, left);
    Push(&rstack, right);

    while (!IsEmpty(&lstack)) {
        int pl = (Pop(&lstack, &left),  left);      // 左カーソル
        int pr = (Pop(&rstack, &right), right);     // 右カーソル
        int x = a[(left + right) / 2];              // 枢軸は中央の要素

        do {                                  List 6-8・List 6-9と同じ
            while (a[pl] < x) pl++;
            while (a[pr] > x) pr--;
            if (pl <= pr) {
                swap(int, a[pl], a[pr]);
                pl++;
                pr--;
            }
        } while (pl <= pr);

        if (left < pr) {
            Push(&lstack, left);      // 左グループの範囲の
            Push(&rstack, pr);        // 添字をプッシュ
        }
        if (pl < right) {
            Push(&lstack, pl);        // 右グループの範囲の
            Push(&rstack, right);     // 添字をプッシュ
        }
    }
    Terminate(&lstack);
    Terminate(&rstack);
}
```

非再帰的に実現した関数 **recur** では、データの一時的な保存のために《スタック》を使いました。今回のクイックソートも同様です。

関数 **quick** は、二つのスタックを利用しています。

- **lstack** … 分割すべき範囲の先頭（左端）要素の添字を保存するスタック。
- **rstack** … 分割すべき範囲の末尾（右端）要素の添字を保存するスタック。

これらを宣言するのがAです。続くBでは、二つのスタックを **right - left + 1** の容量で生成しています。この値は、分割すべき配列の要素数と同じです。

▶ 実際に必要となる容量については、後で考察します。

プログラムの主要部を、右ページのFig.6-22と対比しながら、理解していきましょう。

▶ 図に示すのは、要素数が9で、要素の値が{5, 8, 4, 2, 6, 1, 3, 9, 7}の配列を分割する様子です。

```
Push(&lstack, left);          ─0
Push(&rstack, right);

while (!IsEmpty(&lstack)) {                                   1
  int pl = (Pop(&lstack, &left),  left);
  int pr = (Pop(&rstack, &right), right);

  /* 中略：a[left]～a[right]を分割 */                        2

  if (left < pr) {
    Push(&lstack, left);   // 左グループの範囲の
    Push(&rstack, pr);     // 添字をプッシュ
  }
  if (pl < right) {
    Push(&lstack, pl);     // 右グループの範囲の
    Push(&rstack, right);  // 添字をプッシュ
  }
}
```

0 スタックlstackとrstackのそれぞれに、leftとrightをプッシュします。

これは、分割すべき配列の範囲、すなわち《先頭要素の添字》と《末尾要素の添字》です。

図aに示すように、lstackに0をプッシュして、rstackに8をプッシュします。

続くwhile文は、スタックが空でないあいだ処理を繰り返すための繰返し文です（スタックに入っているのは、分割すべき配列の範囲です。空であれば、分割すべき配列がないということですし、空でなければ、分割すべき配列があるということです）。

1 図bに示すように、スタックlstackからポップした値をleftとplに代入し、スタックrstackからポップした値をrightとprに代入します（**Column 6-3**：p.243）。

その結果、leftとplは0、rigthとprは8となります。これらが表すのは、ソート（分割）すべき配列の範囲（先頭＝左端の添字と、末尾＝右端の添字）です。

配列a[0]～a[8]を分割すると、a[0]～a[4]の左グループとa[5]～a[8]の右グループに分割されます（plは5となり、prは4となります）。

2 最初のif文でlstackとrstackに0と4をプッシュし、続くif文で5と8をプッシュします。その結果、スタックは図cの状態となります。

while文の働きによって、ループ本体が繰り返されます。

＊

1 スタックlstackから5がポップされてleftとplに代入され、スタックrightから8がポップされてrightとprに代入されます（図d）。

配列a[5]～a[8]を分割すると、a[5]～a[6]の左グループとa[7]～a[8]の右グループに分割されます（plは7となり、prは6となります）。

2 最初のif文でスタックlstackとrstackに、5と6をプッシュし、続くif文で7と8をプッシュします。その結果、スタックは図eの状態となります。

＊

分割が完了すると、左グループの添字と右グループの添字をプッシュします。そして、スタックからポップした範囲を分割する作業を繰り返すことによってソートを行います。ソートが完了するのは、スタックが空になったときです（図n）。

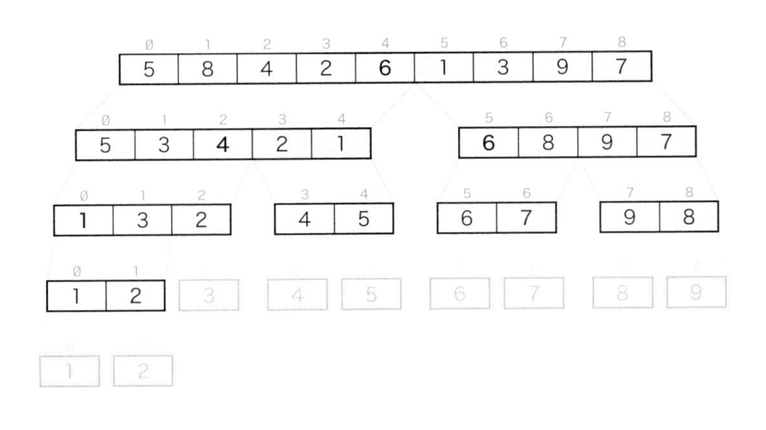

分割すべき配列の先頭（左端）要素の添字
分割すべき配列の末尾（右端）要素の添字

スタックから取り出した値０と８を left と right に代入して、配列を分割。

a (0, 8)　b (0, 8) を分割　c (0, 4), (5, 8)　d (5, 8) を分割　e (5, 6), (7, 8)　f (7, 8) を分割　g (5, 6) を分割

h (0, 4) を分割　i (0, 2), (3, 4)　j (3, 4) を分割　k (0, 2) を分割　l (0, 1)　m (0, 1) を分割　n 終了

Fig.6-22　非再帰的クイックソートにおける配列の分割とスタックの変化

スタックの容量

本プログラムでは、スタックの容量を、配列の要素数と同じ値にしています。どのくらいの大きさが適当であるのかを考察しましょう。

スタックへのプッシュの順序として、次の二つの方針を考えます。

- **方針A**：要素数の大きいほうのグループを先にプッシュする。
- **方針B**：要素数の小さいほうのグループを先にプッシュする。

Fig.6-23 に示すソートの例で検証していきましょう。

■ 方針A：要素数の大きいグループを先にプッシュ（要素数の小さいグループを先に分割）

Fig.6-24 が、スタックの変化の様子です。

まず、図bで取り出された a[0] 〜 a[7] を分割すると、左グループ a[0] 〜 a[1] と、右グループ a[2] 〜 a[7] に分割されます。そこで、要素数が大きいほうの (2, 7) を先にプッシュして、スタックは図cとなります。

先にポップされて分割されるのは、要素数が小さいほうのグループ (0, 1) です（図d）。

同様にして、ソートが完了するまで操作を続けます。スタックに同時に積まれる数は、最大で2個です（図c・図f・図i）。

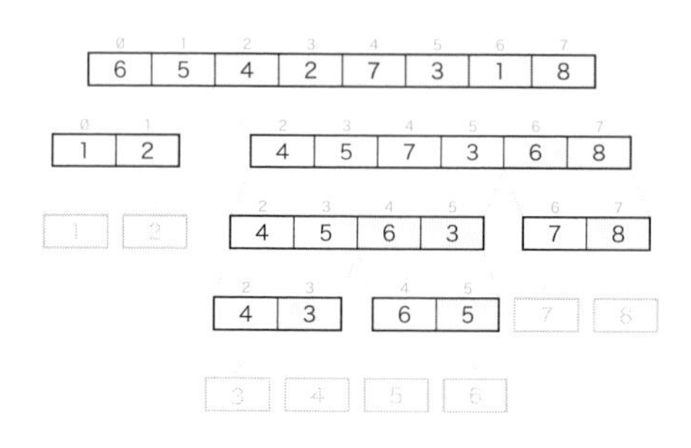

Fig.6-23　クイックソートによる分割

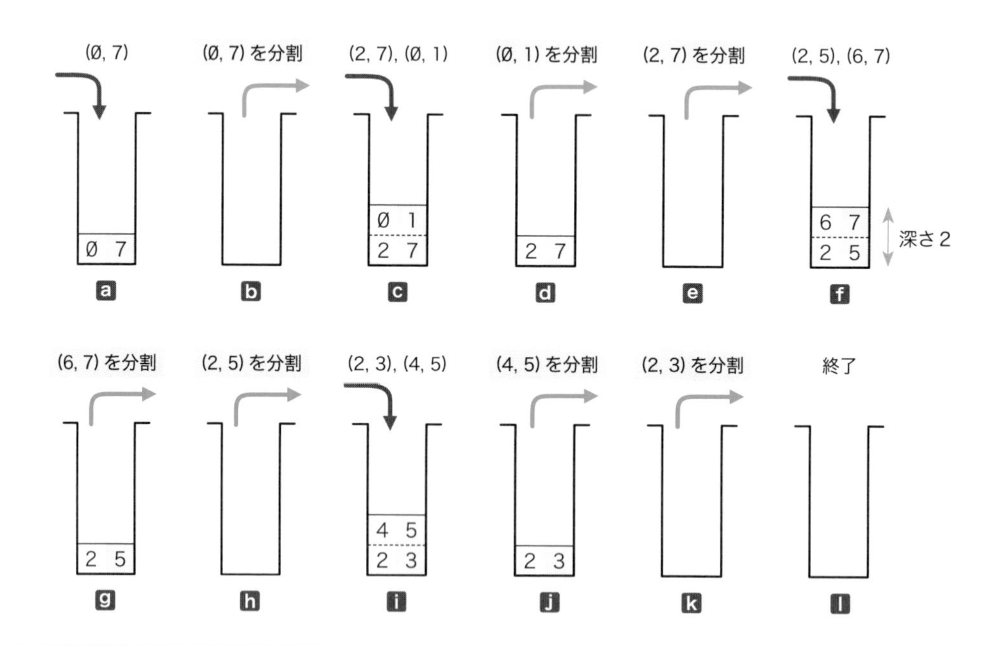

Fig.6-24　非再帰的クイックソートにおけるスタックの変化（大きいグループを先にプッシュ）

▪ 方針B：要素数の小さいグループを先にプッシュ（要素数の大きいグループを先に分割）

スタックの変化の様子を示したのが **Fig.6-25** です。

まず、図bで取り出された a[0] ～ a[7] を分割すると、左グループ a[0] ～ a[1] と、右グループ a[2] ～ a[7] に分割されます。そこで、要素数が小さいほうの (0, 1) を先にプッシュして、スタックは図cとなります。

先にポップされて分割されるのは、要素数が大きいほうのグループ (2, 7) です（図d）。

同様にして、ソートが完了するまで操作を続けます。スタックに同時に積まれる数は、最大で4個です（図g）。

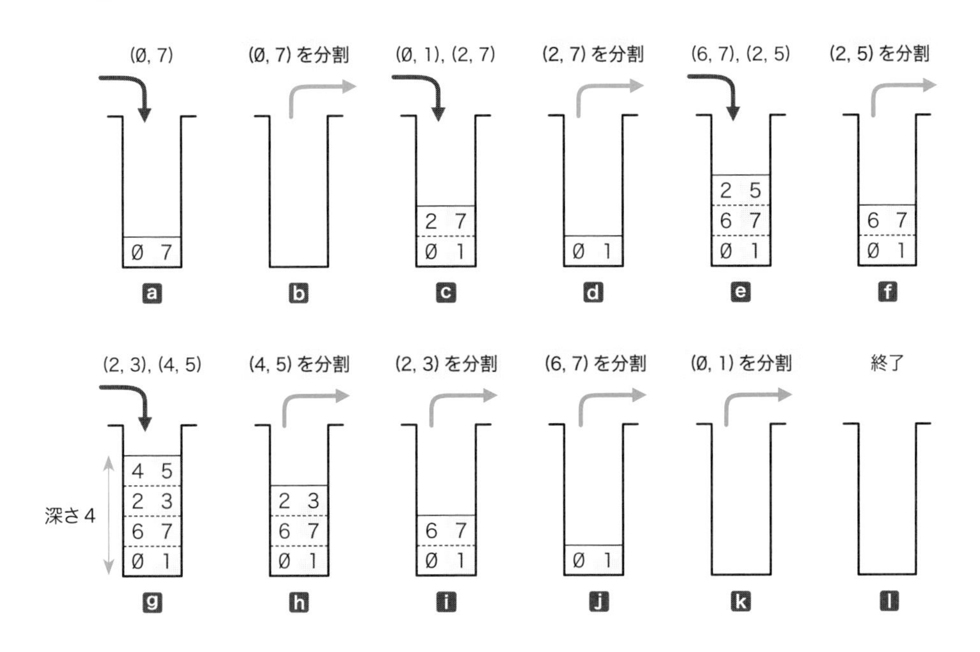

Fig.6-25　非再帰的クイックソートにおけるスタックの変化（小さいグループを先にプッシュ）

一般的には、要素数が小さい配列ほど、少ない回数での分割終了が期待できます。そのため、方針Aのように、**要素数が大きいグループの分割を後回しにして、小さいグループの分割を先に行ったほうが、スタックに同時に積まれる値は少なくなります。**

▶ スタックに対する出し入れの回数は、AもBも同じです。あくまでも、『"同時に積まれる" データ数の最大値』が異なるだけです。

方針Aを採用すると、配列の要素数が n であれば、スタックに同時に積まれるデータの数は log n で収まります。そのため、たとえ要素数 n が 1,000,000 であっても、スタックの容量は 20 で十分です。

枢軸の選択とアルゴリズムの改良

枢軸の選択法は、クイックソートの実行効率に大きく影響を与えます。ここでは、次の配列を例に検討します。

8	7	6	5	4	3	2	1	0

枢軸として左端の要素 8 を採用してみましょう。この配列は枢軸 8 だけのグループと、それ以外のグループとに分割されます。ただ一つの要素と、それ以外の全要素とに分けられるような**偏**(かたよ)**った分割**を繰り返すのでは、高速なソートは行えません。

配列のソート後に中央に位置する値、すなわち、**値としての中央値**を枢軸とするのが理想です。そうすると、配列は、偏ることなく半分の大きさに分割されます。

しかし、中央値を求めるには、それなりの処理が必要であり、そのために多大な計算時間をかけるのでは、本末転倒です。

次の方針を採用すれば、少なくとも最悪の場合を避けられます。

【方針1】 分割すべき配列の要素数が3以上であれば、任意の三つの要素を取り出して、その中央値をもつ要素を枢軸として採用する。

たとえば、上に示した配列で、先頭要素 8、中央要素 4、末尾要素 0 の中央値である 4 を枢軸とすれば、偏りはなくなります。

▶ 3値の中央値を求めるプログラムは、**Column 1-4**（p.20）で学習しました。

さて、このアイディアをもう一段階進めたのが、次の方針です。

【方針2】 分割すべき配列の先頭要素／中央要素／末尾要素の3要素をソートして、さらに中央要素と末尾から2番目の要素を交換する。枢軸として末尾から2番目の要素の値 a[*right* - 1] を採用するとともに、分割の対象を a[*left* + 1] ～ a[*right* - 2] に絞り込む。

右ページの **Fig.6-26** に示す具体例で理解しましょう。

a ソート前の状態です。先頭要素 8、中央要素 4、末尾要素 0 の 3 要素に着目して、それらをソートします。

b 先頭要素は 0、中央要素は 4、末尾要素は 8 となりました。ここで、中央要素 4 と、末尾から2番目の要素 1 とを交換します。

c 末尾から2番目の要素に位置する値 4 を枢軸として採用します。 a[*left*] は枢軸以下の値であり、a[*right* - 1] と a[*right*] は枢軸以上の値です。

そこで、走査のためのカーソルの開始位置を、次のように変更します（分割の対象範囲を絞り込みます）。

- 左カーソル *pl* の開始位置 … *left* ⇨ *left + 1* ※ 右に一つずらす
- 右カーソル *pr* の開始位置 … *right* ⇨ *right - 2* ※ 左に二つずらす

この手法は、分割の偏りを避けることが期待できる上に、分割における走査対象の要素を3個減らせます。その結果、平均して数%程度高速化することが分かっています。

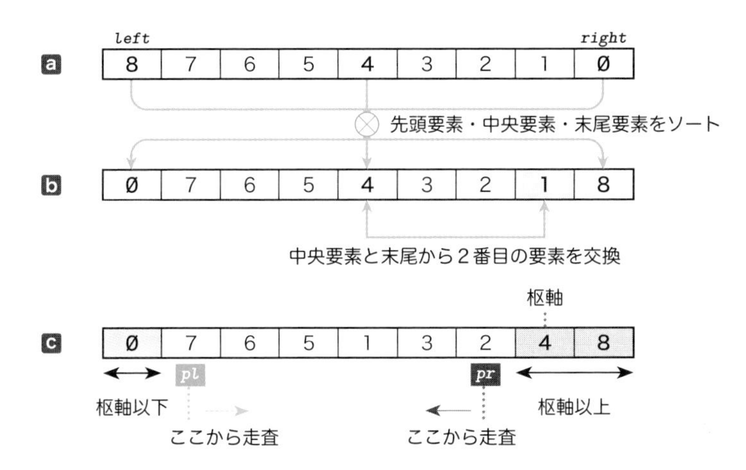

Fig.6-26 枢軸の選択と分割範囲の縮小

【方針２】を採用してプログラムを書きかえましょう。プログラムを、次ページの**List 6-11** に示します。

Column 6-3 コンマ演算子に関する補足

非再帰版のクイックソートにおける、スタックからの取出しを行うコードを理解しましょう。

```
int pl = (Pop(&lstack, &left), left);        // 左カーソル
```

初期化子の Pop(&lstack, &left) と left を結ぶ , は、**コンマ演算子**です。p.73 で学習したように、コンマ式 *op1* , *op2* を評価すると、まず *op1* が評価され、その後で *op2* が評価されます。また、コンマ式全体を評価して得られるのは、右オペランド *op2* の評価によって得られる型と値です。

上記のコードでは、まず最初に関数呼出し式 Pop(&lstack, &left) の評価によって、スタック lstack からポップされた値が left に格納されます。その後、右オペランド left の評価が行われます。

その結果、コンマ式 "Pop(&lstack, &left), left" 全体の評価によって得られるのは、関数 Pop を呼び出した後の、変数 left の値となります。宣言されている pl は、その値で初期化されます。

なお、コンマ式を囲む () は省略できません。省略すると、次のように解釈されてしまうからです。

```
int pl = Pop(&lstack, &left);    // plをPop(&lstack, &left)の返却値で初期化
int left;                        // 変数leftの宣言（初期化しない）
```

List 6-11 chap06/quick2.c

```
// クイックソート（改良版）*/

#include <stdio.h>
#include <stdlib.h>

#define swap(type, x, y) do { type t = x; x = y; y = t; } while (0)

/*--- x[a], x[b], x[c]をソート（中央値の添字を返却）---*/
int sort3elem(int x[], int a, int b, int c)
{
    if (x[b] < x[a]) swap(int, x[b], x[a]);
    if (x[c] < x[b]) swap(int, x[c], x[b]);
    if (x[b] < x[a]) swap(int, x[b], x[a]);
    return b;
}

/*--- クイックソート ---*/
void quick(int a[], int left, int right)
{
    int pl = left;                                      // 左カーソル
    int pr = right;                                     // 右カーソル
 1  int m = sort3elem(a, pl, (pl + pr) / 2, pr);        // 先頭・末尾・中央をソート
 2  int x = a[m];                                       // 枢軸

 3  swap(int, a[m], a[right - 1]);                // 中央と末尾から２番目を交換
 4  pl++;                                         // 左カーソルを１個右へ
 5  pr -= 2;                                      // 右カーソルを２個左へ

    do {
        while (a[pl] < x) pl++;
        while (a[pr] > x) pr--;
        if (pl <= pr) {
            swap(int, a[pl], a[pr]);
            pl++;
            pr--;
        }
    } while (pl <= pr);

    if (left < pr)  quick(a, left, pr);
    if (pl < right) quick(a, pl, right);
}

int main(void)
{
    int nx;

    puts("クイックソート");
    printf("要素数 : ");
    scanf("%d", &nx);
    int *x = calloc(nx, sizeof(int));

    for (int i = 0; i < nx; i++) {
        printf("x[%d] : ", i);
        scanf("%d", &x[i]);
    }

    quick(x, 0, nx - 1);                        // 配列xをクイックソート

    puts("昇順にソートしました。");
    for (int i = 0; i < nx; i++)
        printf("x[%d] = %d\n", i, x[i]);

    free(x);                                    // 配列xを破棄

    return 0;
}
```

実行例

```
クイックソート
要素数：9↵
x[0]：5↵
x[1]：8↵
x[2]：4↵
x[3]：2↵
x[4]：6↵
x[5]：1↵
x[6]：3↵
x[7]：9↵
x[8]：7↵
昇順にソートしました。
x[0]＝1
x[1]＝2
x[2]＝3
x[3]＝4
x[4]＝5
x[5]＝6
x[6]＝7
x[7]＝8
x[8]＝9
```

▶ 新しく追加された関数 *sort3elem* は、配列 **x** 内の３要素 **x[a]**, **x[b]**, **x[c]** をソートした上で、**b** の値をそのまま返却する関数です。

また、クイックソートを行う関数 **quick** は、配列の分割を行う前に、1～5を実行する点が変更されています。

1 関数 *sort3elem* を呼び出すことによって、先頭要素 **a[pl]** と、中央要素 **a[(pl + pr) / 2]** と、末尾要素 **a[pr]** をソートするとともに、中央要素の添字を **m** に代入する。
2 中央要素の値 **a[m]** を枢軸 **x** として取り出す。
3 中央要素 **a[m]** と、末尾から２番目の要素 **a[right - 1]** の交換を行う。
4 左カーソル **pl** を右に一つずらす。
5 右カーソル **pr** を左に二つずらす。

クイックソートの時間計算量

クイックソートでは、配列が次々と分割されて、より小さい問題を解く処理が繰り返されるため、時間計算量は $O(n \log n)$ です。

もっとも、ソートする配列の要素の初期値や枢軸の選択法によっては、遅くなってしまう場合もあります。

たとえば、ただ一つの要素と、それ以外の要素へという分割を毎回繰り返すと、n 回の分割が必要です。そのため、最悪の時間計算量は $O(n^2)$ となります。

演習 6-13

プッシュ・ポップ・分割の様子を詳細に表示するように、**List 6-10**（p.237）を書きかえたプログラムを作成せよ。

演習 6-14

List 6-9（p.235）と **List 6-10** に示した関数 **quick** を、要素数が小さいほうのグループを優先的に分割するように書きかえたプログラムを作成せよ。

演習 6-15

クイックソートは、要素数が小さい配列に対しては、それほど高速ではないことが知られている。分割されたグループの要素数が **9** 以下であれば単純挿入ソートに切りかえるように、左ページの **List 6-11** の関数 **quick** を書きかえたプログラムを作成せよ。

演習 6-16

関数 **quick** は、受け取る引数が３個という点で、本章の他のソート関数と仕様が異なる。

演習 **6-15** で作成したプログラムを改変することで、次の形式でクイックソートを行う関数を作成せよ。

```
qsort(int a[], int n);
```

いうまでもなく、第１引数 **a** はソートすべき配列であり、第２引数 **n** は要素数である。

qsort：配列のソート

C言語の標準ライブラリでは、ソートを行うための *qsort* 関数が提供されます。

	qsort
ヘッダ	`#include <stdlib.h>`
形　式	`void qsort(void *base, size_t nmemb, size_t size, int (*compar)(const void *, const void *));`
解　説	先頭要素を *base* が指している、要素数が *nmemb* 個で要素の大きさが *size* であるオブジェクトの配列を、*compar* が指す比較関数にしたがって整列する。 比較されるオブジェクトを指す二つの実引数を渡されて呼び出される比較関数は、第1引数が第2引数より小さい／等しい／大きいとみなされるとき、それぞれ **0** より小さい／等しい／大きい整数を返すこと。 二つの要素が等しいとき、整列された配列内でのそれらの順序は規定されない。

第3章で学習した *bsearch* 関数（p.104）と同様に、**int** 型や **double** 型などの基本型の配列だけでなく、構造体型の配列など、あらゆる型の配列に適用できるのが特徴です。

関数名の *qsort* は、『クイックソート』に由来しますが、そのアルゴリズムが使われる保証はなく、処理系まかせです。

▶ クイックソート以外のアルゴリズムを利用して安定なソートを行うような処理系があるかもしれませんが、それに依存したプログラムは、可搬性に欠けたものとなってしまいます。

＊

関数 *qsort* が受け取る引数は4個であり、先頭から順に *bsearch* 関数の第2引数〜第5引数に対応します。すなわち、先頭から順に、配列の先頭要素へのポインタ、要素数、要素の大きさ、比較関数へのポインタです。

▶ *bsearch* 関数の第1引数は、探索すべきキー値へのポインタです。*qsort* 関数には、この引数に相当するものがありません。

比較関数は、次の値を返却する関数として、ユーザ自身が用意します。

- 第1引数が指す値のほうが小さければ、負の値を返却する。
- 第1引数が指す値と第2引数が指す値が等しければ、**0** を返却する。
- 第1引数が指す値のほうが大きければ、正の値を返却する。

この点も、*bsearch* 関数に与える比較関数と同じ仕様です。

＊

右ページの **List 6-12** が、*qsort* 関数を利用してソートを行うプログラム例です。**int** 型配列の各要素に値を読み込んでいって、それを昇順にソートした上で出力します。

本プログラムの比較関数 *int_cmp* は、*bsearch* 関数を利用して探索を行う **List 3-5**（p.105）とまったく同じです。

List 6-12 chap06/qsort1.c

```
// qsort関数を利用して整数配列の要素を値の昇順にソート

#include <stdio.h>
#include <stdlib.h>

/*--- int型の比較関数（昇順ソート用）---*/
int int_cmp(const int *a, const int *b)
{
    if (*a < *b)
        return -1;
    else if (*a > *b)
        return 1;
    else
        return 0;
}
```

List 3-5と同じ

```
int main(void)
{
    int nx;

    printf("qsortによるソート\n");
    printf("要素数 : ");
    scanf("%d", &nx);
    int *x = calloc(nx, sizeof(int));    // 要素数nxのint型配列xを生成

    for (int i = 0; i < nx; i++) {
        printf("x[%d] : ", i);
        scanf("%d", &x[i]);
    }

    qsort(x,                                         // 配列
          nx,                                        // 要素数
          sizeof(int),                               // 要素の大きさ
          (int (*)(const void *, const void *))int_cmp  // 比較関数
         );

    puts("昇順にソートしました。");
    for (int i = 0; i < nx; i++)
        printf("x[%d] = %d\n", i, x[i]);

    free(x);                                 // 配列xを破棄

    return 0;
}
```

実行例

```
qsortによるソート
要素数 : 7
x[0] : 6
x[1] : 4
x[2] : 3
x[3] : 7
x[4] : 1
x[5] : 9
x[6] : 8
昇順にソートしました。
x[0] = 1
x[1] = 3
x[2] = 4
x[3] = 6
x[4] = 7
x[5] = 8
x[6] = 9
```

なお、降順にソートするのであれば、**qsort** 関数に渡す比較関数は、右のようになります（"chap06/qsort1r.c"）。

異なるのは網かけ部のみです。

ここに示す比較関数 **int_cmpr** が返却する値の符号は、関数 **int_cmp** とは逆になっています。

```
/*--- int型の比較関数（降順ソート用）---*/
int int_cmpr(const int *a, const int *b)
{
    if (*a < *b)
        return 1;
    else if (*a > *b)
        return -1;
    else
        return 0;
}
```

List 6-13 に示すのは、構造体の配列をソートするプログラム例です。ソート対象は、名前 **name** と身長 **height** と体重 **weight** のメンバで構成された構造体 **Person** の配列 **x** です。

List 6-13 chap06/qsort2.c

```
// qsort関数を用いて構造体の配列をソート

#include <stdio.h>
#include <stdlib.h>
#include <string.h>

typedef struct {
    char name[10];  // 名前
    int  height;    // 身長
    int  weight;    // 体重
} Person;

/*--- Person型の比較関数（名前昇順）---*/
int npcmp(const Person *x, const Person *y)
{
    return strcmp(x->name, y->name);                    ―1
}

/*--- Person型の比較関数（身長昇順）---*/
int hpcmp(const Person *x, const Person *y)
{
    return x->height < y->height ? -1 :                 ―2
           x->height > y->height ?  1 : 0;
}

/*--- Person型の比較関数（体重降順）---*/
int wpcmp(const Person *x, const Person *y)
{
    return x->weight < y->weight ?  1 :                 ―3
           x->weight > y->weight ? -1 : 0;
}

/*--- no人分のデータを表示 ---*/
void print_person(const Person x[], int no)
{
    for (int i = 0; i < no; i++)
        printf("%-10s %dcm %dkg\n", x[i].name, x[i].height, x[i].weight);
}

int main()
{
    Person x[]= {
        {"Shibata",  170, 52},
        {"Takaoka",  180, 70},
        {"Nangoh",   172, 63},
        {"Sugiyama", 165, 50},
    };

    int nx = sizeof(x) / sizeof(x[0]);        // 配列xの要素数

    puts("ソート前");
    print_person(x, nx);

    // 名前昇順にソート
    qsort(x, nx, sizeof(Person), (int (*)(const void *, const void *))npcmp);

    puts("\n名前昇順ソート後");
    print_person(x, nx);
```

実行結果

```
ソート前
Shibata    170cm 52kg
Takaoka    180cm 70kg
Nangoh     172cm 63kg
Sugiyama   165cm 50kg

名前昇順ソート後
Nangoh     172cm 63kg
Shibata    170cm 52kg
Sugiyama   165cm 50kg
Takaoka    180cm 70kg

身長昇順ソート後
Sugiyama   165cm 50kg
Shibata    170cm 52kg
Nangoh     172cm 63kg
Takaoka    180cm 70kg

体重降順ソート後
Takaoka    180cm 70kg
Nangoh     172cm 63kg
Shibata    170cm 52kg
Sugiyama   165cm 50kg
```

```
    // 身長昇順にソート
    qsort(x, nx, sizeof(Person), (int (*)(const void *, const void *))hpcmp);

    puts("\n身長昇順ソート後");
    print_person(x, nx);

    // 体重降順にソート
    qsort(x, nx, sizeof(Person), (int (*)(const void *, const void *))wpcmp);

    puts("\n体重降順ソート後");
    print_person(x, nx);

    return 0;
}
```


本プログラムでは、配列 **x** を 3 回ソートしています。各ソートで利用している比較関数は、次のとおりです。

1 名前の昇順ソート用比較関数 … 関数 ***npcmp***
2 身長の昇順ソート用比較関数 … 関数 ***hpcmp***
3 体重の降順ソート用比較関数 … 関数 ***wpcmp***

▶ 名前の比較関数は、***strcmp*** 関数の返却値をそのまま返します。***strcmp*** 関数は、文字列を比較する関数です（次章で学習します）。

qsort 関数の仕様上、安定なソートが行われる保証はありません。すなわち、同じキー値をもつデータが 2 個以上存在する場合に、整列前の配列内の先頭側に存在するデータが、名前の昇順で整列した後も、配列の先頭側に位置するとは限りません。

演習 6-17

qsort 関数を用いて、次の二つの配列を昇順にソートするプログラムを作成せよ。

```
char  a[][7] = {"LISP", "C", "Ada", "Pascal"};
char *p[]    = {"LISP", "C", "Ada", "Pascal"};
```

ソートを行う部分は、それぞれ独立した関数として実現すること。

演習 6-18

qsort 関数と同じ形式のソート関数を作成せよ。

```
void q_sort(void *base, size_t nmemb, size_t size,
            int (*compar)(const void *, const void *));
```

クイックソートのアルゴリズムを利用すること。

演習 6-19

qsort 関数と同じ形式のソート関数を作成せよ。

```
void m_sort(void *base, size_t nmemb, size_t size,
            int (*compar)(const void *, const void *));
```

次節で学習するマージソートのアルゴリズムを利用すること（安定なソートが行える）。

6-7 マージソート

マージソートは、配列を前半部と後半部の二つに分けて、それぞれをソートしたものをマージする作業を繰り返すことによってソートを行うアルゴリズムです。

ソートずみ配列のマージ

まず、"二つのソートずみ配列の**併合＝マージ**（merge）"を理解しましょう。『**各配列の着目要素の値を比較して、小さいほうの値をもつ要素を取り出して別の配列に格納する**』という作業を繰り返して、ソートずみの配列を作ります。

右ページの **List 6-14** に示すのが、そのプログラム例です。関数 *merge* は、要素数 *na* の配列 a と、要素数 *nb* の配列 *b* をマージして、配列 *c* に格納します（**Fig.6-27**）。

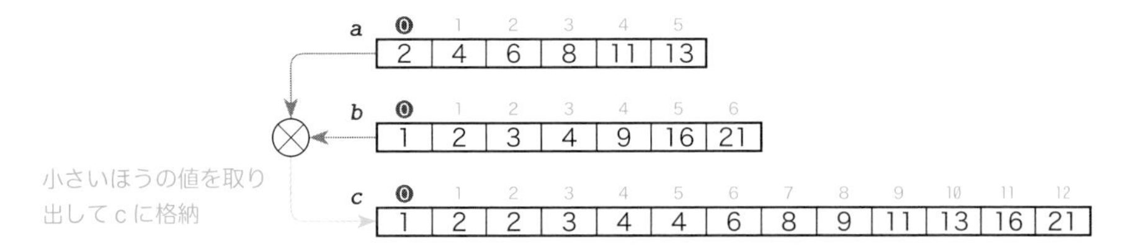

Fig.6-27　ソートずみ配列のマージ

この関数では、三つの配列 a, b, c を同時に走査します。各配列の操作で着目する要素の添字が pa, pb, pc です（ここでは**カーソル**と呼びます）。図中●で示すように、すべてを 0 で初期化して、先頭要素に着目します。

1. 配列 a 内の着目要素 a[pa] と、配列 b 内の着目要素 b[pb] のうち、小さいほうの値を c[pc] に格納するとともに、コピー元とコピー先のカーソルを一つ進めます。
 図の例では、b[0] の 1 が a[0] の 2 よりも小さいため、c[0] に 1 を代入します。代入後は、カーソル pb と pc を進めます（値を取り出していない配列 a のカーソル pa は進めません）。
 このように、a[pa] と b[pb] の小さいほうの値を c[pc] に代入し、取り出したほうの配列のカーソルと配列 c のカーソル pc を進める作業を繰り返します。カーソル pa が配列 a の末尾に達するか、カーソル pb が配列 b の末尾に達すると、while 文が終了します。

2. この while 文が実行されるのは、1で配列 b の全要素を配列 c にコピーしたものの、配列 a に未コピーの要素が残っている（カーソル pa が配列 a の末尾に達していない）場合です。
 カーソルを進めながら、未コピーの全要素を配列 c にコピーします。

3. この while 文が実行されるのは、1で配列 a の全要素を配列 c にコピーしたものの、配列 b に未コピーの要素が残っている（カーソル pb が配列 b の末尾に達していない）場合です。
 カーソルを進めながら、未コピーの全要素を配列 c にコピーします。

List 6-14　　chap06/merge_ary.c

```
// ソートずみ配列のマージ

#include <stdio.h>

/*--- ソートずみ配列aとbをマージしてcに格納 ---*/
void merge(const int a[], int na, const int b[], int nb, int c[])
{
    int pa = 0;
    int pb = 0;
    int pc = 0;

    while (pa < na && pb < nb)                              ―1
        c[pc++] = (a[pa] <= b[pb]) ? a[pa++] : b[pb++];

    while (pa < na)                                          ―2
        c[pc++] = a[pa++];

    while (pb < nb)                                          ―3
        c[pc++] = b[pb++];
}

int main(void)
{
    int na, nb;

    printf("aの要素数 : ");   scanf("%d", &na);
    printf("bの要素数 : ");   scanf("%d", &nb);

    int *a = calloc(na, sizeof(int));
    int *b = calloc(nb, sizeof(int));
    int *c = calloc(na + nb, sizeof(int));

    printf("a[0] : ");
    scanf("%d", &a[0]);
    for (int i = 1; i < na; i++) {
        do {
            printf("a[%d] : ", i);
            scanf("%d", &a[i]);
        } while (a[i] < a[i - 1]);
    }

    printf("b[0] : ");
    scanf("%d", &b[0]);
    for (int i = 1; i < nb; i++) {
        do {
            printf("b[%d] : ", i);
            scanf("%d", &b[i]);
        } while (b[i] < b[i - 1]);
    }
    // 配列aとbをマージしてcに格納
    merge(a, na, b, nb, c);

    puts("配列aとbをマージして配列cに格納しました。");
    for (int i = 0; i < na + nb; i++)
        printf("c[%2d] = %2d\n", i, c[i]);

    free(a);
    free(b);
    free(c);

    return 0;
}
```

実行例

```
aの要素数 : 6⏎
bの要素数 : 7⏎
a[0] : 2⏎
a[1] : 4⏎
a[2] : 6⏎
a[3] : 8⏎
a[4] : 11⏎
a[5] : 13⏎
b[0] : 1⏎
b[1] : 2⏎
b[2] : 3⏎
b[3] : 4⏎
b[4] : 9⏎
b[5] : 16⏎
b[6] : 21⏎
配列aとbをマージして配列cに
格納しました。
c[0] =  1
c[1] =  2
c[2] =  2
c[3] =  3
c[4] =  4
c[5] =  4
c[6] =  6
c[7] =  8
c[8] =  9
c[9] =  11
c[10] = 13
c[11] = 16
c[12] = 21
```

三つの繰返し文が並べられただけの単純で高速なアルゴリズムで実現されています。マージに要する時間計算量はO(n)です。

マージソート

ソートずみ配列のマージを応用して、分割統治法でソートを行うアルゴリズムが**マージソート**（merge sort）です。

Fig.6-28 を見ながら理解していきましょう。まず、配列を前半部と後半部の二つに分けます。この例では、配列の要素数が 12 ですから、6 個ずつの配列に分割します。

前半部と後半部のそれぞれをソートすれば、それらをマージするだけで、配列全体がソートできます。

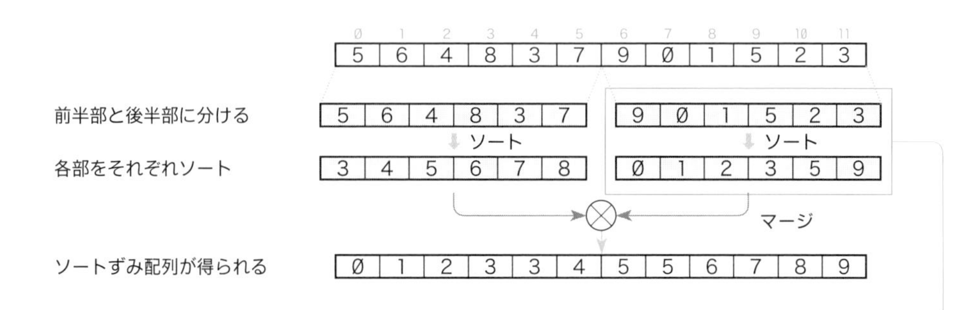

Fig.6-28　マージソートの考え方

前半部のソートと後半部のソートも、まったく同じ手続きで行います。

たとえば、後半部のソートは **Fig.6-29** のようになります。

もちろん、この過程で新たに作られる前半部 {9, 0, 1} と後半部 {5, 2, 3} のそれぞれも、同じ手続きでソートします。

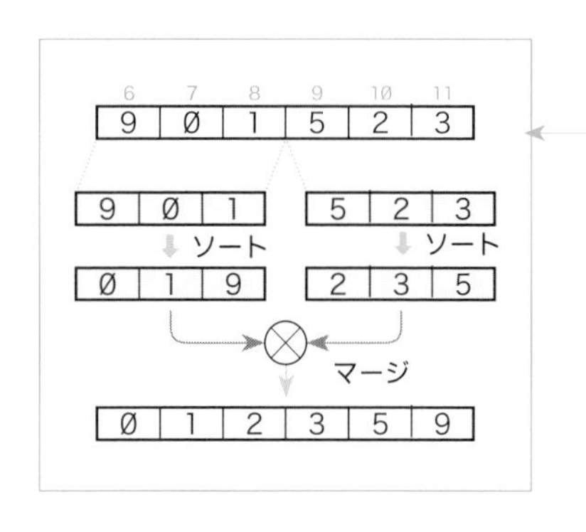

Fig.6-29　後半部のソート

マージソートのアルゴリズム

マージソートの手順を整理すると、次のようになります。

配列の要素数が 2 以上であれば、次の手続きを適用する。
- 配列の前半部をマージソートによってソートする。
- 配列の後半部をマージソートによってソートする。
- 配列の前半部と後半部をマージする。

右ページの **List 6-15** に示すのが、マージソートを行うプログラムです。

List 6-15 chap06/merge.c

```
/* マージソート */

#include <stdio.h>
#include <stdlib.h>

static int *buff;            // 作業用配列

/*--- マージソート（メイン部）---*/
static void __mergesort(int a[], int left, int right)
{
    if (left < right) {
        int center = (left + right) / 2;
        int p = 0;
        int i;
        int j = 0;
        int k = left;

        __mergesort(a, left, center);          // 前半部をマージソート
        __mergesort(a, center + 1, right);     // 後半部をマージソート

        for (i = left; i <= center; i++)
            buff[p++] = a[i];

        while (i <= right && j < p)
            a[k++] = (buff[j] <= a[i]) ? buff[j++] : a[i++];

        while (j < p)
            a[k++] = buff[j++];
    }
}

/*--- マージソート ---*/
int mergesort(int a[], int n)
{
    if ((buff = calloc(n, sizeof(int))) == NULL)
        return -1;

    __mergesort(a, 0, n - 1);       // 配列全体をマージソート

    free(buff);

    return 0;
}

int main(void)
{
    int nx;

    puts("マージソート");
    printf("要素数：");
    scanf("%d", &nx);
    int *x = calloc(nx, sizeof(int));

    for (int i = 0; i < nx; i++) {
        printf("x[%d] : ", i);
        scanf("%d", &x[i]);
    }

    mergesort(x, nx);               // 配列xをマージソート

    puts("昇順にソートしました。");
    for (int i = 0; i < nx; i++)
        printf("x[%d] = %d\n", i, x[i]);

    free(x);                        // 配列xを破棄

    return 0;
}
```

実行例

```
マージソート
要素数：7
x[0] : 6
x[1] : 4
x[2] : 3
x[3] : 7
x[4] : 1
x[5] : 9
x[6] : 8
昇順にソートしました。
x[0] = 1
x[1] = 3
x[2] = 4
x[3] = 6
x[4] = 7
x[5] = 8
x[6] = 9
```

プログラムを理解していきましょう（主要部を再掲します）。

```
static void __mergesort(int a[], int left, int right)
{
    if (left < right) {
        int center = (left + right) / 2;
        /* 中略：変数の宣言 */
        __mergesort(a, left, center);         // 前半部をマージソート
        __mergesort(a, center + 1, right);    // 後半部をマージソート
        /* 中略：前半部と後半部をマージ */
    }
}

int mergesort(int a[], int n)
{
    if ((buff = calloc(n, sizeof(int))) == NULL)
        return -1;                                                 A
    __mergesort(a, 0, n - 1);           // 配列全体をマージソート   B
    free(buff);                                                    C
    return 0;
}
```

関数 **mergesort** は、次のことを行います。

A マージ結果を一時的に格納するための作業用配列 ***buff*** を生成する。
B ソート作業を行う関数 ***__mergesort*** を呼び出す。
C 作業用配列 **buff** を破棄する。

実際にマージソートを行うのは、Bで呼び出される関数 ***__mergesort*** です。

その関数 ***__mergesort*** は、ソートする配列 **a** と、ソート対象の先頭要素と末尾要素の添字 ***left*** と ***right*** を引数に受け取ります。

関数全体を占める **if** 文が機能しますので、実質的に処理を行うのは、*left* の値が ***right*** より小さいときのみです。

最初に行うのは、前半部 **a[*left*]** ～ **a[*center*]** と、後半部 **a[*center* + 1]** ～ **a[*right*]** のそれぞれに対して関数 ***__mergesort*** を再帰的に適用することです。これで、**Fig.6-30** に示すように、配列の前半部と後半部のそれぞれがソートずみとなります。

▶ 実際には、呼び出された関数 ***__mergesort*** が、再帰的に関数 ***__mergesort*** を何度も呼び出すことによって、ソートが行われます。

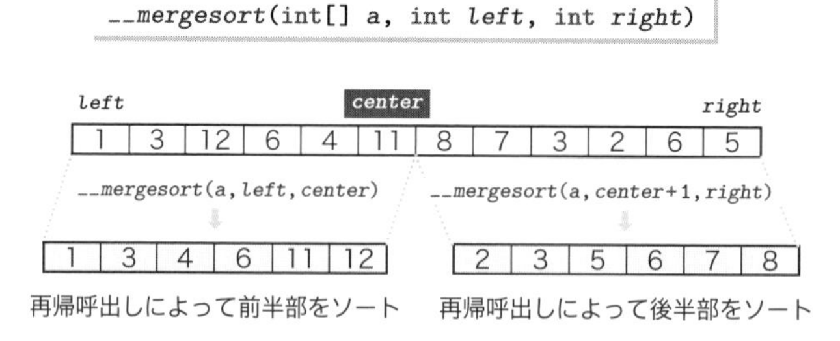

Fig.6-30 前半部と後半部のソート

ソートずみとなった前半部と後半部のマージは、作業用の配列 buff を使って行います。マージの手順は、3段階のステップで構成されています（**Fig.6-31**）。

```
for (i = left; i <= center; i++)
    buff[p++] = a[i];                                    ← 1
while (i <= right && j < p)
    a[k++] = (buff[j] <= a[i]) ? buff[j++] : a[i++];     ← 2
while (j < p)
    a[k++] = buff[j++];                                  ← 3
```

1 配列の前半部 a[left] ～ a[center] を buff[0] ～ buff[center - left] にコピーする。for 文終了時の p の値は、コピーした要素の個数 center - left + 1 となる（図a）。

2 配列の後半部 a[center + 1] ～ a[right] と、buff にコピーした配列の前半部の p 個をマージした結果を配列 a に格納する（図b）。

3 配列 buff に残った未格納部分の要素を配列 a にコピーする（図c）。

a 配列 a の前半部を配列 buff にコピー

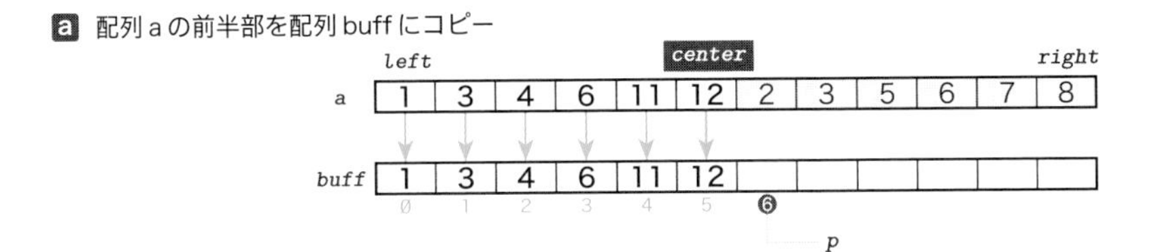

b 配列 a の後半部と配列 buff を配列 a にマージ

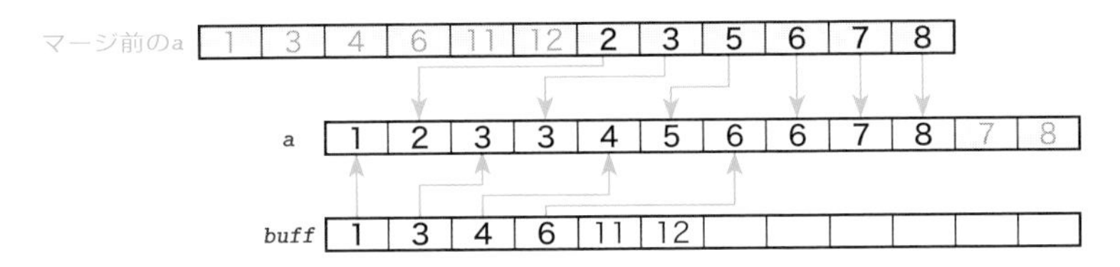

c 配列 buff の残り要素を配列 a にコピー

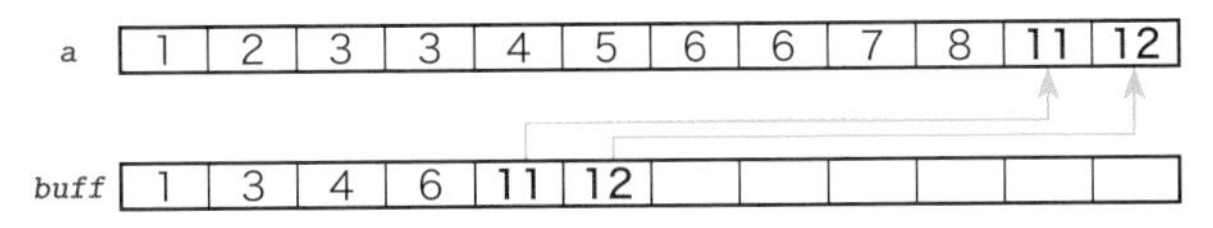

Fig.6-31 マージソートにおける配列の前半部と後半部のマージ

配列のマージの時間計算量は O(n) でした。データの要素数が n であれば、マージソートの階層としては log n の深さが必要ですから、全体の時間計算量は O(n log n) です。

なお、離れた要素を交換することはありませんので、マージソートは安定です。

6-8 ヒープソート

選択ソートの応用的なアルゴリズムであるヒープソートは、ヒープの特性をたくみに利用してソートを行います。

ヒープ

ヒープソート（heap sort）は、**ヒープ**（heap）を用いてソートを行うアルゴリズムです。ヒープとは、親の値が子の値以上であるという条件を満たす**完全2分木**（p.368）です。

▶ heapには、『累積（るいせき）』『積み重なったもの』といった意味があります。
　ヒープソートを難しく感じる、あるいは、木に関する用語などを知らなければ、第9章を先に学習し、それから戻ってきて学習を進めましょう。

Fig.6-32 **a**は、ヒープではない**完全2分木**です。これをヒープにしたのが、図**b**の木であり、どの親子に対しても“親の値 ≧ 子の値”の関係が成立します。

もちろん、**ヒープの最上流に位置する根は、最大値です。**

▶ 一貫していれば、値の大小関係は反対（親の値 ≦ 子の値）でも構いません。なお、その場合、ヒープの根は最小値となります。

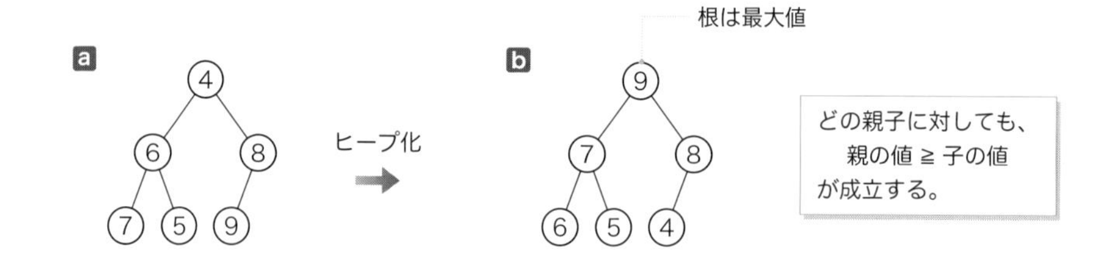

Fig.6-32　完全2分木のヒープ化

ヒープでは、**兄弟の大小関係は任意**です。たとえば、図**b**では、兄弟である7と8の小さいほうの7が左側に位置していますが、6と5については、小さいほうの5は右側に位置しています。

▶ この性質から、ヒープは**半順序木**（partial ordered tree）とも呼ばれます。

ヒープ上の要素を、配列に格納する様子を示したのが、右ページの**Fig.6-33**です。

まず、最上流の根をa[0]に格納します。それから、一つ下流にくだって、要素を左から右へとなぞっていきます。その過程で添字の値を一つずつ増やしていきながら配列の各要素に格納していきます。

この作業を最下流まで繰り返すと、ヒープの配列への格納が完了します。

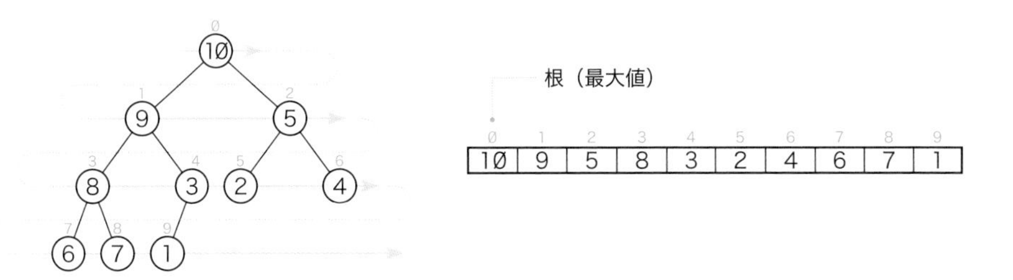

Fig.6-33　ヒープ上の要素と配列の要素との対応

この手順でヒープを配列に格納すると、親の添字と子の添字のあいだには、次の関係が成立します。

任意の要素 a[i] に対して：

- 親　　a[(i - 1) / 2]　　※剰余は切捨て
- 左の子　a[i * 2 + 1]
- 右の子　a[i * 2 + 2]

▶ 念のために確認してみましょう。たとえば、a[3] の親は a[1] で、左右の子はそれぞれ a[7] と a[8] です。また、a[2] の親は a[0] で、左右の子はそれぞれ a[5] と a[6] です。
　いずれも、上記の関係を満たしています。

ヒープソート

ヒープソートは、“**最大値**がヒープの根に位置する” ことを利用してソートを行うアルゴリズムです。具体的には、

- ヒープから**最大値**である根を**選択**して取り出す。
- 根以外の部分を**ヒープ化**する。

という作業を繰り返します。この過程で取り出した値を並べていけば、ソートずみの配列が完成します。すなわち、**ヒープソートは、選択ソートの応用的なアルゴリズム**です。

＊

なお、ヒープから最大値である根を取り出した後は、残った要素から再び最大値を求める必要があります。

たとえば、ヒープとなっている 10 個の要素から最大値を取り除くと、残り9個の要素から最大値を求める必要があります。そこで、残り9個の要素から構成される木もヒープとなるように再構築しなければなりません。

根を除去したヒープの再構築

それでは、根を除去してヒープを再構築する手順を、右ページの **Fig.6-34** に示す例で考えていきましょう。

a ヒープから根である **10** を取り出します。空いた根の位置に、ヒープの最後の要素（最下流の最も右側に位置する要素）である **1** を移動します。

このとき、移動した **1** 以外の要素はヒープの要件を満たしています。そのため、この値を**適切な位置へと移動する**とよさそうです。

b 移動すべき **1** の二つの子は **9** と **5** です。ヒープを構築するには、これら3値の最大値が、上流に位置する必要があります。というのも、“親の値 ≧ 子の値” というヒープの要件を満たさねばならないからです。

そこで、二つの子を比較して、大きいほうの子である **9** と交換します。そうすると、**1** が左に下りてきて右図となります。

c **1** の二つの子は **8** と **3** です。先ほどと同様に、大きいほうの子である **8** と交換します。そうすると、**1** が左に下りてきて右図となります。

d **1** の二つの子は **6** と **7** です。大きいほうの値である **7** と交換すると、**1** が右に下りてきて、右図となります。

これ以上は下流にたどることができませんので、作業はこれで終了します。

得られた木は、ヒープとなっています。どの親子を比べても、“親の値 ≧ 子の値” ですし、最大値である **9** は、ちゃんと根に位置しています。

＊

この例では、最下流である葉の位置まで **1** が移動しました。しかし、移動すべき要素の値よりも左右両方の子が小さくなると、それ以上は交換できませんので、その時点で走査を終了する必要があります。

根を除去して再ヒープ化するために、要素を適切な位置へと下ろしていく手続きをまとめると、次のようになります。

1. 根を取り出す。
2. 最後の要素（最下流の最も右側に位置する要素）を根に移動する。
3. 自分より大きいほうの子と交換して一つ下流に下りる作業を、根から始めて、次の条件のいずれか一方が成立するまで繰り返す。
   - 子のほうが値が小さい。
   - 葉に到達した。

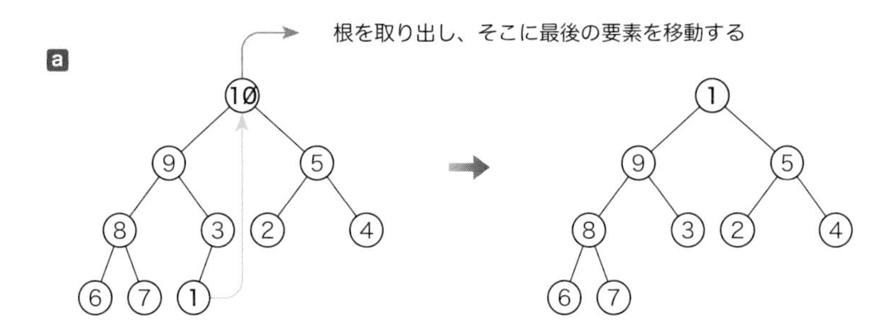

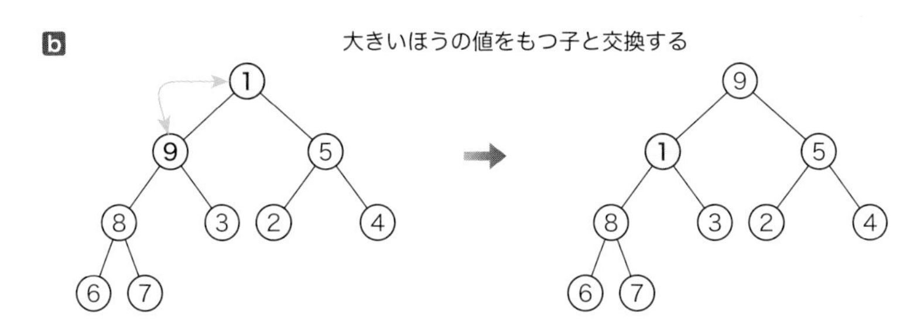

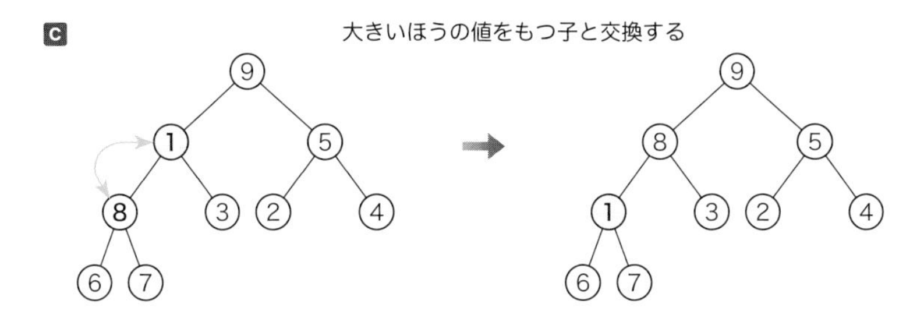

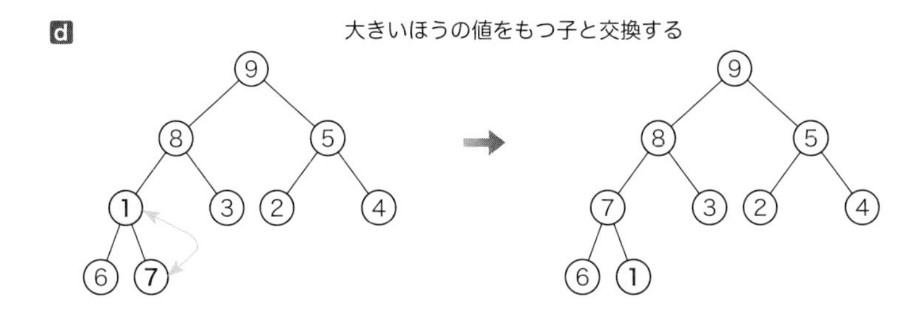

Fig.6-34　根を除去したヒープの再構築

ヒープソートへの拡張

次は、ヒープソート自体のアルゴリズムです。右ページの **Fig.6-35** を見ながら、アルゴリズムの流れを理解していきましょう。

a ヒープの根 a[0] に位置する最大値 10 を取り出して、配列の末尾要素である a[9] と交換します。

b 最大値が a[9] に移動した結果、a[9] はソートずみとなります。
前ページに示した手順に基づいて a[0] ～ a[8] の要素をヒープ化します。その結果、2番目に大きい 9 が根に位置します。
ヒープの根 a[0] に位置する最大値 9 を取り出して、未ソート部の末尾要素 a[8] と交換します。

c 2番目に大きい値が a[8] に移動した結果、a[8] ～ a[9] はソートずみとなりました。
前ページと同じ手順に基づいて a[0] ～ a[7] の要素をヒープ化します。その結果、3番目に大きい 8 が根に位置します。
ヒープの根 a[0] に位置する最大値 8 を取り出して、未ソート部の末尾要素 a[7] と交換します。

同様に、**d**、**e**、… と続けると、配列の末尾側に、大きいほうから順に一つずつ値が格納されます。

*

以上の手続きを一般的にまとめると、次のようになります（配列の要素数を *n* とします）。

1. 変数 *i* の値を *n* - 1 で初期化する。
2. a[0] と a[*i*] を交換する。
3. a[0], a[1], …, a[*i* - 1] をヒープ化する。
4. *i* の値をデクリメントして 0 になれば終了。そうでなければ2に戻る。

この手順によってソートが行えます。

*

しかし、肝心なことが一つ抜けています。それは、**配列の初期状態がヒープの要件を満たしているという保証がないこと**です。
したがって、ここに示した手続きを適用する前に、**配列をヒープ化する必要があります**。

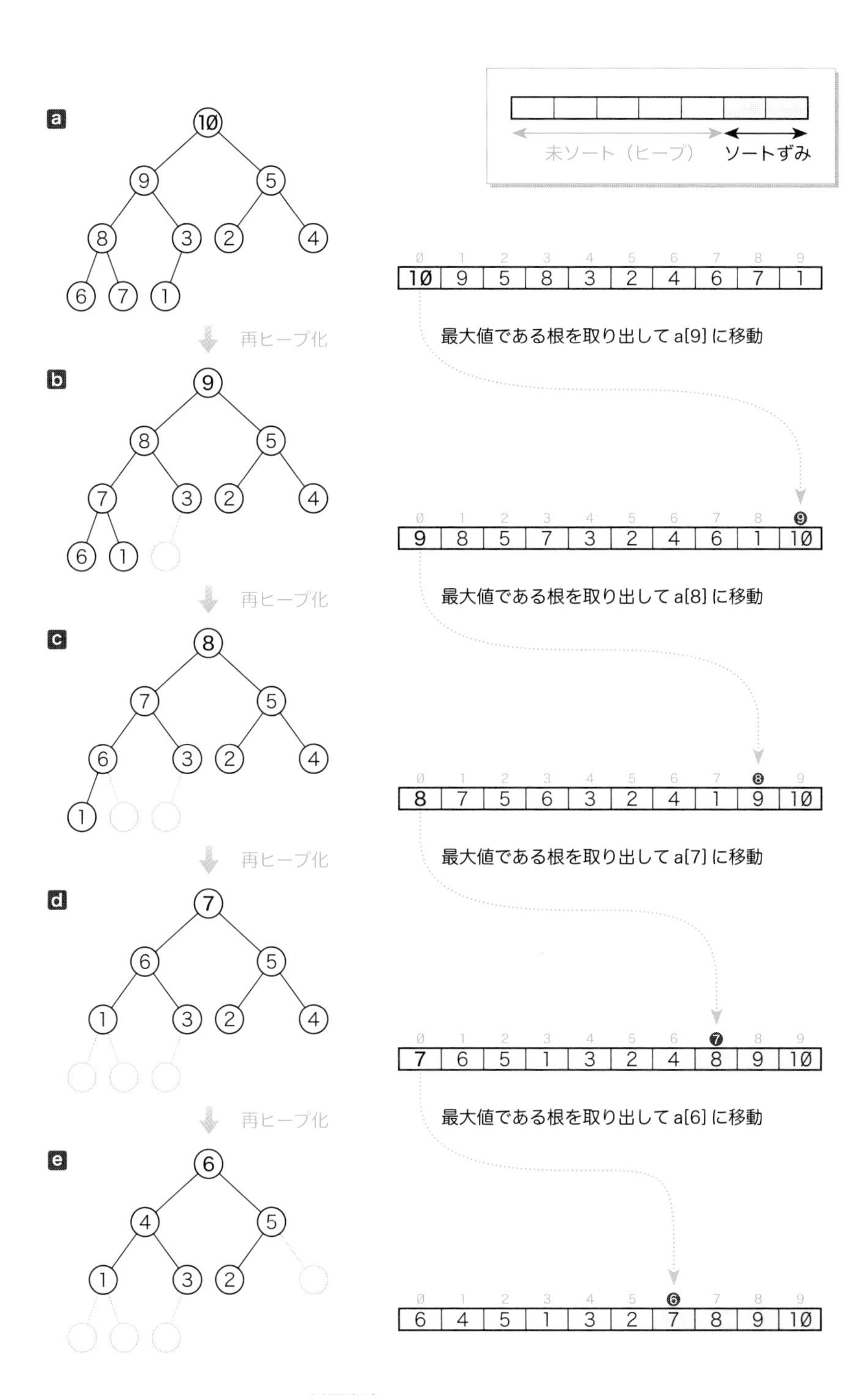

Fig.6-35　ヒープソートの考え方

配列のヒープ化

ここで、**Fig.6-36** に示す2分木を考えましょう。**4** を根とする部分木Aはヒープではありません。ただし、左の子**8**を根とする部分木Bと、右の子**5**を根とする部分木Cは、いずれもヒープという状態です。

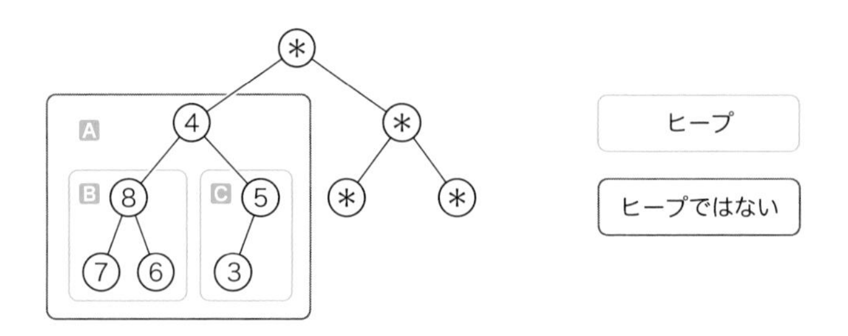

Fig.6-36　左部分木と右部分木がヒープとなっている部分木

根を除去したときは、最後の要素を根に移動させて、それを適切な位置まで"下ろして"いくことでヒープを再構築しました（p.258）。ここでも同じ手順が適用できます。根の **4** を適切な位置まで"下ろして"いけば、部分木Aをヒープ化できます。

＊

すなわち、下流側の小さい部分木からボトムアップ的に積み上げれば、配列のヒープ化が行えます。その具体例を示したのが、右ページの **Fig.6-37** です。

最下流の右側から始めて左側へと進んでいき、そのレベルが終了したら一つ上流側へと移動しながら、部分木をヒープ化していきます。

a　この木はヒープではありません（無作為に並べられています）。最後の（最下流で最も右側の）部分木 `{9, 10}` に着目します。要素 **9** を下ろすとヒープになります。

b　一つ左側の部分木 `{7, 6, 8}` に着目します。要素 **7** を右側に下ろすとヒープになります。

c　最下流が終わりましたので、一つ上流の最後の（最も右側の）部分木 `{5, 2, 4}` に着目します。たまたまヒープとなっており、要素の移動は不要です。

d　一つ左側の部分木である、**3** を根とする部分木に着目します。ここでは、要素 **3** を右側に下ろすと、ヒープ化は完了します。

e　一つ上流に移動すると最上流に到達しますので、木全体に着目します。左の子 **10** を根とする部分木、右の子 **5** を根とする部分木は、いずれもヒープです。そこで、要素 **1** を適切な位置まで下ろすと、ヒープ化は完了します。

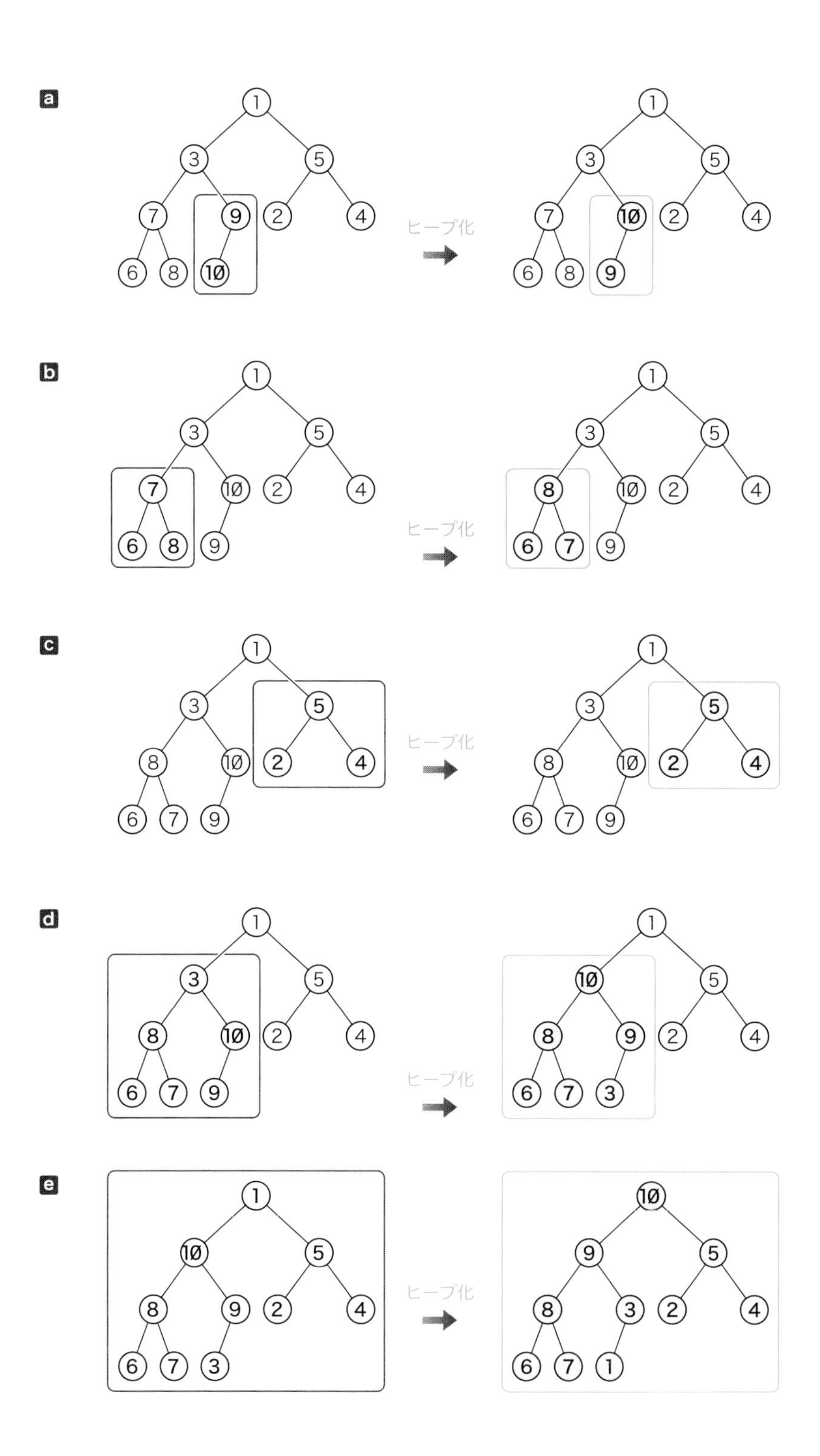

Fig.6-37 配列のヒープ化

ヒープソートのプログラムを作成するための準備が整いました。右ページの **List 6-16** に示すのが、ヒープソートを行うプログラムです。

関数 downheap

配列 a 中の a[*left*] ～ a[*right*] の要素をヒープ化する関数です。先頭要素 a[*left*] 以外はヒープ化されているという前提に基づいて、a[*left*] を下流の適切な位置まで下ろすことでヒープ化を行います。

▶ ここで行うのは、pp.258 ～ 259 の手続きです。

関数 heapsort

要素数 *n* の配列 a をヒープソートする関数です。二つのステップで構成されます。

1. 関数 *downheap* を利用して配列 a をヒープ化します。

   ▶ ここで行うのは、pp.262 ～ 263 の手続きです。

2. 最大値である根すなわち a[0] を取り出して、配列の末尾側と交換し、配列の残り部分を再ヒープ化する手続きを繰り返すことでソートを行います。

   ▶ ここで行うのは、pp.260 ～ 261 の手続きです。

ヒープソートの時間計算量

既に学習したとおり、ヒープソートは**選択ソートの応用的アルゴリズム**です（p.257）。

単純選択ソートでは、未ソート部の全要素を対象として最大値を選択します。ヒープソートでは、先頭要素を取り出すだけで最大値が求められるものの、残った要素の**再ヒープ化**が必要です。

とはいえ、単純選択ソートにおける最大要素選択の時間計算量が O(n) であるのに対して、ヒープソートにおける再ヒープ化の作業の時間計算量は O(log n) です。

▶ 根を適切な位置まで下ろしていく作業は、2分探索と似た作業であって、走査のたびに選択の幅が半分になっていくからです。

なお、再ヒープ化の作業を繰り返しますので、ソート全体に要する時間計算量は、単純選択ソートの $O(n^2)$ に対して、ヒープソートは O(n log n) です。

演習 6-20

関数 *downheap* が呼び出されるたびに、右図のように配列の値を木形式で表示するように書きかえたプログラムを作成せよ。

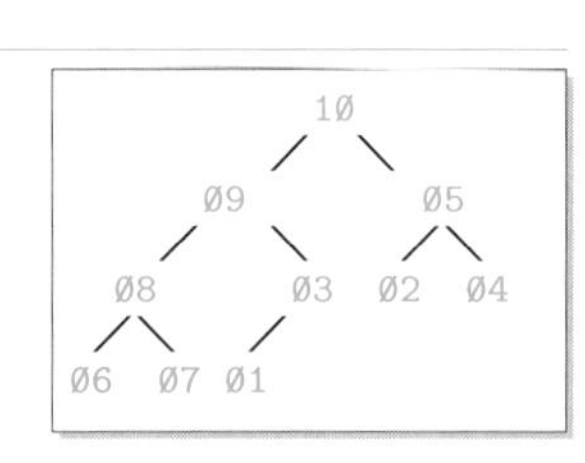

List 6-16 chap06/heap.c

```
// ヒープソート

#include <stdio.h>
#include <stdlib.h>

#define swap(type, x, y)  do { type t = x; x = y; y = t; } while (0)

/*--- a[left]～a[right]をヒープ化 ---*/
static void downheap(int a[], int left, int right)
{
    int temp = a[left];              // 根
    int child;
    int parent;

    for (parent = left; parent < (right + 1) / 2; parent = child) {
        int cl = parent * 2 + 1;     // 左の子
        int cr = cl + 1;             // 右の子
        child = (cr <= right && a[cr] > a[cl]) ? cr : cl;    // 大きいほうの子
        if (temp >= a[child])
            break;
        a[parent] = a[child];
    }
    a[parent] = temp;
}

/*--- ヒープソート ---*/
void heapsort(int a[], int n)
{
    for (int i = (n - 1) / 2; i >= 0; i--)          ―1
        downheap(a, i, n - 1);

    for (int i = n - 1; i > 0; i--) {
        swap(int, a[0], a[i]);                       ―2
        downheap(a, 0, i - 1);
    }
}

int main(void)
{
    int nx;

    puts("ヒープソート");
    printf("要素数 : ");
    scanf("%d", &nx);
    int *x = calloc(nx, sizeof(int));

    for (int i = 0; i < nx; i++) {
        printf("x[%d] : ", i);
        scanf("%d", &x[i]);
    }

    heapsort(x, nx);      // 配列xをヒープソート

    puts("昇順にソートしました。");
    for (int i = 0; i < nx; i++)
        printf("x[%d] = %d\n", i, x[i]);

    free(x);              // 配列xを破棄

    return 0;
}
```

実行例

```
ヒープソート
要素数 : 7↵
x[0] : 6↵
x[1] : 4↵
x[2] : 3↵
x[3] : 7↵
x[4] : 1↵
x[5] : 9↵
x[6] : 8↵
昇順にソートしました。
x[0] = 1
x[1] = 3
x[2] = 4
x[3] = 6
x[4] = 7
x[5] = 8
x[6] = 9
```

6-9 度数ソート

分布数え上げソートとも呼ばれる度数ソートは、要素の大小関係を判定することなく高速なソートを行うアルゴリズムです。

度数ソート

これまでのソートアルゴリズムは、何らかの形で二つの要素のキー値を比較するものでした。ここで学習する**度数ソート**（counting sort）は、**比較の必要がない**という特徴があります。

ここでは、10点満点のテストの、学生9人分の点数を例にとって、度数ソートのアルゴリズムを考えていきます。

▶ 以下、ソートする配列は a で、その要素数は *n*、点数の最大値は *max* とします。

Step1　度数分布表の作成

最初に、配列 a をもとに**『各点数の学生が何人いるか』**を表す**度数分布表**を作成します。格納先は、要素数 11 の配列 *f* です（**Fig.6-38**）。

まず、配列 *f* のすべての要素の値を 0 にしておきます（図0）。その後、配列 a を先頭から走査しながら度数分布表を完成させます。

先頭の a[0] は 5 点ですから *f*[5] をインクリメントして 1 とします（図1）。続く a[1] は 7 点ですから、*f*[7] をインクリメントして 1 とします（図2）。

この作業を配列の末尾 a[*n* - 1] まで行って、度数分布表を完成させます。

▶ たとえば、度数分布表 *f*[3] の値 2 は、3 点が2人いることを表します。

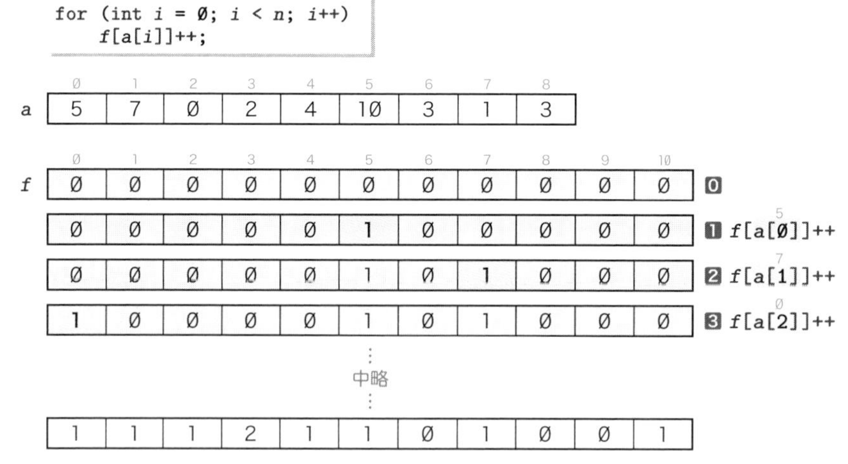

Fig.6-38　度数分布表の作成

Step2　累積度数分布表の作成

次に、『Ø点からその点数までに何人の学生がいるか』を表す**累積度数分布表**を作成します。**Fig.6-39** に示すように、配列 `f` の２番目以降の要素に対して、一つ手前の要素の値を加える処理を繰り返します。

最下段が、最終的に得られた累積度数分布表です。

▶ たとえば、累積度数分布表 `f[4]` の値 6 は、Ø 点から 4 点までに累計６人いることを表し、`f[10]` の値 9 は、Ø 点から 10 点までに累計９人いることを表します。

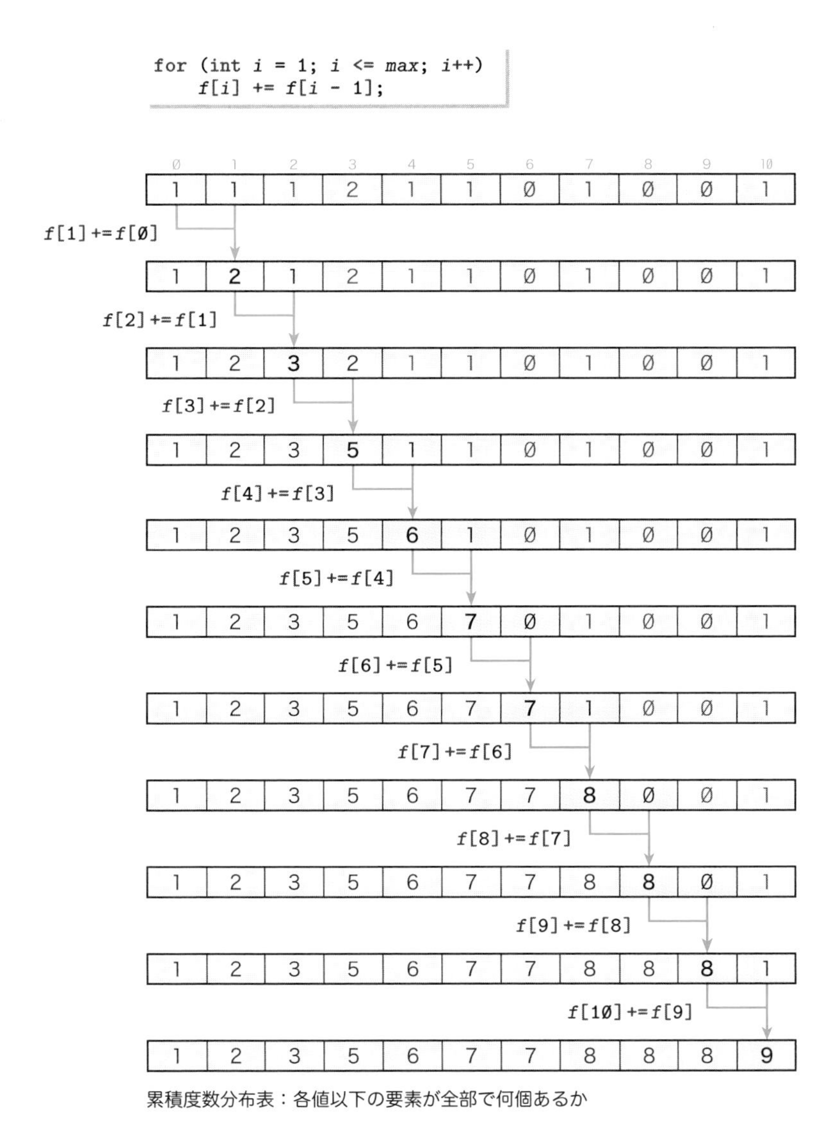

Fig.6-39　累積度数分布表の作成

Step 3　目的配列の作成

```
for (int i = n - 1; i >= 0; i--)
    b[--f[a[i]]] = a[i];
```

各点数の学生が何番目に位置するのかが判明したのですから、この時点で、ソートはほとんど完了したも同然です。

残る作業は、配列 a の各要素の値と、累積度数分布表 *f* とをつきあわせて、ソートずみの配列を作ることです。この作業では、配列 a と同じ要素数をもった作業用の配列が必要であり、その配列を *b* とします。

つきあわせは、配列 a の要素を末尾要素から先頭へと走査しながら行います。

1 要素 a[8]

まずは、末尾要素 a[8] に着目します。その値は 3 です（**Fig.6-40**）。累積度数を表す配列 *f*[3] の値が 5 ですから、0 点から 3 点までに5人います。

そこで、作業用の目的配列の *b*[4] に 3 を格納します。

▶ 配列の5番目の要素は、添字が 4 であることに注意しましょう。

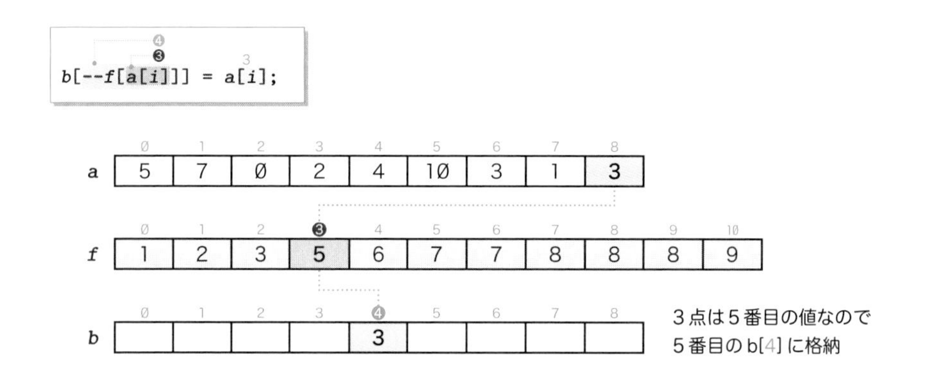

Fig.6-40　目的配列の作成（その1）

この作業を行う際に *f*[3] の値を 5 から 4 にデクリメントします。その理由は、3で学習しますので、配列 a の走査を続けていきましょう。

2 要素 a[7]

一つ手前の要素 a[7] に着目すると、その値は 1 です（**Fig.6-41**：右ページ）。累積度数を表す配列 *f*[1] の値が 2 ですから、0 点から 1 点までに2人います。

そこで、作業用の目的配列の *b*[1] に 1 を格納します。

▶ 配列の2番目の要素は、添字が 1 です。なお、この作業を行う際にも、*f*[1] の値を 2 から 1 にデクリメントします。

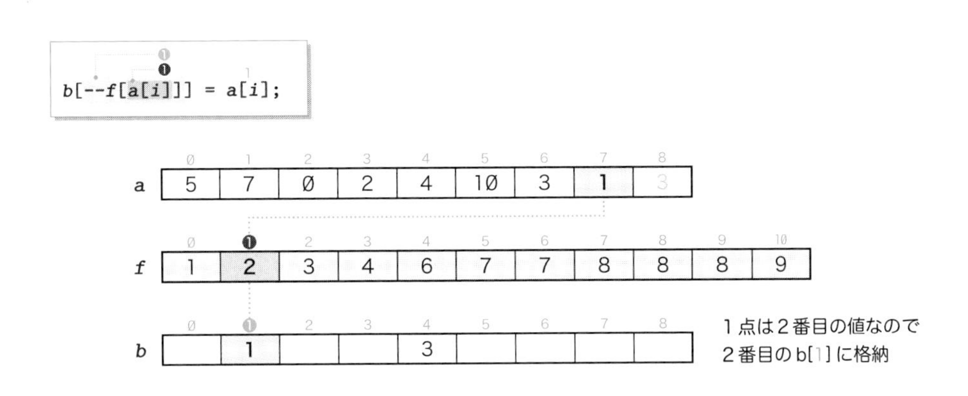

Fig.6-41　目的配列の作成（その2）

③ 要素 a[6]

さらに走査を続けます。着目する a[6] の値は 3 です（**Fig.6-42**）。3 点の学生の格納を行うのは2回目です。①では、a[8] の値である 3 を目的配列に格納する際に、f[3] の値をデクリメントして 5 から 4 にしていました。

そこで、目的配列の4番目の要素である b[3] に 3 を格納します。

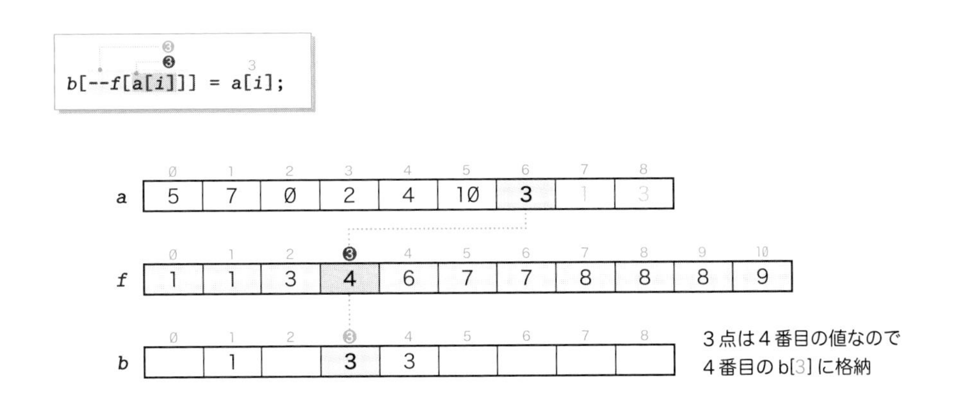

Fig.6-42　目的配列の作成（その3）

ソート前の配列の末尾側の 3 が b[4] に格納されて、先頭側の 3 が b[3] に格納されました。

目的配列に値を格納する際に、参照した配列 f の要素の値をデクリメントするのは、同じ値の要素が複数存在する場合に、格納先が重複しないようにするための配慮であることが分かりました。

▶ この作業を行った際も、f[3] の値をデクリメントします（f[3] は 3 になります）。

＊

さて、以上の作業を a[0] まで行うと、配列 a の全要素を、配列 b の適切な位置に格納できます。これでソートは完了です。

Step 4　配列のコピー

ソートが完了したとはいっても、ソート結果が格納されているのは作業用配列 b です。

```
for (int i = 0; i < n; i++)
    a[i] = b[i];
```

そこで、配列 b の全要素を、配列 a にコピーし直します。

＊

度数ソートは、if 文が一つもなく、for 文による繰返しだけでソートできる、極めて美しいアルゴリズムです。

度数ソートを行うプログラムを **List 6-17** に示します。

List 6-17　chap06/counting.c

```
// 度数ソート

#include <stdio.h>
#include <stdlib.h>

/*--- 度数ソート（配列要素の値は0以上max以下）---*/
void counting(int a[], int n, int max)
{
    int *f = calloc(max + 1, sizeof(int));      // 累積度数
    int *b = calloc(n,       sizeof(int));      // 作業用目的配列

    for (int i = 0;     i <= max; i++) f[i] = 0;                  // [Step0]
    for (int i = 0;     i < n;    i++) f[a[i]]++;                 // [Step1]
    for (int i = 1;     i <= max; i++) f[i] += f[i - 1];          // [Step2]
    for (int i = n - 1; i >= 0;   i--) b[--f[a[i]]] = a[i];       // [Step3]
    for (int i = 0;     i < n;    i++) a[i] = b[i];               // [Step4]

    free(b);
    free(f);
}

int main(void)
{
    int nx;
    const int max = 100;              // 最大値

    puts("度数ソート");
    printf("要素数 : ");
    scanf("%d", &nx);
    int *x = calloc(nx, sizeof(int));

    printf("0～%dの整数を入力せよ。\n", max);
    for (int i = 0; i < nx; i++) {
        do {
            printf("x[%d] : ", i);
            scanf("%d", &x[i]);
        } while (x[i] < 0 || x[i] > max);
    }

    counting(x, nx, max);           // 配列xを度数ソート

    puts("昇順にソートしました。");
    for (int i = 0; i < nx; i++)
        printf("x[%d] = %d\n", i, x[i]);

    free(x);                        // 配列xを破棄

    return 0;
}
```

実行例

```
度数ソート
要素数 : 7
0～100の整数を入力せよ。
x[0] : 22
x[1] : 5
x[2] : 11
x[3] : 32
x[4] : 97
x[5] : 68
x[6] : 71
昇順にソートしました。
x[0] = 5
x[1] = 11
x[2] = 22
x[3] = 32
x[4] = 68
x[5] = 71
x[6] = 97
```

度数ソートを行うのが関数 *counting* です。配列の全要素の値が、**0** 以上 *max* 以下であることを前提に、要素数 *n* の配列 **a** をソートします。

▶ main 関数の網かけ部では、キーボードから読み込む値を 0 以上 *max* 以下の値に限定しています。そのため、負の数や、*max* すなわち 100 を超える値の入力は行えません。

関数 *counting* では、二つの作業用配列 *f* と *b* を生成しています。

既に学習したとおり、配列 *f* は、度数分布および累積度数を格納するための配列であり、配列 *b* は、ソートした配列を一時的に格納するための目的配列です。

▶ 配列 *f* は、添字として 0 ～ *max* が必要ですから、その要素数は *max* + 1 です。また、目的配列 *b* は、ソート結果を一時的に保存するための配列ですから、要素数は配列 a と同じ *n* です。

関数は四つのステップで構成されています。Step 1 から Step 4 までの各ステップのコードは、これまで学習したとおりです。

▶ Step 0 では、度数分布と累積度数を格納するための配列 *f* の全要素に 0 を代入していますが、この作業は省略できます。というのも、*calloc* 関数による記憶域の確保時に全ビットが 0 で埋めつくされるからです（p.46）。

度数ソートのアルゴリズムは、データの比較や交換の作業が不要であって極めて高速です。プログラムは **for** 文の集まりであって、再帰呼出しも２重ループもありませんので、効率のよいアルゴリズムであることは、一目瞭然です。

もっとも、度数分布表が必要という性格上、たとえば、**0, 1, …, 100** という整数値のみを取り得るテストの点数のように、データの最小値と最大値があらかじめ分かっている場合にしか適用できません。

各ステップでは、配列の要素を飛び越えることなく順に走査しますので、このソートアルゴリズムは安定です。

ただし、Step 3 での配列 a の走査を、末尾側からではなく先頭側から行うと、安定ではなくなることに注意しましょう。

▶ 先頭側から末尾側へ走査を行うと安定でなくなることは、次のように確認できます：
　走査を先頭側から行うと、**Fig.6-40** と **Fig.6-42** の実行順序が逆になります。その結果、もともとの配列の先頭側に位置していた 3 が a[4] に格納され、末尾側に位置していた 3 が a[3] に格納されます。すなわち、同一キー値の順序関係がソート前後で反転します。

演習 6-21

度数ソートの各ステップにおける配列 a, *b*, *f* の要素の値の変化を詳細に表示するプログラムを作成せよ。

演習 6-22

要素の値が *min* 以上 *max* 以下である要素数 *n* の配列 a を度数ソートする関数を作成せよ。

```
void counting(int[] a, int n, int min, int max)
```

章末問題

▪ 平成13年度(2001年度)春期 午前 問13

n 個のデータをバブルソートを使って整列するとき、データ同士の比較回数は幾らか。

ア　$n \log n$　　イ　$n(n+1)/4$　　ウ　$n(n-1)/2$　　エ　n^2

▪ 平成19年度(2007年度)春期 午前 問14

配列 A[i]（$i = 1, 2, ..., n$）を、次のアルゴリズムによって整列する。行2～3の処理が初めて終了したとき、必ず実現されている配列の状態はどれか。

〔アルゴリズム〕

行番号

1　i を1から $n-1$ まで1ずつ増やしながら行2～3を繰り返す

2　　j を n から $i+1$ まで減らしながら行3を繰り返す

3　　　もし A[j] < A[$j-1$] ならば、A[j] と A[$j-1$] を交換する

ア　A[1] が最小値になる。　　イ　A[1] が最大値になる。

ウ　A[n] が最小値になる。　　エ　A[n] が最大値になる。

▪ 平成14年度(2002年度)秋期 午前 問13

未整列の配列 $A[i]$（$i = 1, 2, ..., n$）を、次のアルゴリズムで整列する。要素同士の比較回数のオーダを表す式はどれか。

〔アルゴリズム〕

(1)　$A[1]$ ～ $A[n]$ の中から最小の要素を探し、それを $A[1]$ と交換する。

(2)　$A[2]$ ～ $A[n]$ の中から最小の要素を探し、それを $A[2]$ と交換する。

(3)　同様に、範囲を狭めながら処理を繰り返す。

ア　$O(\log_2 n)$　　イ　$O(n)$　　ウ　$O(n \log_2 n)$　　エ　$O(n^2)$

▪ 平成14年度(2002年度)春期 午前 問14

四つの数の並び（4, 1, 3, 2）を、ある整列アルゴリズムに従って昇順に並べ替えたところ、数の入替えは右のとおり行われた。この整列アルゴリズムはどれか。

(1, 4, 3, 2)
(1, 3, 4, 2)
(1, 2, 3, 4)

ア　クイックソート　　イ　選択ソート　　ウ　挿入ソート　　エ　バブルソート

▪ 平成12年度(2000年度)秋期 午前 問13

次の手順はシェルソートによる整列を示している。データ列“7, 2, 8, 3, 1, 9, 4, 5, 6”を手順(1)～(4)に従って整列すると、手順(3)を何回繰り返して完了するか。ここで、[ ]は小数点以下を切り捨てる。

〔手順〕

(1) [データ数÷3]→Hとする。

(2) データ列を互いにH要素分だけ離れた要素の集まりからなる部分列とし、それぞれの部分列を挿入法を用いて整列する。

(3) [H÷3]→Hとする。

(4) Hが0であればデータ列の整列は完了し、0でなければ(2)に戻る。

ア 2　　イ 3　　ウ 4　　エ 5

▪ 平成7年度(1995年度)春期 午前 問16

データの整列と併合に関する次の記述中の［　　］に入れるべき適切な字句の組合せはどれか。

キーの値の小さなものから大きなものへデータを並べることを、［ a ］に［ b ］するという。対象とするデータ列が補助記憶装置にある場合、この操作を［ c ］と呼ぶ。

また、一定の順序に［ b ］された二つ以上のファイルを一つのファイルに統合することを［ d ］という。

	a	b	c	d
ア	降順	整列	外部整列	併合
イ	昇順	併合	外部併合	整列
ウ	降順	併合	内部併合	整列
エ	昇順	整列	外部整列	併合
オ	昇順	併合	内部併合	整列

▪ 平成9年度(1997年度)秋期 午前 問9

データ全体をある値より大きいデータと小さいか等しいデータに二分する。次に二分されたそれぞれのデータの集まりにこの操作を適用する。これを繰り返してデータ全体を大きさの順に並べ替える整列法はどれか。

ア クイックソート　　イ バブルソート

ウ ヒープソート　　エ マージソート

■ 平成17年度(2005年度)春期 午前 問14

データの整列方法に関する記述のうち、適切なものはどれか。

ア　クイックソートでは、ある一定間隔おきに取り出した要素から成る部分列をそれぞれ整列し、更に間隔を詰めて同様の操作を行い、間隔が1になるまでこれを繰り返す。
イ　シェルソートでは、隣り合う要素を比較して、大小の順が逆であれば、それらの要素を入れ替えるという操作を繰り返して行う。
ウ　バブルソートでは、中間的な基準値を決めて、それよりも大きな値を集めた区分と小さな値を集めた区分に要素を振り分ける。次に、それぞれの区分の中で同様な処理を繰り返す。
エ　ヒープソートでは、未整列の部分を順序木に構成し、そこから最大値又は最小値を取り出して既整列の部分に移す。これらの操作を繰り返して、未整列部分を縮めていく。

■ 平成14年度(2002年度)春期 午前 問13

次の流れ図は、最大値選択法によって値を大きい順に整列するものである。*印の処理(比較)が実行される回数を表す式はどれか。

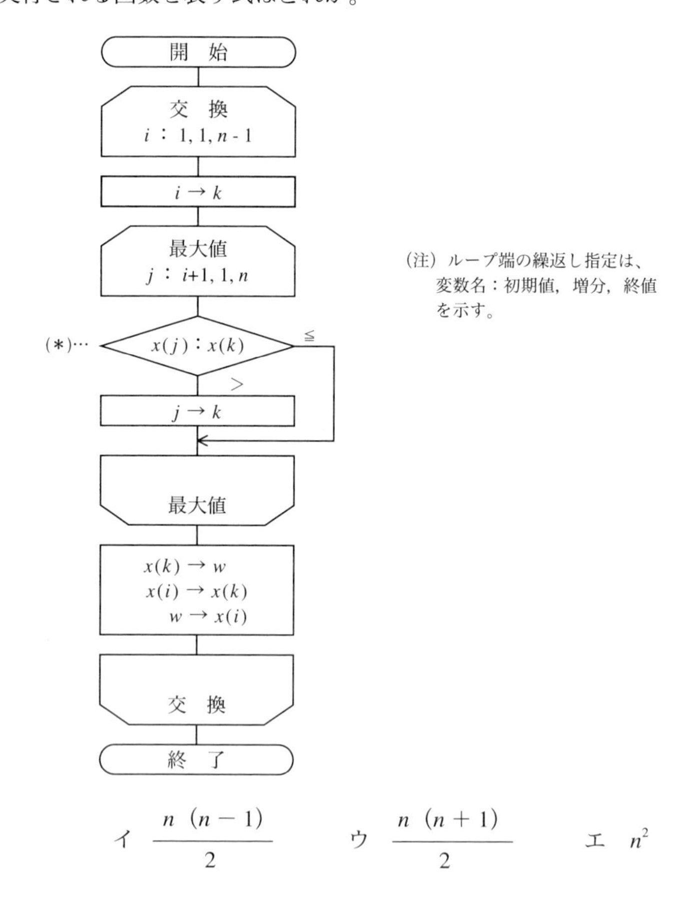

ア　$n-1$　　イ　$\frac{n(n-1)}{2}$　　ウ　$\frac{n(n+1)}{2}$　　エ　n^2

▪ 平成30年度(2018年度)秋期 午前 問6

クイックソートの処理方法を説明したものはどれか。

ア　既に整列済みのデータ列の正しい位置に、データを追加する操作を繰り返していく方法である。

イ　データ中の最小値を求め、次にそれを除いた部分の中から最小値を求める。この操作を繰り返していく方法である。

ウ　適当な基準値を選び、それより小さな値のグループと大きな値のグループにデータを分割する。同様にして、グループの中で基準値を選び、それぞれのグループを分割する。この操作を繰り返していく方法である。

エ　隣り合ったデータの比較と入替えを繰り返すことによって、小さな値のデータを次第に端の方に移していく方法である。

▪ 平成8年度(1996年度)秋期 午前 問8

次の流れ図が表す整列アルゴリズムはどれか。

ア　クイックソート
イ　シェーカソート
ウ　シェルソート
エ　挿入ソート
オ　バブルソート

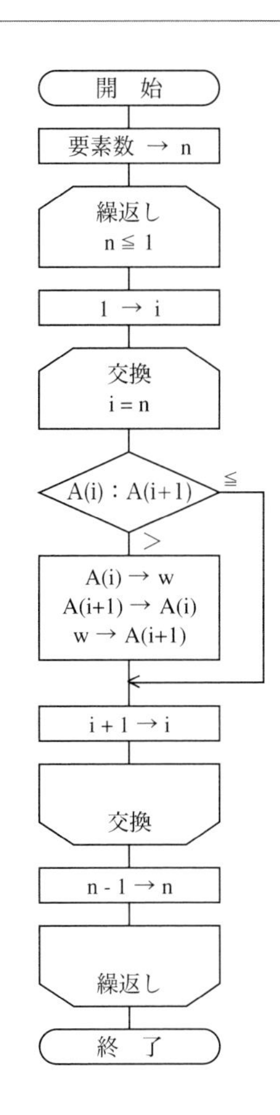

第７章

文字列探索

- 文字列と文字列リテラル
- 配列による文字列
- ポインタによる文字列
- 文字列からの文字の探索
- 文字列の比較
- 力まかせ法
- ＫＭＰ法
- ＢＭ法
- strstr 関数による文字列探索

7-1 文字列の基本

本章で学習するのは、文字列中に部分として含まれる文字列を探索するアルゴリズムです。その導入として、本節では、文字列の基本を学習します。

文字列とは

プログラム上で文字の“並び”を表すのが**文字列**（string）です。並びといっても、文字は1個だけでも構いませんし、たまたま文字が1個もなく、空であっても構いません（すなわち、文字が0個の《空の文字列》というものもあります）。

文字列リテラル

C言語では、"STRING" や "ABC" や "" のように、（0個以上の）文字の並びを、二つの二重引用符 " で囲んだものを**文字列リテラル**（string literal）と呼びます。

Fig.7-1 に示すのが、文字列リテラル "STRING" の内部です。このように、各文字は記憶域上に連続して配置されます。

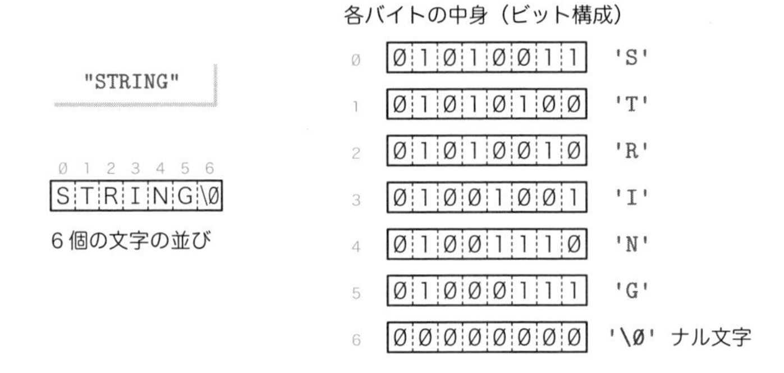

Fig.7-1 文字列リテラルとその内部

▶ ここに示すのは、ASCIIコード体系での例です。文字が占有するビット数は処理系によって異なりますし、各文字の具体的な値も文字コード体系によって異なります。

図に示すように、文字列リテラルには、終端を表す**ナル文字**（null character）が付加されます。ナル文字は、（処理系や文字コードに依存せずに）すべてのビットが 0 の文字です。

それでは、文字列リテラル "STRING" の内部を調べてみましょう。そのためのプログラムが、右ページの **List 7-1** です。このプログラムは、"STRING" を構成する全文字を、先頭から順に16進数と2進数とで表示します。

▶ 末尾のナル文字の表示は行いません。

List 7-1 chap07/str_dump.c

```
// 文字列内の文字を16進数と２進数で表示

#include <stdio.h>
#include <limits.h>

/*--- 文字列s内の文字を16進数と２進数で表示 ---*/
void str_dump(const char *s)
{
    for ( ; *s != '\0'; s++) {
        printf("%c  %0*X  ", *s, (CHAR_BIT + 3) / 4, *s);
        for (int i = CHAR_BIT - 1; i >= 0; i--)
            putchar(((*s >> i) & 1U) ? '1' : '0');
        putchar('\n');
    }
}

int main(void)
{
    str_dump("STRING");

    return 0;
}
```

実行結果一例

```
S 53 01010011
T 54 01010100
R 52 01010010
I 49 01001001
N 4E 01001110
G 47 01000111
```


プログラムを実行して、どのような値が表示されるかを確認してみましょう。

▶ プログラムの実行によって表示される値やビット数は、処理系や文字コード体系などに依存します。ここに示すのは、一例です。

なお、文字列リテラルは、その内容を自由に書きかえて利用する性質のものではありません（**Column 7-1**）。自由に読み書きする文字列は、次ページ以降で学習するように、プログラムで用意する**配列**で実現します。

Column 7-1 文字列リテラル

ここでは、文字列リテラルの特徴の概要を学習します。

■ 型と値

文字列リテラルは char の配列です。ただし、文字列リテラルを評価して得られるのは、型が char * 型で、値は**先頭文字へのポインタ**です。たとえば、文字列リテラル "STRING" を評価すると、その先頭文字である 'S' へのポインタが得られます。

■ 記憶域期間

文字列リテラルに与えられる記憶域期間は、**静的記憶域期間**です。そのため、文字列リテラルは、プログラムの開始から終了まで同一アドレス上に記憶域を占有します。

■ 同一綴りの文字列リテラル

プログラム中に同じ綴りの文字列リテラルが複数存在する場合、それらを別々の領域に格納する処理系と、同一の領域を共有するように格納する処理系とがあります。

■ 定数性

文字列リテラルが格納されている記憶域に対して、値の書込みを行うとどうなるかは、言語として定義されません（文字列リテラルの値を書きかえるようなことは行うべきではありません）。

配列による文字列

文字列は、char 型の配列に格納することで、自由に値を取り出したり、書き込んだりできるようになります。まずは、配列に文字列 "ABCD" を格納し、その文字列を表示するプログラムを作りましょう。それが、**List 7-2** のプログラムです。

List 7-2 chap07/str_ary1.c

```
// 文字列を配列に格納して表示（代入）

#include <stdio.h>

int main(void)
{
    char st[8];

    st[0] = 'A';
    st[1] = 'B';
    st[2] = 'C';
    st[3] = 'D';
    st[4] = '\0';

    printf("文字列stには\"%s\"が格納されています。\n", st);

    return 0;
}
```

実行結果

```
文字列stには"ABCD"が格納されています。
```


char[8] 型（要素型が char 型で要素数 8 の）配列 st の要素に、文字列の構成文字を先頭から順に代入しています。**Fig.7-2** に示すのが、代入後の配列 st です。

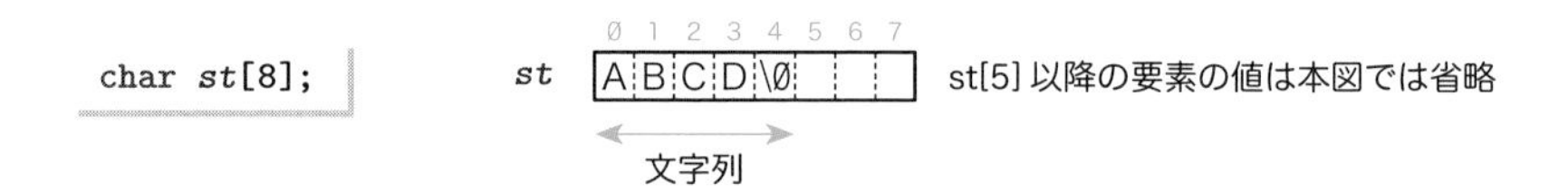

Fig.7-2　配列に格納された文字列

st[4] に代入されたナル文字 \0 は、文字列の終端を表します。

C 言語では、ナル文字までが文字列とみなされますので、それ以降（すなわち st[5] 以降の要素）にどのような文字が入っていても構いません。たとえば、

```
st[5] = 'X';
```

と代入を行っても、配列 st に格納されている文字列は "ABCD" のままです。

演習 7-1

上記のことを確認せよ。すなわち、st[5], st[6], st[7] に対して適当に文字を代入して、どのように表示されるかを確認せよ。

文字列の初期化

配列の各要素は、宣言後に**代入**するのではなく、宣言時に**初期化**することも可能です。たとえば、配列 **st** を次のように宣言すれば、明示的な初期化が行えます。

```
char st[8] = {'A', 'B', 'C', 'D', '\0'};
```

なお、この宣言は、次の省略形式でも行えます。

同じ

```
char st[8] = "ABCD";
```

ナル文字を書く手間が省けるため、普通は、こちらの形式が使われます。**List 7-3** のプログラムで確認しましょう。

List 7-3 chap07/str_ary2.c

```
// 文字列を配列に格納して表示（初期化）

#include <stdio.h>

int main(void)
{
    char st[8] = "ABCD";

    printf("文字列stには\"%s\"が格納されています。\n", st);

    return 0;
}
```

実行結果

```
文字列stには"ABCD"が格納されています。
```

要素数を省略して宣言すると、初期化子として与えられた文字列の格納に必要な最小の要素数で配列が作られます。たとえば、次の例では、配列 **st** の要素数は5になります。

```
char st[] = "ABCD";                    // 配列stの要素数は5
```

なお、`{'A', 'B', 'C', 'D', '\0'}` や `"ABCD"` を、代入演算子の右オペランドとすることはできません。すなわち、次のような代入は不可能です。

```
char st[8];
st = {'A', 'B', 'C', 'D', '\0'};      // エラー
st = "ABCD";                           // エラー
```

▶ この例から、初期化と代入は、まったく異なるものであることが分かります。本書のプログラムリストでは、初期化の = を黒字で表記し、代入の = を青字で表記しています。

Column 7-2 printf 関数による文字列の表示と scanf 関数による文字列の読込み

文字列を表示するための書式文字列 %s は、いうまでもなく string に由来します。

なお、*scanf* 関数による読込みでも、書式文字列は %s とします（"chap07/str_scan_print.c"）。

```
char st[128];
printf("文字列：");
scanf("%s", st);      // stは先頭文字へのポインタであるため&演算子は不要
printf("%s", st);     // stは先頭文字へのポインタであるため&演算子は不要
```

ポインタによる文字列

文字列を表す方法として、配列ではなく、単一のポインタを使う方法があります。**List 7-4** に示すのが、その方法を使ったプログラムの一例です。

List 7-4 chap07/str_ptr.c

```
// 文字列を表示（ポインタによる文字列）

#include <stdio.h>

int main(void)
{
    char *pt = "12345";

    printf("ポインタptは\"%s\"を指しています。\n", pt);

    return 0;
}
```

実行結果

```
ポインタptは"12345"を指しています。
```


`char *` 型のポインタ `pt` に対して、初期化子として `"12345"` が与えられています。この宣言によって、**Fig.7-3** に示すように、ポインタ `pt` は、文字列リテラル `"12345"` が格納されている記憶域の先頭文字 `'1'` を指すように初期化されます。

▶ 文字列リテラルを評価すると、その文字列リテラルの先頭文字へのポインタが得られるからです（**Column 7-1**：p.279）。

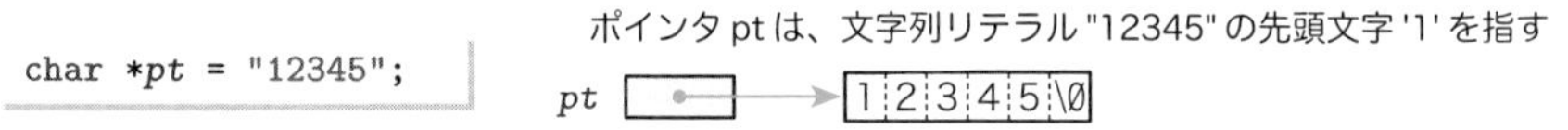

Fig.7-3　ポインタによる文字列

ポインタ `pt` は、あたかも配列であるかのようにふるまうため、文字列リテラル `"12345"` 内の文字 `'1'`, `'2'`, `'3'`, `'4'`, `'5'` は、先頭から順に `pt[0]`, `pt[1]`, `pt[2]`, `pt[3]`, `pt[4]` の添字式でアクセスできます。

▶ ポインタ `p` が指す要素から `i` 要素分後ろに位置する要素が、添字式 `p[i]` でアクセスできることは、第2章で学習しました（**Column 2-2**：p.50）。

配列による文字列と、ポインタによる文字列が占有する記憶域を考察しましょう。

```
char st[] = "12345";     // 配列による文字列       ：6バイト
char *pt = "12345";      // ポインタによる文字列：sizeof(char *)+6バイト
```

配列による文字列では、配列 `st` が `sizeof(st)` バイト＝6バイトの記憶域を占有します。一方、ポインタによる文字列では、`pt` が `sizeof(char *)` バイトを占有し、それとは別に文字列リテラル `"12345"` が、`sizeof("12345")` バイト＝6バイトを占有します。

ポインタによる文字列は、配列による文字列よりも多くの記憶域を占有します。

文字列リテラルを指す二つのポインタの値を交換するプログラムを作りましょう。右ページの **List 7-5** に示すのが、そのプログラムです。

List 7-5 chap07/swap_ptr.c

```
// ポインタ値を交換する関数

#include <stdio.h>

/*--- 二つのポインタを交換 ---*/
void swap_ptr(char **x, char **y)
{
    char *tmp = *x;
    *x = *y;
    *y = tmp;
}

int main(void)
{
    char *s1 = "ABCD";      // s1は"ABCD"の先頭文字'A'を指す
    char *s2 = "EFGH";      // s2は"EFGH"の先頭文字'E'を指す

    printf("ポインタs1は\"%s\"を指しています。\n", s1);
    printf("ポインタs2は\"%s\"を指しています。\n", s2);

    swap_ptr(&s1, &s2);

    puts("\nポインタs1とs2の値を交換しました。\n");

    printf("ポインタs1は\"%s\"を指しています。\n", s1);
    printf("ポインタs2は\"%s\"を指しています。\n", s2);

    return 0;
}
```

実行結果

```
ポインタs1は"ABCD"を指しています。
ポインタs2は"EFGH"を指しています。

ポインタs1とs2の値を交換しました。

ポインタs1は"EFGH"を指しています。
ポインタs2は"ABCD"を指しています。
```


main 関数では、二つのポインタ *s1* と *s2* が宣言されています。ポインタ *s1* は "ABCD" を指すように初期化され、ポインタ *s2* は "EFGH" を指すように初期化されています。

これらのポインタの値の交換を行うのが、関数 *swap_ptr* です。この関数が受け取る仮引数 *x* と *y* の型である char ** 型は、**ポインタへのポインタ**です。

Fig.7-4 に示すように、関数を呼び出した後には、ポインタの指す先が入れかわります。交換が正しく行われていることは、実行結果からも確認できます。

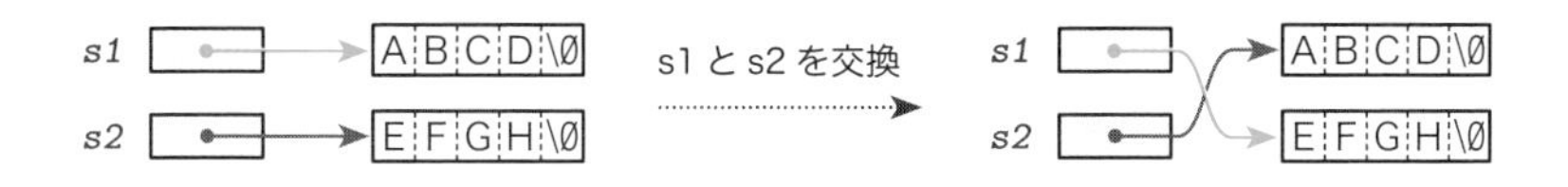

Fig.7-4 二つのポインタの交換

演習 7-2

List 7-5 のポインタの交換を、**List 2-7**（p.60）で作成した関数形式マクロ *swap* で行うように変更したプログラムを作成せよ。

演習 7-3

ポインタ *x* と *y* が指す文字列の中身をそっくり入れかえる関数を作成せよ。

```
void swap_str(char *x, char *y);
```

文字列の長さ

次に学習するのは、文字列の長さを求めるアルゴリズムです。

その考え方を**Fig.7-5**に示しています。

行うのは、文字列からナル文字を（先頭から末尾へと）線形探索することです。文字列の終端はナル文字ですから、見つけたナル文字の添字が、文字列の長さと一致することになります。

▶ ここでの『長さ』は、ナル文字を含まない文字数です。

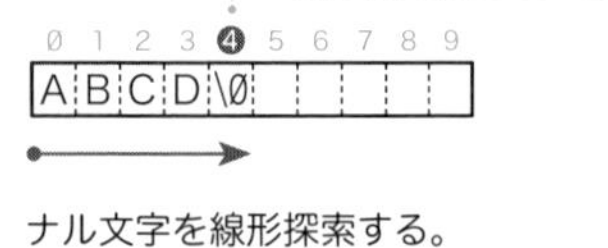

Fig.7-5　文字列の長さを求める

この考えをプログラムとして実現したのが、**List 7-6**です。キーボードから文字列を読み込んで、その文字列の長さを表示します。

List 7-6　chap07/str_len1.c

```
// 文字列の長さを求める（その１）

#include <stdio.h>

/*--- 文字列sの長さを求める（その１）---*/
int str_len(const char *s)
{
    int len = 0;

    while (s[len])
        len++;
    return len;
}

int main(void)
{
    char str[256];

    printf("文字列：");
    scanf("%s", str);

    printf("その文字列は%d文字です。\n", str_len(str));

    return 0;
}
```

実行例
```
文字列：ABCD⏎
その文字列は4文字です。
```

関数`str_len`は、受け取った文字列`s`の長さを求めて返す関数です。

関数の冒頭では、配列`s`の走査のためのループカウンタ用変数`len`が宣言されています。

続く`while`文は、文字列を先頭から順に操作します。そのため、制御式`s[len]`を評価した値が`0`でないあいだ繰返しが行われます。換言すると、ナル文字に出会ったら式`s[len]`が`0`になって走査が終了する、ということです。

走査終了時の変数`len`の値は、ナル文字が格納されている要素の添字ですから、それが、文字列の長さとなります。

文字列の終端には必ずナル文字が存在するため、探索に失敗することはありません。

文字列の長さを求めるアルゴリズムは、**探索失敗の可能性を考慮する必要のない《番兵法による線形探索》**というわけです。

List 7-7 と List 7-8 に示すのは、関数 *str_len* の別の実現例です。

List 7-7 chap07/str_len2.c

```
/*--- 文字列sの長さを求める（その２）---*/
int str_len(const char *s)
{
    int len = 0;

    while (*s++)
        len++;
    return len;
}
```

List 7-8 chap07/str_len3.c

```
/*--- 文字列sの長さを求める（その３）---*/
int str_len(const char *s)
{
    const char *p = s;

    while (*s)
        s++;
    return s - p;
}
```


プログラムをよく読んで、理解しましょう。

strlen 関数

文字列の長さを求める機能は、標準ライブラリ *strlen* 関数として提供されています。

ここでは、学習のために関数を作成しましたが、現実のプログラミング時は、この関数を利用すべきです。次に示すのが、*strlen* 関数の仕様です。

	strlen
ヘッダ	`#include <string.h>`
形　式	`size_t strlen(const char *s);`
解　説	*s* が指す文字列の長さ（ナル文字は含まない）を求める。
返却値	求めた文字列の長さを返す。

この関数の返却値型は、**size_t** 型です（**int** 型ではないことに注意しましょう）。

▶ size_t 型は、sizeof 演算子が生成する結果を表す符号無し整数型です。
<stddef.h> で定義されますが、<stdio.h>、<stdlib.h>、<string.h>、<time.h>、<wchar.h> のどのヘッダをインクルードしても定義が取り込める仕組みとなっています。

演習 7-4

List 7-6、List 7-7、List 7-8 に示した関数 *str_len* を、*strlen* 関数の仕様にしたがって書きかえた関数を作成せよ。また、それらに対する比較考察を行え。

文字列からの文字の探索

次は、文字列から任意の文字を探索するアルゴリズムを考えます。**List 7-9** に示すのが、そのプログラムです。

List 7-9 chap07/str_chr.c

```
/* 文字列からの文字の探索 */

#include <stdio.h>

/*--- 文字列sから文字cを探索 ---*/
int str_chr(const char *s, int c)
{
    int i = 0;

    c = (char)c;
    while (s[i] != c) {
        if (s[i] == '\0')          // 探索失敗
            return -1;
        i++;
    }
    return i;                      // 探索成功
}

int main(void)
{
    char str[128];                 // この文字列から探索
    char tmp[128];
    int  ch;                       // 探す文字
    int  idx;

    printf("文字列：");
    scanf("%s", str);

    printf("探す文字：");
    scanf("%s", tmp);              // いったん文字列として読み込んで
    ch = tmp[0];                   // その最初の文字を探索文字とする

    if ((idx = str_chr(str, ch)) == -1)          // 先頭の出現を探索
        printf("文字'%c'は文字列中に存在しません。\n", ch);
    else
        printf("文字'%c'は%d文字目に存在します。\n", ch, idx + 1);

    return 0;
}
```

実行例

```
文字列：SURROUND⏎
探す文字：R⏎
文字'R'は3文字目に存在します。
```


関数 ***str_chr*** は、文字列 **s** から文字 **c** を線形探索する関数です。

探索に成功したら、見つけた文字の添字を返し、失敗したら **-1** を返します。

なお、線形探索の走査の方向が、先頭から末尾に向かうため、文字列中 **s** に文字 **c** が複数存在する場合に返却するのは、最も先頭側の文字の添字です。

Fig.7-6 に示すように、文字列 "SURROUND" から文字 'R' を探索すると、探索に成功した関数 ***str_chr*** は、見つけた要素の添字 2 を返します。

▶ 後ろ側 'R' の添字 3 を見つけ出すことはありません。

文字 'R' を線形探索する

0	1	❷	3	4	5	6	7	8	9
S	U	R	R	O	U	N	D	\0	

Fig.7-6　文字列からの文字の探索

strchr 関数と strrchr 関数

C言語の標準ライブラリでは、文字列中に含まれる文字を探索する関数として、*strchr* 関数と *strrchr* 関数が提供されます。

目的とする文字が文字列内に複数存在する場合、前者は最も先頭側の文字を見つけ、後者は最も末尾側の文字を見つけます。

	strchr
ヘッダ	`#include <string.h>`
形　式	`char *strchr(const char *s, int c);`
解　説	*s* が指す文字列の中に最も先頭側に出現する（char 型に変換した）*c* を探す。*c* は文字列の終端を示すナル文字でもよい。
返却値	探し出した文字へのポインタを返す。文字がなければ空ポインタを返す。

	strrchr
ヘッダ	`#include <string.h>`
形　式	`char *strrchr(const char *s, int c);`
解　説	*s* が指す文字列の中に最も末尾側に出現する（char 型に変換した）*c* を探す。*c* は文字列の終端を示すナル文字でもよい。
返却値	探し出した文字へのポインタを返す。文字がなければ空ポインタを返す。

これらの関数は、**見つけた文字へのポインタを返却する**仕様です（返却するのが、文字の添字ではないことに注意しましょう）。

たとえば、左ページに示した **Fig.7-6** の探索を行うと、2 ではなく、'R' へのポインタが返却されます（*strchr* 関数では先頭側の 'R' へのポインタが返却され、*strrchr* 関数では末尾側の 'R' へのポインタが返却されます）。

なお、探索に失敗した場合には、空ポインタ NULL が返却されます。

▶ ここに示す *str_chr* 関数と、標準ライブラリ *strchr* および *strrchr* 関数は、探索すべき文字を第2引数 *c* に受け取ります。その *c* の型は、char 型ではなく int 型です。
　初期の頃のC言語では、char 型や short 型の値を関数の引数としてやりとりする際は、いったん int 型に型変換した上で受渡しを行っていました。そのような歴史的背景などがあって、関数間での『文字』の受け渡しは、char 型ではなく int 型で行うのが一般的です。

演習 7-5

List 7-9 の関数 *str_chr* を、*strchr* 関数の仕様にしたがって書きかえた関数を作成せよ。

演習 7-6

strrchr 関数と同じ動作をする関数 *str_rchr* を作成せよ。

```
char *str_rchr(const char *s, int c);
```

文字列の比較（大小関係の判定）

二つの文字列の大小関係を判定する標準ライブラリとして、*strcmp* 関数と *strncmp* 関数が提供されます。これらの関数について学習しましょう。

▶ 文字列を利用する実用的なプログラムの作成には、これらの関数の理解が必須です。なお、*strcmp* 関数は、第8章の線形リストや第9章の2分木のプログラムで利用します。

strcmp 関数

まず最初に学習するのは、次の仕様をもつ *strcmp* 関数です。

	strcmp
ヘッダ	`#include <string.h>`
形　式	`int strcmp(const char *s1, const char *s2);`
解　説	*s1* が指す文字列と *s2* が指す文字列の大小関係（先頭から順に１文字ずつ unsigned char 型の値として比較していき、異なる文字が出現したときに、それらの文字の対に成立する大小関係とする）の比較を行う。
返却値	等しければ 0、*s1* が *s2* より大きければ正の整数値、*s1* が *s2* より小さければ負の整数値を返す。

この関数は、Fig.7-7 に示すように、二つの文字列を先頭から順に比較していきます。

図aのように、すべての文字が等しければ、返すのは 0 です。

ただし、図bのように途中の文字が異なると、二つの文字列は等しくないと判断して 0 以外の値を返します。この例では、先頭から５番目の文字 'N' と 'K' が不一致です。一般的な文字コード体系では、'N' は 'K' より大きいとみなされるため、正の値が返されます。

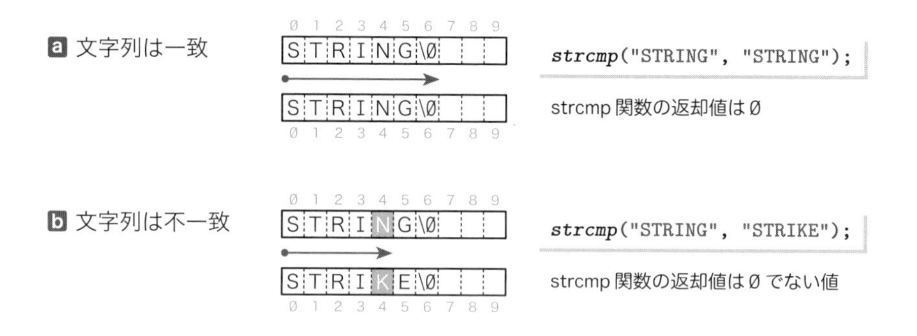

Fig.7-7　strcmp 関数による文字列の大小関係の判定

strcmp 関数が返却する大小関係の判定結果は、**文字コード体系に依存する**ことを知っておく必要があります。

たとえば、'A' が '1' より大きいのか、あるいは、'A' が 'a' より大きいのか、といった判定基準は、文字コード体系によって異なります。

さらに、*strcmp* 関数によって返される具体的な値も処理系依存となっています。たとえば、'N' が 'K' より大きい文字コード体系である場合、文字コードの差である 'N' - 'K' の値を返す処理系もあれば、単なる整数値 1 を返すような処理系もあります。

▶ C言語の定義によって、数字文字 'Ø', '1', …, '9' は、この順で一つずつ値が増えていきますので、数字文字のみで構成される文字列であれば、文字コード体系に依存することなく、大小関係の判定が可能です（ただし、*strcmp* 関数が返却する具体的な値が処理系に依存することに変わりはありません）。

strcmp 関数の仕様に準じた文字列比較関数を作成しましょう。それが、**List 7-10** に示すプログラム中の関数 *str_cmp* です。

List 7-10 chapØ7/str_cmp.c

```
// 文字列の比較

#include <stdio.h>

/*--- 二つの文字列s1とs2を比較 ---*/
int str_cmp(const char *s1, const char *s2)
{
    while (*s1 == *s2) {
        if (*s1 == '\Ø')          // 等しい
            return Ø;
        s1++;
        s2++;
    }
    return (unsigned char)*s1 - (unsigned char)*s2;
}

int main(void)
{
    char st[128];

    puts("\"ABCD\"との比較を行います。");
    puts("\"XXXX\"で終了します。");

    while (1) {
        printf("文字列st：");
        scanf("%s", st);

        if (str_cmp("XXXX", st) == Ø)
            break;
        printf("str_cmp(\"ABCD\", st) = %d\n", str_cmp("ABCD", st));
    }

    return Ø;
}
```

実行結果一例

```
"ABCD"との比較を行います。
"XXXX"で終了します。
文字列st：AX
str_cmp("ABCD", st) = -22
文字列st：AA
str_cmp("ABCD", st) = 1
文字列st：ABCD
str_cmp("ABCD", st) = Ø
文字列st：XXXX
```

このプログラムは、文字列 "ABCD" と、キーボードから読み込んだ文字列とを比較し、その結果を表示します。

▶ 関数 *str_cmp* は、二つの文字列が異なるときに、最も先頭側に存在する不一致文字の文字コードの差を返却します。

strncmp 関数

次は、*strncmp* 関数です。二つの文字列の大小関係の判定を行う点では、*strcmp* 関数と同じです。ただし、次の仕様が示すように、第3引数で指定された文字数からなる先頭部分のみを判定の対象とする点が異なります。

	strncmp
ヘッダ	`#include <string.h>`
形　式	`int strncmp(const char *s1, const char *s2, size_t n);`
解　説	*s1* が指す文字の配列と *s2* が指す文字の配列の先頭 *n* 文字までの大小関係（先頭から順に1文字ずつ `unsigned char` 型の値として比較していき、異なる文字が出現したときに、それらの文字の対に成立する大小関係とする）の比較を行う。ナル文字以降の比較は行わない。
返却値	等しければ0、*s1* が *s2* より大きければ正の整数値、*s1* が *s2* より小さければ負の整数値を返す。

▶ ここで、《**文字列**》ではなく《**文字の配列**》という用語で解説されていることに注意しましょう。*strncmp* 関数では、ポインタの指す文字を先頭とする *n* バイトの領域内にナル文字がなくてもよい、すなわち、**判定の対象が文字列でなくてもよい**ことになっているからです。

Fig.7-8 に示すのが、二つの文字列 "STRING" と "STRIKE" の大小関係を *strncmp* 関数で判定する様子です。図**a**のように先頭3文字を比較すると一致とみなされますが、図**b**のように先頭5文字を判定すると不一致とみなされます。

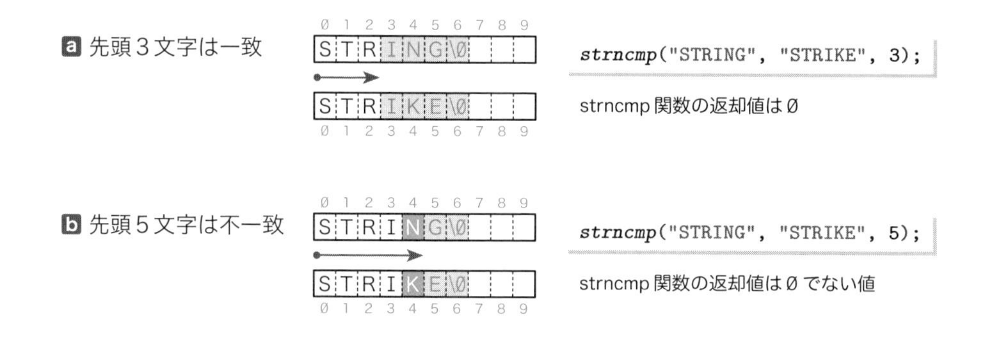

Fig.7-8　strncmp 関数による文字列の大小関係の判定

右ページの **List 7-11** に示すのが、*strncmp* 関数の利用例です。文字列 "STRING" と、配列 *st* に読み込んだ文字列の先頭3文字を比較した結果を表示します。

演習 7-7

strncmp 関数と同じ動作をする関数 *str_ncmp* を作成せよ。

```
int str_ncmp(const char *s1, const char *s2, size_t n);
```

List 7-11 chap07/strncmp_test.c

```c
// 文字列の比較（strncmp関数）

#include <stdio.h>
#include <string.h>

int main(void)
{
    char st[128];

    puts("\"STRING\"の先頭3文字と比較します。");
    puts("\"XXXX\"で終了します。");

    while (1) {
        printf("文字列st：");
        scanf("%s", st);

        if (strncmp("XXXX", st, 3) == 0)
            break;
        printf("strncmp(\"STRING\", st, 3) = %d\n", strncmp("STRING", st, 3));
    }

    return 0;
}
```

実行結果一例

```
"STRING"の先頭３文字と比較します。
"XXXX"で終了します。
文字列st：STAR↵
strncmp("STRING", st, 3) = 17
文字列st：STRIKE↵
strncmp("STRING", st, 3) = 0
文字列st：XXXX↵
```


演習 7-8

二つの文字列の大小関係の判定を、アルファベットの大文字／小文字を区別せずに行う関数を作成せよ。

```c
int str_cmpic( const char *s1, const char *s2);
int str_ncmpic(const char *s1, const char *s2, size_t n);
```

Column 7-3 文字コード

私たち人間は、見た目や発音で文字を識別しますが、コンピュータは、整数値である**コード**で文字を識別します。日本の多くのパソコンで採用されている文字コードは、米国で定められたASCIIコードにカナを加えて拡張した、Table 7C-1 のJISコードです。

空欄は、該当する文字がないコードの箇所です。また、表中の縦横の 0 ～ F は、16 進数表記での各桁の値です。

たとえば、文字 'R' のコードは16進数の52で、文字 'g' のコードは16進数の 67 です。

すなわち、この表の文字コードは、2桁の 16 進数で表すと 00 ～ FF であり、10 進数では 0 ～ 255 です。

数字文字 '1' の文字コードは、16 進数の 31 すなわち 10 進数の 49 であって、1 ではありません。**数値と数字文字とを混同しないようにしましょう。**

なお、多くの処理系で char 型の占有ビット数は8ビットですが、それ以上のビットを占有する処理系もあります。

Table 7C-1 JISコード表

	0	1	2	3	4	5	6	7	8	9	A	B	C	D	E	F
0				0	@	P	‘	p				ー	タ	ミ		
1			!	1	A	Q	a	q			。	ア	チ	ム		
2			"	2	B	R	b	r			「	イ	ツ	メ		
3			#	3	C	S	c	s			」	ウ	テ	モ		
4			$	4	D	T	d	t			、	エ	ト	ヤ		
5			%	5	E	U	e	u			・	オ	ナ	ユ		
6			&	6	F	V	f	v			ヲ	カ	ニ	ヨ		
7	\a		'	7	G	W	g	w			ァ	キ	ヌ	ラ		
8	\b		(	8	H	X	h	x			ィ	ク	ネ	リ		
9	\t		)	9	I	Y	i	y			ゥ	ケ	ノ	ル		
A	\n		*	:	J	Z	j	z			ェ	コ	ハ	レ		
B	\v		+	;	K	[	k	{			ォ	サ	ヒ	ロ		
C	\f		,	<	L	¥	l	|			ャ	シ	フ	ワ		
D	\r		-	=	M	]	m	}			ュ	ス	ヘ	ン		
E			.	>	N	^	n	‾			ョ	セ	ホ	゛		
F			/	?	O	_	o				ッ	ソ	マ	゜		

7-2 力まかせ法

本章の後半は、文字列の中に部分として含まれる文字列を探索するアルゴリズムを学習します。本節で学習するのは、最も基礎的かつ単純な、力まかせ法です。

文字列探索

本章のこれ以降は、**文字列探索**（string searching）のアルゴリズムを学習します。

文字列探索とは、ある文字列中に別の文字列が含まれているかどうか、含まれているのであれば、その位置を調べることです。

たとえば、文字列 "STRING" から "IN" を探索すると成功しますが、文字列 "QUEEN" から "IN" を探索すると失敗します。

Fig.7-9 に示すように、探索される側の文字列を**テキスト**（text）と呼び、探索する文字列を**パターン**（pattern）と呼びます。

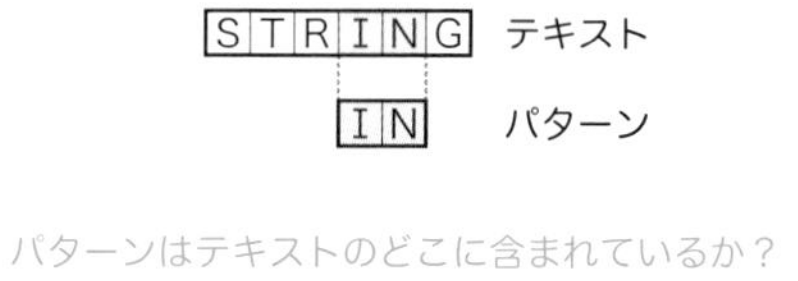

Fig.7-9　文字列探索

力まかせ法（単純法）

最初に学習するのが、**力まかせ法**（brute force method）です。

▶ brute force には、『力ずくで行う』『強引な』『総当たりの』といった意味があります。

まずは、このアルゴリズムの概略を、テキスト "ABABCDEFGHA" から、パターン "ABC" を探索する Fig.7-10 の例で理解しましょう。

a テキストの先頭文字 'A' から始まる3文字が、パターン "ABC" と一致するかどうかを照合します。'A' と 'B' は一致しますが、最後の 'C' が一致しません。

b パターンを1文字後方に移動して、テキストの2文字目以降と一致するかどうかを照合します。パターンの先頭文字 'A' とテキストの 'B' が一致しません。

c パターンをさらに1文字後方にずらします。パターン中の文字 'A', 'B', 'C' のすべてが一致しますので、探索成功です。

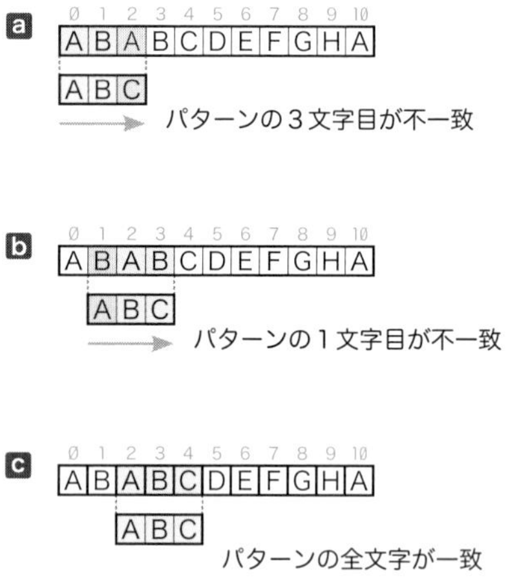

Fig.7-10　力まかせ法の概略

力まかせ法は、線形探索を拡張した単純なアルゴリズムであることから、**単純法**や**素朴**(そぼく)**法**などとも呼ばれます。

それでは、このアルゴリズムを、もう少し詳しく具体化していきましょう。

Fig.7-11 に示すのが、先ほどの図における照合の過程の詳細です。

a テキストの⓿の文字と、パターンの⓪の文字とを重ねて、先頭文字から順に照合します。

図1・図2のように、文字が一致するあいだは、照合を順に続けます。

ただし、図3のように異なる文字に出会うと、**それ以上の照合は不要**と判定できます。そこで、次のステップへ進みます。

b パターンを1文字後方にずらして、パターンの⓪の文字を、テキストの❶の文字に重ねます。

図4に示すように、先頭文字でいきなり照合に失敗します。**それ以上の照合は不要**と判定できますので、次のステップへ進みます。

c パターンをさらに1文字後方にずらします。すなわち、パターンの⓪の文字を、テキストの❷の文字に重ねます。

パターンの先頭文字から順に5・6・7と照合していくと、今回は、**すべての文字が一致します。**

これで探索に成功します。

＊

図3では、テキスト側の照合位置が❷まで進んでいますが、次の4では❶に戻っています。

テキスト側の照合位置が、前進するだけでなく**後退することがある**のは、力まかせ法の効率の悪さを表します。

＊

ここでは探索に成功する例を検証しました。パターンをずらした結果、パターンの末尾がテキストの末尾を飛び出すと、探索に失敗します。

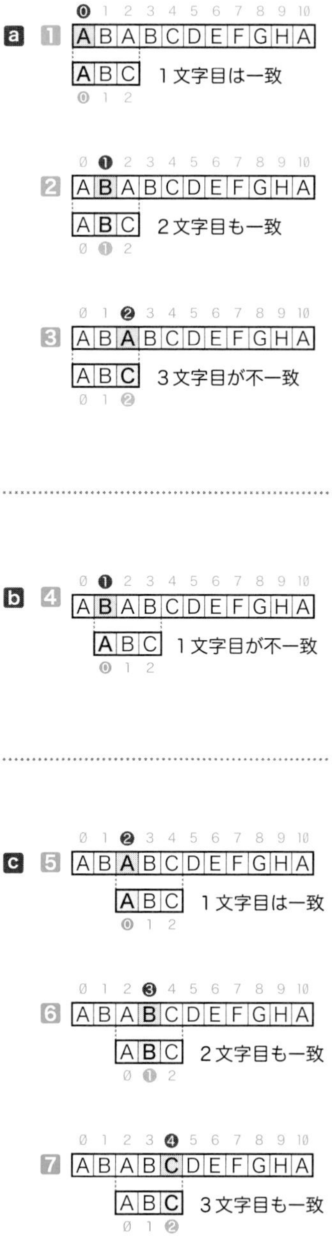

a
1 ABABCDEFGHA / ABC 1文字目は一致
2 ABABCDEFGHA / ABC 2文字目も一致
3 ABABCDEFGHA / ABC 3文字目が不一致

b
4 ABABCDEFGHA / ABC 1文字目が不一致

c
5 ABABCDEFGHA / ABC 1文字目は一致
6 ABABCDEFGHA / ABC 2文字目も一致
7 ABABCDEFGHA / ABC 3文字目も一致

Fig.7-11 力まかせ法による探索

力まかせ法によって文字列探索を行うプログラムを **List 7-12** に示します。

List 7-12 chap07/bf_match.c

```
// 力まかせ法による文字列探索

#include <stdio.h>

/*--- 力まかせ法による文字列探索 ---*/
int bf_match(const char txt[], const char pat[])
{
    int pt = 0;      // txtをなぞるカーソル
    int pp = 0;      // patをなぞるカーソル

    while (txt[pt] != '\0' && pat[pp] != '\0') {
        if (txt[pt] == pat[pp]) {
            pt++;
            pp++;
        } else {
            pt = pt - pp + 1;
            pp = 0;
        }
    }

    if (pat[pp] == '\0')
        return pt - pp;

    return -1;
}

int main(void)
{
    char s1[256];        // テキスト
    char s2[256];        // パターン

    puts("力まかせ法");

    printf("テキスト：");
    scanf("%s", s1);

    printf("パターン：");
    scanf("%s", s2);

    int idx = bf_match(s1, s2);      // 文字列s1から文字列s2を力まかせ法で探索

    if (idx == -1)
        puts("テキスト中にパターンは存在しません。");
    else
        printf("%d文字目にマッチします。\n", idx + 1);

    return 0;
}
```

実行例

```
力まかせ法
テキスト：ABABCDEFGHA
パターン：ABC
3文字目にマッチします。
```


関数 **bf_match** は、文字列 **txt** から文字列 **pat** を探索し、照合に成功した位置の **txt** 側の添字を返します（もし文字列 **txt** 中に文字列 **pat** が複数含まれるのであれば、最も先頭側の位置の添字を返します）。

なお、探索に失敗した場合に返すのは **-1** です。

＊

テキストを格納した文字列 **txt** を走査するための変数が **pt** であって、前ページの **Fig.7-11** の●で示した値に相当します。また、パターンを格納した文字列 **pat** を走査するための変数が **pp** であって、●で示した値に相当します。

いずれも最初は 0 に初期化しておき、走査あるいはパターンの移動のたびに更新します。

演習 7-9

右のように、力まかせ法の探索過程を詳細に表示するプログラムを作成せよ。

パターンを移動するたびに、照合するテキスト側の先頭文字の添字を表示し、照合過程では、比較する二つの文字間に、一致すれば文字 '+' を、一致しなければ文字 '|' を表示するものとする。

さらに、文字を比較した総回数を最後に表示すること。

```
0 ABABCDEFGHA
  +
  ABC

  ABABCDEFGHA
   +
  ABC

  ABABCDEFGHA
    |
  ABC

1 ABABCDEFGHA
   |
   ABC
… 中略 …
比較は7回でした。
3文字目にマッチします。
```

演習 7-10

関数 ***bf_match*** は、テキスト中にパターン文字列が複数含まれる場合、最も先頭側の位置を求める。最も末尾側の位置を求める関数 ***bf_matchr*** を作成せよ。

```
int bf_matchr(const char txt[], const char pat[]);
```

Column 7-4 ポインタによる配列（文字列）の走査

文字列の長さを求める **List 7-7** と **List 7-8**（いずれも p.285）では、ポインタのインクリメントを行って文字列を走査しています。

ポインタのインクリメントとデクリメントについては、次のことを知っておかねばなりません。

配列内の要素を指すポインタをインクリメントすると1個後方の要素を指すように更新され、デクリメントすると1個前方の要素を指すように更新される。

ポインタに対して、増分演算子 ++ が特別な働きをしているのではありません。そもそも、*p* がポインタであろうがなかろうが、次の規則があります。

p++ は、*p* = *p* + 1 のことである。

ポインタ *p* が配列内のある要素を指すとき、それに 1 を加えたポインタ *p* + 1 は、その1個後方に位置する要素を指します（**Column 2-2**：p.50）。そのため、式 *p*++ や ++*p* を評価・実行すると、1個後方の要素を指すように *p* が更新されるのです。同様に、デクリメントを行う式 *p*-- や --*p* を評価・実行すると、1個前方の要素を指すように *p* が更新されます。

※後置形式の *p*++ および *p*-- の評価では、ポインタのインクリメント／デクリメント前のポインタが得られ、前置形式の ++*p* および --*p* の評価では、ポインタのインクリメント／デクリメント後のポインタが得らます。

ポインタが配列の先頭要素を指すようにしておき、そのポインタのインクリメントを繰り返すことによって配列や文字列を走査するテクニックは、C言語では、頻繁に使われます。

7-3 KMP法

本節で学習するKMP法は、パターンの移動のたびにパターンの先頭から照合を行う力まかせ法とは異なり、それまでの照合結果を有効に利用します。

KMP法

前節で学習した力まかせ法は、不一致文字に出会った段階で、それまでの照合結果を捨て去ってパターンの先頭文字からの照合を行い直すアルゴリズムでした。

D.E.KnuthとV.R.Prattの二人と、J.H.Morrisとが、ほぼ同時期に考案した**Knuth–Morris–Pratt法**、略して**KMP法**は、照合結果を捨て去ることなく有効に活用します。

テキスト"ZABCABXACCADEF"からパターン"ABCABD"を探索する例で、KMP法のアルゴリズムを考えていきましょう。

まず最初は、下の図に示すように、テキストとパターンの先頭文字から順に照合を行います。テキストの先頭文字'Z'は、パターンに含まれない文字ですから、いきなり不一致です。

```
×
Z A B C A B X A C C A D E F
A B C A B D
×
```

そこで、パターンを1文字後方にずらします。パターンの先頭から順に照合を行っていくと、パターンの末尾文字'D'がテキストの'X'と一致しません。

```
  ● ● ● ● ● ×
Z A B C A B X A C C A D E F
  A B C A B D
  ● ● ● ● ● ×
```

ここで、水色の文字で示している、テキスト内の"AB"とパターン内の"AB"が一致していることに着目します。この部分を"照合ずみ"とみなせれば、テキスト側の'X'以降の部分が、パターンの"CABD"と一致するかを調べればよいことになります。

そこで、下の図に示すように、"AB"が重なるようにパターンを一気に3文字ずらし、3文字目の'C'から照合を開始します。

```
        ○ ○ ×
Z A B C A B X A C C A D E F
        A B C A B D
        ○ ○ ×
```

このように、KMP法は、テキストとパターン中の重なっている部分をうまく見つけ出して照合の再開位置を求め、パターンの移動をなるべく大きくするアルゴリズムです。

もっとも、何文字目から照合を再開するのかを、パターンを移動するたびに計算し直すのでは、高い効率は望めません。そこで、その値を事前に《表》として作成しておきます。

その考え方を示すのが**Fig.7-12**です。左側の図は、テキストとパターンが不一致の状態を表しています。その際に、何文字目から照合を再開できるのかを示したのが、右側の図です。

a 1文字目で不一致

X????????????? / ABCABD → 1文字目から照合を再開

b 2文字目で不一致

AX???????????? / ABCABD → 1文字目から照合を再開

c 3文字目で不一致

ABX??????????? / ABCABD → 1文字目から照合を再開

d 4文字目で不一致

ABCX?????????? / ABCABD → 1文字目から照合を再開

e 5文字目で不一致

ABCAX????????? / ABCABD → 2文字目から照合を再開

f 6文字目で不一致

ABCABX???????? / ABCABD → 3文字目から照合を再開

Fig.7-12　KMP法における照合再開値

a～d … パターンの1～4文字目で照合に失敗した場合は、パターン移動後に**先頭文字から照合を再開する必要があります。**

e … パターンの5文字目で照合に失敗した場合は、パターン移動後に先頭文字が一致しますので、**2文字目から再開できます。**

f … パターンの6文字目で照合に失敗した場合は、**3文字目から再開できます。**

表の作成にあたっては、パターン内の“重複した文字の並び”を見つけます。その過程でもKMP法と同じ考え方を適用します。

パターンの1文字目が不一致の場合、**パターンを1文字ずらして先頭文字から照合を行わなければならない**のは自明ですから、2文字目以降を考えていきます。また、パターンとテキストを重ね合わせるのではなく、パターンどうしを重ね合わせて計算します。

- パターン "ABCABD" どうしを1文字ずらして重ね合わせます。下の図で、青い部分に重なりはなく、パターン移動時に先頭の1文字目から照合を再開しなければならないことが分かります。そこで、2文字目 'B' の再開値を 0 とします。
  - ▶ パターンの1文字目の添字は 0 であり、その位置から照合を再開するからです。

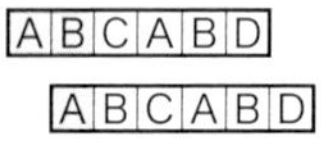

```
ABCABD
 ABCABD
```

A	B	C	A	B	D
−	0				

- パターンを1文字ずらします。やはり文字は一致しませんので、3文字目 'C' の再開値を 0 とします。

```
ABCABD
  ABCABD
```

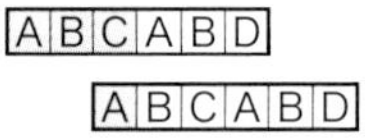

A	B	C	A	B	D
−	0	0			

- パターンを1文字ずらすと "AB" が一致します。ここで、次のことが分かります。
  - パターンの4文字目 'A' までが一致していれば、パターン移動後に "A" をスキップして2文字目から照合できる（前ページ図e）。
  - パターンの5文字目 'B' までが一致していれば、パターン移動後に "AB" をスキップして3文字目から照合できる（前ページ図f）。

  そこで、これらの文字の再開値を 1 および 2 とします。

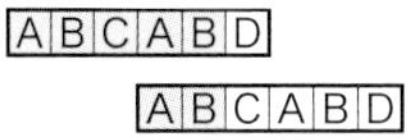

```
ABCABD
   ABCABD
```

A	B	C	A	B	D
−	0	0	1	2	

- 引き続きパターンを2文字ずらすと、文字は一致しません。そこで、パターンの末尾文字 'D' の再開値を 0 とします。

```
ABCABD
     ABCABD
```

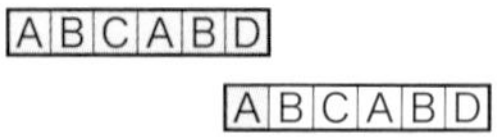

A	B	C	A	B	D
−	0	0	1	2	0

これで表の作成は終了します。

KMP法によって文字列探索を行う関数を**List 7-13**に示します。

▶ 本関数は、着目文字へのポインタをインクリメントすることで、テキストとパターンの走査を行っています（**Column 7-4**：p.295）。

List 7-13 chap07/kmp_match.c

```
/*--- KMP法による文字列探索 ---*/
int kmp_match(const char txt[], const char pat[])
{
    int pt = 1;          // txtをなぞるカーソル
    int pp = 0;          // patをなぞるカーソル
    int skip[1024];      // スキップテーブル

    skip[pt] = 0;
    while (pat[pt] != '\0') {
        if (pat[pt] == pat[pp])
            skip[++pt] = ++pp;
        else if (pp == 0)                              ―1 表の作成
            skip[++pt] = pp;
        else
            pp = skip[pp];
    }

    pt = pp = 0;
    while (txt[pt] != '\0' && pat[pp] != '\0') {
        if (txt[pt] == pat[pp]) {
            pt++; pp++;
        } else if (pp == 0)
            pt++;
        else                                           ―2 探索
            pp = skip[pp];
    }

    if (pat[pp] == '\0')
        return pt - pp;

    return -1;
}
```

関数 *kmp_match* が受け取る引数や返却値は、力まかせ法の関数 *bf_match* と同じです。

1では再開値の表（スキップテーブル）を作成し、2では実際の探索を行います。

KMP法では、テキストを走査するカーソル *pt* は、前進するだけで**後退することはありません。**これは、力まかせ法にはない特徴です。

もっとも、本アルゴリズムは、複雑であるにもかかわらず、次節で学習するBoyer–Moore法と同等以下の性能しか発揮できません。そのため、現実のプログラムでは、あまり利用されません。

演習 7-11

演習**7-9**（p.295）と同様に、KMP法による探索過程を詳細に表示するプログラムを作成せよ。

7-4 Boyer-Moore 法

理論的にも実践的にもKMP法より優れていて、実際の（実用的なプログラムでの）文字列探索でも広く利用されているのがBoyer-Moore法です。

Boyer-Moore法

R.S.BoyerとJ.S.MooreによるBoyer-Moore法（通称BM法）は、理論的にも実践的にもKMP法より優れたアルゴリズムです。

パターンの**末尾文字から先頭側へと照合を行う**過程で不一致文字を見つけた場合に、事前に用意した表に基づいてパターンの移動量を決定するのが、基本方針です。

それでは、テキスト"ABCXDEZCABACABAC"からパターン"ABAC"を探索する例で、このアルゴリズムを考えていきましょう（**Fig.7-13**）。

まずは、図aに示すように、テキストとパターンの先頭文字を重ねた上でパターンの末尾文字'C'に着目します。対応する位置にあるテキスト側の'X'はパターンに含まれません。そのため、図b～図dのようにパターンを1～3文字移動しても、文字'X'とパターン内の文字とは一致しないことが分かります。

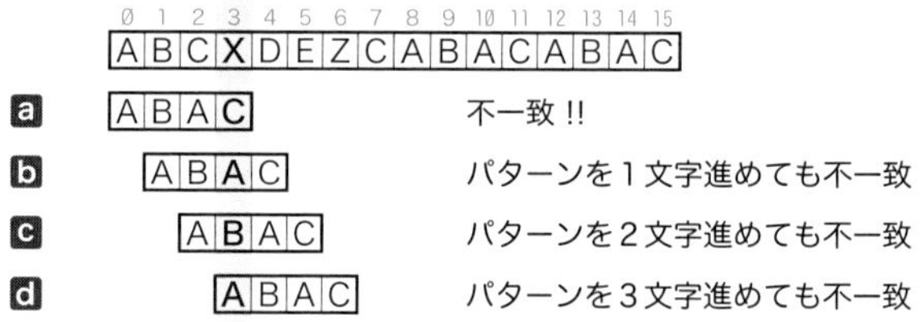

Fig.7-13 パターンの末尾文字が不一致

このように、パターンに含まれない文字をテキスト中に発見した場合、**そこまでの文字はスキップできます**。そこで、図b～図dの照合を飛ばして、パターンを一気に4文字後ろに移動して、**Fig.7-14**のステップに進みます。

ここで、パターンの末尾文字'C'をテキストと比較すると一致します。そこで、一つ前の文字'A'へ戻って、右ページの**Fig.7-15**に進みます。

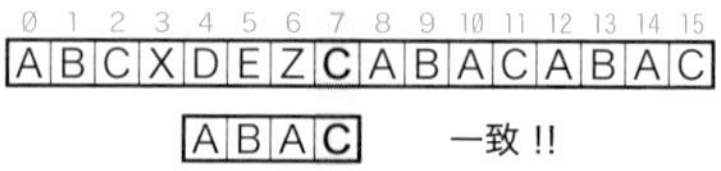

Fig.7-14 パターンの末尾文字が一致

0 1 2 3 4 5 6 7 8 9 10 11 12 13 14 15
ABCXDEZCABACABAC
a ABAC 不一致 !!
b ABAC パターンを１文字進めても不一致
c ABAC パターンを２文字進めても不一致

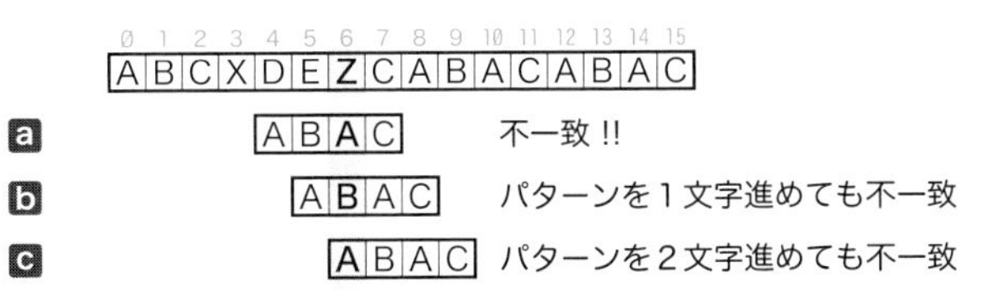

Fig.7-15　パターンとテキストの文字が不一致

パターンの文字 'A' は、テキストの 'Z' とは一致しません。この場合、図bや図cのように、パターンを１ないし２文字移動しても、文字 'Z' とパターン内の文字は一致しません。

そこで、パターンを一気に３文字移動して **Fig.7-16** に進みます。

▶ パターンの長さが n 文字であるとします。パターンに存在しない文字に出会った場合は、パターンを n 文字移動するのではなく、**着目している文字の位置が n 文字ずれるようにパターンを移動する**ことに注意しましょう。
　たとえば、**Fig.7-14** では、パターンを4文字移動して着目点を4文字ずらしましたが、今回はパターンを3文字移動して着目点を4文字ずらします。

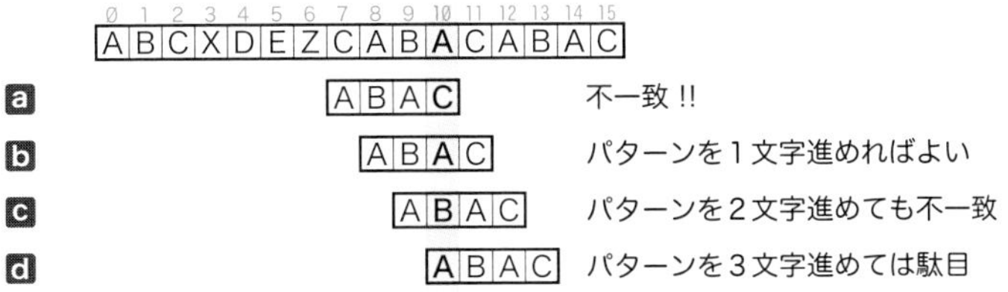

0 1 2 3 4 5 6 7 8 9 10 11 12 13 14 15
ABCXDEZCABACABAC
a ABAC 不一致 !!
b ABAC パターンを１文字進めればよい
c ABAC パターンを２文字進めても不一致
d ABAC パターンを３文字進めては駄目

Fig.7-16　パターンとテキストの文字が不一致

テキスト側の 'A' は、パターンの末尾文字 'C' と一致しません（図a）。ところが、テキスト側の文字 'A' は、パターンの1文字目と3文字目の2箇所に含まれます。そこで、図bに示すように、後ろ側の 'A' が重なるように、パターンを1文字だけ移動します。

▶ このときに、図dに示すように、パターンの先頭側の 'A' を重ねようとして一気に3文字移動しては駄目です。

パターンを1文字移動して **Fig.7-17** へ進みます。末尾側から順に文字を比較すると、すべて一致しますので、探索に成功します。

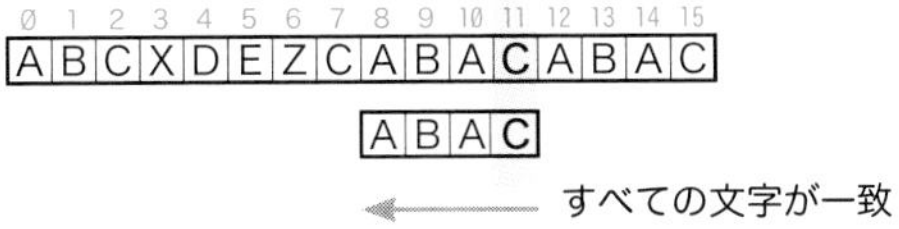

0 1 2 3 4 5 6 7 8 9 10 11 12 13 14 15
ABCXDEZCABACABAC
ABAC
すべての文字が一致

Fig.7-17　探索成功

さて、このアルゴリズムを利用するには、各文字に出会ったときの移動量（照合中の文字を何文字分ずらせばよいのか）を格納した表を、事前に作っておく必要があります。

パターン文字列の長さが n であるときの移動量は、次のように決定します。

パターンに含まれない文字

- 移動量は n。

▶ 前々ページの Fig.7-13 の例に該当します。'X' はパターンに含まれないため4文字移動します。

パターンに含まれる文字

- 最後に出現する位置の添字が k であれば移動量は n - k - 1。

▶ 前ページの Fig.7-16 の例に該当します。'A' はパターン中2箇所に含まれます。パターンを1文字だけずらします（3文字進めることはできません）。

- 同一文字がパターン内に存在しない、パターン末尾文字の移動量は n。

▶ このような文字（ここで考えている "ABAC" の 'C'）に出会ったら移動の必要はありませんので、便宜的に n とします。

そのため、ここに示した例では Fig.7-18 に示す表となります。

▶ この図に示す移動量は、大文字のアルファベットのみです。この表にない文字（数字や記号文字など）の移動量は、すべて 4 です。

テキスト … "ABCXDEZCABACABAC"　パターン … "ABAC"

A	B	C	D	E	F	G	H	I	J	K	L	M
1	2	4	4	4	4	4	4	4	4	4	4	4

N	O	P	Q	R	S	T	U	V	W	X	Y	Z
4	4	4	4	4	4	4	4	4	4	4	4	4

Fig.7-18　スキップテーブル

Boyer–Moore 法のプログラムを、右ページの **List 7-14** に示します。関数 *bm_match* が受け取る引数や返却値は、これまでの二つの関数と同じです。

パターン中に存在し得るすべての文字の移動量を計算しなければなりませんので、スキップテーブルを格納する配列 *skip* の要素数は UCHAR_MAX + 1 としています（UCHAR_MAX は unsigned char 型で表現できる文字数です）。

▶ ここで学習した、一つの配列を利用して照合を行うアルゴリズムは、**簡略 BM 法**と呼ばれるものです。本来の BM 法は、二つの配列を用意して照合を行います。

List 7-14　　chap07/bm_match.c

```
// Boyer-Moore法による文字列探索

#include <stdio.h>
#include <string.h>
#include <limits.h>

/*--- Boyer-Moore法による文字列探索 ---*/
int bm_match(const char txt[], const char pat[])
{
    int pt;                              // txtをなぞるカーソル
    int pp;                              // patをなぞるカーソル
    int txt_len = strlen(txt);           // txtの文字数
    int pat_len = strlen(pat);           // patの文字数
    int skip[UCHAR_MAX + 1];             // スキップテーブル

    for (pt = 0; pt <= UCHAR_MAX; pt++)      // スキップテーブルの作成
        skip[pt] = pat_len;
    for (pt = 0; pt < pat_len - 1; pt++)
        skip[pat[pt]] = pat_len - pt - 1;
                                             // pt == pat_len - 1 である
    while (pt < txt_len) {
        pp = pat_len - 1;                    // patの最後の文字に着目

        while (txt[pt] == pat[pp]) {
            if (pp == 0)
                return pt;
            pp--;
            pt--;
        }
        pt += (skip[txt[pt]] > pat_len - pp) ? skip[txt[pt]] : pat_len - pp;
    }

    return -1;
}

int main(void)
{
    char s1[256];           // テキスト
    char s2[256];           // パターン

    puts("Boyer-Moore法");

    printf("テキスト：");
    scanf("%s", s1);

    printf("パターン：");
    scanf("%s", s2);

    int idx = bm_match(s1, s2); // 文字列s1から文字列s2をBoyer-Moore法で探索

    if (idx == -1)
        puts("テキスト中にパターンは存在しません。");
    else
        printf("%d文字目にマッチします。\n", idx + 1);

    return 0;
}
```

実行例

```
Boyer-Moore法
テキスト：ABABCDEFGHA⏎
パターン：ABC⏎
3文字目にマッチします。
```


演習 7-12

演習 **7-9**（p.295）と同様に、Boyer-Moore 法の探索過程を詳細に表示するプログラムを作成せよ。

strstr 関数

C言語では、文字列探索を行う標準ライブラリ **strstr** 関数が提供されます。この関数の仕様は、次のとおりです。

	strstr
ヘッダ	`#include <string.h>`
形　式	`char *strstr(const char *s1, const char *s2);`
解　説	*s1* が指す文字列の中で最も先頭側に出現する、*s2* が指す文字列と同じ文字の並び（ナル文字は含まない）を探す。
返却値	探し出した文字の並び（の先頭文字）へのポインタを返し、見つからなかった場合は、空ポインタを返す。*s2* が長さ 0 の文字列であれば *s1* を返す。

strchr 関数や **strrchr** 関数と同様に、返却するのは、一致した位置の添字ではなく、その文字へのポインタ（ただし、探索に失敗した場合は空ポインタ）です。

▶ たとえば、**Fig.7-10**（p.292）の例であれば、テキスト側の先頭から3番目の文字 'A' へのポインタを返します。

この関数を利用して文字列探索を行うプログラム例を **List 7-15** に示します。

List 7-15 chap07/strstr_test.c

```
// strstr関数の利用例

#include <stdio.h>
#include <string.h>

int main(void)
{
    char s1[256], s2[256];

    puts("strstr関数");

    printf("テキスト：");
    scanf("%s", s1);

    printf("パターン：");
    scanf("%s", s2);

    char *p = strstr(s1, s2);          // 文字列s1から文字列s2を探索

    if (p == NULL)
        printf("テキスト中にパターンは存在しません。\n");
    else {
        int ofs = p - s1;
        printf("\n%s\n",  s1);
        printf("%*s|\n",  ofs, "");
        printf("%*s%s\n", ofs, "", s2);
    }

    return 0;
}
```

実行例

```
strstr関数
テキスト：ABABCDEFGHA
パターン：ABC
ABABCDEFGHA
  |
  ABC
```

このプログラムでは、**printf** 関数の機能をうまく活用して、一致した文字が上下に重なるように表示しています。

演習 7-13

strstr 関数と同じ仕様をもつ関数 **str_str** を作成せよ。

```
char *str_str(const char *s1, const char *s2);
```

演習 7-14

テキスト文字列 ***s1*** から、最も末尾側に出現するパターン文字列 ***s2*** を探索する関数 **str_rstr** を作成せよ。返却するのは、一致したテキスト側の先頭文字へのポインタとする。ただし、探索に失敗した場合は空ポインタを返すこと。

```
char *str_rstr(const char *s1, const char *s2);
```

Column 7-5　文字列探索アルゴリズムの時間計算量と実用度

テキストの文字数が *n* であり、パターンの文字数が *m* であるとして、本章で学習した三つの文字列探索アルゴリズムについて考察しましょう。

■ 力まかせ法

アルゴリズムの時間計算量は $O(mn)$ ですが、作為的なわざとらしいパターンでない限り、実質的な時間計算量は $O(n)$ となることが知られています。

単純なアルゴリズムですが、実際には、意外と高速に動作します。

■ KMP 法

アルゴリズムの時間計算量は、最悪でも $O(n)$ と高速です。その一方で、処理が複雑であることや、パターン内に繰返しがなければ効果があがらないといった欠点があります。

ただし、探索の過程で、着目点を前方に戻す必要が一切ないため、順ファイルからの読込みを行いながらの探索などに適しています。

■ Boyer–Moore 法

アルゴリズムの時間計算量は、最悪でも $O(n)$、平均的には $O(n / m)$ と高速です。なお、本来のアルゴリズムである、二つの配列を用いた方法は、KMP 法と同様に、配列の作成に複雑な処理が必要なため、効果が相殺されてしまいます。したがって、簡略 BM 法でも十分に高速です。

実用的な文字列探索では、簡略 BM 法、場合によっては、力まかせ法を使うことが多いようです。

章末問題

▪ 平成26年度(2014年度)春期 午前 問8

長さm、nの文字列をそれぞれ格納した配列X、Yがある。図は、配列Xに格納した文字列の後ろに、配列Yに格納した文字列を連結したものを、配列Zに格納するアルゴリズムを表す流れ図である。図中のａ、ｂに入れる処理として、適切なものはどれか。ここで、1文字が一つの配列要素に格納されるものとする。

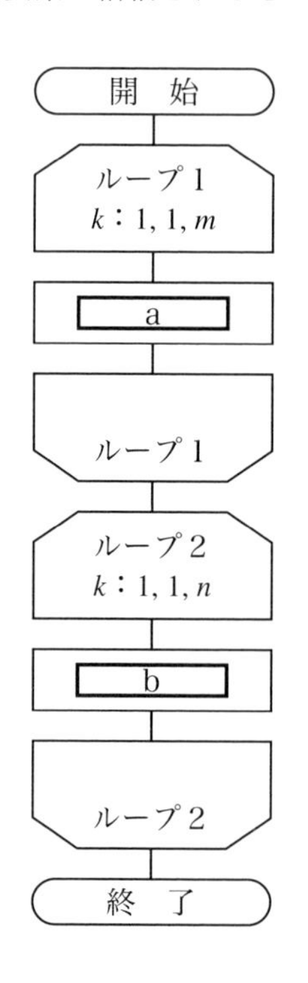

(注) ループ端の繰返し指定は、
変数名：初期値，増分，終値
を示す。

	a	b
ア	$X(k) \rightarrow Z(k)$	$Y(k) \rightarrow Z(m+k)$
イ	$X(k) \rightarrow Z(k)$	$Y(k) \rightarrow Z(n+k)$
ウ	$Y(k) \rightarrow Z(k)$	$X(k) \rightarrow Z(m+k)$
エ	$Y(k) \rightarrow Z(k)$	$X(k) \rightarrow Z(n+k)$

■ 平成19年度(2007年度)春期 午前 問13

文字列Aが“aababx△”、文字列Bが“ab△”であるとき、流れ図の終了時点のkは幾らか。ここで、文字列の先頭の文字を1番目と数えるものとし、A[i]はAのi番目の文字を、B[j]はBのj番目の文字を、“△”は終端を示す文字を表す。

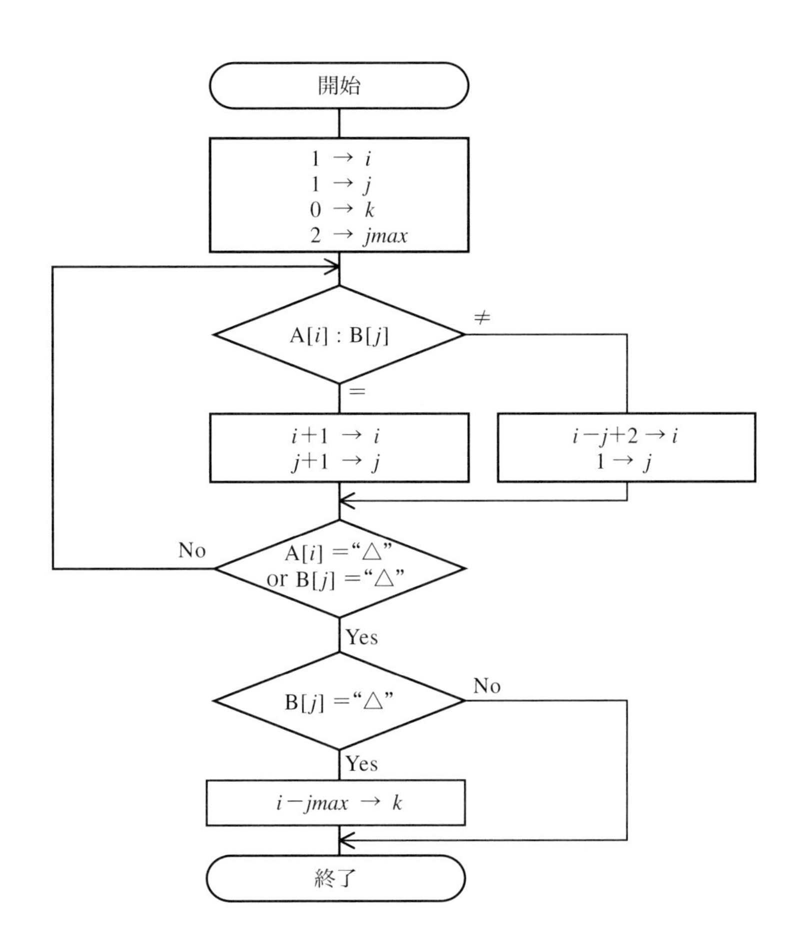

ア 0　　イ 1　　ウ 2　　エ 4

第８章

線形リスト

- リスト構造
- 線形リスト
- ノードとポインタ
- 自己参照型
- ポインタによる線形リスト
- 配列による線形リスト
- フリーリスト
- 循環リスト／重連結リスト
- 循環・重連結リスト

8-1 線形リストとは

リストは、データが順序付けられて並んだデータ構造です。本節では、最も単純なリスト構造である線形リストを学習します。

線形リスト

本章で学習するのは**リスト**（list）です。**Fig.8-1** のように、**リストは、データが順序付けられて並んでいるデータ構造です。**

▶ 第4章で学習したスタックとキューも、リスト構造の一種です。

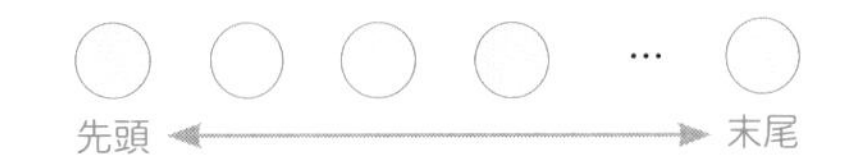

Fig.8-1 リスト

単純な構造のリストである**線形リスト**（linear list）は、**連結リスト**（linked list）とも呼ばれます。

Fig.8-2 に示すのが、線形リストの一例です。AからFまでの6個のデータが並んでいます。

ちょうど、AがBに連絡して、BがCに連絡して、… と順にたぐっていく《電話連絡簿》のような構造です。もちろん、その構造上、誰かを飛ばして電話する、あるいは、前の人に電話する、といったことはできません。

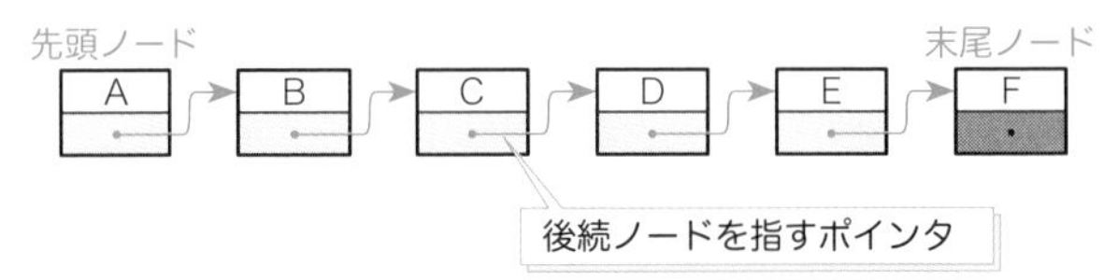

Fig.8-2 線形リスト

リスト上の個々の**要素**（element）は、**ノード**（node）と呼ばれます。その各ノードを構成するのは、データと、**後続ノードを指すポインタ**（pointer）です。

なお、先頭に位置するノードは**先頭ノード**（head node）と呼ばれ、末尾に位置するノードは**末尾ノード**（tail node）と呼ばれます。

また、個々のノードにとっての、一つ先頭側のノードは**先行ノード**（predecessor node）と呼ばれ、一つ末尾側のノードは**後続ノード**（successor node）と呼ばれます。

▶ たとえば、ノードCにとって、先行ノードはノードBで、後続ノードはノードDです。ノードCがもっているポインタは、後続ノードDを指します。

線形リストの実現

電話連絡簿を、単純な配列で実現するとどうなるのかを、**Fig.8-3** で考えましょう。

要素型が *Person* の配列 **data** は、要素数が7であって最大7人分の会員データを格納できます。ただし、現在の会員は5人であって、**data[5]** と **data[6]** が未登録、という状態です。

▶ スペースの都合上、右側の配列の図では、《会員番号》のみを示しています。

```
typedef struct {      //--- 会員 ---//
    int  mem_no;      // 会員番号
    char *name;       // 氏名
    char *phone;      // 電話番号
    /* … */
} Person;

Person data[] = {
    {12, "John", "999-999-1234"},
    {33, "Paul", "999-999-1235"},
    {57, "Mike", "999-999-1236"},
    {69, "Rita", "999-999-1237"},
    {41, "Alan", "999-999-1238"},
    { 0, "",     ""},
    { 0, "",     ""},
};
```

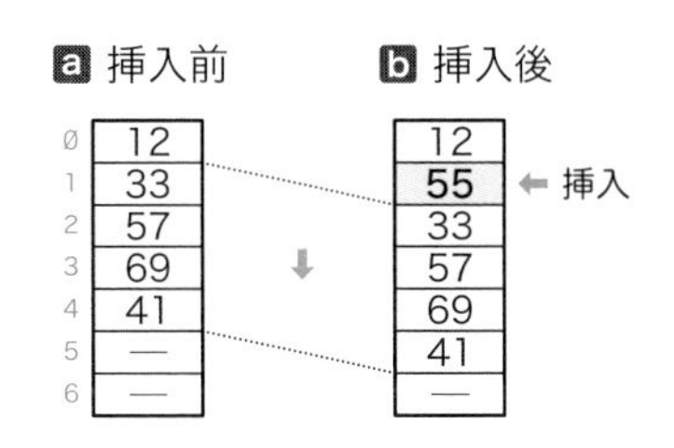

Fig.8-3　配列による線形リストへの挿入

後続ノードの取出し

配列の各要素には、電話連絡を行う順番でデータが格納されています。電話をかける際に必要な《後続ノードの取出し》は、一つ大きな値の添字をもつ要素のアクセスによって実現できます。

ノードの挿入と削除

会員番号55の会員が新しく入会して、そのデータを会員番号12と33のあいだに挿入するとします。その場合、図**b**に示すように、挿入要素以降の全要素を**一つずつ後方にごっそりとずらすことになります。**

削除を行う場合も同様です。配列内の要素の移動が必要です。

＊

単純な配列による線形リストには、次の問題があることが分かりました。

- 蓄えられるデータ数の上限が既知でなければならない。
- データの挿入・削除に伴ってデータの移動が生じるため効率がよくない。

8-2 ポインタによる線形リスト

本節では、後続ノードを指す《ポインタ》を各ノードに付随させることによって実現する線形リストを学習します。

ポインタによる線形リスト

ノード用オブジェクトを、線形リストへのデータ挿入時に生成して、削除時に破棄すれば、前ページで考えた問題が解決します。そのように作成した線形リストのプログラムのヘッダ部が **List 8-1** で、ソース部が **List 8-2**（pp.314 ～ 324）です。

List 8-1 [A] chap08/LinkedList.h

```
// ポインタによる線形リスト（ヘッダ部）

#ifndef ___LinkedList
#define ___LinkedList

#include "Member.h"                                    List 3-8 (p.116)

/*--- ノード ---*/
typedef struct __node {
    Member         data;     // データ
    struct __node *next;     // 後続ポインタ（後続ノードへのポインタ）
} Node;

/*--- 線形リスト ---*/
typedef struct {
    Node *head;       // 先頭ポインタ（先頭ノードへのポインタ）
    Node *crnt;       // 着目ポインタ（着目ノードへのポインタ）
} List;
```


ノード用の構造体 `Node` は、二つのメンバ `data` と `next` で構成されます。

- `data` … **データ**（型は `Member` 型：第３章で作成）
- `next` … **後続ノードへのポインタ**（型は**自身と同じ構造体型**へのポインタ型）

自身と同じ型のオブジェクトを指すデータが、内部に含まれています。このようなデータ構造は、**自己参照**（じこさんしょう）（self-referential）**型**と呼ばれます。

Fig.8-4 に示すのが、ノード用の構造体 `Node` のイメージです。

▶ 構造体に対して二つの名前を与えている（タグ名 `__node` を与えた上で、さらに `typedef` 名 `Node` を与えている）理由は、**Column 8-1**（p.325）で学習します。

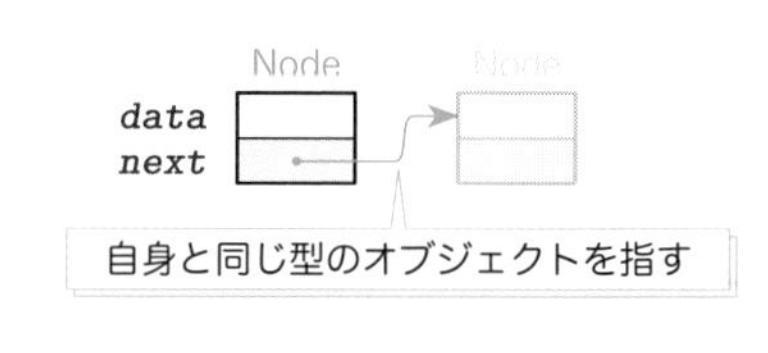

Fig.8-4 線形リスト用のノード

これ以降は、後続ノードへのポインタ `next` を、**後続ポインタ**と呼びます。

▶ 後続ノードをもたない末尾ノードの後続ポインタ `next` の値は、空ポインタ `NULL` とします。

List 8-1 [B]　chap08/LinkedList.h

```
/*--- 線形リストを初期化 ---*/
void Initialize(List *list);

/*--- 関数compareによってxと一致すると判定されるノードを探索 ---*/
Node *Search(List *list, const Member *x,
                          int compare(const Member *x, const Member *y));

/*--- 先頭にノードを挿入 ---*/
void InsertFront(List *list, const Member *x);

/*--- 末尾にノードを挿入 ---*/
void InsertRear(List *list, const Member *x);

/*--- 先頭ノードを削除 ---*/
void RemoveFront(List *list);

/*--- 末尾ノードを削除 ---*/
void RemoveRear(List *list);

/*--- 着目ノードを削除 ---*/
void RemoveCurrent(List *list);

/*--- 全ノードを削除 ---*/
void Clear(List *list);

/*--- 着目ノードのデータを表示 ---*/
void PrintCurrent(const List *list);

/*--- 着目ノードのデータを表示（改行付き）---*/
void PrintLnCurrent(const List *list);

/*--- 全ノードのデータをリスト順に表示 ---*/
void Print(const List *list);

/*--- 線形リストの後始末 ---*/
void Terminate(List *list);

#endif
```


Fig.8-5　線形リストのイメージ

線形リストを管理するための構造体 List

ノード用構造体 *Node* を使った線形リストを表すのが、リスト用構造体 *List* です。*List* は2個のメンバで構成されており、いずれも *Node* へのポインタ型です。

この構造体を使って表されたリストのイメージを **Fig.8-5** に示しています。

- *head*

線形リストの先頭ノードへのポインタです。**先頭ポインタ**と呼びます。

- *crnt*

現在着目しているノードへのポインタです。“探索” したノードに着目した直後に、それを “削除” する、といった用途で利用します。**着目ポインタ**と呼びます。

▶ この図では、着目ポインタ *crnt* は省略しています。なお、各関数を実行した後に *crnt* の値がどのように更新されるかを、**Table 8-1**（p.324）にまとめています。

線形リストを管理する構造体 *List* がもつのは、二つのポインタのみです。図に示されているA〜Dの各ノードは *Node* 型オブジェクトであって、*List* の一部ではありません。

List 8-2 [A] chap08/LinkedList.c

```
// ポインタによる線形リスト（ソース部）

#include <stdio.h>
#include <stdlib.h>
#include "Member.h"                                List 3-8 (p.116)
#include "LinkedList.h"

/*--- 一つのノードを動的に生成 ---*/
static Node *AllocNode(void)
{
    return calloc(1, sizeof(Node));
}

/*--- nの指すノードの各メンバに値を設定 ----*/
static void SetNode(Node *n, const Member *x, const Node *next)
{
    n->data = *x;        // データ
    n->next = next;      // 後続ポインタ
}

/*--- 線形リストを初期化 ---*/
void Initialize(List *list)
{
    list->head = NULL;  // 先頭ノード
    list->crnt = NULL;  // 着目ノード
}
```


ノードを生成する：関数 AllocNode

関数 *AllocNode* は、*Node* 型オブジェクトを生成する関数です。生成したオブジェクトへのポインタを返却します。

ノードのメンバに値を設定する：関数 SetNode

関数 *SetNode* は、*Node* 型オブジェクトの二つのメンバに値を設定する関数です。

▶ 値の設定先は、第1引数 *n* に受け取ったポインタが指す *Node* 型オブジェクトです。そのオブジェクトの二つのメンバ *data* と *next* に対して、第2引数 *x* が指すオブジェクトの値 **x* と、第3引数のポインタ値 *next* を代入します。

線形リストの初期化：Initialize

関数 *Initialize* は、線形リストの利用に必要な初期化を行うための関数です。先頭ポインタ *list->head* に空ポインタ NULL を代入することで、ノードが1個も存在しない**空の線形リスト**を生成します（**Fig.8-6 a**：右ページ）。

▶ 図では、先頭ポインタ *list->head* を、単なる *head* と表しています。これ以降の解説や図でも、“*list->*” を省略することがあります。

変数 *head* は、**先頭ノードへのポインタであって、先頭ノードそのものではありません。**ノードが存在しない空の線形リストでは、先頭ポインタ *head* の指す先がない（指すべきノードが存在しない）ため、その値を空ポインタ NULL とします。

▶ 着目ポインタ *list->crnt* にも NULL を代入して、いかなる要素にも着目していないことにします。

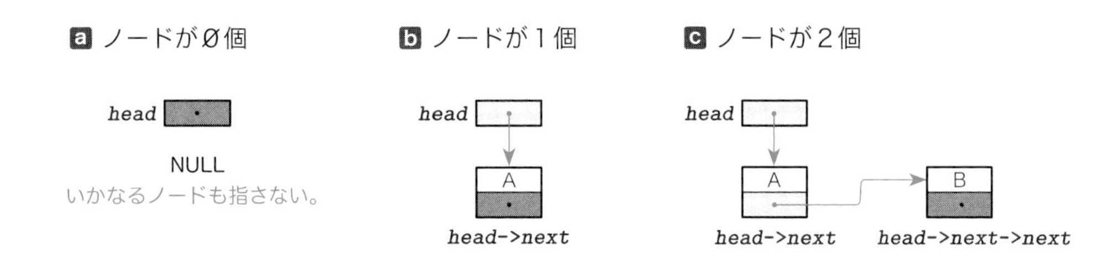

Fig.8-6　線形リストとノードの個数

▶ 図を見ながら、線形リストに対する理解を深めましょう。

線形リストが空であるかどうかの判定

図aは、ノードが1個も存在しない空の線形リストです。図からも分かるように、リストが空であるかどうかは、次の式で判定できます。

```
list->head == NULL                    // 線形リストは空か（ノードは0個か）？
```

線形リスト上のノードが1個であるかどうかの判定

図bに示すのは、線形リストにノードが1個だけ存在する線形リストです。

先頭ポインタ **list->head** が指すのは、先頭ノードAです。そのノードAは、リストの末尾ノードでもあるため、その後続ポインタ **next** の値は **NULL** です。

list->head が指すノードの後続ポインタ **next** の値が **NULL** ですから、線形リスト上に存在するノードが1個のみであるかどうかの判定は、次の式で行えます。

```
list->head->next == NULL              // ノードは1個だけか？
```

線形リスト上のノードが2個であるかどうかの判定

図cに示すのは、ノードが2個存在する線形リストです。

ノードAが先頭ノードで、ノードBが2番目かつ末尾ノードです。先頭ポインタ **list->head** が指すノードAの後続ポインタ **next** が、ノードBを指しています（すなわち、**list->head->next** の指す先がノードBです）。

末尾ノードBの後続ポインタは **NULL** ですから、線形リスト上に存在するノードが2個であるかどうかの判定は、次の式で行えます。

```
list->head->next->next == NULL        // ノードは2個か？
```

なお、ノードAのデータを表す式は **list->head->data** となり、ノードBのデータを表す式は **list->head->next->data** となります。

あるポインタが先頭ノードを指しているかどうかの判定

Node * 型の変数 **p** が、リスト上の任意のノードを指しているとします。変数 **p** の指す先が、線形リストの先頭ノードであるかどうかの判定は、次の式で行えます。

```
p == list->head                       // pが指すノードは先頭ノードか？
```

あるポインタが末尾ノードを指しているかどうかの判定

Node * 型の変数 **p** が、リスト上の任意のノードを指しているとします。変数 **p** の指す先が、線形リストの末尾ノードであるかどうかの判定は、次の式で行えます。

```
p->next == NULL                       // pが指すノードは末尾ノードか？
```

探索：Search

関数 *Search* は、指定された条件を満たすノードを探索する関数です。

List 8-2 [B] chap08/LinkedList.c

```
/*--- 関数compareによってxと一致すると判定されるノードを探索 ---*/
Node *Search(List *list, const Member *x,
                          int compare(const Member *x, const Member *y))
{
    Node *ptr = list->head;                                          ―1

    while (ptr != NULL) {
        if (compare(&ptr->data, x) == 0) {  // キー値が一致
            list->crnt = ptr;                              ―3
            return ptr;                  // 探索成功                  ―2
        }
        ptr = ptr->next;                 // 後続ノードに着目           ―4
    }
    return NULL;                         // 探索失敗                  ―5
}
```


この関数が受け取るのは、次の三つの引数です。

- *list* … 探索の対象となる線形リスト（を管理する構造体へのポインタ）。
- *x* … 探索するキーを格納した会員データへのポインタ。
- *compare* … 第2引数 *x* が指すオブジェクトと、線形リスト上の個々のノード内データとを比較するための“比較関数へのポインタ”。この比較関数が返却する値が 0 であれば、探索条件が成立しているとみなす。

関数が返却するのは、見つけたノードへのポインタ（探索失敗時は NULL）です。

探索アルゴリズムは線形探索であり、**Fig.8-7** に示すように、目的とするノードに出会うまで先頭ノードから順に走査します（図は、ノードDを探索する様子であり、①⇨②⇨③⇨④と走査すると探索に成功します）。

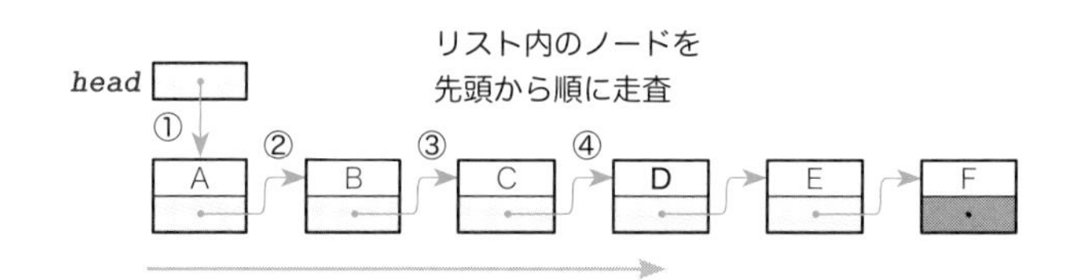

Fig.8-7 ノードの探索（線形探索）

ノードの走査の終了条件は、次の条件のいずれか一方が成立することです。

1 探索条件を満たすノードが見つからず、末尾ノードを通り越しそうになった。
2 探索条件を満たすノードを見つけた。

OR

具体的な探索の様子を示した **Fig.8-8** と対比しながら、プログラムを理解しましょう。

1 走査中のノードを指すためのポインタ `ptr` を `list->head` で初期化します。図aに示すように、`ptr` の指す先は、`list->head` が指している先頭ノードAとなります。

2 終了条件①（の否定）の判定を行います。`ptr` の値が `NULL` でなければ、ループ本体の3と4とを実行します。`ptr` の値が `NULL` であれば、走査すべきノードが存在しませんので、`while` 文の実行を終了して5に進みます。

3 終了条件②の判定を行うために、走査中のノードのデータ（`ptr->data` が指すデータ）と、`x` が指すデータを比較関数 `compare` で比較します。関数 `compare` が返した判定結果が `0` であれば、終了条件②が成立して**探索成功**です。着目ポインタ `list->crnt` に `ptr` を代入するとともに、見つけたノードへのポインタである `ptr` を返却します。

4 `ptr` に `ptr->next` を代入することによって、走査を次のノードへと進めます。

▶ `ptr` がノードAを指している図aの状態で `ptr = ptr->next` の代入を実行すると、図bとなります。後続ノードBへのポインタである `ptr->next` が `ptr` に代入される結果として、`ptr` の指す先がノードAからノードBへと更新されるからです。

5 プログラムの流れがここに到達するのは、終了条件①が成立したときです。**探索失敗**を表す `NULL` を返します。

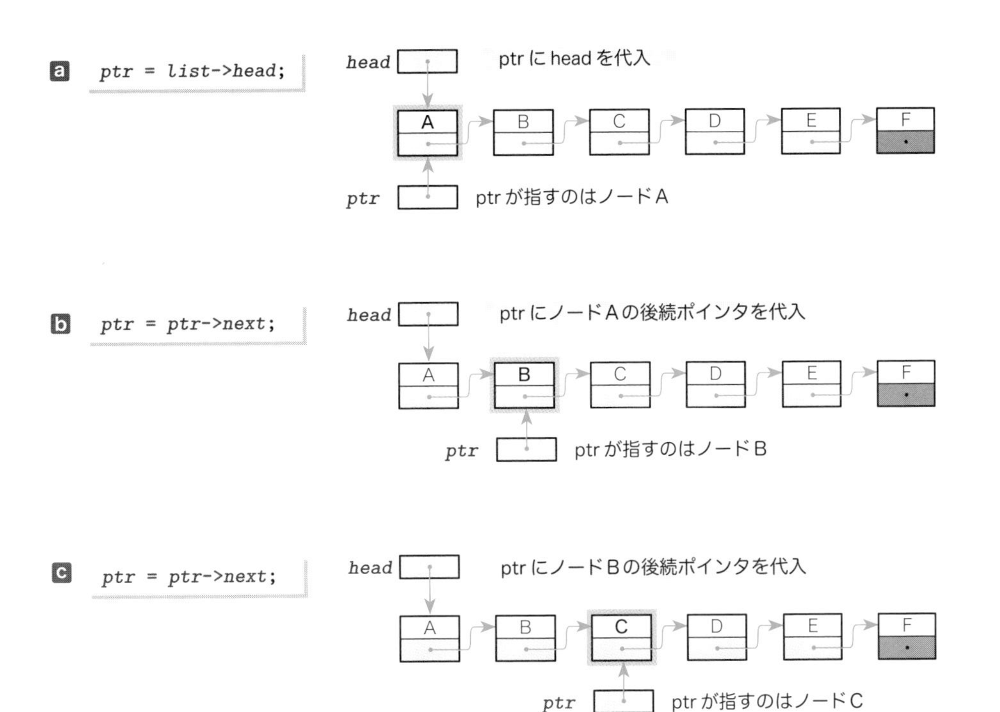

Fig.8-8 ノードの探索

先頭へのノードの挿入：InsertFront

関数 *InsertFront* は、線形リストの先頭にノードを挿入する関数です。

List 8-2 [C] chap08/LinkedList.c

```
/*--- 先頭にノードを挿入 ---*/
void InsertFront(List *list, const Member *x)
{
    Node *ptr = list->head;                    -1
    list->head = list->crnt = AllocNode();     -2
    SetNode(list->head, x, ptr);               -3
}
```

➡

挿入の手続きを **Fig.8-9** に示す具体例で考えましょう。図aに示すリストの先頭に対して、ノードGを挿入した後の状態が図bです。

処理の手順は、次のようになります。

1 挿入前の先頭ノードAを指す先頭ポインタを *ptr* に保存しておきます。

2 挿入するノードGを関数 *AllocNode* によって生成します。その際、生成したノードを指すように、先頭ポインタ *list->head* を更新します。

▶ さらに、着目ポインタ *list->crnt* も、新しく生成したノードを指すように更新します（この後で学習する関数 *InsertRear* も同様です）。

3 関数 *SetNode* を呼び出して値を設定します。その際、挿入後の先頭ノードの後続ポインタの指す先を、*ptr*（挿入前の先頭ノードA）に更新します。

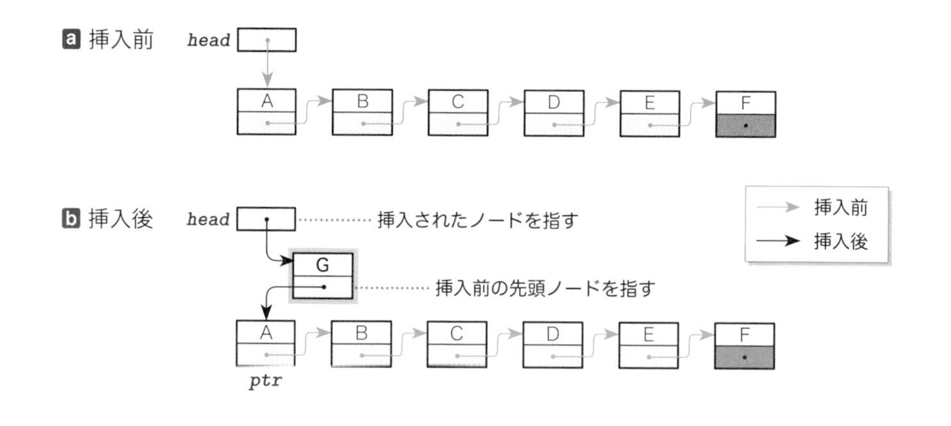

Fig.8-9　先頭へのノードの挿入

末尾へのノードの挿入：InsertRear

関数 *InsertRear* は、線形リストの末尾にノードを挿入する関数です。リストが空であるか（すなわち *list->head* == NULL が成立するか）どうかで、異なる処理を行います。

List 8-2 [D] chap08/LinkedList.c

```
/*--- 末尾にノードを挿入 ---*/
void InsertRear(List *list, const Member *x)
{
    if (list->head == NULL)                    // 空であれば
        InsertFront(list, x);                  // 先頭に挿入
    else {
        Node *ptr = list->head;
        while (ptr->next != NULL)    while 文終了時、ptr は末尾ノードを指す  ―4
            ptr = ptr->next;
        ptr->next = list->crnt = AllocNode();                              ―5
        SetNode(ptr->next, x, NULL);
    }
}
```

▪ リストが空のとき

ノードの挿入先はリストの先頭です。関数 ***InsertFront*** に挿入処理をゆだねます。

▪ リストが空でないとき

挿入の手続きを **Fig.8-10** に示す具体例で考えましょう。図aに示すリストの末尾にノードGを挿入した後の状態が図bです。

4 ここで行うのは、**末尾ノードを見つける**ことです。先頭ノードを指すように初期化された ***ptr*** の指す先を、その後続ポインタに更新する処理を繰り返すことで、ノードを先頭から順に走査します。**while** 文が終了するのは、***ptr->next*** の指す先が **NULL** となったときであり、***ptr*** の指す先は末尾ノードFとなっています。

5 挿入するノードGを関数 ***AllocNode*** によって生成します。そして、挿入前末尾ノードF内の後続ポインタ ***ptr->next*** の指す先を、挿入後の末尾ノードGとします。

さらに、関数 ***SetNode*** を呼び出して、生成したノードGの値を設定します。その際、ノードGの後続ポインタの指す先を **NULL** とします。

▶ 後続ポインタを **NULL** にするのは、末尾ノードがいかなるノードも指さないようにするためです。

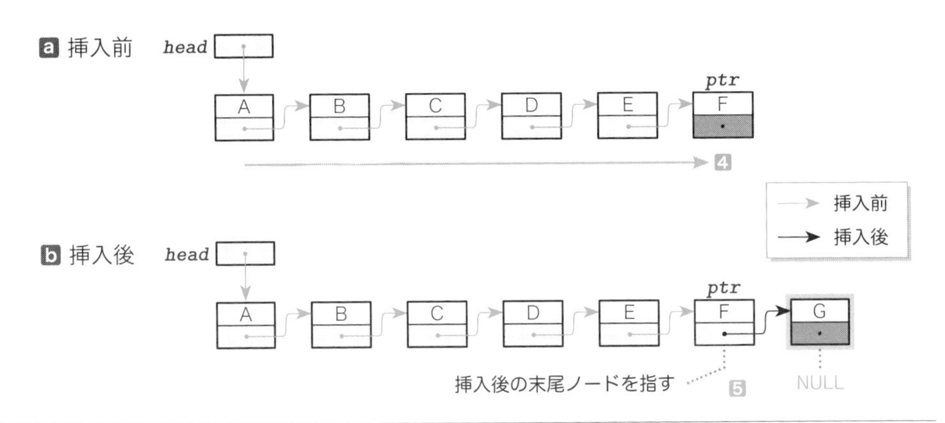

Fig.8-10 末尾へのノード挿入

先頭ノードの削除：RemoveFront

関数 *RemoveFront* は、先頭ノードを削除する関数です。削除処理を行うのは、リストが空でない（すなわち *list*->*head* != NULL が成立する）ときのみです。

List 8-2 [E] chap08/LinkedList.c

```
/*--- 先頭ノードを削除 ---*/
void RemoveFront(List *list)
{
    if (list->head != NULL) {
        Node *ptr = list->head->next;         // ２番目のノードへのポインタ
        free(list->head);                     // 先頭ノードを解放
        list->head = list->crnt = ptr;        // 新しい先頭ノード
    }
}
```

➡

削除の手続きを **Fig.8-11** に示す具体例で考えましょう。図**a**に示すリストから先頭ノードAを削除した後の状態が図**b**です。

まず、削除前の先頭ノードAの記憶域を解放します。

その後、先頭ポインタ *list*->*head* に対して、２番目のノードBへのポインタ *list*->*head*->*next* を代入することで、先頭ポインタの指す先をノードBに更新します。

▶ 着目ポインタ *crnt* の指す先も、ノードBに更新します。

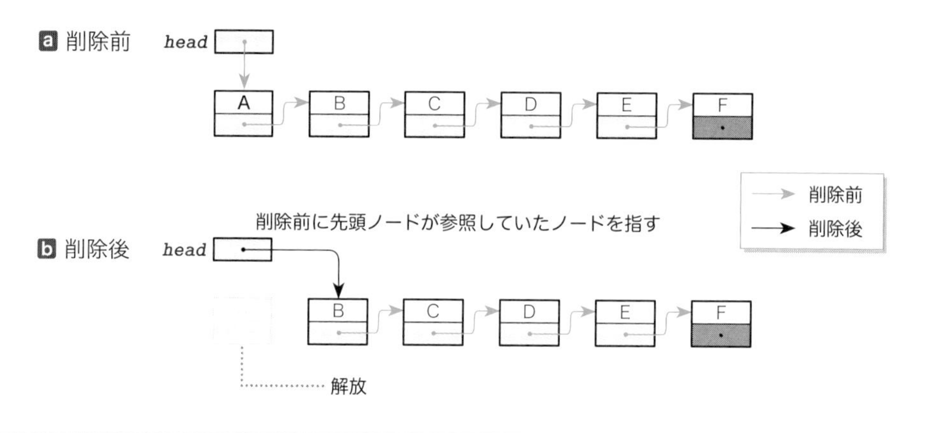

Fig.8-11　先頭ノードの削除

▶ リスト上のノードが１個だけの場合（p.315 の **Fig.8-6 b**）でも、削除処理は正しく行われてリストは空になります。削除前の先頭ノードは末尾ノードでもあり、その後続ポインタ *list*->*head*->*next* の値である NULL が *list*->*head* に代入されるからです。

末尾ノードの削除：RemoveRear

関数 *RemoveRear* は、末尾ノードを削除する関数です。リストに存在するノードが１個だけである（すなわち *list*->*head*->*next* == NULL が成立する）かどうかで異なる処理を行います。

List 8-2 [F]　　chap08/LinkedList.c

```
/*--- 末尾ノードを削除 ---*/
void RemoveRear(List *list)
{
    if (list->head != NULL) {
        if (list->head->next == NULL)      // ノードが一つだけであれば
            RemoveFront(list);             // 先頭ノードを削除
        else {
            Node *ptr = list->head;
            Node *pre;

            while (ptr->next != NULL) {
                pre = ptr;
                ptr = ptr->next;
            }
            pre->next = NULL;              // preは末尾から２番目
            free(ptr);                     // ptrは末尾
            list->crnt = pre;
        }
    }
}
```

while 文終了時、ptr は末尾ノードを指して pre は末尾から２番目のノードを指す ― 1

― 2

▪ リスト上にノードが１個だけ存在するとき

削除するのは先頭ノードです。関数 **RemoveFront** に処理をゆだねます。

▪ リスト上にノードが２個以上存在するとき

削除の手続きを **Fig.8-12** に示す具体例で考えましょう。

1　ここで行うのは、**『末尾ノード』と『末尾から2番目のノード』を見つける**ことです。

　そのための走査は、関数 **InsertRear**（p.319）の4とほぼ同じです。ただし、走査中のノードの《先行ノード》を指す変数 **pre** が追加されている点が異なります。

　図の場合、**while** 文終了時の **pre** の指す先はノードEで、**ptr** の指す先はノードFです。

2　末尾から2番目のノードEの後続ポインタに **NULL** を代入するとともに、末尾ノードFの記憶域を解放します。

▶　さらに、着目ポインタ **crnt** の指す先を、削除後の末尾ノード **pre** に更新します。

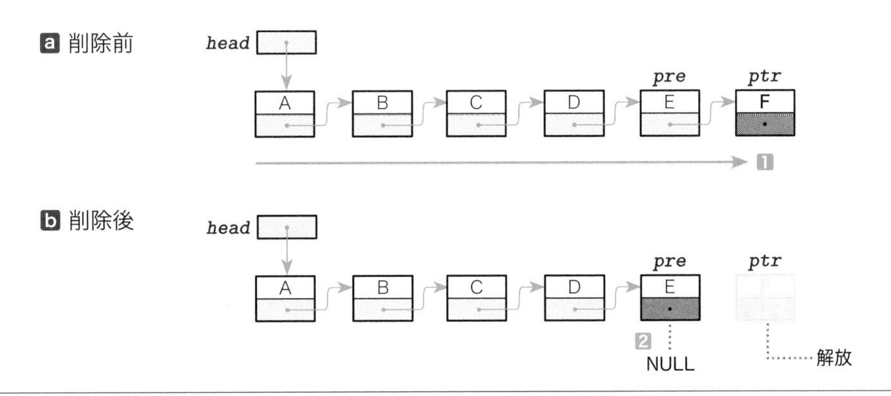

Fig.8-12　末尾ノードの削除

着目ノードの削除：RemoveCurrent

関数 *RemoveCurrent* は、着目ポインタ *list->crnt* が指すノードを削除する関数です。

List 8-2 [G] chap08/LinkedList.c

```
/*--- 着目ノードを削除 ---*/
void RemoveCurrent(List *list)
{
    if (list->head != NULL) {
        if (list->crnt == list->head)    // 先頭ノードに着目していれば
            RemoveFront(list);           // 先頭ノードを削除
        else {
            Node *ptr = list->head;

            while (ptr->next != list->crnt)     // while文終了時、ptrは着目ノードの先行ノードを指す  ―1
                ptr = ptr->next;
            ptr->next = list->crnt->next;
            free(list->crnt);                                                                     ―2
            list->crnt = ptr;
        }
    }
}
```


▶ 本関数の利用法の一例：
関数 *Search* でノードを探索して成功すると、着目ポインタが指すノードは、見つけられたノードとなります。その状態で本関数 *RemoveCurrent* を呼び出すと、探索したノードの削除が行えます。

削除対象のノードが先頭ノードであるかどうかで異なる処理を行います。

▪ crntが先頭ノードのとき

削除するのは先頭ノードです。関数 *RemoveFront* に処理をゆだねます。

▪ crntが先頭ノードでないとき

削除の手続きを **Fig.8-13** に示す具体例で考えましょう。図aに示すリストから、着目ポインタ *list->crnt* が指すノードDを削除した後の状態が図bです。

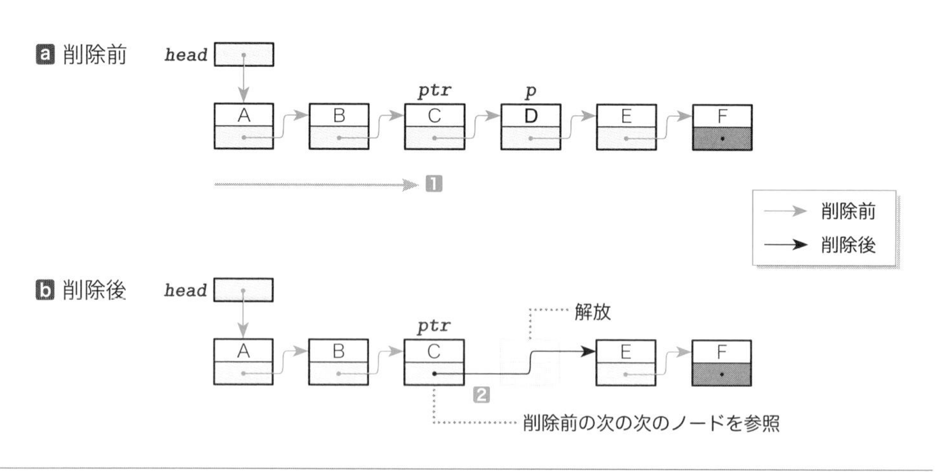

Fig.8-13 ノードの削除

処理の手順は、次のようになっています。

1 ここで行うのは、**着目ノードの先行ノードを見つける**ことです。

while 文は、走査を先頭ノードから開始して、走査中のノードである ptr の後続ポインタ ptr->next が、着目ポインタ list->crnt と等しくなるまで繰り返します。

while 文の終了時は、ptr の指す先が、削除対象ノードの先行ノードCとなります。

2 削除する着目ノードDの後続ポインタ list->crnt->next をノードCの後続ポインタ ptr->next に代入することによって、ノードCの後続ポインタの指す先を、ノードEに更新します。

さらに、どこからも指されなくなるノードD用の記憶域を解放します。

▶ 着目ポインタ crnt の指す先は、削除したノードの先行ノード（この図ではノードC）となるように更新します。

List 8-2 [H] chap08/LinkedList.c

```
/*--- 全ノードを削除 ---*/
void Clear(List *list)
{
    while (list->head != NULL)          // 空になるまで
        RemoveFront(list);              // 先頭ノードを削除
    list->crnt = NULL;
}

/*--- 着目ノードのデータを表示 ---*/
void PrintCurrent(const List *list)
{
    if (list->crnt == NULL)
        printf("着目ノードはありません。");
    else
        PrintMember(&list->crnt->data);
}

/*--- 着目ノードのデータを表示（改行付き）---*/
void PrintLnCurrent(const List *list)
{
    PrintCurrent(list);
    putchar('\n');
}
```

全ノードの削除：Clear

関数 Clear は、線形リスト上の全ノードを削除する関数です。線形リストが空になる（すなわち先頭ポインタ head が NULL になる）まで先頭要素の削除を繰り返します。

▶ 全ノードを削除するとリストが空になるため、着目ポインタ list->crnt の値も NULL に更新します。

着目ノードのデータの表示：PrintCurrent ／ PrintLnCurrent

関数 PrintCurrent と関数 PrintLnCurrent は、着目ポインタ list->crnt が指すノードのデータを表示する関数です（後者は表示後に改行文字を出力します。）。

▶ 着目ポインタ list->crnt が NULL のときは、「着目ノードはありません。」と表示します。

List 8-2 [I] chap08/LinkedList.c

```
/*--- 全ノードのデータをリスト順に表示 ---*/
void Print(const List *list)
{
    if (list->head == NULL)
        puts("ノードがありません。");
    else {
        Node *ptr = list->head;

        puts(" 【一覧表】 ");
        while (ptr != NULL) {
            PrintLnMember(&ptr->data);
            ptr = ptr->next;            // 後続ノードに着目
        }
    }
}

/*--- 線形リストの後始末 ---*/
void Terminate(List *list)
{
    Clear(list);                        // 全ノードを削除
}
```


全ノードの表示：Print

関数 ***Print*** は、リスト上の全ノードを先頭から順に表示する関数です。

先頭ノードから末尾ノードまでを走査しながら、ポインタ ***ptr*** が指すデータを表示します。

▶ なお、この関数は、着目ポインタ ***crnt*** の値を更新しません。

後始末：Terminate

関数 ***Terminate*** は、線形リストの後始末を行うための関数です。すべてのノードを削除するために関数 ***Clear***（p.323）を呼び出します。

＊

各関数実行後の着目ポインタ ***crnt*** の値をまとめたのが、**Table 8-1** です。

Table 8-1　関数実行後の着目ノード

関数	関数実行後に *crnt* が指すノード
Initialize	なし（NULL）
Search	探索に成功した場合は、そのノード（失敗した場合は更新しない）
InsertFront	挿入した先頭ノード
InsertRear	挿入した末尾ノード
RemoveFront	削除後の先頭ノード（リストが空になれば NULL）
RemoveRear	削除後の末尾ノード（リストが空になれば NULL）
RemoveCurrent	削除したノードの先行ノード（リストが空になれば NULL）
Clear	なし（NULL）
PrintCurrent	更新しない
PrintLnCurrent	更新しない
Print	更新しない
Terminate	なし（NULL）

Column 8-1　自己参照構造体と typedef 宣言

ノード型構造体 ***Node*** の宣言を理解していきましょう。

```
/*--- ノード ---*/
typedef struct __node {
    Member          data;     // データ
    struct __node *next;     // 後続ノードへのポインタ
} Node;
```

（タグ名：`__node`　typedef 名：`Node`）

メンバ ***next*** は、自身と同じ型のオブジェクトを指すポインタです。このような構造体が**自己参照型**と呼ばれることは、本文で学習しました。

なお、自己参照という言葉にまどわされて、メンバ ***next*** が《自分自身を指す》ポインタであると勘違いしないようにしましょう。

自身と同じ型のオブジェクトを指すポインタを、たまたまメンバとしてもっている、と理解すべきです。というのも、**Fig.8C-1** ⓐに示すように、ポインタ ***next*** は自分自身を指してもいいのですが、図ⓑに示すように、自身と同じ型である別のオブジェクトを指してもいいからです。

Fig.8C-1　自己参照構造体

さて、***Node*** の宣言では、タグ名 ***__node*** を与えて構造体を宣言するとともに、**typedef** 宣言を同時に行っています。すなわち、構造体の型名を "**struct** ***__node***" とした上で、"***Node***" という同義語を **typedef** 名として与えています。

Node という **typedef** 名が与えられるのですから、メンバ ***next*** は、『**struct** ***__node*** ***** 型』ではなく、『***Node*** ***** 型』と宣言できるような気がします。試しに、次のように宣言を書きかえてみましょう。

```
/*--- ノード ---*/
typedef struct {
    Member data;
✕   Node   *next;     // コンパイルエラー
} Node;
```

残念ながら、このプログラムをコンパイルしても、コンパイルエラーになります。というのも、メンバ ***next*** の宣言の時点では、***Node*** 型の **typedef** 宣言が完了していないからです。次のように書けば分かるでしょう。

```
/*--- ノード ---*/
typedef struct __node {
    Member data;
✕   Node   *next;     // Node型は未定義（typedef宣言が完了していないため）
} Node;              // ここでNode型のtypedef宣言が完了
```

自己参照構造体に **typedef** 名を与える宣言では、構造体タグ名も与えなければならない理由が分かりました。

線形リストを利用するプログラム

線形リスト *LinkedList* を利用するプログラム例を **List 8-3** に示します。

▶ 本プログラムのコンパイルには、"Member.h"（p.116）、"Member.c"（p.117）、"LinkedList.h"、"LinkedList.c" が必要です。
会員番号での探索に利用している比較関数 *MemberNoCmp* と、氏名での探索に利用している比較関数 *MemberNameCmp* は、いずれも、"Member.h" で宣言され、"Member.c" で定義されています。

List 8-3 chap08/LinkedListTest.c

```
// 線形リストの利用例

#include <stdio.h>
#include "Member.h"                                        List 3-8 (p.116)
#include "LinkedList.h"

/*--- メニュー ---*/
typedef enum {
    TERMINATE, INS_FRONT, INS_REAR,  RMV_FRONT, RMV_REAR, PRINT_CRNT,
    RMV_CRNT,  SRCH_NO,   SRCH_NAME, PRINT_ALL, CLEAR
} Menu;

/*--- メニュー選択 ---*/
Menu SelectMenu(void)
{
    int  ch;
    char *mstring[] = {
        "先頭にノードを挿入", "末尾にノードを挿入", "先頭のノードを削除",
        "末尾のノードを削除", "着目ノードを表示",   "着目ノードを削除",
        "番号で探索",         "氏名で探索",         "全ノードを表示",
        "全ノードを削除",
    };

    do {
        for (int i = TERMINATE; i < CLEAR; i++) {
            printf("(%2d) %-18.18s  ", i + 1, mstring[i]);
            if ((i % 3) == 2)
                putchar('\n');
        }
        printf("( 0) 終了 ：");
        scanf("%d", &ch);
    } while (ch < TERMINATE || ch > CLEAR);

    return (Menu)ch;
}

/*--- メイン ---*/
int main(void)
{
    Menu menu;
    List list;

    Initialize(&list);                    // 線形リストの初期化

    do {
        Member x;

        switch (menu = SelectMenu()) {
         /* 先頭にノードを挿入 */
         case INS_FRONT :
               x = ScanMember("先頭に挿入", MEMBER_NO | MEMBER_NAME);
               InsertFront(&list, &x);
               break;
```

```
        /* 末尾にノードを挿入 */
        case INS_REAR :
                x = ScanMember("末尾に挿入", MEMBER_NO | MEMBER_NAME);
                InsertRear(&list, &x);
                break;

        /* 先頭ノードを削除 */
        case RMV_FRONT :
                RemoveFront(&list);
                break;

        /* 末尾ノードを削除 */
        case RMV_REAR :
                RemoveRear(&list);
                break;

        /* 着目ノードのデータを表示 */
        case PRINT_CRNT :
                PrintLnCurrent(&list);
                break;

        /* 着目ノードを削除 */
        case RMV_CRNT :
                RemoveCurrent(&list);
                break;

        /* 番号による探索 */
        case SRCH_NO :
                x = ScanMember("探索", MEMBER_NO);
                if (Search(&list, &x, MemberNoCmp) != NULL)
                    PrintLnCurrent(&list);
                else
                    puts("その番号のデータはありません。");
                break;

        /* 氏名による探索 */
        case SRCH_NAME :
                x = ScanMember("探索", MEMBER_NAME);
                if (Search(&list, &x, MemberNameCmp) != NULL)
                    PrintLnCurrent(&list);
                else
                    puts("その名前のデータはありません。");
                break;

        /* 全ノードのデータを表示 */
        case PRINT_ALL :
                Print(&list);
                break;

        /* 全ノードを削除 */
        case CLEAR :
                Clear(&list);
                break;
        }
    } while (menu != TERMINATE);

    Terminate(&list);                               // 線形リストの後始末

    return 0;
}
```

実行例

```
( 1) 先頭にノードを挿入  ( 2) 末尾にノードを挿入  ( 3) 先頭のノードを削除
( 4) 末尾のノードを削除  ( 5) 着目ノードを表示    ( 6) 着目ノードを削除
( 7) 番号で探索          ( 8) 氏名で探索          ( 9) 全ノードを表示
(10) 全ノードを削除      ( 0) 終了 :1↵
先頭に挿入するデータを入力してください。
番号：1↵                                        {①赤尾}を先頭に挿入
氏名：赤尾↵

( 1) 先頭にノードを挿入  ( 2) 末尾にノードを挿入  ( 3) 先頭のノードを削除
( 4) 末尾のノードを削除  ( 5) 着目ノードを表示    ( 6) 着目ノードを削除
( 7) 番号で探索          ( 8) 氏名で探索          ( 9) 全ノードを表示
(10) 全ノードを削除      ( 0) 終了 :2↵
末尾に挿入するデータを入力してください。
番号：5↵                                        {⑤武田}を末尾に挿入
氏名：武田↵

( 1) 先頭にノードを挿入  ( 2) 末尾にノードを挿入  ( 3) 先頭のノードを削除
( 4) 末尾のノードを削除  ( 5) 着目ノードを表示    ( 6) 着目ノードを削除
( 7) 番号で探索          ( 8) 氏名で探索          ( 9) 全ノードを表示
(10) 全ノードを削除      ( 0) 終了 :1↵
先頭に挿入するデータを入力してください。
番号：10↵                                       {⑩小野}を先頭に挿入
氏名：小野↵

( 1) 先頭にノードを挿入  ( 2) 末尾にノードを挿入  ( 3) 先頭のノードを削除
( 4) 末尾のノードを削除  ( 5) 着目ノードを表示    ( 6) 着目ノードを削除
( 7) 番号で探索          ( 8) 氏名で探索          ( 9) 全ノードを表示
(10) 全ノードを削除      ( 0) 終了 :2↵
末尾に挿入するデータを入力してください。
番号：12↵                                       {⑫鈴木}を末尾に挿入
氏名：鈴木↵

( 1) 先頭にノードを挿入  ( 2) 末尾にノードを挿入  ( 3) 先頭のノードを削除
( 4) 末尾のノードを削除  ( 5) 着目ノードを表示    ( 6) 着目ノードを削除
( 7) 番号で探索          ( 8) 氏名で探索          ( 9) 全ノードを表示
(10) 全ノードを削除      ( 0) 終了 :1↵
先頭に挿入するデータを入力してください。
番号：14↵                                       {⑭神崎}を先頭に挿入
氏名：神崎↵

( 1) 先頭にノードを挿入  ( 2) 末尾にノードを挿入  ( 3) 先頭のノードを削除
( 4) 末尾のノードを削除  ( 5) 着目ノードを表示    ( 6) 着目ノードを削除
( 7) 番号で探索          ( 8) 氏名で探索          ( 9) 全ノードを表示
(10) 全ノードを削除      ( 0) 終了 :4↵              末尾の{⑫鈴木}を削除
( 1) 先頭にノードを挿入  ( 2) 末尾にノードを挿入  ( 3) 先頭のノードを削除
( 4) 末尾のノードを削除  ( 5) 着目ノードを表示    ( 6) 着目ノードを削除
( 7) 番号で探索          ( 8) 氏名で探索          ( 9) 全ノードを表示
(10) 全ノードを削除      ( 0) 終了 :8↵
探索するデータを入力してください。
氏名：鈴木↵                                     {鈴木}を探索／失敗
その名前のデータはありません。

( 1) 先頭にノードを挿入  ( 2) 末尾にノードを挿入  ( 3) 先頭のノードを削除
( 4) 末尾のノードを削除  ( 5) 着目ノードを表示    ( 6) 着目ノードを削除
( 7) 番号で探索          ( 8) 氏名で探索          ( 9) 全ノードを表示
(10) 全ノードを削除      ( 0) 終了 :7↵
探索するデータを入力してください。
番号：10↵                                       {⑩}を探索／成功
10 小野

( 1) 先頭にノードを挿入  ( 2) 末尾にノードを挿入  ( 3) 先頭のノードを削除
( 4) 末尾のノードを削除  ( 5) 着目ノードを表示    ( 6) 着目ノードを削除
( 7) 番号で探索          ( 8) 氏名で探索          ( 9) 全ノードを表示
(10) 全ノードを削除      ( 0) 終了 :5↵
10 小野                                         着目ノードは{⑩小野}

( 1) 先頭にノードを挿入  ( 2) 末尾にノードを挿入  ( 3) 先頭のノードを削除
( 4) 末尾のノードを削除  ( 5) 着目ノードを表示    ( 6) 着目ノードを削除
( 7) 番号で探索          ( 8) 氏名で探索          ( 9) 全ノードを表示
```

```
(10) 全ノードを削除      ( 0) 終了 :9⏎
【一覧表】
14 神崎
10 小野                                         全ノードを順に表示
1 赤尾
5 武田

( 1) 先頭にノードを挿入  ( 2) 末尾にノードを挿入  ( 3) 先頭のノードを削除
( 4) 末尾のノードを削除  ( 5) 着目ノードを表示    ( 6) 着目ノードを削除
( 7) 番号で探索          ( 8) 氏名で探索          ( 9) 全ノードを表示
(10) 全ノードを削除      ( 0) 終了 :7⏎
探索するデータを入力してください。
番号：1⏎                                        {①}を探索／成功
1 赤尾

( 1) 先頭にノードを挿入  ( 2) 末尾にノードを挿入  ( 3) 先頭のノードを削除
( 4) 末尾のノードを削除  ( 5) 着目ノードを表示    ( 6) 着目ノードを削除
( 7) 番号で探索          ( 8) 氏名で探索          ( 9) 全ノードを表示
(10) 全ノードを削除      ( 0) 終了 :6⏎             着目ノードを削除
( 1) 先頭にノードを挿入  ( 2) 末尾にノードを挿入  ( 3) 先頭のノードを削除
( 4) 末尾のノードを削除  ( 5) 着目ノードを表示    ( 6) 着目ノードを削除
( 7) 番号で探索          ( 8) 氏名で探索          ( 9) 全ノードを表示
(10) 全ノードを削除      ( 0) 終了 :3⏎             先頭ノードを削除
( 1) 先頭にノードを挿入  ( 2) 末尾にノードを挿入  ( 3) 先頭のノードを削除
( 4) 末尾のノードを削除  ( 5) 着目ノードを表示    ( 6) 着目ノードを削除
( 7) 番号で探索          ( 8) 氏名で探索          ( 9) 全ノードを表示
(10) 全ノードを削除      ( 0) 終了 :9⏎
【一覧表】
10 小野                                         全ノードを順に表示
5 武田

( 1) 先頭にノードを挿入  ( 2) 末尾にノードを挿入  ( 3) 先頭のノードを削除
( 4) 末尾のノードを削除  ( 5) 着目ノードを表示    ( 6) 着目ノードを削除
( 7) 番号で探索          ( 8) 氏名で探索          ( 9) 全ノードを表示
(10) 全ノードを削除      ( 0) 終了 :0⏎
```

演習 8-1

比較関数 **compare** によって互いに等しいとみなせるノードを、最も先頭に位置するノードを残してすべて削除する関数を作成せよ。

```
void Purge(List *list, int compare(const Member *x, const Member *y));
```

演習 8-2

先頭から **n** 個後ろのノードへのポインタ（**n** が **0** であれば先頭ノードへのポインタ、**n** が **1** であれば２番目のノードへのポインタ、…）を返す関数を作成せよ。なお、**n** が負の値かノード数以上であれば **NULL** を返すこと。

```
Node *Retrieve(List *list, int n);
```

8-3 カーソルによる線形リスト

本節では、各ノードを配列内の要素に格納し、その要素を巧(たく)みにやりくりすることによって実現する線形リストを学習します。

カーソルによる線形リスト

前節で学習した線形リストには、『ノードの挿入や削除を、データの移動を伴わずに行える』という特徴がありました。とはいえ、**ノード用オブジェクトの生成と破棄が、挿入や削除のたびに行われることもあり、記憶域の確保・解放に要するコストは決して小さくありません。**

プログラムの実行中にデータ数が大きく変化しない場合や、データ数の上限が予測できる場合などは、配列内の要素を巧みにやりくりすることで、効率のよい運用が行えます。

Fig.8-14 に示す例で考えていきましょう。図**a**の線形リストを配列に格納した様子を示したのが、図**b**です。

a 線形リストの論理的なイメージ

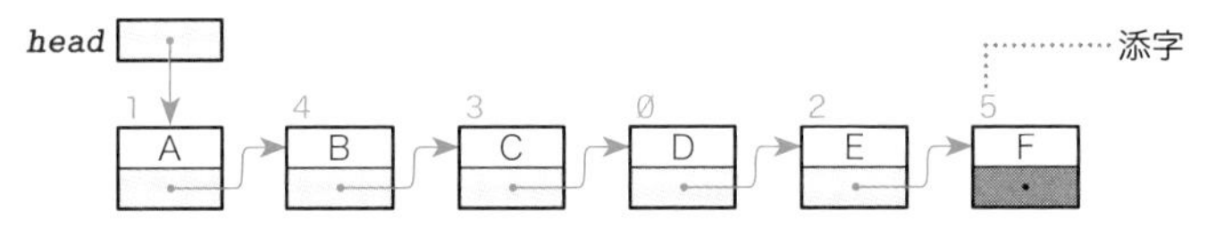

b 配列における物理的な実現

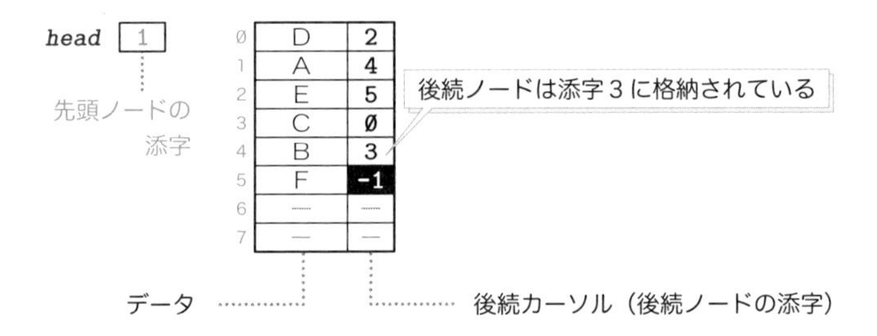

Fig.8-14　カーソルによる線形リスト

後続ポインタは、本当のポインタではなく、**後続ノードが格納されている要素の添字です。** ここでは、整数の添字で表すポインタを**カーソル**（cursor）と呼びます。

たとえば、ノードBの**後続カーソル** 3 は、そのBの後続ノードCが、添字 3 の位置に入っていることを表します。

なお、末尾ノードの後続カーソルは、配列の添字としてあり得ない **-1** です。この図の例では、ノードFの後続カーソルが **-1** となっています。

先頭ノードを指す *head* もカーソルです。**先頭カーソル *head*** の値は、先頭ノードAの格納先の添字 1 となっています。

＊

本手法では、ノードの挿入や削除に伴って、要素を移動する必要がありません。

たとえば、先ほどの線形リストの先頭にノードGを挿入すると、**Fig.8-15** のように変化します。先頭カーソル *head* を 1 から 6 に更新して、ノードGの後続カーソルを 1 にするだけです。

この点は、p.311 で考えた、《単純な配列で実現した線形リスト》とは、大きく異なります。

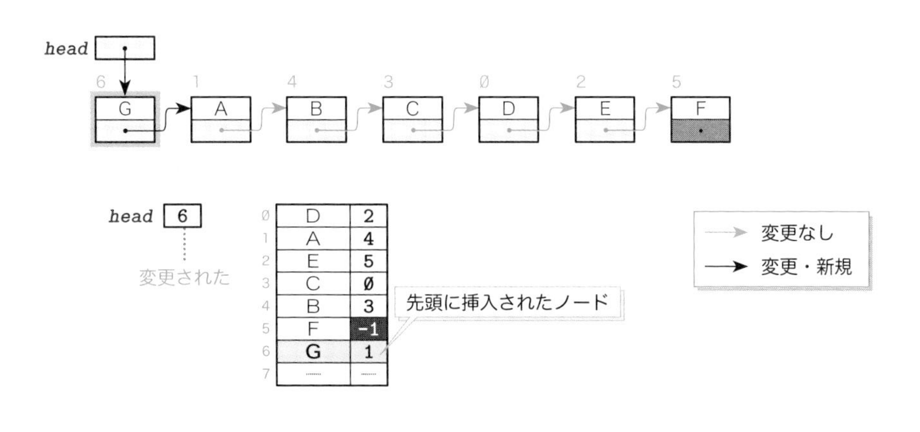

Fig.8-15　先頭へのノードの挿入

このアイディアに基づいて実現したプログラムのヘッダ部を **List 8-4**（p.332）に、ソース部を **List 8-5**（p.333 〜）に示します。

カーソル型：Index

Index は、カーソルの型を表す typedef 名です。カーソルは、単なる整数値ですから、int 型の同義語として定義しています。

ノード型：Node

線形リストのノードを表すのが構造体 *Node* です。後続カーソル *next* の型は、カーソル型 *Index* です。

線形リストを管理するための構造体 List

構造体 *List* は、線形リストを管理するための構造体です。数多くのメンバで構成されています。

▶　構造体 *Node* と *List* は、前節のプログラムに比べてメンバが増えて複雑になっています。その理由は、p.336 以降で学習します。

List 8-4　chap08/ArrayLinkedList.h

```
// カーソルによる線形リスト（ヘッダ部）

#ifndef ___ArrayLinkedList
#define ___ArrayLinkedList

#include "Member.h"

#define Null    -1              // 空カーソル

typedef int Index;              // カーソル型

/*--- ノード ---*/
typedef struct {
    Member data;                // データ
    Index next;                 // 後続カーソル
    Index Dnext;                // フリーリストの後続カーソル
} Node;

/*--- 線形リスト ---*/
typedef struct {
    Node  *n;                   // リスト本体（配列）
    Index head;                 // 先頭カーソル
    Index max;                  // 利用中の末尾レコード
    Index deleted;              // フリーリストの先頭カーソル
    Index crnt;                 // 着目カーソル
} List;

/*--- 線形リストを初期化（最大要素数はsize）---*/
void Initialize(List *list, int size);

/*--- 関数compareによってxと一致すると判定されるノードを探索 ---*/
Index Search(List *list, const Member *x,
                         int compare(const Member *x, const Member *y));

/*--- 先頭にノードを挿入 ---*/
void InsertFront(List *list, const Member *x);

/*--- 末尾にノードを挿入 ---*/
void InsertRear(List *list, const Member *x);

/*--- 先頭ノードを削除 ---*/
void RemoveFront(List *list);

/*--- 末尾ノードを削除 ---*/
void RemoveRear(List *list);

/*--- 着目ノードを削除 ---*/
void RemoveCurrent(List *list);

/*--- 全ノードを削除 ---*/
void Clear(List *list);

/*--- 着目ノードのデータを表示 ---*/
void PrintCurrent(const List *list);

/*--- 着目ノードのデータを表示（改行付き）---*/
void PrintLnCurrent(const List *list);

/*--- 全ノードのデータを表示 ---*/
void Print(const List *list);

/*--- 線形リストの後始末 ---*/
void Terminate(List *list);

#endif
```

List 3-8（p.116）

List 8-5 [A] chap08/ArrayLinkedList.c

```
// カーソルによる線形リスト（ソース部）

#include <stdio.h>
#include <stdlib.h>
#include "Member.h"                                      List 3-8 (p.116)
#include "ArrayLinkedList.h"

/*--- 挿入するレコードの添字を求める ---*/
static Index GetIndex(List *list)
{
    if (list->deleted == Null)                   // 削除レコードがない場合
        return ++(list->max);
    else {
        Index rec = list->deleted;
        list->deleted = list->n[rec].Dnext;
        return rec;
    }
}

/*--- 指定したレコードをフリーリストに登録する ---*/
static void DeleteIndex(List *list, Index idx)
{
    if (list->deleted == Null) {                 // 削除レコードがない場合
        list->deleted = idx;
        list->n[idx].Dnext = Null;
    } else {
        Index ptr = list->deleted;
        list->deleted = idx;
        list->n[idx].Dnext = ptr;
    }
}

/*--- nの指すノードの各メンバに値を設定 ----*/
static void SetNode(Node *n, const Member *x, Index next)
{
    n->data = *x;                                // データ
    n->next = next;                              // 後続カーソル
}

/*--- 線形リストを初期化（最大要素数はsize） ---*/
void Initialize(List *list, int size)
{
    list->n = calloc(size, sizeof(Node));
    list->head = Null;                           // 先頭ノード
    list->crnt = Null;                           // 着目ノード
    list->max = Null;
    list->deleted = Null;
}

/*--- 関数compareによってxと一致すると判定されるノードを探索 ---*/
Index Search(List *list, const Member *x,
                         int compare(const Member *x, const Member *y))
{
    Index ptr = list->head;

    while (ptr != Null) {
        if (compare(&list->n[ptr].data, x) == 0) {
            list->crnt = ptr;
            return ptr;                      // 探索成功
        }
        ptr = list->n[ptr].next;
    }
    return Null;                             // 探索失敗
}
```

➡

List 8-5 [B]　chap08/ArrayLinkedList.c

```
/*--- 先頭にノードを挿入 ---*/
void InsertFront(List *list, const Member *x)
{
    Index ptr = list->head;
    list->head = list->crnt = GetIndex(list);
    SetNode(&list->n[list->head], x, ptr);
}

/*--- 末尾にノードを挿入 ---*/
void InsertRear(List *list, const Member *x)
{
    if (list->head == Null)                         // 空であれば
        InsertFront(list, x);                       // 先頭に挿入
    else {
        Index ptr = list->head;
        while (list->n[ptr].next != Null)
            ptr = list->n[ptr].next;
        list->n[ptr].next = list->crnt = GetIndex(list);
        SetNode(&list->n[list->n[ptr].next], x, Null);
    }
}

/*--- 先頭ノードを削除 ---*/
void RemoveFront(List *list)
{
    if (list->head != Null) {
        Index ptr = list->n[list->head].next;
        DeleteIndex(list, list->head);
        list->head = list->crnt = ptr;
    }
}

/*--- 末尾ノードを削除 ---*/
void RemoveRear(List *list)
{
    if (list->head != Null) {
        if (list->n[list->head].next == Null)   // ノードが一つだけであれば
            RemoveFront(list);                  // 先頭ノードを削除
        else {
            Index ptr = list->head;
            Index pre;

            while (list->n[ptr].next != Null) {
                pre = ptr;
                ptr = list->n[ptr].next;
            }
            list->n[pre].next = Null;
            DeleteIndex(list, ptr);
            list->crnt = pre;
        }
    }
}

/*--- 着目ノードを削除 ---*/
void RemoveCurrent(List *list)
{
    if (list->head != Null) {
        if (list->crnt == list->head)           // 先頭ノードに着目していれば
            RemoveFront(list);                  // 先頭ノードを削除
        else {
```

```
            Index ptr = list->head;

            while (list->n[ptr].next != list->crnt)
                ptr = list->n[ptr].next;
            list->n[ptr].next = list->n[list->crnt].next;
            DeleteIndex(list, list->crnt);
            list->crnt = ptr;
        }
    }
}

/*--- 全ノードを削除 ---*/
void Clear(List *list)
{
    while (list->head != Null)          // 空になるまで
        RemoveFront(list);              // 先頭ノードを削除
    list->crnt = Null;
}

/*--- 着目ノードのデータを表示 ---*/
void PrintCurrent(const List *list)
{
    if (list->crnt == Null)
        printf("着目ノードはありません。");
    else
        PrintMember(&list->n[list->crnt].data);
}

/*--- 着目ノードのデータを表示（改行付き）---*/
void PrintLnCurrent(const List *list)
{
    PrintCurrent(list);
    putchar('\n');
}

/*--- 全ノードのデータを表示 ---*/
void Print(const List *list)
{
    if (list->head == Null)
        puts("ノードがありません。");
    else {
        Index ptr = list->head;

        puts("【一覧表】");
        while (ptr != Null) {
            PrintLnMember(&list->n[ptr].data);
            ptr = list->n[ptr].next;        // 後続ノード
        }
    }
}

/*--- 線形リストの後始末 ---*/
void Terminate(List *list)
{
    Clear(list);                        // 全ノードを削除
    free(list->n);
}
```

▶ 前節のポインタ版のプログラムでは、`calloc`関数による記憶域の確保が失敗した場合の対処を行っていませんでした。本節のカーソル版も、それに合わせた仕様となっています。

配列内の空き要素

プログラムの各関数は、前節のポインタ版（**List 8-1** および **List 8-2**）とほぼ一対一に対応していますので、大きく異なる《**削除されたノードの管理**》に絞って学習していきます。

まずは、**Fig.8-16** を例に、ノードの挿入と削除について考えていきましょう。

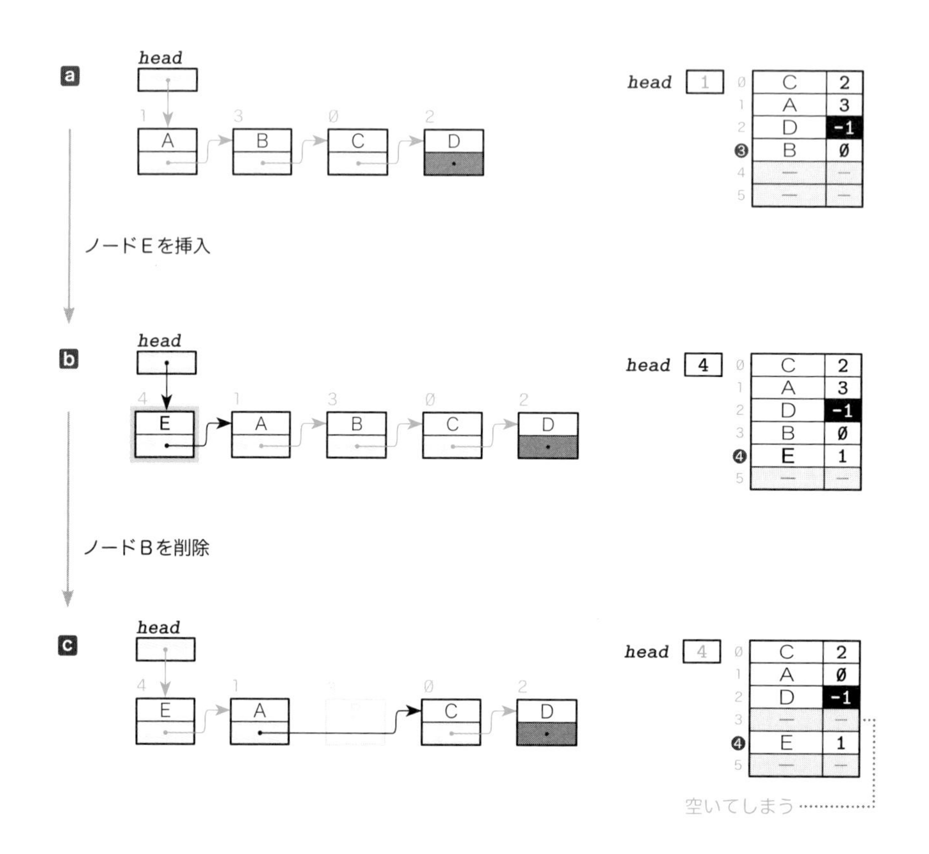

Fig.8-16　線形リストに対するノードの挿入と削除

a 線形リストに４個のノードが｛A⇨B⇨C⇨D｝の順序で並んでいて、右図のように配列内に格納されている状態です。

▶ 配列内での格納の順序はA⇨B⇨C⇨Dではなく、先頭から順にC⇨A⇨D⇨Bです。そのため、次のようになっています。

- 先頭ノードを指す先頭カーソル **head** の値は、ノードAの格納先の添字 **1** です。
- ノードAの後続カーソルは **3** です。後続ノードBが添字 **3** の要素に格納されているからです。
- ノードBの後続カーソルは **0** です。後続ノードCが添字 **0** の要素に格納されているからです。
- ノードCの後続カーソルは **2** です。後続ノードDが添字 **2** の要素に格納されているからです。
- ノードDの後続カーソルは **-1** です。末尾ノードだからです。

b 線形リストの先頭にノードEを挿入した後の状態です。添字 4 の位置にノードEが格納されています。

▶ ノードの挿入に伴って変更された値は、次のとおりです。
- 先頭ノードを指す *head* の値は、ノードEが格納されている添字 4 に変更されました。
- 挿入されたノードEは、後続ノードAが添字 1 の要素に格納されているため、その後続カーソルは 1 となります。

挿入されたノードの格納場所は、**『配列内での（物理的な）末尾側の添字の位置』**であって、決して**『線形リストとしての（論理的な）末尾』**ではありません。

当然のことですが、**配列上の物理的な位置関係と、線形リスト上の論理的な順序関係とが一致するわけではありません。**すなわち、リスト上で第 *n* 番目に位置するノードが、配列の添字 *n* の要素に格納されるとは限りません。

これ以降、リスト内の位置と区別するために、配列中の添字*n*の要素に格納されているノードを**《第 *n* レコード》**と呼びます。

▶ リストの先頭に挿入されたノードEは、第4レコードに格納されたわけです。

c 先頭から3番目に位置するノードBを削除した後の状態です。それまでノードBのデータが格納されていた第3レコードが空きます。

▶ この削除に伴って、先頭から2番目のノードAの後続ノードは、BからCへと変わります。そのため、ノードAの後続カーソルの値は、3 から 0 に変更されています。また、この変更によって、削除されたノードBが格納されていた第3レコードは、どこからも指されなくなります。

もし削除が何度も繰り返されると、**配列の中は空きレコードだらけ**になってしまいます。

削除されるレコードが高々一つであれば、その添字を何らかの変数に入れておいて管理することによって、そのレコードを容易に再利用できます。

しかし、実際には複数のレコードが削除されるわけですから、そう単純にはいきません。

Column 8-2 **ヒープの内部的な管理**

第2章で、*calloc* 関数と *malloc* 関数で記憶域を確保し、*free* 関数で解放する方法を学習しました。

free 関数を呼び出す際は、『何バイト分の領域を解放せよ。』といった指示をしないにもかかわらず、解放すべき領域の大きさが自動的に判断されるのでした。実は、記憶域を確保する際に、

このアドレスを先頭として確保された領域の大きさは○○バイトである。

という情報が、プログラムから見えない特別な領域に保存されているのです。このことは、確保した領域とは別に、数バイトから数十バイト程度の大きさの領域が内部的に消費されることを意味します。

たとえば、*malloc(1)* によって、たった1バイトの記憶域を確保した場合であっても、実際に消費される記憶域の大きさは、1バイトではない、ということです。

calloc 関数や *malloc* 関数によって動的に記憶域を確保する際は、確保された領域以外にも、それを管理するための領域が消費されるため、**小さな記憶域を数多く確保すると、相当量の記憶域が消費される**ことを知っておきましょう。

フリーリスト

本プログラムにおいて、削除されたレコード群の管理のために用いているのが、その並びを格納する線形リストである**フリーリスト**（free list）です。

データそのものの順序を表す線形リストと、フリーリストとを組み合わせて管理しますので、ノード用の構造体 ***Node*** と、線形リストを管理する構造体 ***List*** には、ポインタ版の ***List*** にはないメンバが追加されています。

ノード構造体 Node に追加されたメンバ

- *Dnext*

  フリーリスト上の後続ポインタ（フリーリストの後続ノードを指す後続カーソル）。

線形リストを管理する構造体 List に追加されたメンバ

- *deleted*

  フリーリストの先頭カーソル（フリーリストの先頭ノードを指すカーソル）。

- *max*

  配列中の最も末尾側の位置に格納されているノードのレコード番号。

▶ p.336 の **Fig.8-16** の●内の値が *max* です（この値は、3, 4, 4 と変化していました）。

＊

右ページの **Fig.8-17** を見ながら、ノードの挿入と削除に伴うフリーリストの変化を理解しましょう。

a 線形リストに5個のノードが｛A⇨B⇨C⇨D⇨E｝の順序で並んでいます。*max* は 7 であり、第8レコード以降が未使用の状態です。

また、レコード 1, 3, 5 が削除ずみの空きレコードであって、フリーリストは{3 ➡ 1 ➡ 5}となっています。

▶ フリーリストの先頭ノードの添字 3 を格納するのが、線形リスト用構造体 *List* 内のメンバ *deleted* です。

b 線形リストの末尾にノードFが挿入された状態です。その格納先は、フリーリスト{3 ➡ 1 ➡ 5}内の**先頭ノード 3** です。第 3 レコードにノードFを格納するとともに、フリーリストから先頭の 3 を削除して{1 ➡ 5}とします。

このように、フリーリスト上に空きレコードが登録されている限り、『未使用レコード（すなわち第 *max* レコード以降のレコード）を求めて *max* を増やして、その位置にデータを格納する』といったことは行いません。そのため、*max* の値は 7 のままです。

c ノードDを削除した状態です。第 7 レコードに格納されているデータが削除されるため、それをフリーリストの先頭ノードとして登録します。

その結果、{1 ➡ 5}であったフリーリストは、{7 ➡ 1 ➡ 5}に更新されます。

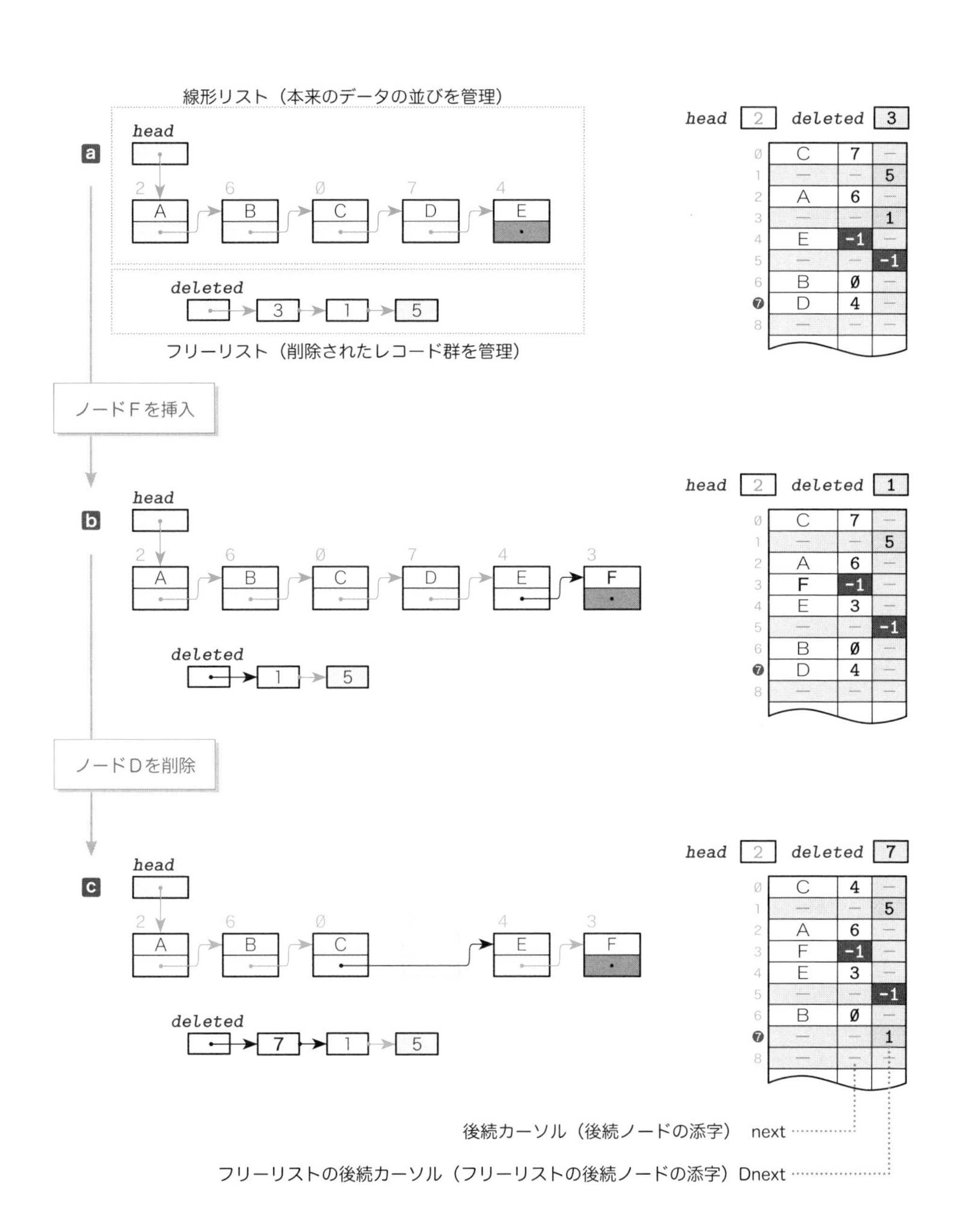

Fig.8-17　ノードの挿入と削除に伴うフリーリストの変化

▶ 削除されたレコードをフリーリストに登録するのが、関数 `DeleteIndex` です。

また、ノードの挿入時に、格納先レコード番号を決定するのが、関数 `GetIndex` です。

図bでは削除レコードが存在するため、フリーリストに登録されているレコードに挿入されたノードを格納しています。もし削除レコードが存在せずフリーリストが空であれば、`max` を増やして配列末尾側の未使用レコードを利用します。

配列カーソル版の線形リストを利用するプログラム

配列カーソル版の線形リストを利用するプログラム例を **List 8-6** に示します（プログラムの実行例は省略します）。

▶ 本プログラムのコンパイルにあたっては、"Member.h"（p.116）、"Member.c"（p.117）、"ArrayLinkedList.h"、"ArrayLinkedList.c" が必要です。

List 8-6 chap08/ArrayLinkedListTest.c

```
// カーソルによる線形リストの利用例

#include <stdio.h>
#include "Member.h"                                          List 3-8 (p.116)
#include "ArrayLinkedList.h"

/*--- メニュー ---*/
typedef enum {
    TERMINATE, INS_FRONT, INS_REAR,  RMV_FRONT, RMV_REAR, PRINT_CRNT,
    RMV_CRNT,  SRCH_NO,   SRCH_NAME, PRINT_ALL, CLEAR
} Menu;

/*--- メニュー選択 ---*/
Menu SelectMenu(void)
{
    int  ch;
    char *mstring[] = {
        "先頭にノードを挿入", "末尾にノードを挿入", "先頭のノードを削除",
        "末尾のノードを削除", "着目ノードを表示",   "着目ノードを削除",
        "番号で探索",         "氏名で探索",         "全ノードを表示",
        "全ノードを削除",
    };

    do {
        for (int i = TERMINATE; i < CLEAR; i++) {
            printf("(%2d) %-18.18s  ", i + 1, mstring[i]);
            if ((i % 3) == 2)
                putchar('\n');
        }
        printf("( 0) 終了 ：");
        scanf("%d", &ch);
    } while (ch < TERMINATE || ch > CLEAR);

    return (Menu)ch;
}

/*--- メイン ---*/
int main(void)
{
    Menu menu;
    List list;

    Initialize(&list, 30);                  // 線形リストの初期化

    do {
        Member x;

        switch (menu = SelectMenu()) {
         /* 先頭にノードを挿入 */
         case INS_FRONT :
                x = ScanMember("先頭に挿入", MEMBER_NO | MEMBER_NAME);
                InsertFront(&list, &x);
                break;
```

```
        /* 末尾にノードを挿入 */
        case INS_REAR :
                x = ScanMember("末尾に挿入", MEMBER_NO | MEMBER_NAME);
                InsertRear(&list, &x);
                break;

        /* 先頭ノードを削除 */
        case RMV_FRONT :
                RemoveFront(&list);
                break;

        /* 末尾ノードを削除 */
        case RMV_REAR :
                RemoveRear(&list);
                break;

        /* 着目ノードのデータを表示 */
        case PRINT_CRNT :
                PrintLnCurrent(&list);
                break;

        /* 着目ノードを削除 */
        case RMV_CRNT :
                RemoveCurrent(&list);
                break;

        /* 番号による探索 */
        case SRCH_NO :
                x = ScanMember("探索", MEMBER_NO);
                if (Search(&list, &x, MemberNoCmp) != Null)
                    PrintLnCurrent(&list);
                else
                    puts("その番号のデータはありません。");
                break;

        /* 氏名による探索 */
        case SRCH_NAME :
                x = ScanMember("探索", MEMBER_NAME);
                if (Search(&list, &x, MemberNameCmp) != Null)
                    PrintLnCurrent(&list);
                else
                    puts("その名前のデータはありません。");
                break;

        /* 全ノードのデータを表示 */
        case PRINT_ALL :
                Print(&list);
                break;

        /* 全ノードを削除 */
        case CLEAR :
                Clear(&list);
                break;
        }
    } while (menu != TERMINATE);

    Terminate(&list);                               // 線形リストの後始末

    return 0;
}
```


演習 8-3

ポインタ版の線形リストに対する演習 **8-1**（p.329）および演習 **8-2**（p.329）と同じ課題を、配列カーソル版の線形リストに対して行え。

8-4 循環・重連結リスト

本節では、前節までに学習した線形リストよりも複雑な構造をもつリストである、循環・重連結リストを学習します。

循環リスト

Fig.8-18 に示すように、線形リストの末尾ノードに、先頭ノードを指すポインタを与えたものを**循環**(じゅんかん)**リスト**（circular list）と呼びます。環状に並んだデータの表現に適した構造です。

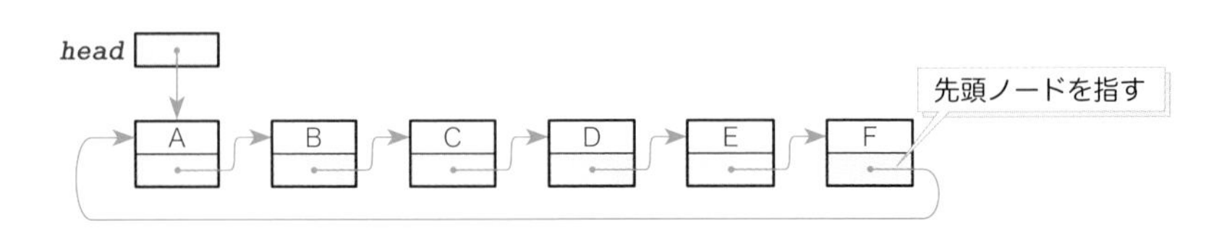

Fig.8-18　循環リスト

線形リストとの大きな違いは、末尾ノードの後続ポインタが、NULL でなく先頭ノードへのポインタとなっている点です。

▶ ノードの Node 型と、リストを管理するための LinkedList 型は、線形リストと同じものが利用できます。以下、リストを管理する構造体オブジェクトへのポインタが list であるとして、循環リストについて考えていきましょう。

■ **循環リストが空であるかどうかの判定**

ノードが1個も存在しない空の循環リストであるかどうかは、次の式で調べられます。

```
list->head == NULL                    // 循環リストは空か？
```

■ **循環リスト上のノードが1個であるかどうかの判定**

ノードが1個だけ存在する循環リストでは、先頭ノードの後続ポインタは、先頭ノードである自分自身を指します。そのため、ノードが1個だけ存在するかどうかは、次の式で調べられます。

```
list->head->next == list->head        // ノードは1個だけか？
```

■ **あるポインタが先頭ノードを指しているかどうかの判定**

Node *型の変数 p が、リスト上の任意のノードを指しているとします。そのポインタ p が指すのが線形リストの先頭ノードかどうかの判定は、次の式で行えます。

```
p == list->head                       // pが指すノードは先頭ノードか？
```

■ **あるポインタが末尾ノードを指しているかどうかの判定**

Node *型の変数 p が、リスト上の任意のノードを指しているとします。そのポインタ p が指すのが線形リストの末尾ノードかどうかの判定は、次の式で行えます。

```
p->next == list->head                 // pが指すノードは末尾ノードか？
```

末尾ノードの後続ノードが、先頭ノードであるかどうかを調べるわけです。

重連結リスト

線形リストの最大の欠点は、後続ノードを見つけるのが容易である一方で、**先行ノードを見つけるのにコストがかかる**ことです。

この欠点を解消するリスト構造が、**重連結リスト**（doubly linked list）です。**Fig.8-19** に示すように、各ノードには、後続ノードへのポインタに加えて、**先行ノードへのポインタ**が与えられます。

▶ 重連結リストは、**双方向リスト**（bidirectional linked list）とも呼ばれます。

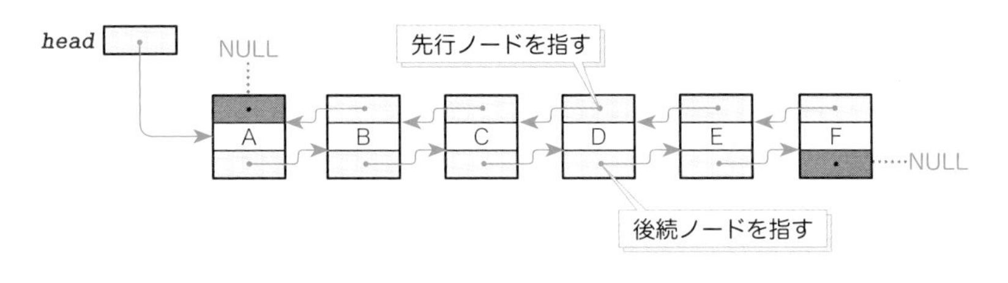

Fig.8-19　重連結リスト

重連結リストのノードは、**Fig.8-20** に示すように、3個のメンバで構成される構造体として実現できます（これまでと同様に、データは `Member` 型とします）。

```
typedef struct __node {
    Member         data;      // データ
    struct __node *prev;      // 先行ポインタ
    struct __node *next;      // 後続ポインタ
} Dnode;
```

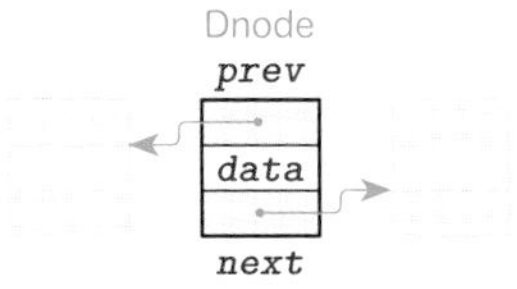

Dnode
prev
data
next

Fig.8-20　重連結リスト用のノード

▶ `Dnode *` 型の変数 `p` が、リスト上の任意のノードを指しているとします。以下、リストを管理する構造体オブジェクトへのポインタが `list` であるとして、重連結リストについて考えていきましょう。

■ あるポインタが先頭ノードを指しているかどうかの判定

変数 `p` が指すノードが重連結リストの先頭ノードであるかどうかの判定は、次のいずれの式でも行えます。

```
p == list->head          // pが指すノードは先頭ノードか？
p->prev == NULL          // pが指すノードは先頭ノードか？
```

■ あるポインタが末尾ノードを指しているかどうかの判定

`p` の指す先が末尾ノードであるかどうかの判定は、次の式で行えます。

```
p->next == NULL          // pが指すノードは末尾ノードか？
```

循環・重連結リスト

循環リストと重連結リストを組み合わせたリスト構造が、**Fig.8-21** に示す**循環・重連結リスト** (circular doubly linked list) です。

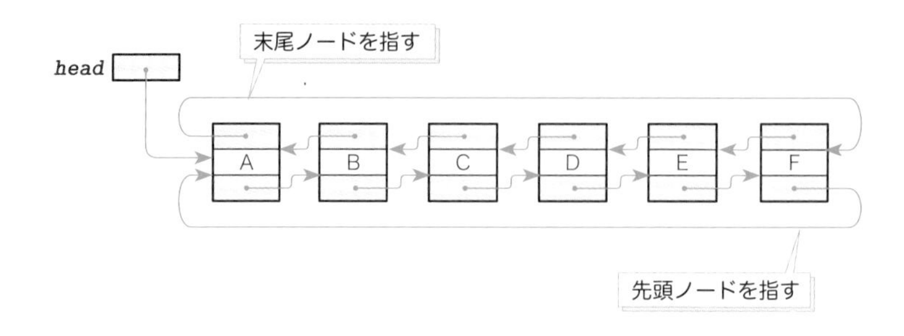

Fig.8-21　循環・重連結リスト

循環・重連結リストを実現するプログラムを作りましょう。ヘッダ部を **List 8-7** (右ページ) に、ソース部を **List 8-8** (pp.346 ～ 355) に示します。

▶ リストのノードに格納するデータが *Member* 型であることは、これまでと同様です。

ノードを表す構造体 Dnode

ノードの型 *Dnode* は、前ページの重連結リストの図に示した宣言と同じものです。すなわち、その構造は、**Fig.8-22** に示すようになります。

- *data* … データ
- *prev* … **先行ポインタ** (先行ノードへのポインタ)
- *next* … **後続ポインタ** (後続ノードへのポインタ)

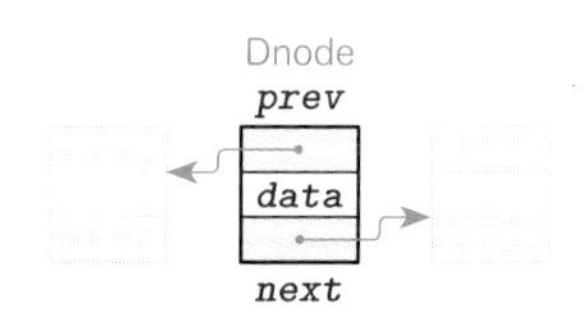

Fig.8-22　循環・重連結リスト用のノード

循環・重連結リストを管理する構造体 Dlist

循環·重連結リストを管理するための構造体 *Dlist* は、先頭ノードへのポインタと、着目ノードへのポインタとで構成されます (線形リスト用の *List* と同様です)。

List 8-7 chap08/CircDblLinkedList.h

```
// 循環・重連結リスト（ヘッダ部）

#ifndef ___CircDblLinkedList
#define ___CircDblLinkedList

#include "Member.h"
```

List 3-8（p.116）

```
/*--- ノード ---*/
typedef struct __node {
    Member        data;            // データ
    struct __node *prev;           // 先行ポインタ（先行ノードへのポインタ）
    struct __node *next;           // 後続ポインタ（後続ノードへのポインタ）
} Dnode;

/*--- 循環・重連結リスト ---*/
typedef struct {
    Dnode *head;                   // 先頭ポインタ（ダミーノードへのポインタ）
    Dnode *crnt;                   // 着目ポインタ（着目ノードへのポインタ）
} Dlist;

/*--- リストを初期化 ---*/
void Initialize(Dlist *list);

/*--- 着目ノードのデータを表示 ---*/
void PrintCurrent(const Dlist *list);

/*--- 着目ノードのデータを表示（改行付き）---*/
void PrintLnCurrent(const Dlist *list);

/*--- 関数compareによってxと一致すると判定されるノードを探索 ---*/
Dnode *Search(Dlist *list, const Member *x,
                           int compare(const Member *x, const Member *y));

/*--- 全ノードのデータをリスト順に表示 ---*/
void Print(const Dlist *list);

/*--- 全ノードのデータをリストの逆順に表示 ---*/
void PrintReverse(const Dlist *list);

/*--- 着目ノードを一つ後方に進める ---*/
int Next(Dlist *list);

/*--- 着目ノードを一つ前方に戻す ---*/
int Prev(Dlist *list);

/*--- pが指すノードの直後にノードを挿入 ---*/
void InsertAfter(Dlist *list, Dnode *p, const Member *x);

/*--- 先頭にノードを挿入 ---*/
void InsertFront(Dlist *list, const Member *x);

/*--- 末尾にノードを挿入 ---*/
void InsertRear(Dlist *list, const Member *x);

/*--- pが指すノードを削除 ---*/
void Remove(Dlist *list, Dnode *p);

/*--- 先頭ノードを削除 ---*/
void RemoveFront(Dlist *list);

/*--- 末尾ノードを削除 ---*/
void RemoveRear(Dlist *list);

/*--- 着目ノードを削除 ---*/
void RemoveCurrent(Dlist *list);

/*--- 全ノードを削除 ---*/
void Clear(Dlist *list);

/*--- 循環・重連結リストの後始末 ---*/
void Terminate(Dlist *list);

#endif
```

List 8-8 [A] chap08/CircDblLinkedList.c

```
// 循環・重連結リスト（ソース部）

#include <stdio.h>
#include <stdlib.h>
#include "Member.h"
#include "CircDblLinkedList.h"

/*--- 一つのノードを動的に生成 ---*/
static Dnode *AllocDnode(void)
{
    return calloc(1, sizeof(Dnode));
}

/*--- ノードの各メンバに値を設定 ----*/
static void SetDnode(Dnode *n, const Member *x, const Dnode *prev,
                                              const Dnode *next)
{
    n->data = *x;        // データ
    n->prev = prev;      // 先行ポインタ
    n->next = next;      // 後続ポインタ
}

/*--- リストは空か ---*/
static int IsEmpty(const Dlist *list)
{
    return list->head->next == list->head;
}

/*--- リストを初期化 ---*/
void Initialize(Dlist *list)
{
    Dnode *dummyNode = AllocDnode();               // ダミーノードを生成
    list->head = list->crnt = dummyNode;
    dummyNode->prev = dummyNode->next = dummyNode;
}

/*--- 着目ノードのデータを表示 ---*/
void PrintCurrent(const Dlist *list)
{
    if (IsEmpty(list))
        printf("着目ノードはありません。");
    else
        PrintMember(&list->crnt->data);
}

/*--- 着目ノードのデータを表示（改行付き）---*/
void PrintLnCurrent(const Dlist *list)
{
    PrintCurrent(list);
    putchar('\n');
}
```

List 3-8（p.116）

ノードを生成する：関数 AllocDnode

関数 **AllocDnode** は、**Dnode** 型オブジェクトを生成する関数です。生成したオブジェクトへのポインタを返却します。

ノードのメンバに値を設定する：関数 SetDnode

関数 **SetDnode** は、**Dnode** 型オブジェクトの３個のメンバに値を設定する関数です。

▶ 値の設定先は、第1引数 *n* に受け取ったポインタが指す *Dnode* 型オブジェクトです。そのオブジェクトのメンバ *data* と *prev* と *next* に対して、第2引数が指すオブジェクトの値と、第3引数および第4引数のポインタ値を代入します。

プログラムリストとは順序を変えて、関数 *IsEmpty* より先に *Initialize* を理解していきましょう。

初期化：Initialize

関数 *Initialize* は、空の循環・重連結リストを生成する関数です。

生成されたリストの状態は、**Fig.8-23** のようになります。

このときに作られるのが、リストの先頭位置に存在し続ける**ダミーノード**です（ノードの挿入や削除の処理を円滑に行うために利用します）。図に示すように、次の３つのポインタの指す先すべてを、リストの先頭に存在するダミーノードとします。

- 先頭ポインタ *list->head* の指す先
- ダミーノードの先行ポインタ *list->head->prev* の指す先
- ダミーノードの後続ポインタ *list->head->next* の指す先

▶ 着目ポインタ *crnt* の指す先も、生成したダミーノードとします。

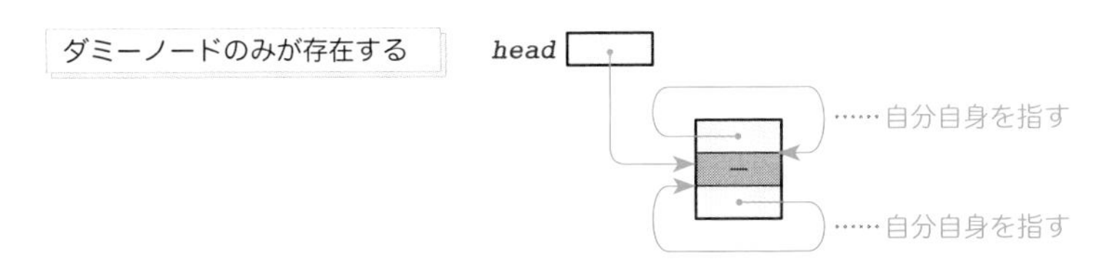

Fig.8-23　空の循環・重連結リスト

リストが空であるかを調べる：IsEmpty

関数 *IsEmpty* は、リストが空であるか（ダミーノードのみが存在するか）どうかを判定する関数です。

その判定では、ダミーノードの後続ポインタ *list->head->next* が、自身のダミーノード *list->head* を指しているかどうかを調べています。

関数の返却値は、リストが空であれば 1 で、そうでなければ 0 です。

着目ノードのデータの表示：PrintCurrent／PrintLnCurrent

関数 *PrintCurrent* と関数 *PrintLnCurrent* は、着目ノードのデータを表示する関数です。

前者は、*list->crnt* が指しているノードのデータを表示します（リストが空のときは、「着目ノードはありません。」と表示します）。

後者は、表示の後に改行文字を出力します。

ノードの探索：Search

関数 Search は、リストからノードを線形探索する関数です。

List 8-8 [B] chap08/CircDblLinkedList.c

```
/*--- 関数compareによってxと一致すると判定されるノードを探索 ---*/
Dnode *Search(Dlist *list, const Member *x,
                          int compare(const Member *x, const Member *y))
{
    Dnode *ptr = list->head->next;

    while (ptr != list->head) {
        if (compare(&ptr->data, x) == 0) {
            list->crnt = ptr;
            return ptr;                    // 探索成功
        }
        ptr = ptr->next;
    }
    return NULL;                           // 探索失敗
}
```


先頭ノードから始めて、後続ポインタを順次たぐっていって走査する手順は、線形リストの関数 Search (p.316) と、ほぼ同じです。ただし、**実質的な先頭ノード**が、ダミーノードの後続ノードであるため、探索の開始点が異なります。

Fig.8-24 に示すように、先頭ポインタ list->head が指しているダミーノードの後続ポインタが指すノードAが、本当の先頭ノードです。

そのため、探索の開始ノードは、list->head ではなく、list->head->next となります。

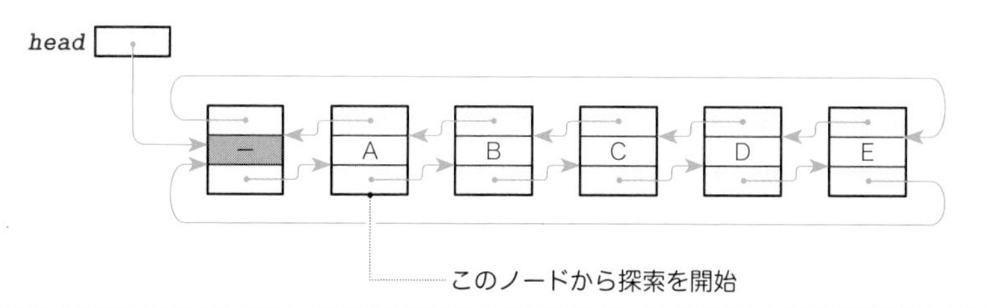

Fig.8-24 ノードの探索

▶ ダミーノード、リストの（実質的な）先頭ノード、リストの末尾ノードを指す式は、それぞれ head、head->next、head->prev です。

なお、Node * 型のポインタ a, b, c, d, e が、それぞれノードA、ノードB、…、ノードEを指しているとき、各ノードを指す式は、次のようになります。

ダミーノード	head	e->next	d->next->next	a->prev	b->prev->prev
ノードA	a	head->next	e->next->next	b->prev	c->prev->prev
ノードB	b	a->next	head->next->next	c->prev	d->prev->prev
ノードC	c	b->next	a->next->next	d->prev	e->prev->prev
ノードD	d	c->next	b->next->next	e->prev	head->prev->prev
ノードE	e	d->next	c->next->next	head->prev	a->prev->prev

while 文による走査の過程で、比較関数 *compare* によって比較した結果が 0 であれば、**探索成功**です。見つけたノードへのポインタ *ptr* を返却します（return 文の実行によって、while 文の繰返しを中断して、強制的に抜け出ます）。

▶ このとき、着目ポインタ *crnt* は見つけたノードを指すように設定します。

目的とするノードが見つからず**走査が一巡してダミーノードに戻ってきたとき**（*ptr* が *head* と一致したとき）に、while 文による繰返しが（中断されることなく）終了します。**探索失敗**を示す NULL を返します。

▶ 図の例であれば、*ptr* が着目しているのがノードEであるときに、

```
ptr = ptr->next;
```

を実行すると、*ptr* の指す先がダミーノードとなります。したがって、*ptr* の指す先が *list->head* と等しくなったときに走査が終了します。

＊

さて、空のリストからの探索を行うと、探索に失敗するはずです。この関数が、ちゃんと探索に失敗して NULL を返却するかどうかを、Fig.8-25 を見ながら検証しましょう。

関数冒頭で *ptr* に代入される *list->head->next* は、ダミーノードへのポインタです。そのため、*ptr* は、*list->head* と同じ値となります。

while 文の制御式 *ptr != list->head* が成立することはありませんので、while 文の実行は実質的にスキップされます。

その結果、関数末尾の return 文によって、探索に失敗したことを表す NULL が返却されます。

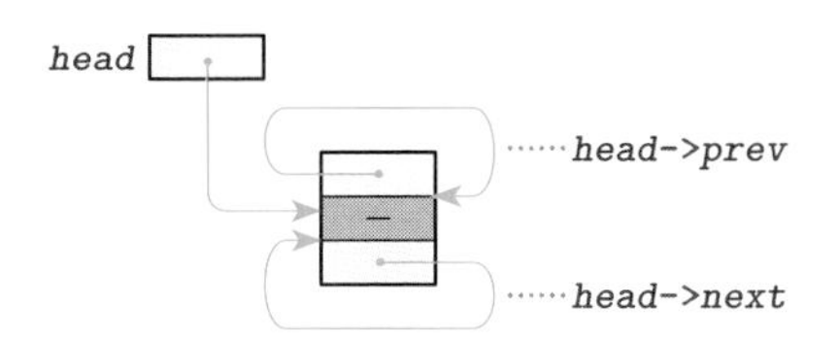

Fig.8-25 空の循環・重連結リストからの探索

▶ *Dnode ** 型のポインタ *p* が、リスト上の任意のノードを指しているとします。*p* が指しているノードリスト上の位置については、次の式で判定できます（左ページの Fig.8-24 と見比べながら理解するとよいでしょう）。

```
p->prev == list->head              // pは先頭ノードか？
p->prev->prev == list->head        // pは先頭から２番目のノードか？
p->next == list->head              // pは末尾ノードか？
p->next->next == list->head        // pは末尾から２番目のノードか？
```

全ノードの表示：Print

関数 **Print** は、リスト上の全ノードを先頭から末尾へと順に表示する関数です。

List 8-8 [C] chap08/CircDblLinkedList.c

```
/*--- 全ノードのデータをリスト順に表示 ---*/
void Print(const Dlist *list)
{
    if (IsEmpty(list))
        puts("ノードがありません。");
    else {
        Dnode *ptr = list->head->next;

        puts("【一覧表】");
        while (ptr != list->head) {
            PrintLnMember(&ptr->data);
            ptr = ptr->next;            // 後続ノードに着目
        }
    }
}
```


走査を **list->head->next** から開始して、**後続ポインタ**をたぐっていきながら、各ノードのデータを表示します。走査が終了するのは、一巡して **head** に戻ったときです。

右ページの **Fig.8-26** ａの例であれば、①⇨②⇨③ … とポインタをたぐっていきます。⑥をたぐると、ダミーノードに戻る（**ptr** の指す先が **head** の指す先と等しくなる）ため、走査を終了します。

全ノードの逆順表示：PrintReverse

リスト上の全ノードを末尾から逆順に表示する関数です。

List 8-8 [D] chap08/CircDblLinkedList.c

```
/*--- 全ノードのデータをリストの逆順に表示 ---*/
void PrintReverse(const Dlist *list)
{
    if (IsEmpty(list))
        puts("ノードがありません。");
    else {
        Dnode *ptr = list->head->prev;

        puts("【一覧表】");
        while (ptr != list->head) {
            PrintLnMember(&ptr->data);
            ptr = ptr->prev;            // 先行ノードに着目
        }
    }
}
```

走査を **list->head->prev** から開始して、**先行ポインタ**をたぐっていきながら、各ノードのデータを表示します。走査が終了するのは、一巡して **head** に戻ったときです。

図ｂの例であれば、①⇨②⇨③ … とポインタをたぐっていき、⑥をたぐると、ダミーノードに戻る（**ptr** の指す先が **head** の指す先と等しくなる）ため、走査を終了します。

a 先頭からの全ノードの走査

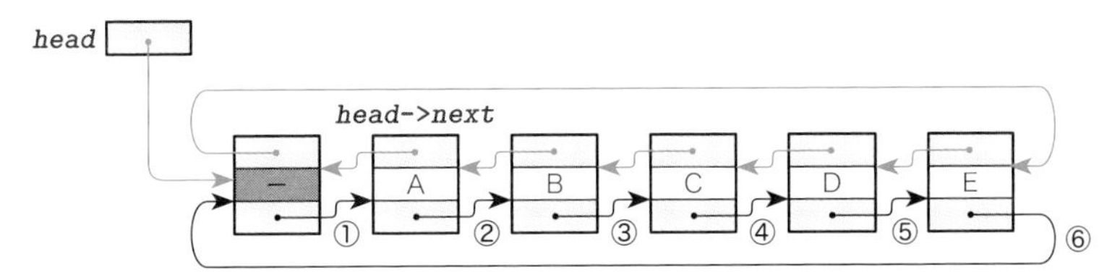

b 末尾からの全ノードの走査

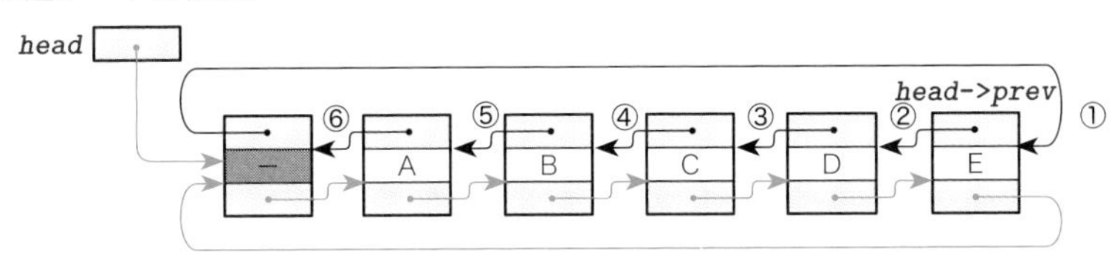

Fig.8-26　全ノードの走査

着目ノードを後方に進める：Next

着目ノードを一つ**後方のノード**に進める関数です。ただし、着目ポインタを更新するのは、リストが空でなく、着目ノードに後続ノードが存在するときのみです。

着目ノードを進めたときは 1 を、そうでないときは 0 を返します。

着目ノードを前方に戻す：Prev

着目ノードを一つ**前方のノード**に戻す関数です。ただし、着目ポインタを更新するのは、リストが空でなく、着目ノードに先行ノードが存在するときのみです。

着目ノードを戻したときは 1 を、そうでないときは 0 を返します。

List 8-8 [E]　chap08/CircDblLinkedList.c

```
/*--- 着目ノードを一つ後方に進める ---*/
int Next(Dlist *list)
{
    if (IsEmpty(list) || list->crnt->next == list->head)
        return 0;                       // 進めることはできない
    list->crnt = list->crnt->next;
    return 1;
}

/*--- 着目ノードを一つ前方に戻す ---*/
int Prev(Dlist *list)
{
    if (IsEmpty(list) || list->crnt->prev == list->head)
        return 0;                       // 戻すことはできない
    list->crnt = list->crnt->prev;
    return 1;
}
```

ノードの挿入：InsertAfter

関数 ***InsertAfter*** は、ポインタ ***p*** が指すノードの直後にノードを挿入する関数であり、他の挿入系関数の下請けともなる関数です。

List 8-8 [F] chap08/CircDblLinkedList.c

```
/*--- pが指すノードの直後にノードを挿入 ---*/
void InsertAfter(Dlist *list, Dnode *p, const Member *x)
{
    Dnode *ptr = AllocDnode();
    Dnode *nxt = p->next;

    p->next = p->next->prev = ptr;
    SetDnode(ptr, x, p, nxt);
    list->crnt = ptr;                       // 挿入したノードに着目
}
```

挿入の手続きを **Fig.8-27** に示す具体例で考えましょう。***p*** がノードBを指している状態が図aで、その直後にノードDを挿入したのが図bです。挿入位置は、***p*** が指すノードと、***p->next*** が指すノードのあいだです。挿入の手順は、次のとおりです。

1 新しく挿入するノードDを生成します。生成されたノードの先行ポインタの指す先がノードB、後続ポインタの指す先がノードCとなるように設定します。

2 ノードBの後続ポインタ ***p->next*** とノードCの先行ポインタ ***p->next->prev*** の両方が、新たに挿入したノードを指すように更新します。

3 着目ポインタ ***list->crnt*** が、挿入したノードを指すように更新します。

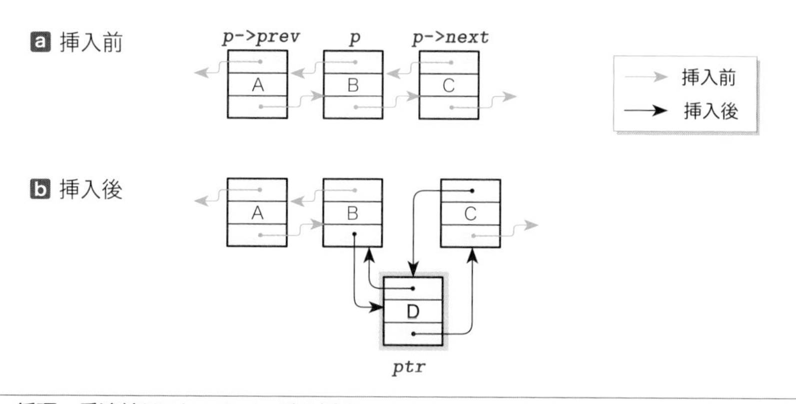

Fig.8-27 循環・重連結リストへのノードの挿入

前節までの線形リストのプログラムとは異なり、リストの先頭にダミーノードが存在するため、**空のリストに対する挿入処理や、リストの先頭への挿入処理を特別扱いする必要がありません。**

たとえば、右ページの **Fig.8-28** に示すのは、ダミーノードのみが存在する空のリストにノードAを挿入する例です。

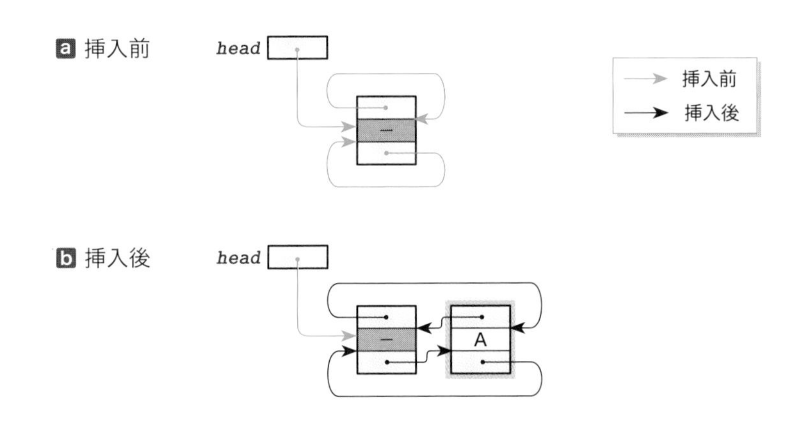

Fig.8-28　空の循環・重連結リストへのノードの挿入

挿入前の *crnt* と *head* はともにダミーノードを指していますので、次のように挿入処理を行います。

1. 生成されたノードの先行ポインタと後続ポインタにダミーノードを指させる。
2. ダミーノードの後続ポインタと先行ポインタの指す先をノードAとする。
3. 着目ノードの指す先を挿入したノードとする。

先頭へのノードの挿入：InsertFront

関数 *InsertFront* は、リストの先頭にノードを挿入する関数です。

ノードの挿入先は、先頭ノードの直後です。先頭ポインタ *list->head* が指すダミーノードの直後へのノード挿入を、関数 *InsertAfter* にゆだねます。

末尾へのノードの挿入：InsertRear

関数 *InsertRear* は、リストの末尾にノードを挿入する関数です。

ノードの挿入先が、末尾ノードの直後＝ダミーノードの直前ですので、*list->head->prev* が指す末尾ノードの直後へのノード挿入を、関数 *InsertAfter* にゆだねます。

List 8-8 [G]　chap08/CircDblLinkedList.c

```
/*--- 先頭にノードを挿入 ---*/
void InsertFront(Dlist *list, const Member *x)
{
    InsertAfter(list, list->head, x);
}

/*--- 末尾にノードを挿入 ---*/
void InsertRear(Dlist *list, const Member *x)
{
    InsertAfter(list, list->head->prev, x);
}
```

ノードの削除：Remove

関数 *Remove* は、ポインタ *p* が指すノードを削除する関数であり、他の削除系関数の下請けともなる関数です。

List 8-8 [H] chap08/CircDblLinkedList.c

```
/*--- pが指すノードを削除 ---*/
void Remove(Dlist *list, Dnode *p)
{
    p->prev->next = p->next;
    p->next->prev = p->prev;
    list->crnt = p->prev;        // 削除したノードの先行ノードに着目
    free(p);
    if (list->crnt == list->head)
        list->crnt = list->head->next;
}
```


削除の手続きを **Fig.8-29** に示す例で考えましょう。*p* がノードBを指している状態が図**a**で、ノードA（*p->prev*）とノードC（*p->next*）にはさまれたノードBを削除した後の状態が図**b**です。削除の手順は、次のとおりです。

1. ノードAの後続ポインタ *p->prev->next* の指す先が、ノードC（*p->next*）となるように更新します。
2. ノードCの先行ポインタ *p->next->prev* の指す先が、ノードA（*p->prev*）となるように更新します。*p* の指す記憶域を解放すると、削除処理は終了です。
3. 着目ポインタが、削除したノードの先行ノードAとなるように *crnt* を更新します。

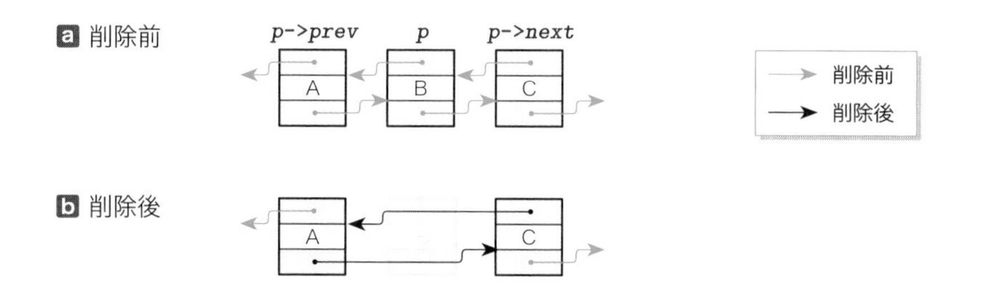

Fig.8-29　循環・重連結リストからのノードの削除

先頭ノードの削除：RemoveFront

関数 *RemoveFront* は、先頭ノードを削除する関数です。

ポインタ *list->head->next* が指す先頭ノードの削除を、関数 *Remove* にゆだねます。

▶ ダミーノードを削除するわけにはいきませんから、*list->head* が指すダミーノードではなく、その後続ノード（実質的な先頭ノード）である *list->head->next* を削除します。

List 8-8 [I] chap08/CircDblLinkedList.c

```
/*--- 先頭ノードを削除 ---*/
void RemoveFront(Dlist *list)
{
    if (!IsEmpty(list))
        Remove(list, list->head->next);
}

/*--- 末尾ノードを削除 ---*/
void RemoveRear(Dlist *list)
{
    if (!IsEmpty(list))
        Remove(list, list->head->prev);
}

/*--- 着目ノードを削除 ---*/
void RemoveCurrent(Dlist *list)
{
    if (list->crnt != list->head)
        Remove(list, list->crnt);
}

/*--- 全ノードを削除 ---*/
void Clear(Dlist *list)
{
    while (!IsEmpty(list))              // 空になるまで
        RemoveFront(list);              // 先頭ノードを削除
}

/*--- 循環・重連結リストの後始末 ---*/
void Terminate(Dlist *list)
{
    Clear(list);                        // 全ノードを削除
    free(list->head);                   // ダミーノードを削除
}
```


末尾ノードの削除：RemoveRear

関数 **RemoveRear** は、末尾ノードを削除する関数です。

ポインタ **list->head->prev** が指す末尾ノードの削除を、関数 **Remove** にゆだねます。

着目ノードの削除：RemoveCurrent

関数 **RemoveCurrent** は、着目ノードを削除する関数です。着目ポインタ **list->crnt** が指す着目ノードの削除を、関数 **Remove** にゆだねます。

全ノードの削除：Clear

関数 **Clear** は、ダミーノード以外の全ノードを削除する関数です。

リストが空になるまで、**RemoveFront** によって先頭ノードの削除を繰り返します。

▶ 着目ポインタ **list->crnt** の指す先は、ダミーノード **list->head** に更新されます。

リストの後始末：Terminate

関数 **Terminate** は、線形リストの後始末を行うための関数です。

メンバ関数 **Clear** を呼び出して全ノードを削除するとともに、先頭のダミーノード用の記憶域を解放します。

循環・重連結リストを利用するプログラム

List 8-9 に、循環・重連結リストを利用するプログラム例を示します。

▶ 本プログラムのコンパイルには、"Member.h"（p.116）、"Member.c"（p.117）、"CircDblLinkedList.h"、"CircDblLinkedList.c" が必要です。

List 8-9 chap08/CircDblLinkedListTest.c

```
// 循環・重連結リストの利用例

#include <stdio.h>
#include "Member.h"                                    List 3-8 (p.116)
#include "CircDblLinkedList.h"

/*--- メニュー ---*/
typedef enum {
    TERMINATE, INS_FRONT, INS_REAR,  RMV_FRONT, RMV_REAR, PRINT_CRNT,
    RMV_CRNT,  SRCH_NO,   SRCH_NAME, PRINT_ALL, NEXT, PREV, CLEAR
} Menu;

/*--- メニュー選択 ---*/
Menu SelectMenu(void)
{
    int  ch;
    char *mstring[] = {
        "先頭にノードを挿入", "末尾にノードを挿入", "先頭のノードを削除",
        "末尾のノードを削除", "着目ノードを表示",   "着目ノードを削除",
        "番号で探索",         "氏名で探索",         "全ノードを表示",
        "着目ノードを後方へ", "着目ノードを前方へ", "全ノードを削除",
    };

    do {
        for (int i = TERMINATE; i < CLEAR; i++) {
            printf("(%2d) %-18.18s  ", i + 1, mstring[i]);
            if ((i % 3) == 2)
                putchar('\n');
        }
        printf("( 0) 終了 ：");
        scanf("%d", &ch);
    } while (ch < TERMINATE || ch > CLEAR);

    return (Menu)ch;
}

/*--- メイン ---*/
int main(void)
{
    Menu menu;
    Dlist list;

    Initialize(&list);                  // 循環・重連結リストの初期化

    do {
        Member x;

        switch (menu = SelectMenu()) {
         /* 先頭にノードを挿入 */
         case INS_FRONT :
                x = ScanMember("先頭に挿入", MEMBER_NO | MEMBER_NAME);
                InsertFront(&list, &x);
                break;

         /* 末尾にノードを挿入 */
         case INS_REAR :
```

```
            x = ScanMember("末尾に挿入", MEMBER_NO | MEMBER_NAME);
            InsertRear(&list, &x);
            break;
     /* 先頭ノードを削除 */
     case RMV_FRONT :
            RemoveFront(&list);
            break;
     /* 末尾ノードを削除 */
     case RMV_REAR :
            RemoveRear(&list);
            break;
     /* 着目ノードのデータを表示 */
     case PRINT_CRNT :
            PrintLnCurrent(&list);
            break;
     /* 着目ノードを削除 */
     case RMV_CRNT :
            RemoveCurrent(&list);
            break;
     /* 番号による探索 */
     case SRCH_NO :
            x = ScanMember("探索", MEMBER_NO);
            if (Search(&list, &x, MemberNoCmp) != NULL)
                PrintLnCurrent(&list);
            else
                puts("その番号のデータはありません。");
            break;
     /* 氏名による探索 */
     case SRCH_NAME :
            x = ScanMember("探索", MEMBER_NAME);
            if (Search(&list, &x, MemberNameCmp) != NULL)
                PrintLnCurrent(&list);
            else
                puts("その名前のデータはありません。");
            break;
     /* 全ノードのデータを表示 */
     case PRINT_ALL :
            Print(&list);
            break;
     /* 着目ノードを一つ後方へ移動する */
     case NEXT :
            Next(&list);
            break;
     /* 着目ノードを一つ前方へ移動する */
     case PREV :
            Prev(&list);
            break;
     /* 全ノードを削除 */
     case CLEAR :
            Clear(&list);
            break;
    }
  } while (menu != TERMINATE);

  Terminate(&list);              // 循環・重連結リストの後始末

  return 0;
}
```

実行例

```
( 1) 先頭にノードを挿入  ( 2) 末尾にノードを挿入  ( 3) 先頭のノードを削除
( 4) 末尾のノードを削除  ( 5) 着目ノードを表示    ( 6) 着目ノードを削除
( 7) 番号で探索          ( 8) 氏名で探索          ( 9) 全ノードを表示
(10) 着目ノードを後方へ  (11) 着目ノードを前方へ  (12) 全ノードを削除
( 0) 終了  ：1↵
先頭に挿入するデータを入力してください。
番号：1↵                                          {①赤尾}を先頭に挿入
氏名：赤尾↵

( 1) 先頭にノードを挿入  ( 2) 末尾にノードを挿入  ( 3) 先頭のノードを削除
( 4) 末尾のノードを削除  ( 5) 着目ノードを表示    ( 6) 着目ノードを削除
( 7) 番号で探索          ( 8) 氏名で探索          ( 9) 全ノードを表示
(10) 着目ノードを後方へ  (11) 着目ノードを前方へ  (12) 全ノードを削除
( 0) 終了  ：2↵
末尾に挿入するデータを入力してください。
番号：5↵                                          {⑤武田}を末尾に挿入
氏名：武田↵

( 1) 先頭にノードを挿入  ( 2) 末尾にノードを挿入  ( 3) 先頭のノードを削除
( 4) 末尾のノードを削除  ( 5) 着目ノードを表示    ( 6) 着目ノードを削除
( 7) 番号で探索          ( 8) 氏名で探索          ( 9) 全ノードを表示
(10) 着目ノードを後方へ  (11) 着目ノードを前方へ  (12) 全ノードを削除
( 0) 終了  ：1↵
先頭に挿入するデータを入力してください。
番号：10↵                                         {⑩小野}を先頭に挿入
氏名：小野↵

( 1) 先頭にノードを挿入  ( 2) 末尾にノードを挿入  ( 3) 先頭のノードを削除
( 4) 末尾のノードを削除  ( 5) 着目ノードを表示    ( 6) 着目ノードを削除
( 7) 番号で探索          ( 8) 氏名で探索          ( 9) 全ノードを表示
(10) 着目ノードを後方へ  (11) 着目ノードを前方へ  (12) 全ノードを削除
( 0) 終了  ：2↵
末尾に挿入するデータを入力してください。
番号：12↵                                         {⑫鈴木}を末尾に挿入
氏名：鈴木↵

( 1) 先頭にノードを挿入  ( 2) 末尾にノードを挿入  ( 3) 先頭のノードを削除
( 4) 末尾のノードを削除  ( 5) 着目ノードを表示    ( 6) 着目ノードを削除
( 7) 番号で探索          ( 8) 氏名で探索          ( 9) 全ノードを表示
(10) 着目ノードを後方へ  (11) 着目ノードを前方へ  (12) 全ノードを削除
( 0) 終了  ：1↵
先頭に挿入するデータを入力してください。
番号：14↵                                         {⑭神崎}を先頭に挿入
氏名：神崎↵

( 1) 先頭にノードを挿入  ( 2) 末尾にノードを挿入  ( 3) 先頭のノードを削除
( 4) 末尾のノードを削除  ( 5) 着目ノードを表示    ( 6) 着目ノードを削除
( 7) 番号で探索          ( 8) 氏名で探索          ( 9) 全ノードを表示
(10) 着目ノードを後方へ  (11) 着目ノードを前方へ  (12) 全ノードを削除
( 0) 終了  ：4↵                                   末尾の{⑫鈴木}を削除

( 1) 先頭にノードを挿入  ( 2) 末尾にノードを挿入  ( 3) 先頭のノードを削除
( 4) 末尾のノードを削除  ( 5) 着目ノードを表示    ( 6) 着目ノードを削除
( 7) 番号で探索          ( 8) 氏名で探索          ( 9) 全ノードを表示
(10) 着目ノードを後方へ  (11) 着目ノードを前方へ  (12) 全ノードを削除
( 0) 終了  ：8↵
探索するデータを入力してください。
氏名：鈴木↵                                       {鈴木}を探索／失敗
その名前のデータはありません。

( 1) 先頭にノードを挿入  ( 2) 末尾にノードを挿入  ( 3) 先頭のノードを削除
( 4) 末尾のノードを削除  ( 5) 着目ノードを表示    ( 6) 着目ノードを削除
( 7) 番号で探索          ( 8) 氏名で探索          ( 9) 全ノードを表示
(10) 着目ノードを後方へ  (11) 着目ノードを前方へ  (12) 全ノードを削除
( 0) 終了  ：7↵
探索するデータを入力してください。
番号：10↵                                         {⑩}を探索／成功
10 小野

( 1) 先頭にノードを挿入  ( 2) 末尾にノードを挿入  ( 3) 先頭のノードを削除
( 4) 末尾のノードを削除  ( 5) 着目ノードを表示    ( 6) 着目ノードを削除
```

```
( 7) 番号で探索           ( 8) 氏名で探索           ( 9) 全ノードを表示
(10) 着目ノードを後方へ   (11) 着目ノードを前方へ   (12) 全ノードを削除
( 0) 終了 ：5↵
10 小野 ……………………………………………… 着目ノードは{⑩小野}
( 1) 先頭にノードを挿入   ( 2) 末尾にノードを挿入   ( 3) 先頭のノードを削除
( 4) 末尾のノードを削除   ( 5) 着目ノードを表示     ( 6) 着目ノードを削除
( 7) 番号で探索           ( 8) 氏名で探索           ( 9) 全ノードを表示
(10) 着目ノードを後方へ   (11) 着目ノードを前方へ   (12) 全ノードを削除
( 0) 終了 ：11↵ ……………………………………… 着目ノードを戻す
( 1) 先頭にノードを挿入   ( 2) 末尾にノードを挿入   ( 3) 先頭のノードを削除
( 4) 末尾のノードを削除   ( 5) 着目ノードを表示     ( 6) 着目ノードを削除
( 7) 番号で探索           ( 8) 氏名で探索           ( 9) 全ノードを表示
(10) 着目ノードを後方へ   (11) 着目ノードを前方へ   (12) 全ノードを削除
( 0) 終了 ：5↵
14 神崎 ……………………………………………… 着目ノードは{⑭神崎}
( 1) 先頭にノードを挿入   ( 2) 末尾にノードを挿入   ( 3) 先頭のノードを削除
( 4) 末尾のノードを削除   ( 5) 着目ノードを表示     ( 6) 着目ノードを削除
( 7) 番号で探索           ( 8) 氏名で探索           ( 9) 全ノードを表示
(10) 着目ノードを後方へ   (11) 着目ノードを前方へ   (12) 全ノードを削除
( 0) 終了 ：9↵
【一覧表】
14 神崎
10 小野 ……………………………………………… 全ノードを順に表示
1 赤尾
5 武田
( 1) 先頭にノードを挿入   ( 2) 末尾にノードを挿入   ( 3) 先頭のノードを削除
( 4) 末尾のノードを削除   ( 5) 着目ノードを表示     ( 6) 着目ノードを削除
( 7) 番号で探索           ( 8) 氏名で探索           ( 9) 全ノードを表示
(10) 着目ノードを後方へ   (11) 着目ノードを前方へ   (12) 全ノードを削除
( 0) 終了 ：0↵
```

演習 8–4

ポインタ版の線形リストに対する演習 **8-1**（p.329）および演習 **8-2**（p.329）と同じ課題を、循環・重連結リストのプログラムに対して行え。

章末問題

▪ 平成21年度(2009年度)春期 午前 問6

配列と比較した場合の連結リストの特徴に関する記述として、適切なものはどれか。

ア　要素を更新する場合、ポインタを順番にたどるだけなので、処理時間は短い。
イ　要素を削除する場合、削除した要素から後ろにあるすべての要素を前に移動するので、処理時間は長い。
ウ　要素を参照する場合、ランダムにアクセスできるので、処理時間は短い。
エ　要素を挿入する場合、数個のポインタを書き換えるだけなので、処理時間は短い。

▪ 平成10年度(1998年度)秋期 午前 問13

図は単方向リストを表している。"東京"がリストの先頭であり、そのポインタには次のデータのアドレスが入っている。また、"名古屋"はリストの最後であり、そのポインタには0が入っている。

アドレス150に置かれた"静岡"を、"熱海"と"浜松"の間に挿入する処理として正しいものはどれか。

先頭データへのポインタ

10

アドレス	データ	ポインタ
10	東京	50
30	名古屋	0
50	新横浜	90
70	浜松	30
90	熱海	70
150	静岡	

ア　静岡のポインタを50とし、浜松のポインタを150とする。
イ　静岡のポインタを70とし、熱海のポインタを150とする。
ウ　静岡のポインタを90とし、浜松のポインタを150とする。
エ　静岡のポインタを150とし、熱海のポインタを90とする。

▪ 平成8年度(1996年度)秋期 午前 問12

図のような単方向リストがある。"ナリタ"がリストの先頭であり、そのポインタには次に続くデータのアドレスが入っている。また、"ミラノ"はリストの最後であり、そのポインタには0が入っている。

"ロンドン"を"パリ"に置き換える場合の適切な処理はどれか。

先頭データへのポインタ

120

アドレス	データ部分	ポインタ
100	ウィーン	160
120	ナリタ	180
140	パリ	999
160	ミラノ	0
180	ロンドン	100

ア　パリのポインタを 100 とし、ナリタのポインタを 140 とする。
イ　パリのポインタを 100 とし、ロンドンのポインタを 0 とする。
ウ　パリのポインタを 100 とし、ロンドンのポインタを 140 とする。
エ　パリのポインタを 180 とし、ナリタのポインタを 140 とする。
オ　パリのポインタを 180 とし、ロンドンのポインタを 140 とする。

▪ 平成18年度(2006年度)秋期 午前 問13

表は、配列を用いた連結セルによるリストの内部表現であり、リスト［東京, 品川, 名古屋, 新大阪］を表している。このリストを［東京, 新横浜, 名古屋, 新大阪］に変化させる操作はどれか。ここで、$A(i, j)$ は表の第 i 行第 j 列の要素を表す。例えば、A(3, 1) = “名古屋” であり、A(3, 2) = 4 である。また、→は代入を表す。

列

A	1	2
1	“東京”	2
2	“品川”	3
行 3	“名古屋”	4
4	“新大阪”	0
5	“新横浜”	

	第 1 の操作	第 2 の操作
ア	5 → A(1, 2)	A(A(1, 2), 2) → A(5, 2)
イ	5 → A(1, 2)	A(A(2, 2), 2) → A(5, 2)
ウ	A(A(1, 2), 2) → A(5, 2)	5 → A(1, 2)
エ	A(A(2, 2), 2) → A(5, 2)	5 → A(1, 2)

▪ 平成17年度(2005年度)秋期 午前 問13

データ構造に関する記述のうち、適切なものはどれか。

ア　2分木は、データ間の関係を階層的に表現する木構造の一種であり、すべての節が二つの子をもつデータ構造である。
イ　スタックは、最初に格納したデータを最初に取り出す先入れ先出しのデータ構造である。
ウ　線形リストは、データ部と次のデータの格納先を指すポインタ部から構成されるデータ構造である。
エ　配列は、ポインタの付替えだけでデータの挿入・削除ができるデータ構造である。

▪ 平成22年度(2010年度)春期 午前 問5

双方向のポインタをもつリスト構造のデータを表に示す。この表において新たな社員Gを社員Aと社員Kの間に追加する。追加後の表のポインタａ～ｆの中で追加前と比べて値が変わるポインタだけをすべて列記したものはどれか。

追加前

アドレス	社員名	次ポインタ	前ポインタ
100	社員A	300	0
200	社員T	0	300
300	社員K	200	100

追加後

アドレス	社員名	次ポインタ	前ポインタ
100	社員A	a	b
200	社員T	c	d
300	社員K	e	f
400	社員G	x	y

ア　a, b, e, f　　イ　a, e, f　　ウ　a, f　　エ　b, e

第９章

木構造と２分探索木

- 木構造
- 順序木と無順序木
- 横型探索
- 縦型探索
- 行きがけ順（前順／先行順／前置順）
- 通りがけ順（間順／中間順／中置順）
- 帰りがけ順（後順／後行順／後置順）
- ２分木
- ２分探索木

9-1 木構造

前章で学習したリストは、順序付けられたデータの並びを表現するデータ構造でした。本章では、データ間の階層的な関係を表現するデータ構造である《木構造》を学習します。

木とは

本章で学習するのは**木構造**です。まずは、木（tree）とは何かを理解するとともに、木に関する用語を **Fig.9-1** を見ながら覚えていきましょう。

木に関する用語

木の構成要素は、○ で示している**ノード／節**（node）と、 ── で示している**枝**（edge）です。各ノードは、枝を通じて他のノードと結び付きます。

▶ ノードは**節点**や**頂点**とも呼ばれ、枝は**辺**とも呼ばれます。

なお、図の上側を**上流**と呼び、下側を**下流**と呼びます。

根 ………… 最も上流のノードが**根**（root）です。一つの木に対して、根は1個だけ存在します。
植物の木の根と同じようなものです。図の上下を逆にすると、木や根のイメージをつかみやすくなります。

葉 ………… 最下流のノードが**葉**（leaf）です。**終端節**（terminal node）あるいは**外部節**（external node）とも呼ばれます。

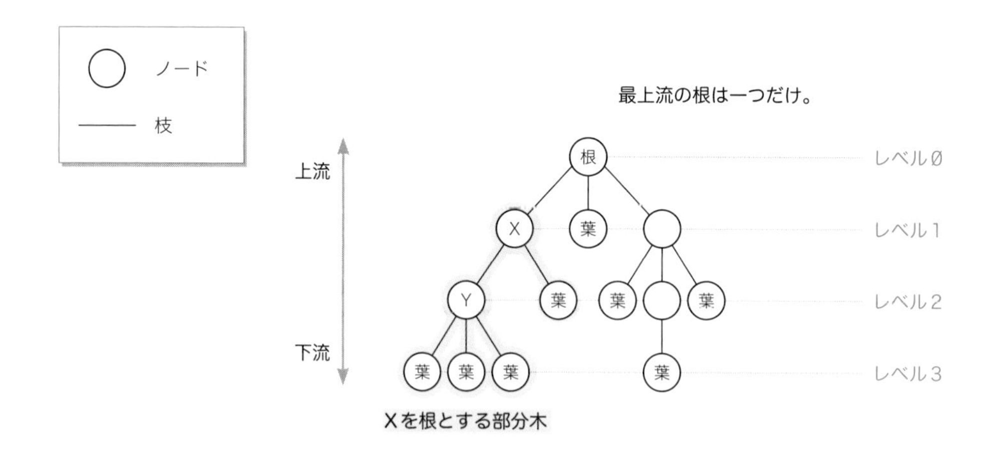

Fig.9-1 木

非終端節 … 葉以外のノード（根を含みます）が**非終端節**（non-terminal node）です。**内部節**（internal node）とも呼ばれます。

子 ………… あるノードと枝で結ばれた下流側のノードが**子**（child）です。各ノードは何個でも子をもつことができます。
たとえば、ノードXは2個の子を、ノードYは3個の子をもっています。
なお、最下流の**葉は子をもちません。**

親 ………… あるノードと枝で結ばれた上流側のノードが**親**（parent）です。各ノードにとって親は1個だけです。たとえば、ノードYにとっての親はノードXです。
なお、**根だけは親をもちません。**

兄弟 ……… 共通の親をもつノードが**兄弟**（sibling）です。

先祖 ……… あるノードから上流側にたどれるすべてのノードが**先祖**（ancestor）です。

子孫 ……… あるノードから下流側にたどれるすべてのノードが**子孫**（descendant）です。

レベル …… 根からどれくらい離れているかを示すのが**レベル**（level）です。最上流に位置する根のレベルが0で、下流へと枝を一つたぐっていくと、レベルは一つ増加します。

度数 ……… 各ノードがもつ子の数が**度数**（degree）です。たとえば、ノードXの度数は2で、ノードYの度数は3です。
なお、すべてのノードの度数がn以下である木を**n進木**と呼びます。すべてのノードの子の数が2個以下であれば、その木は**2進木**です。
図に示す木は、すべてのノードの子が3個以下ですから**3進木**です。

高さ ……… 葉のレベルの最大値（根から最も遠い葉までの距離）が、**高さ**（height）です。
ここに示す木の高さは3です。

部分木 …… あるノードを根とし、その子孫から構成される木が**部分木**（subtree）です。
水色で囲んだ部分は、ノードXを根とする部分木です。

空木 ……… ノードや枝がまったく存在しない木が**空木**（NULL tree）です。

順序木と無順序木

兄弟ノードの順序関係を区別するかどうかで、木は2種類に分類されます。

兄弟関係にあるノードの順序関係を区別する木が**順序木**（ordered tree）で、区別をしない木が**無順序木**（unordered tree）です。

たとえば、**Fig.9-2** に示す二つの木は、順序木としてみれば別の木ですが、無順序木としてみれば同じ木です。

二つの木は、異なる順序木であって、同一の無順序木である。

Fig.9-2　順序木と無順序木

順序木の探索

順序木のノードを走査する方法には、大きく二つの手法があります。ここでは、2進木を例に考えていきます。

幅優先探索／横型探索（breadth-first search）

幅優先探索とも呼ばれる**横型探索**は、レベルの低いノードから始めて、**左側から右側へとなぞり**、それが終わると次のレベルにくだる方法です。

Fig.9-3 に示すのが、横型探索でノードを走査する例です。

ノードをなぞる順は、次のようになります。

A ➡ B ➡ C ➡ D ➡ E ➡ F ➡ G
➡ H ➡ I ➡ J ➡ K ➡ L

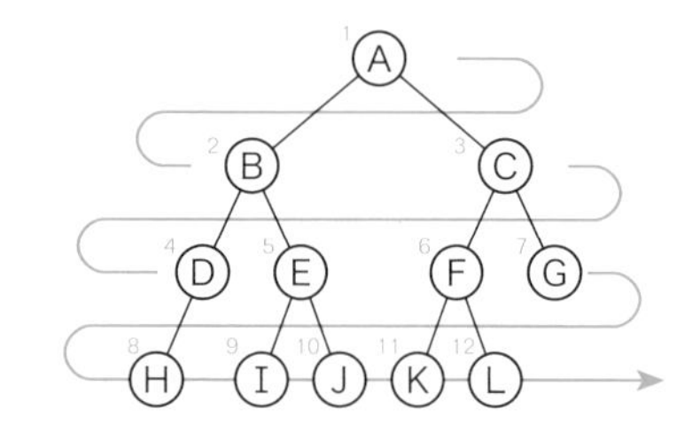

Fig.9-3　横型探索

深さ優先探索／縦型探索（depth-first search）

深さ優先探索とも呼ばれる**縦型探索**は、葉に到達するまで**下流にくだる**のを優先する方法です。

葉に到達して行き止まりとなった場合は、いったん親に戻って、それから次のノードへとたどっていきます。

Fig.9-4 に示すのが、縦型探索の走査の概略です。

ここで、ノードAに着目しましょう。いうまでもなく、Aには、BとCの2個の子があります。右ページの **Fig.9-5** に示すように、走査の過程でAを通過するのは全部で3回です。

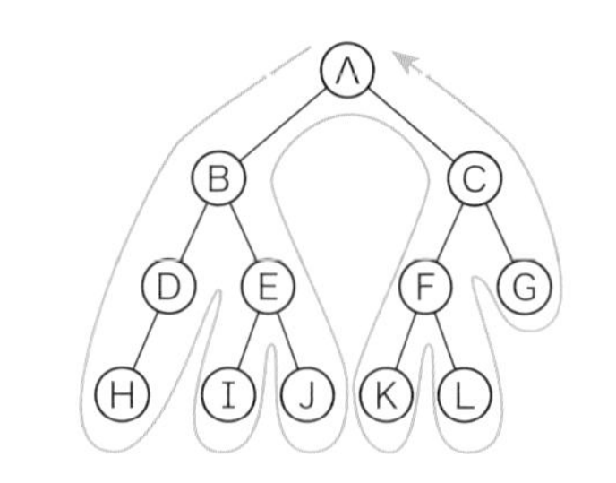

Fig.9-4　縦型探索

- AからBにくだる直前。
- BからCに行く途中。
- CからAに戻ってきたとき。

他のノードでも同様です。二つの子の一方あるいは両方がなければ回数は少なくなるものの、各ノードを最大3回通過します。

3回の通過のうちの、どのタイミングで実際に**“立ち寄る”**のかによって、縦型探索は、次の3種類の走査法に分類されます。

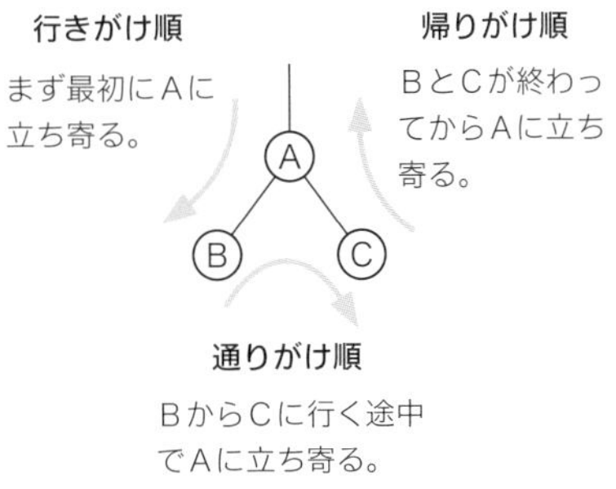

Fig.9-5　縦型探索と走査

行きがけ順（preorder：前順（まえ）／先行順／前置順）

次の手順で走査します。

ノードに立ち寄る ➡ 左の子にくだる ➡ 右の子にくだる

左ページの **Fig.9-4** の木で考えましょう。たとえばノードAを通過するタイミングに着目すると、{ **Aに立ち寄る** ➡ Bにくだる ➡ Cにくだる } という手順です。

そのため、木全体の走査は、次のようになります。

A ➡ B ➡ D ➡ H ➡ E ➡ I ➡ J ➡ C ➡ F ➡ K ➡ L ➡ G

通りがけ順（inorder：間順（あいだ）／中間順／中置順）

次の手順で走査します。

左の子にくだる ➡ **ノードに立ち寄る** ➡ 右の子にくだる

たとえばノードAを通過するタイミングに着目すると、{ Bにくだる ➡ **Aに立ち寄る** ➡ Cにくだる } という手順です。

そのため、木全体の走査は、次のようになります。

H ➡ D ➡ B ➡ I ➡ E ➡ J ➡ A ➡ K ➡ F ➡ L ➡ C ➡ G

帰りがけ順（postorder：後順（あと）／後行順／後置順）

次の手順で走査します。

左の子にくだる ➡ 右の子にくだる ➡ **ノードに立ち寄る**

たとえばノードAを通過するタイミングに着目すると、{ Bにくだる ➡ Cにくだる ➡ **Aに立ち寄る** } という手順です。

そのため、木全体の走査は、次のようになります。

H ➡ D ➡ I ➡ J ➡ E ➡ B ➡ K ➡ L ➡ F ➡ G ➡ C ➡ A

9-2 2分木と2分探索木

本節では、単純でありながらも、現実のプログラムで頻繁に利用される、2分木と2分探索木を学習します。

2分木

各ノードが**左の子**（left child）と**右の子**（right child）をもつ木を**2分木**（binary tree）と呼びます。なお、二つの子の一方あるいは両方が存在しないノードが含まれていても構いません。**Fig.9-6** に示すのが、2分木の一例です。

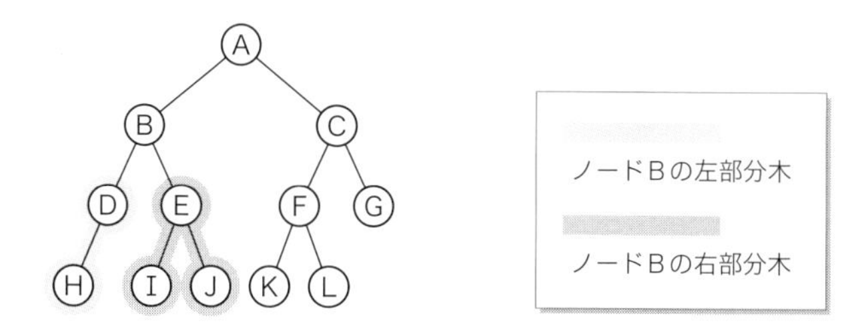

Fig.9-6　2分木

単なる2進木（p.365）との違いは、**左の子と右の子とが区別されること**です。たとえば、この図に示す例では、ノードBにとって、Dが左の子で、Eが右の子です。

なお、左の子を根とする部分木を**左部分木**（left subtree）と呼び、右の子を根とする部分木を**右部分木**（right subtree）と呼びます。

この図では、水色の部分がBの左部分木で、黒色の部分がBの右部分木です。

完全2分木

根から下方のレベルへと、ノードが空くことなく詰まっていて、かつ、同一のレベル内では左から右へノードが空くことなく詰まっている2分木を、**完全2分木**（complete binary tree）と呼びます。

右ページの **Fig.9-7** に示すのが、その一例です。

- 最下流でないレベルは、すべてノードが詰まっている。
- 最下流のレベルに限っては、左側から詰まっていればよく、途中までしかノードがなくてもよい。

高さkの完全2分木がもつことのできるノード数は、最大で $2^{k+1}-1$ 個ですから、n個のノードを格納できる完全2分木の高さは log nとなります。

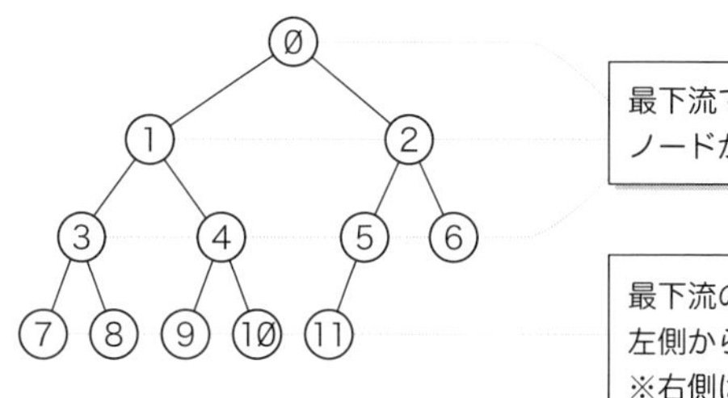

Fig.9-7　完全2分木

この図に示すように、横型探索で走査する順に、**0, 1, 2,** … という値を与えると、ちょうど**配列に格納する添字に対応させる**ことができます。

▶　この手法は、第6章で学習した**ヒープソート**で利用しました。

2分探索木

2分探索木（binary search tree）は、すべてのノードが、次の条件を満たす2分木です。

左部分木のノードのキー値は、そのノードのキー値より小さく、
右部分木のノードのキー値は、そのノードのキー値より大きい。

そのため、同一キー値をもつノードが複数存在することはありません。

Fig.9-8 に示す2分探索木の例で確認しましょう。

ノード **5** に着目すると、左部分木の **{4, 1}** は、いずれも **5** より小さくなっており、右部分木の **{7, 6, 9}** は、いずれも **5** より大きくなっています。

もちろん、他のノードも同様です。

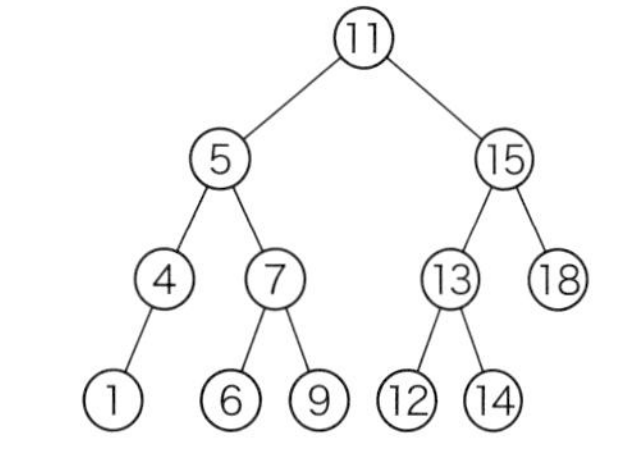

Fig.9-8　2分探索木

＊

2分探索木を**通りがけ順の縦型探索**で走査すると、キー値の昇順でノードが得られます。この図で走査すると、**1 ➡ 4 ➡ 5 ➡ 6 ➡ 7 ➡ 9 ➡ 11 ➡ 12 ➡ 13 ➡ 14 ➡ 15 ➡ 18** となります。

2分探索木は、次のような特徴から、幅広く利用されています。

- 構造が単純である。
- 通りがけ順の縦型探索によって、キー値の昇順でノードが得られる。
- 2分探索法と似た要領での高速な探索が可能である。
- ノードの挿入が容易である。

それでは、2分探索木をプログラムとして実現していきましょう。

2分探索木の実現

2分探索木を実現するプログラムのヘッダ部が **List 9-1** で、ソース部が **List 9-2**（p.371～p.381）です。このプログラムを理解していきましょう。

▶ ノードに格納するデータは、第3章で作成した会員 *Member* 型（**List 3-8**：p.116）です（ハッシュ法や線形リストのプログラムと同様です）。

List 9-1 chap09/BinTree.h

```
// 2分探索木（ヘッダ部）

#ifndef ___BinTree
#define ___BinTree

#include "Member.h"                                    List 3-8 (p.116)

/*--- ノード ---*/
typedef struct __bnode {
    Member          data;           // データ
    struct __bnode *left;           // 左ポインタ（左子ノードへのポインタ）
    struct __bnode *right;          // 右ポインタ（右子ノードへのポインタ）
} BinNode;

/*--- 探索 ---*/
BinNode *Search(BinNode *p, const Member *x);

/*--- ノードの挿入 ---*/
BinNode *Add(BinNode *p, const Member *x);

/*--- ノードの削除 ---*/
int Remove(BinNode **root, const Member *x);

/*--- 全ノードの表示 ---*/
void PrintTree(const BinNode *p);

/*--- 全ノードの削除 ---*/
void FreeTree(BinNode *p);

#endif
```


ノードを表す構造体 BinNode

2分探索木上の個々のノードを表すのが、自己参照型の構造体である *BinNode* です。**Fig.9-9** に示すように、3個のメンバで構成されています。

- *data* … データ
- *left* … **左ポインタ**（左子ノードへのポインタ）
- *right* … **右ポインタ**（右子ノードへのポインタ）

メンバ *left* と *rigth* が、左右の子ノードへのポインタです。指すべき子が存在しない場合は、NULL とします。

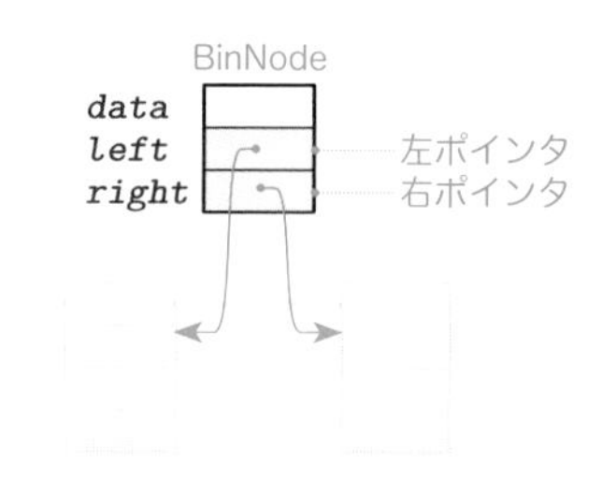

Fig.9-9 構造体 BinNode

List 9-2 [A]　　chap09/BinTree.c

```
// 2分探索木（ソース部）

#include <stdio.h>
#include <stdlib.h>
#include "Member.h"                    List 3-8 (p.116)
#include "BinTree.h"

/*--- 一つのノードを動的に確保 ---*/
static BinNode *AllocBinNode(void)
{
    return calloc(1, sizeof(BinNode));
}

/*--- ノードの各メンバに値を設定 ----*/
static void SetBinNode(BinNode *n, const Member *x, const BinNode *left,
                                                    const BinNode *right)
{
    n->data  = *x;          // データ
    n->left  = left;        // 左ポインタ
    n->right = right;       // 右ポインタ
}
```


ノードを生成する：関数 AllocBinNode

関数 *AllocBinNode* は、*BinNode* 型オブジェクトを生成する関数です。

ノードのメンバに値を設定する：関数 SetBinNode

関数 *SetBinNode* は、*BinNode* 型オブジェクトの3個のメンバに値を設定する関数です。

▶ 値の設定先は、第1引数 *n* が指す *BinNode* 型オブジェクトです。*n* が指すオブジェクトのメンバである **data** と *left* と *right* に対して、第2引数 *x* が指すオブジェクトの値 **x* と、第3引数および第4引数のポインタ値 *left* と *right* を代入します。

空の2分探索木の生成

ハッシュ法や線形リストのプログラムには、空の表やリストを生成する関数 **Initialize** がありましたが、本プログラムにはありません。

というのも、**Fig.9-10** に示すように、根ノードを指すための *BinNode* * 型のオブジェクトを一つ用意して、その値を空ポインタ **NULL** とするだけでよいからです。

▶ 根ノードを指すポインタは、2分探索木を利用する **List 9-3** （p.382）のプログラムの **main** 関数で宣言されています。
　なお、根ノードを指すポインタが **NULL** ではなく、実際に *BinNode* 型ノードを指している図は、p.375 の **Fig.9-13** に示しています。

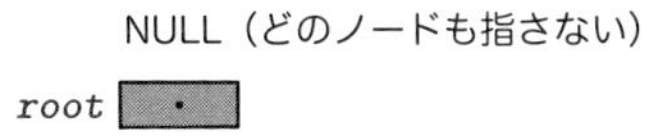

NULL（どのノードも指さない）
root

Fig.9-10　空の2分探索木

キー値による探索：関数Search

2分探索木から、あるキー値をもつノードの探索を行うアルゴリズムを、**Fig.9-11** を見ながら考えていきましょう。図aが探索に成功する例で、図bが探索に失敗する例です。

a 探索に成功する例

2分探索木からキー値3をもつノードの探索例です。

1. 根に着目します。キー値は5です。目的の3は、これよりも小さいため、左の子へと進みます。
2. 着目するノードのキー値は2です。目的の3は、これよりも大きいため、右の子へと進みます。
3. 着目するノードのキー値は4です。目的の3は、これよりも小さいため、左の子へと進みます。
4. キー値が3であるノードに到達しました。**探索成功**です。

a 3の探索（探索成功）

① 根である5に着目。
目的とする3は、5より小さいので、
左の子ノードをたどる。

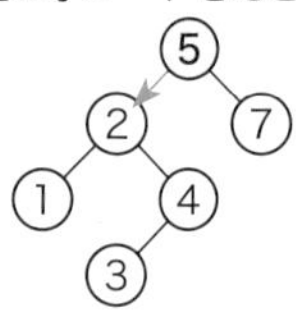

② 左の子ノード2に着目。
目的とする3は、2より大きいので、
右の子ノードをたどる。

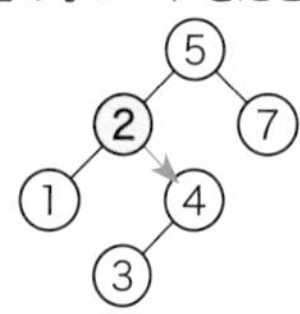

③ 右の子ノード4に着目。
目的とする3は、4より小さいので、
左の子ノードをたどる。

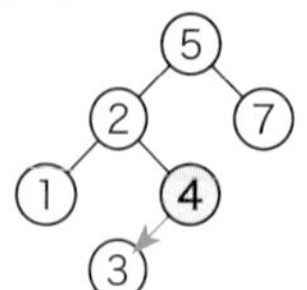

④ 左の子ノード3に着目。
目的とする3と等しいので、
探索に成功する。

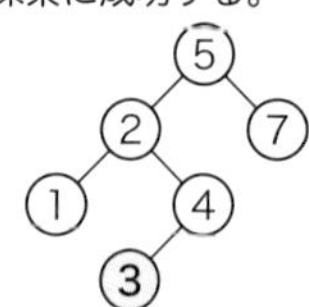

b 8の探索（探索失敗）

❶ 根である5に着目。
目的とする8は、5より大きいので、
右の子ノードをたどる。

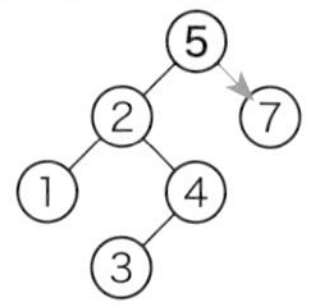

❷ 右の子ノードに着目。
右の子ノードは存在しないので、
探索に失敗する。

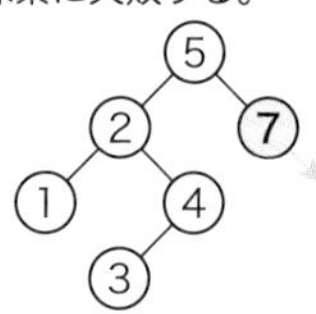

Fig.9-11　2分探索木からのノードの探索

b 探索に失敗する例

2分探索木からキー値8をもつノードの探索例です。

1 根に着目します。キー値は5です。目的の8は、これよりも大きいため、右の子へと進みます。

2 着目するノードのキー値は7です。着目ノードは葉であって右の子ノードは存在しないため、これ以上の走査は不可能です。**探索失敗**です。

このように、根から始めてキーの大小関係を調べ、その結果に応じて、左または右の部分木をたどっていくことで探索を行います。

探索のアルゴリズムは、次のようになります。

---

1 根に着目する。ここで、着目するノードを*p*とする。
2 *p*が NULL であれば探索失敗（終了）。
3 探索するキー *key* と着目ノード *p* のキー値とを比較する。
 - 一致すれば探索成功（終了）。
 - *key* のほうが小さければ、着目ノードを左子ノードに移す。
 - *key* のほうが大きければ、着目ノードを右子ノードに移す。
4 2に戻る。

このアルゴリズムに基づいて、2分探索木から任意のキー値をもつノードの探索を行うのが関数 *Search* です。

List 9-2 [B] chap09/BinTree.c

```
/*--- 探索 ---*/
BinNode *Search(BinNode *p, const Member *x)
{
    int cond;

    if (p == NULL)
        return NULL;                                  // 探索失敗
    else if ((cond = MemberNoCmp(x, &p->data)) == 0)
        return p;                                     // 探索成功
    else if (cond < 0)
        Search(p->left,  x);                     // 左部分木から探索
    else
        Search(p->right, x);                     // 右部分木から探索
}
```
➡

この関数は、第1仮引数*p*を根とする2分探索木からの探索を行います。呼び出された *Search* は、*x*が指す構造体 *Member* 型オブジェクトと同じキー値をもつノードを探索し、探索に成功すると、そのノードへのポインタを返します。

▶ キー値比較のために呼び出している関数 *MemberNoCmp* は、"Member.c"（**List 3-9**: p.117）で定義されています。探索に失敗した場合は NULL を返却します。

ノードの挿入：関数Add

2分探索木にノードを挿入するアルゴリズムを考えましょう。

挿入の際は、挿入後の木が2分探索木の要件を維持するように行わなければなりません。そのため、まず最初に、挿入すべき《適切な場所》を見つける必要があります。

▶ 挿入するキーと同じキーをもつノードが既に存在する場合は、挿入できません。

挿入の具体例をFig.9-12に示します。4個のノード{2, 4, 6, 7}で構成される2分探索木に対してノード1を挿入するのがⓐで、挿入後の2分探索木にノード5を挿入するのがⓑです。

ⓐ 1の挿入

① 探索と同様にたどる。
追加すべき値1は2より小さく、
左の子ノードが存在しないので、
ここでストップする。

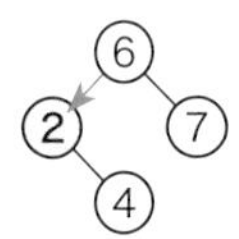

② 2の左の子ノードとなるように
挿入を行う。

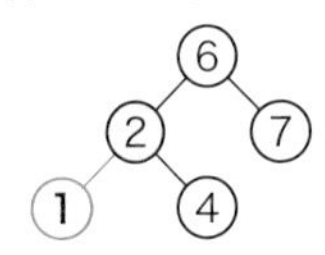

ⓑ 5の挿入

❶ 探索と同様にたどる。
追加すべき値5は4より大きく、
右の子ノードが存在しないので、
ここでストップする。

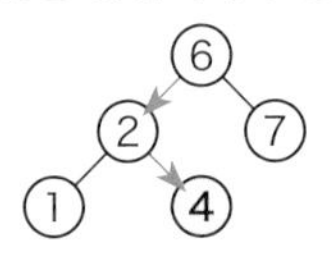

❷ 4の右の子ノードとなるように
挿入を行う。

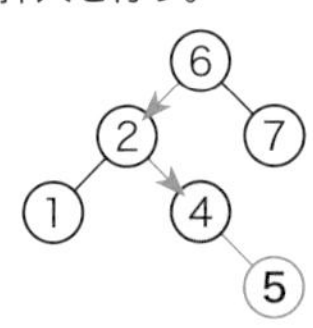

Fig.9-12　2分探索木へのノードの挿入

`node`を根とする部分木に対して、キー値が`key`のデータを挿入するアルゴリズムは、次のようになります（`node`は`NULL`ではないとします）。

1. 根に着目する。ここで、着目するノードを`node`とする。
2. 挿入する`key`と着目ノード`node`のキー値とを比較する。
   - 一致すれば挿入失敗（終了）。
   - `key`のほうが小さければ：
     - 左子ノードがなければ（例：図ⓐ）、そこにノードを挿入（終了）。
     - 左子ノードがあれば、着目ノードを左子ノードに移す。
   - `key`のほうが大きければ：
     - 右子ノードがなければ（例：図ⓑ）、そこにノードを挿入（終了）。
     - 右子ノードがあれば、着目ノードを右子ノードに移す。
3. ②に戻る。

以上のアルゴリズムに基づいてノードを挿入するのが、関数 **Add** です。*p* を根とする部分木に対して、*x* が指す構造体 **Member** 型オブジェクトを挿入します。

List 9-2 [C] chap09/BinTree.c

```
/*--- ノードを挿入 ---*/
BinNode *Add(BinNode *p, const Member *x)
{
    int cond;

    if (p == NULL) {
        p = AllocBinNode();
        SetBinNode(p, x, NULL, NULL);                              ―1
    } else if ((cond = MemberNoCmp(x, &p->data)) == 0)
        printf("【エラー】%dは既に登録されています。\n", x->no);        ―3
    else if (cond < 0)
        p->left  = Add(p->left, x);                             ―4  ―2
    else
        p->right = Add(p->right, x);                            ―5
    return p;
}
```

➡

1 pがNULLのとき

本関数は、再帰的な関数です。

最初に呼び出された（再帰的に呼び出されたのではなく、外部から呼び出された）際に *p* が **NULL** であれば、根ノードが存在しておらず、2分探索木が空であるということです。

ノードを生成して値を設定すると、Fig.9-13 に示すように、根だけの2分探索木となり、挿入処理が完了します。

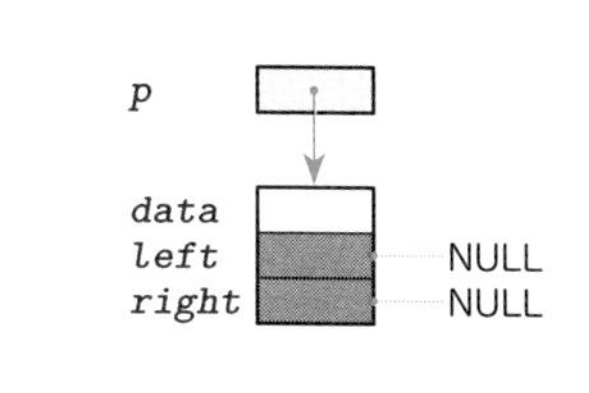

Fig.9-13 根だけの2分探索木

呼び出されたのが最初でなく、再帰的に呼び出された際に *p* が **NULL** である場合は、ノードを挿入すべき点が見つかっています（左ページの図aの①や、図bの1の状態です）。

挿入すべきノードを生成して値を設定すると、挿入処理が完了します。

2 pがNULLでないとき

処理の流れは、以下の三つに分岐します。

3 着目ノードのキー値と、挿入すべきキー値とが等しければ、挿入はできません。その旨を表示します。

4 挿入すべきキー値は、着目ノードのキー値より小さいので、着目ノードを左子ノードに移すために、再帰呼出しを行います。

5 挿入すべきキー値は、着目ノードのキー値より大きいので、着目ノードを右子ノードに移すために、再帰呼出しを行います。

ノードの削除：関数 Remove

２分探索木からノードを削除するアルゴリズムを考えていきましょう。

削除の手続きは複雑なため、次のように、三つのケースに分けて学習します。

- **A** 子ノードをもたないノードの削除
- **B** 一つだけ子ノードをもつノードの削除
- **C** 二つの子ノードをもつノードの削除

A 子ノードをもたないノードの削除

Fig.9-14 aは、子ノードをもたないノード3を削除する例です。

ノード3を指す親である**親ノード4の左ポインタが、削除対象ノード3を指さないように更新します**（左ポインタを NULL にします）。その結果、どこからも指されなくなるノード3が、２分探索木から切り離されます。

図**b**に示す例も同様です。削除するノードを木から切り離すと削除が完了します。

a 3の削除

① 探索と同様にたどる。
削除するノード３の位置で
ストップする。

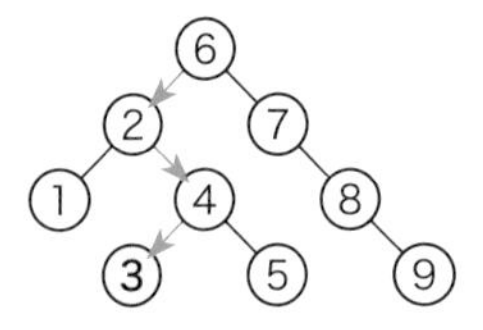

② 親である４の左ポインタを
NULL にする。

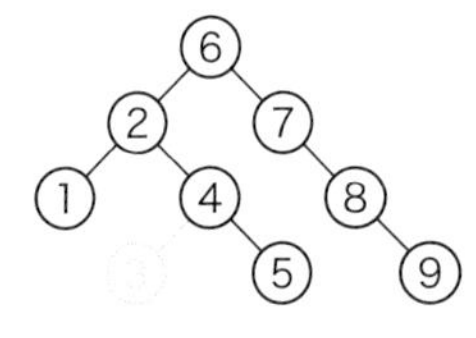

b 9の削除

❶ 探索と同様にたどる。
削除するノード９の位置で
ストップする。

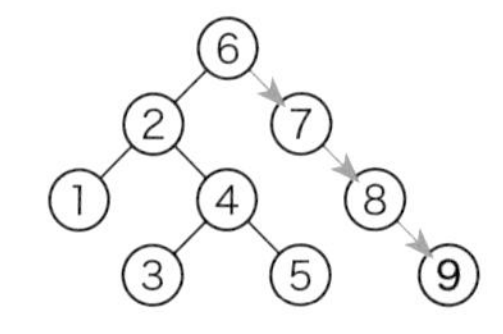

❷ 親である８の右ポインタを
NULL にする。

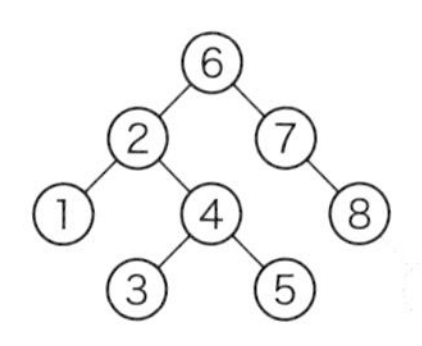

Fig.9-14　子ノードをもたないノードの削除

この処理を一般的に表すと、次のようになります。

- 削除対象ノードが親ノードの左の子であれば、親の左ポインタを NULL にする。
- 　　　〃　　　　　右の子であれば、親の右ポインタを NULL にする。

B 一つだけ子ノードをもつノードの削除

Fig.9-15 aに示すのは、一つだけ子ノードをもつノード7を削除する例です。

もともとのノード7の位置に子ノード8をもってくると削除が行えます。というのも、

『子ノード8を根とする部分木のすべてのキー値は、親ノード6よりも大きい。』

という関係が成立するからです。

具体的な操作としては、削除ノードの親である**親ノード6の右ポインタが、削除対象ノードの子ノード8を指すように更新します**。どこからも指されなくなるノード7は、2分探索木から削除されます（ノード6にとっては、孫ノードのポインタが代入されます）。

a 7の削除

① 探索と同様にたどる。
削除するノード７の位置でストップする。

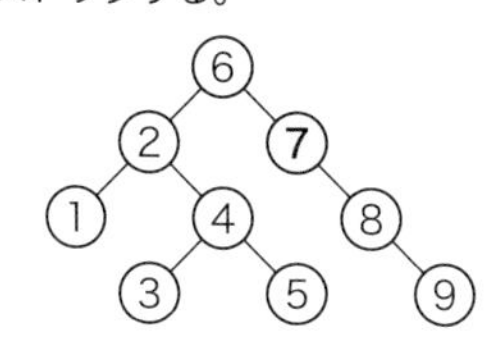

② 親である６の右ポインタが７の子ノード８を指すように更新する。

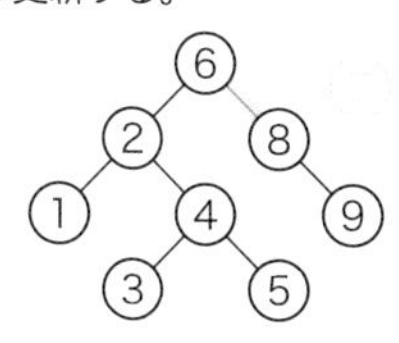

b 1の削除

❶ 探索と同様にたどる。
削除するノード１の位置でストップする。

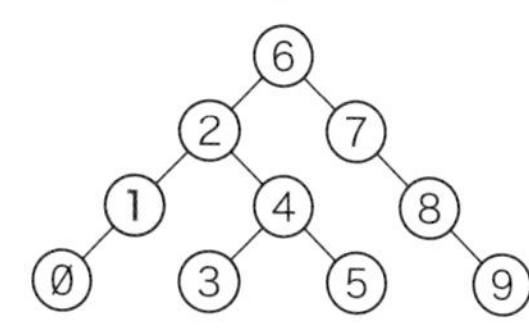

❷ 親である２の左ポインタが１の子ノードØを指すように更新する。

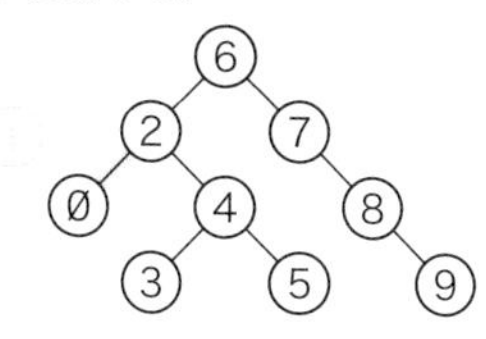

Fig.9-15　一つだけ子ノードをもつノードの削除

左右が逆の図**b**も同様です。削除ノード1の親である**親ノード2の左ポインタが、削除対象ノードの子ノードØを指すように更新する**と、削除処理が完了します。

＊

この処理を一般的に表すと、次のようになります。

- 削除対象ノードが親ノードの左の子であれば、
  親の左ポインタが、削除対象ノードの子を指すように設定する。
- 削除対象ノードが親ノードの右の子であれば、
  親の右ポインタが、削除対象ノードの子を指すように設定する。

C 二つの子ノードをもつノードの削除

二つの子ノードをもつノードの削除の手続きは複雑です。**Fig.9-16** に示す例で考えましょう。これは、ノード5を削除する例です。

ノード5の左部分木（ノード2を根とする部分木）上のノードの中で最大のキー値をもつノード4を、ノード5の位置に移動することで削除を行っていることが分かります。

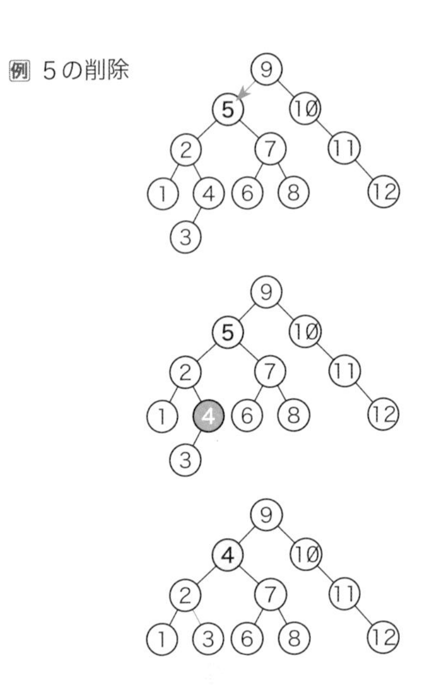

Fig.9-16　二つの子ノードをもつノードの削除

この手続きを一般的に表すと、次のようになります。

1 削除するノードの左部分木から、キー値が最大のノードを探索する。

2 探索したノードを削除位置に移動する。
　※探索したノードのデータを、削除対象ノードにコピーする。

3 移動したノードを削除する。
　※移動したノードに子がなければ、Aの手順（p.376）で削除する。
　　移動したノードに一つだけ子があれば、Bの手順（p.377）で削除する。

三つのケースに分けて、ノード削除の手続きを学習しました。これらの手続きを実現するのが、関数 `Remove` です。

List 9-2 [D] chap09/BinTree.c

```
/*--- ノードを削除 ---*/
int Remove(BinNode **root, const Member *x)
{
    BinNode *next, *temp;
    BinNode **left;
    BinNode **p = root;

    while (1) {
        int cond;
        if (*p == NULL) {
            printf("【エラー】%dは登録されていません。\n", x->no);
            return -1;      // そのキーは存在しない
        } else if ((cond = MemberNoCmp(x, &(*p)->data)) == 0)
            break;                          // 探索成功
        else if (cond < 0)
            p = &((*p)->left);              // 左部分木から探索
        else
            p = &((*p)->right);             // 右部分木から探索
    }
    if ((*p)->left == NULL)
        next = (*p)->right;
    else {
        left = &((*p)->left);
        while ((*left)->right != NULL)
            left = &(*left)->right;
        next = *left;
        *left = (*left)->left;
        next->left  = (*p)->left;
        next->right = (*p)->right;
    }
    temp = *p;
    *p = next;
    free(temp);

    return 0;
}
```

➡

関数 **Search** と関数 **Add** の第1引数の型は **BinNode *** でしたが、本関数 **Remove** の第1引数の型は、**BinNode **** です。

▶ たとえば、ノードが1個のみで根だけが存在する2分探索木から根ノードを削除すると、根へのポインタをNULLに変更しなければならないことからも、引数の型が **BinNode **** となる理由が分かります。

Column 9-1 voidへのポインタ

calloc 関数、*malloc* 関数、*free* 関数は、あらゆる型のオブジェクト（char型、int型、さらには配列や構造体などのオブジェクト）の確保・解放に利用されます。

特定の型のポインタをやりとりする仕様となっていては不都合なため、融通（ゆうずう）のきく万能なポインタである**voidへのポインタ**を返却したり、受け取ったりする仕様となっています。

そのvoidへのポインタは、任意の型のオブジェクトを指すことのできる、特別な型のポインタです。voidへのポインタの値は、任意の型Typeへのポインタに代入することができますし、その逆の代入も可能です（一般的には、『**voidポインタ**』と省略形で呼ばれます）。

全ノードの表示：関数 PrintTree

すべてのノードをキー値の昇順に表示するのが関数 ***PrintTree*** です。走査は、**通りがけ順の縦型探索**（p.367）によって行います。

List 9-2 [E] chap09/BinTree.c

```
/*--- 全ノードのデータを表示 ---*/
void PrintTree(const BinNode *p)
{
    if (p != NULL) {
        PrintTree(p->left);
        PrintLnMember(&p->data);
        PrintTree(p->right);
    }
}
```

再帰的な関数であり、関数 ***Add*** や関数 ***Search*** などと同様に、仮引数 ***p*** には根ノードへのポインタを受け取ります。

▶ 会員データの表示は、"Member.c" 内で定義された ***PrintLnMember*** 関数で行います。

再帰的関数 ***PrintTree*** の動作を、**Fig.9-17** の例で考えましょう。

この関数は、根であるノード6へのポインタを仮引数 ***p*** に受け取ります。

まず、受け取った ***p*** が空ポインタかどうかをチェックします。もし ***p*** が空ポインタであれば、何もせずに呼出し元に戻ります。

図の場合、***p*** は空ポインタではありません。そのため、関数の挙動は、次のようになります。

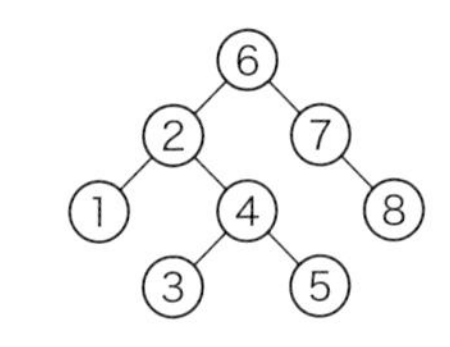

Fig.9-17　2分探索木の一例

1. ノード2への参照である左ポインタを渡して、***PrintTree*** を再帰的に呼び出す。
2. 自身のノード6のデータを表示する。
3. ノード7への参照である右ポインタを渡して、***PrintTree*** を再帰的に呼び出す。

再帰呼出しである1と3の動作は、一言（ひとこと）では表せません。たとえば、1で呼び出された関数 ***PrintTree*** の挙動は、次のようになります。

a. ノード1への参照である左ポインタを渡して、***PrintTree*** を再帰的に呼び出す。
b. 自身のノード2のデータを表示する。
c. ノード4への参照である右ポインタを渡して、***PrintTree*** を再帰的に呼び出す。

このように再帰呼出しを繰り返すことによって、2分探索木上の全ノードをキー値の昇順で表示します。

全ノードの削除：関数 FreeTree

すべてのノードを削除するのが関数 ***FreeTree*** です。**帰りがけ順の縦型探索** (p.367) で走査しながら、ノードの記憶域を解放します。

List 9-2 [F] chap09/BinTree.c

```
/*--- 全ノードの削除 ---*/
void FreeTree(BinNode *p)
{
    if (p != NULL) {
        FreeTree(p->left);
        FreeTree(p->right);
        free(p);
    }
}
```

次ページの **List 9-3** に示すのが、２分探索木を利用するプログラム例です。ノードの挿入・削除・探索・表示を行います。

▶ 本プログラムのコンパイルには、"Member.h" (p.116)、"Member.c" (p.117)、"BinTree.h"、"BinTree.c" が必要です。

演習 9-1

全ノードのデータをキー値の降順に表示する関数を作成せよ。

```
void PrintTreeReverse(const BinNode *p);
```

Column 9-2 平衡探索木

効率よく探索・挿入・削除を行える2分探索木も、キーの昇順にノードが挿入されるような状況では、木の高さが深くなる、といった欠点があります。

たとえば、空の２分探索木に対して、キー 1、2、3、4、5 の順にノードを挿入すると、**Fig.9C-1** に示すような、直線的な木になります（実質的に線形リストと同じになってしまい、高速な探索が行えません）。

高さを O(log n) に抑えるように工夫された構造をもつ探索木は、**平衡探索木** (self-balancing search tree) と呼ばれます。

２分の平衡探索木としては、次のような種類の探索木が考案されています。

Fig.9C-1 偏った2分探索木

- **AVL 木** (AVL tree)
- **赤黒木** (red-black tree)

なお、２分ではない平衡探索木としては、次のようなものが考案されています。

- **B木** (B tree)
- **2-3木** (2-3 tree)

List 9-3 chap09/BinTreeTest.c

```
// 2分探索木の利用例

#include <stdio.h>
#include "Member.h"
#include "BinTree.h"

/*--- メニュー ---*/
typedef enum {
    TERMINATE, ADD, REMOVE, SEARCH, PRINT
} Menu;

/*--- メニュー選択 ---*/
Menu SelectMenu(void)
{
    int ch;

    do {
        printf("\n(1)挿入 (2)削除 (3)探索 (4)表示 (0)終了：");
        scanf("%d", &ch);
    } while (ch < TERMINATE || ch > PRINT);
    return (Menu)ch;
}

/*--- メイン関数 ---*/
int main(void)
{
    Menu    menu;
    BinNode *root = NULL;        // 2分探索木の根へのポインタ

    do {
        Member x;
        BinNode *temp;

        switch (menu = SelectMenu()) {
         /*--- ノードの挿入 ---*/
         case ADD :
                x = ScanMember("挿入", MEMBER_NO | MEMBER_NAME);
                root = Add(root, &x);
                break;

         /*--- ノードの削除 ---*/
         case REMOVE :
                x = ScanMember("削除", MEMBER_NO);
                Remove(&root, &x);
                break;

         /*--- ノードの探索 ---*/
         case SEARCH :
                x = ScanMember("探索", MEMBER_NO);
                if ((temp = Search(root, &x)) != NULL)
                    PrintLnMember(&temp->data);
                break;

         /*--- 全ノードの表示 ---*/
         case PRINT :
                puts("【一覧表】");
                PrintTree(root);
                break;
        }
    } while (menu != TERMINATE);

    FreeTree(root);

    return 0;
}
```

List 3-8 (p.116)

実行例

```
(1)挿入 (2)削除 (3)探索 (4)表示 (0)終了：1
挿入するデータを入力してください。
番号：1                                      {①赤尾}を挿入
氏名：赤尾

(1)挿入 (2)削除 (3)探索 (4)表示 (0)終了：1
挿入するデータを入力してください。
番号：10                                     {⑩小野}を挿入
氏名：小野

(1)挿入 (2)削除 (3)探索 (4)表示 (0)終了：1
挿入するデータを入力してください。
番号：5                                      {⑤武田}を挿入
氏名：武田

(1)挿入 (2)削除 (3)探索 (4)表示 (0)終了：1
挿入するデータを入力してください。
番号：12                                     {⑫鈴木}を挿入
氏名：鈴木

(1)挿入 (2)削除 (3)探索 (4)表示 (0)終了：1
挿入するデータを入力してください。
番号：14                                     {⑭神崎}を挿入
氏名：神崎

(1)挿入 (2)削除 (3)探索 (4)表示 (0)終了：3
探索するデータを入力してください。
番号：5                                      ⑤を探索
5 武田

(1)挿入 (2)削除 (3)探索 (4)表示 (0)終了：4
【一覧表】
1 赤尾
5 武田
10 小野                                      キー値の昇順に全ノードを表示
12 鈴木
14 神崎

(1)挿入 (2)削除 (3)探索 (4)表示 (0)終了：2
削除するデータを入力してください。
番号：10                                     ⑩を削除

(1)挿入 (2)削除 (3)探索 (4)表示 (0)終了：4
【一覧表】
1 赤尾
5 武田                                       キー値の昇順に全ノードを表示
12 鈴木
14 神崎

(1)挿入 (2)削除 (3)探索 (4)表示 (0)終了：0
```

演習 9-2

最小のキー値をもつノードへのポインタを返す関数と、最大のキー値をもつノードへのポインタを返す関数を作成せよ。なお、木が空の場合は NULL を返すものとする。

```
BinNode *GetMinNode(const BinNode *p);      // 最小のキー値をもつノードを取得
BinNode *GetMaxNode(const BinNode *p);      // 最大のキー値をもつノードを取得
```

演習 9-3

もし関数 *FreeTree* が次のように定義されていると、どのような挙動をするかを説明せよ。

```
void FreeTree(BinNode *p)
{
    if (p != NULL) {
        FreeTree(p->left);
        free(p);
        FreeTree(p->right);
    }
}
```

章末問題

▪ 平成16年度(2004年度)春期 午前 問43

データ構造の一つである木構造に関する記述として、適切なものはどれか。

ア　階層の上位から下位に節点をたどることによって、データを取り出すことができる構造である。

イ　格納した順序でデータを取り出すことができる構造である。

ウ　格納した順序とは逆の順序でデータを取り出すことができる構造である。

エ　データ部と一つのポインタ部で構成されるセルをたどることによって、データを取り出すことができる構造である。

▪ 平成15年度(2003年度)秋期 午前 問12

2分木の走査の方法には、その順序によって次の三つがある。

(1) 前順：節点、左部分木、右部分木の順に走査する。

(2) 間順：左部分木、節点、右部分木の順に走査する。

(3) 後順：左部分木、右部分木、節点の順に走査する。

図に示す2分木に対して前順に走査を行い、節の値を出力した結果はどれか。

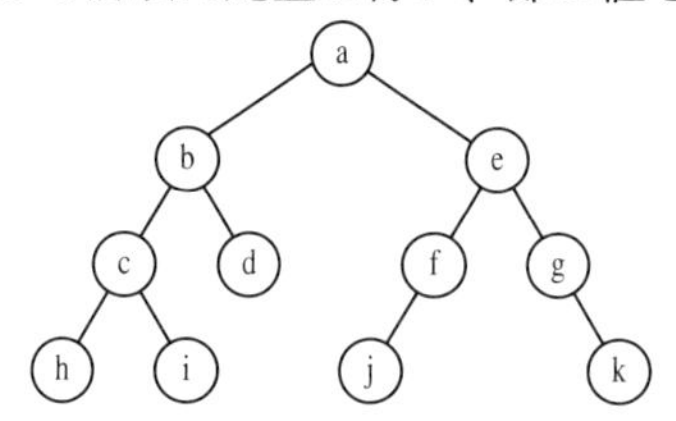

ア　abchidefjgk　　イ　abechidfjgk　　ウ　hcibdajfegk　　エ　hicdbjfkgea

▪ 平成19年度(2007年度)秋期 午前 問12

2分木の各ノードがもつ記号を出力する再帰的なプログラムProc(ノード n)は、次のように定義される。このプログラムを、図の2分木の根（最上位のノード）に適用したときの出力はどれか。

Proc(ノード n) {
　nに左の子lがあればProc(l)を呼び出す
　nに右の子rがあればProc(r)を呼び出す
　nに書かれた記号を出力する
}

ア　b－c＊d＋a　　イ　＋a＊－bcd　　ウ　a＋b－c＊d　　エ　abc－d＊＋

▪ 平成17年度(2005年度)秋期 午前 問12

すべての葉が同じ深さをもち、葉以外のすべての節点が二つの子をもつ２分木に関して、節点数と深さの関係を表す式はどれか。ここで、n は節点数、k は根から葉までの深さを表す。例に示す２分木の深さ k は２である。

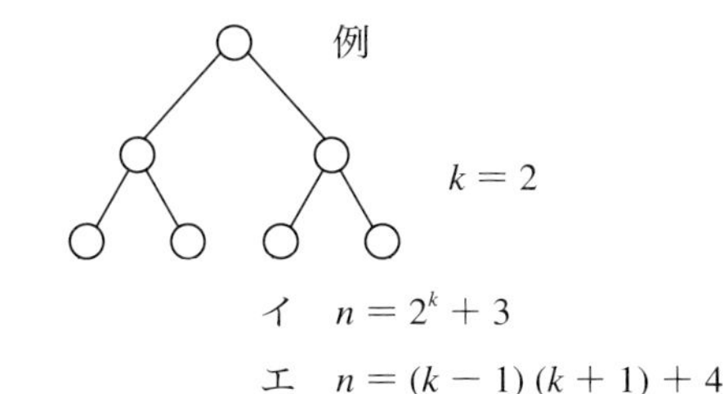

ア　$n = k(k+1) + 1$　　　イ　$n = 2^k + 3$

ウ　$n = 2^{k+1} - 1$　　　エ　$n = (k-1)(k+1) + 4$

▪ 平成10年度(1998年度)春期 午前 問14

図１の二分木を配列で表現したものが図２である。[　a　] に入る値はどれか。

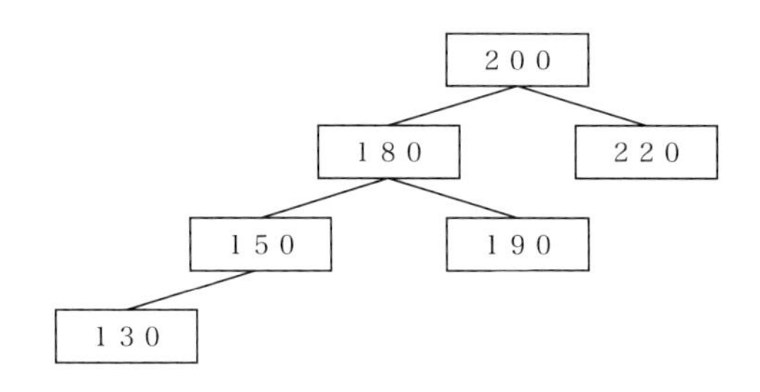

図１　二分木

添字	値	ポインタ1	ポインタ2
1	200	3	2
2	220	0	0
3	180	5	a
4	190	0	0
5	150	6	0
6	130	0	0

図２　二分木の配列表現

ア　2　　イ　3　　ウ　4　　エ　5

▪ 平成17年度(2005年度)春期 午前 問12

２分探索木として適切なものはどれか。ここで、１～９の数字は、各ノード（節）の値を表す。

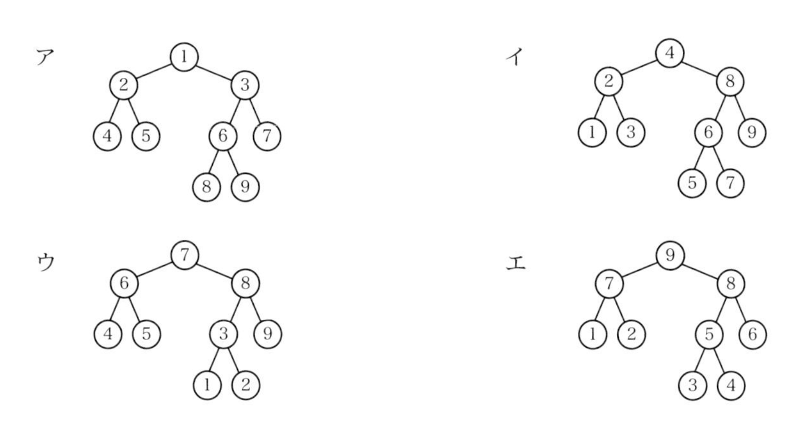

▪ 平成28年度(2016年度)秋期 午前 問6

2分探索木になっている2分木はどれか。

ア

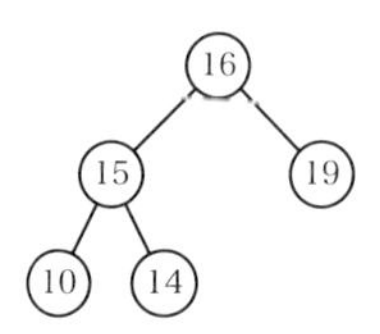

イ

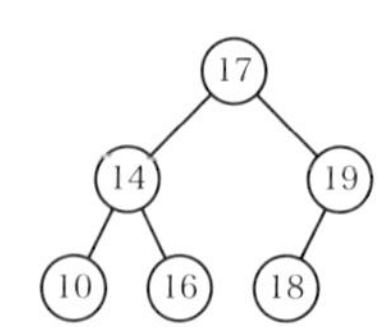

ウ

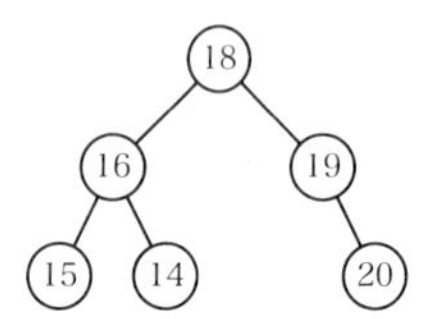

エ

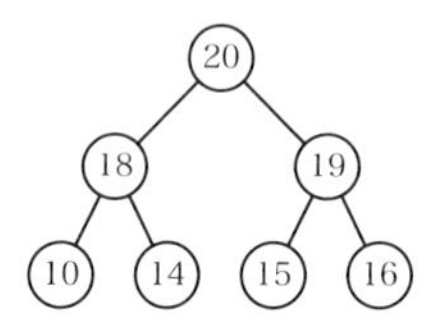

▪ 平成19年度(2007年度)春期 午前 問12

次の2分探索木に12を追加したとき、追加された節12の位置を正しく表している図はどれか。

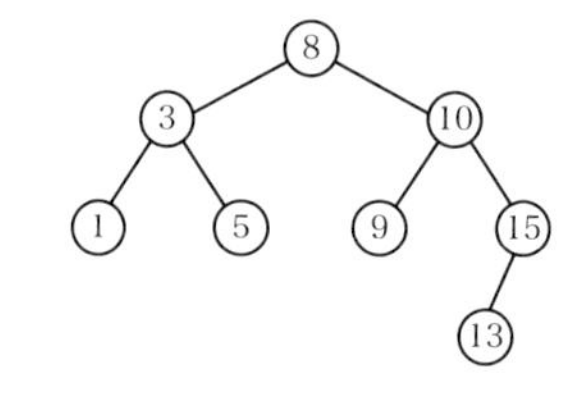

ア

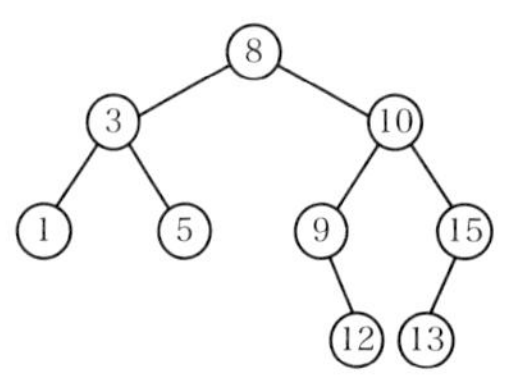

イ

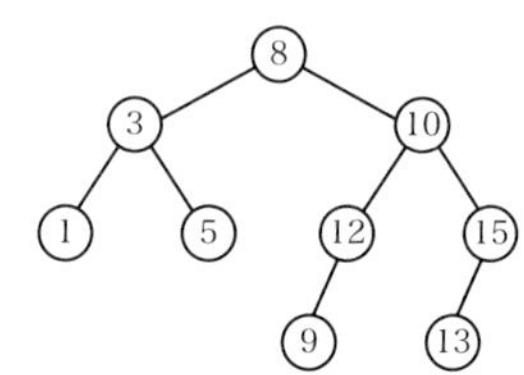

ウ

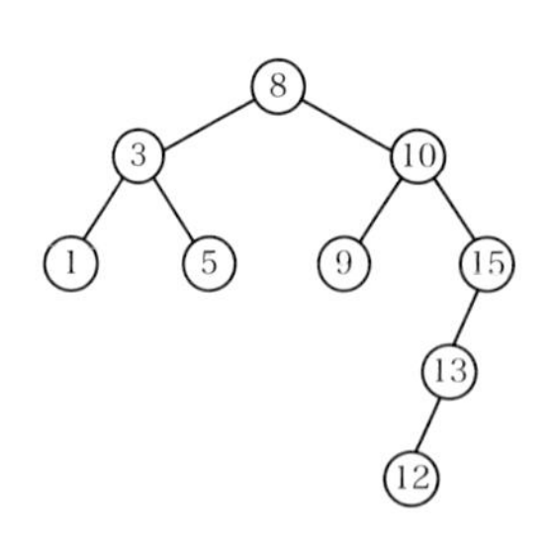

エ

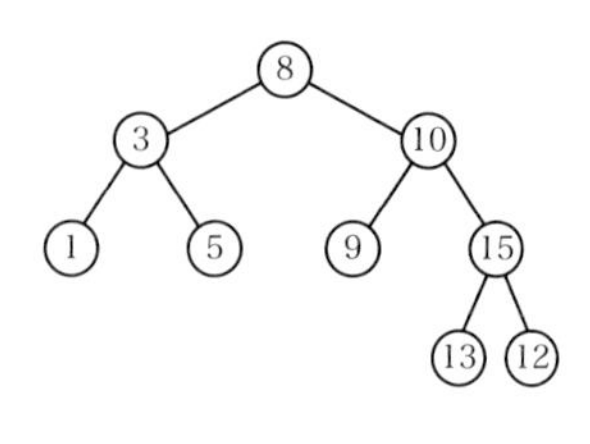

■ 平成25年度(2013年度)春期 午前 問5

次の２分探索木から要素12を削除したとき、その位置に別の要素を移動するだけで２分探索木を再構成するには、削除された節点の位置にどの要素を移動すればよいか。

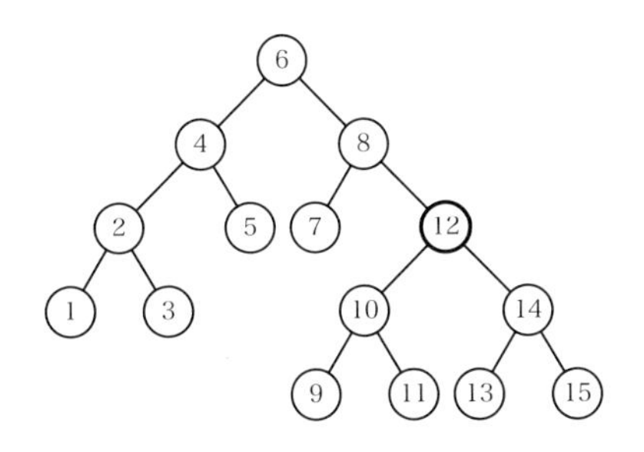

ア　9　　イ　10　　ウ　13　　エ　14

■ 平成20年度(2008年度)秋期 午前 問12

親の節の値が子の節の値より小さいヒープがある。このヒープへの挿入は、要素を最後部に追加し、その要素が親よりも小さい間、親と子を交換することを繰り返せばよい。次のヒープの＊の位置に要素7を追加したとき、Aの位置に来る要素はどれか。

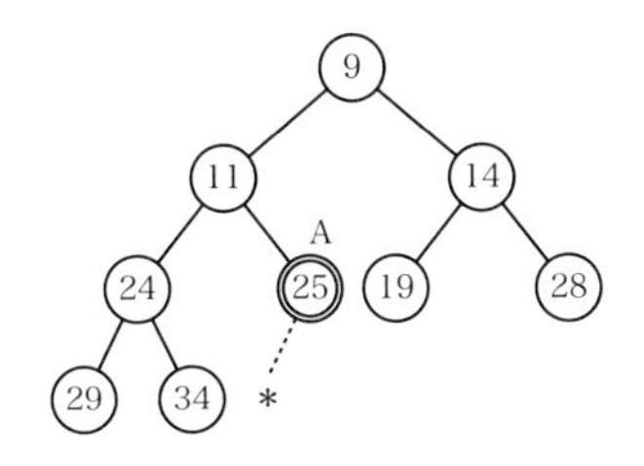

ア　7　　イ　11　　ウ　24　　エ　25

章末問題の解答

第1章
- 平成9年度　1997年度 秋期 午前 問37　ウ
- 平成18年度 2006年度 春期 午前 問36　エ
- 平成16年度 2004年度 秋期 午前 問41　エ
- 平成6年度　1994年度 秋期 午前 問41　ウ
- 平成12年度 2000年度 春期 午前 問16　ウ

第2章
- 令和元年度　2019年度 秋期 午前 問1　エ
- 平成23年度 2011年度 秋期 午前 問7　ア
- 令和元年度　2019年度 秋期 午前 問9　エ

第3章
- 平成24年度 2012年度 秋期 午前 問3　ア
- 平成16年度 2004年度 春期 午前 問15　ウ
- 平成17年度 2005年度 秋期 午前 問14　ア
- 平成19年度 2007年度 秋期 午前 問14　ウ
- 平成11年度 1999年度 春期 午前 問26　イ
- 平成17年度 2005年度 春期 午前 問15　イ
- 平成30年度 2018年度 春期 午前 問7　ウ
- 平成20年度 2008年度 秋期 午前 問30　ア
- 平成26年度 2014年度 秋期 午前 問2　ア
- 平成23年度 2011年度 秋期 午前 問6　エ
- 令和元年度　2019年度 秋期 午前 問10　イ
- 平成16年度 2004年度 春期 午前 問13　ウ
- 平成11年度 1999年度 春期 午前 問31　ウ

第4章
- 平成18年度 2006年度 春期 午前 問12　イ
- 平成11年度 1999年度 秋期 午前 問13　イ
- 平成15年度 2003年度 秋期 午前 問13　イ
- 平成24年度 2012年度 春期 午前 問6　イ
- 平成29年度 2017年度 秋期 午前 問5　ウ
- 平成30年度 2018年度 秋期 午前 問5　ウ
- 平成27年度 2015年度 春期 午前 問5　イ
- 平成17年度 2005年度 春期 午前 問13　ア

第5章
- 平成29年度 2017年度 秋期 午前 問6　イ
- 平成16年度 2004年度 秋期 午前 問42　イ
- 平成8年度　1996年度 秋期 午前 問17　オ
- 令和元年度　2019年度 秋期 午前 問11　ウ
- 平成16年度 2004年度 春期 午前 問14　イ
- 平成28年度 2016年度 秋期 午前 問7　イ
- 平成26年度 2014年度 秋期 午前 問7　エ
- 平成28年度 2016年度 春期 午前 問7　ウ
- 平成9年度　1997年度 秋期 午前 問5　ウ

第6章
- 平成13年度 2001年度 春期 午前 問13　ウ
- 平成19年度 2007年度 春期 午前 問14　ア
- 平成14年度 2002年度 秋期 午前 問13　エ
- 平成14年度 2002年度 春期 午前 問14　ウ
- 平成12年度 2000年度 秋期 午前 問13　ア
- 平成7年度　1995年度 春期 午前 問16　エ
- 平成9年度　1997年度 秋期 午前 問9　ア
- 平成17年度 2005年度 春期 午前 問14　エ
- 平成14年度 2002年度 春期 午前 問13　イ
- 平成30年度 2018年度 秋期 午前 問6　ウ
- 平成8年度　1996年度 秋期 午前 問8　オ

第7章
- 平成26年度 2014年度 春期 午前 問8　ア
- 平成19年度 2007年度 春期 午前 問13　ウ

第8章
- 平成21年度 2009年度 春期 午前 問6　エ
- 平成10年度 1998年度 秋期 午前 問13　イ
- 平成8年度　1996年度 秋期 午前 問12　ア
- 平成18年度 2006年度 秋期 午前 問13　ウ
- 平成17年度 2005年度 秋期 午前 問13　ウ
- 平成22年度 2010年度 春期 午前 問5　ウ

第9章
- 平成16年度 2004年度 春期 午前 問43　ア
- 平成15年度 2003年度 秋期 午前 問12　ア
- 平成19年度 2007年度 秋期 午前 問12　エ
- 平成17年度 2005年度 秋期 午前 問12　ウ
- 平成10年度 1998年度 春期 午前 問14　ウ
- 平成17年度 2005年度 春期 午前 問12　イ
- 平成28年度 2016年度 秋期 午前 問6　イ
- 平成19年度 2007年度 春期 午前 問12　ウ
- 平成25年度 2013年度 春期 午前 問5　ウ
- 平成20年度 2008年度 秋期 午前 問12　イ

各問題の詳細な解説は、下記のホームページでご覧いただけます。

柴田望洋後援会オフィシャルホームページ
https://www.bohyoh.com/

おわりに

全9章にわたって学習をしてきました。いかがでしたか。

本書で取り上げているアルゴリズムとデータ構造は、どれも "**定番**" といえるものばかりです。分からないところがあれば、何度も繰り返し読み直して、ぜひ身につけるようにしましょう。

また、演習問題のプログラムを自力で作成できなくても、ダウンロードできる解答プログラムのすみずみまでを理解すれば、それなりのコーディング能力が身につくはずです。

さて、本書の執筆にあたっては、幅広い読者層を想定して、簡単になりすぎないように、かつ、難しくなりすぎないように配慮しました。それでも、本書を簡単に感じる方もいらっしゃるでしょう。また、C言語そのものに関する知識が十分でなければ、本書はいささか難しく感じられるかもしれません。

そのため、本書では、C言語や標準ライブラリについても、それなりのスペースを割(さ)いて解説しています。もっとも、補足的な解説を増やしすぎると、本書の核である『アルゴリズムとデータ構造』のテキストではなく、『C言語』のテキストあるいは『C言語プログラミング』のテキストとなってしまいます。そこで、補足的な解説は、重要と考えられる点に絞っています。私の**『新・明解C言語』**シリーズの他の本が、みなさんの参考になるかもしれません。

＊

既にご案内ずみですが、次のホームページでは、C言語を含め、各種プログラミング言語や、情報処理技術者試験などの情報を発信しています。ぜひご覧ください。

柴田望洋後援会オフィシャルホームページ　　https://www.bohyoh.com/

参考文献

1) 日本工業規格
『JIS X0001-1994 情報処理用語 ― 基本用語』, 1994

2) 日本工業規格
『JIS X0121-1986 情報処理用流れ図・プログラム網図・システム資源図記号』, 1986

3) 日本工業規格
『JIS X3010-1993 プログラム言語C』, 1993

4) 日本工業規格
『JIS X3010-2003 プログラム言語C』, 2003

5) American National Standards Institute
"ANSI/ISO 9899-1990 American National Standard for Programming Languages – C", 1992

6) Bjarne Stroustrup・柴田望洋 訳
『プログラミング言語 C++ 第4版』, ＳＢクリエイティブ, 2015

7) 萩原宏、西原清一
『現代 データ構造とプログラム技法』, オーム社, 1987

8) 近藤嘉雪
『定本 Cプログラマのためのアルゴリズムとデータ構造』, ソフトバンク, 1998

9) Niklaus Wirth・片山卓也 訳
『アルゴリズム+データ構造=プログラム』, 日本コンピュータ協会, 1979

10) Leendert Ammeraal・小山裕徳 訳
『Cで学ぶデータ構造とプログラム』, オーム社, 1995

11) A.V.Aho, J.E.Hopcroft, J.D.Ullman・大野義夫 訳
『データ構造とアルゴリズム』, 培風館, 1987

12) A.V.Aho, J.E.Hopcroft, J.D.Ullman・野崎昭弘／野下浩平 共訳
『アルゴリズムの設計と解析 I』, サイエンス社, 1977

13) Robert Lafore・岩谷宏 訳
『Javaで学ぶアルゴリズムとデータ構造』, ソフトバンクパブリッシング, 1999

14) Andrew Binstock, John Rex・岩谷宏 訳
『C言語で書くアルゴリズム』, ソフトバンク, 1996

15) 杉山行浩
『Cで学ぶデータ構造とアルゴリズム』, 東京電機大学出版局, 1995

16) 奥村晴彦
『C言語による最新アルゴリズム事典』, 技術評論社, 1991

17) 柴田望洋
『Cプログラムに生かすアルゴリズムとデータ構造Ⅰ』, Cマガジン, Vol.6, No.4, 1994

18) 柴田望洋
『Cプログラムに生かすアルゴリズムとデータ構造Ⅱ』, Cマガジン, Vol.6, No.5, 1994

19) 柴田望洋
『明解 Javaによるアルゴリズムとデータ構造』, ソフトバンククリエイティブ, 2007

20) 辻亮介、柴田望洋
『アルゴリズム体験学習ソフトウェアの開発』,
2001年日本教育工学会第17回大会講演論文集, pp.525–526, 2001

21) 柴田望洋
『超過去問 基本情報技術者 午前試験』, ソフトバンクパブリッシング, 2004

索引

記号

数字

A

B

C

D

き

く

け

す

せ

そ

た

ち

つ

て

ふ

へ

ほ

謝辞

本書をまとめるにあたり、ＳＢクリエイティブ株式会社の野沢喜美男編集長には、随分とお世話になりました。

この場をお借りして感謝の意を表します。

著者紹介

しばた　ぼうよう
柴田 望洋

工学博士

福岡工業大学 情報工学部 情報工学科 准教授

福岡陳氏太極拳研究会 会長

■1963年、福岡県に生まれる。九州大学工学部卒業、同大学院工学研究科修士課程・博士後期課程修了後、九州大学助手、国立特殊教育総合研究所研究員を歴任して、1994 年より現職。2000 年には、分かりやすいC言語教科書・参考書の執筆の業績が認められ、㈳日本工学教育協会より著作賞を授与される。大学での教育研究活動だけでなく、プログラミングや武術（1990 年～ 1992 年に全日本武術選手権大会陳式太極拳の部優勝）、健康法の研究や指導に明け暮れる毎日を過ごす。

■**主な著書**（*は共著／★は翻訳書）

『秘伝C言語問答ポインタ編』，ソフトバンク，1991（第2版：2001）

『C：98 スーパーライブラリ』，ソフトバンク，1991（新版：1994）

『Cプログラマのための C++ 入門』，ソフトバンク，1992（新装版：1999）

『超過去問 基本情報技術者 午前試験』，ソフトバンクパブリッシング，2004

『新版 明解 C++ 入門編』，ソフトバンククリエイティブ，2009

『解きながら学ぶ C++ 入門編*』，ソフトバンククリエイティブ，2010

『新・明解C言語入門編』，ＳＢクリエイティブ，2014

『プログラミング言語 C++ 第4版★』，ビャーネ・ストラウストラップ（著），ＳＢクリエイティブ，2015

『新・明解C言語中級編』，ＳＢクリエイティブ，2015

『C++ のエッセンス★』，ビャーネ・ストラウストラップ（著），ＳＢクリエイティブ，2015

『新・明解C言語実践編』，ＳＢクリエイティブ，2015

『新・解きながら学ぶC言語*』，ＳＢクリエイティブ，2016

『新・明解C言語 ポインタ完全攻略』，ＳＢクリエイティブ，2016

『新・明解C言語で学ぶアルゴリズムとデータ構造』，ＳＢクリエイティブ，2017

『新・解きながら学ぶ Java*』，ＳＢクリエイティブ，2017

『新・明解 C++ 入門』，ＳＢクリエイティブ，2017

『新・明解 C++ で学ぶオブジェクト指向プログラミング』，ＳＢクリエイティブ，2018

『新・明解 Python 入門』，ＳＢクリエイティブ，2019

『新・明解 Python で学ぶアルゴリズムとデータ構造』，ＳＢクリエイティブ，2020

『新・明解 Java 入門 第2版』，ＳＢクリエイティブ，2020

『新・明解 Java で学ぶアルゴリズムとデータ構造 第2版』，ＳＢクリエイティブ，2020

本書をお読みいただいたご意見、ご感想を以下の QR コード、URL よりお寄せください。

https://isbn2.sbcr.jp/09788/

新・明解C言語で学ぶアルゴリズムとデータ構造 第2版

2021年 5 月25 日 初版 発行
2024年 3 月 8 日 第3刷 発行

著 者…柴田 望洋
編 集…野沢 喜美男
発行者…小川 淳
発行所…ＳＢクリエイティブ株式会社
〒105-0001 東京都港区虎ノ門2-2-1
https://www.sbcr.jp/
印 刷…昭和情報プロセス株式会社
装 丁…bookwall

落丁本、乱丁本は小社営業部（03-5549-1201）にてお取り替えいたします。
定価はカバーに記載されております。

Printed in Japan ISBN978-4-8156-0978-8

ＳＢクリエイティブの柴田望洋の著作

C言語入門書の最高峰（バイブル）!!

新・明解C言語 入門編 第2版

6色版

C言語の基礎を徹底的に学習するための
プログラムリスト 243 編　図表 245 点

B5 変形判、440 ページ

数多くのプログラムリストと図表を参照しながら、C言語の基礎を学習するための入門書です。6色によるプログラムリスト・図表・解説は、すべてが見開きに収まるようにレイアウトされていますので、『読みやすい。』と大好評です。全編が語り口調ですから、著者の講義を受けているような感じで、読み進められるでしょう。

解説に使う用語なども含め、標準C（ISO／ANSI／JIS 規格）に完全対応していますので、情報処理技術者試験の学習にも向いています。

独習用としてはもちろん、大学や専門学校の講義テキストとしても最適な一冊です。

楽しいプログラムを作りながら、中級者への道を着実に歩もう !!

新・明解C言語 中級編 第2版

2色刷

たのしみながらC言語を学習するための
プログラムリスト 118 編　図表 152 点

B5 変形判、384 ページ

『新人研修で学習したレベルと、実際の仕事で要求されるレベルが違いすぎる。』、『プログラミングの講義で学習したレベルと、卒業研究で要求されるレベルが違いすぎる。』と、多くのプログラマが悲鳴をあげています。

本書は、**作って楽しく、動かして楽しいプログラムを通して**、初心者が次のステップへの道をたどるための技術や知識を伝授します。

『数当てゲーム』、『じゃんけん』、『キーボードタイピング』、『能力開発ソフトウェア』などのプログラムを通じて、配列、ポインタ、ファイル処理、記憶域の動的確保などの各種テクニックをマスターしましょう。

・・　ホームページのお知らせ　・・・・・・・・・・・・・・・・・・・・・・・・・・・・

ご紹介いたしました、すべての著作について、本文の一部やソースプログラムなどを、インターネット上で閲覧したり、ダウンロードしたりできます。
以下のホームページをご覧ください。

柴田望洋後援会オフィシャルホームページ
https://www.bohyoh.com/